TESTEMUNHA

Obras do autor publicadas pela Editora Record

Acima de qualquer suspeita
Declarando-se culpado
Erros irreversíveis
Heróis comuns
Idênticos
O inocente
O primeiro ano
Os limites da lei
Ofensas pessoais
O ônus da prova
Testemunha

SCOTT
TUROW

TESTEMUNHA

Tradução de
Alessandra Bonrruquer

1ª edição

EDITORA RECORD
RIO DE JANEIRO • SÃO PAULO
2017

CIP-BRASIL. CATALOGAÇÃO NA PUBLICAÇÃO
SINDICATO NACIONAL DOS EDITORES DE LIVROS, RJ

T858t Turow, Scott, 1949-
Testemunha / Scott Turow; tradução de Alessandra Bonrruquer. – 1ª ed. – Rio de Janeiro: Record, 2017.

Tradução de: Testimony
ISBN 978-85-01-11117-3

1. Romance americano. I. Bonrruquer, Alessandra. II. Título.

17-44185

CDD: 813
CDU: 821.111(73)-3

Título original:
Testimony

Texto revisado segundo o novo Acordo Ortográfico da Língua Portuguesa.

Revisão técnica de Francisco de Assis W. Viégas

Direitos exclusivos de publicação em língua portuguesa somente para o Brasil adquiridos pela
EDITORA RECORD LTDA.
Rua Argentina, 171 – 20921-380 – Rio de Janeiro, RJ – Tel.: (21) 2585-2000,
que se reserva a propriedade literária desta tradução.

Impresso no Brasil

ISBN 978-85-01-11117-3

Para Adriane

Prólogo

5 de março de 2015

— Havia homens — declarou a testemunha. Ele era magro e moreno, da cor de avelã, e, sentado ao lado da advogada à pequena mesa reservada para o depoimento, parecia tenso como um corredor na linha de largada.

— Quantos homens? — perguntei.

— Dezoito? — sugeriu. — Mais. Vinte? Vinte — concluiu.

O nome dele era Ferko Rincic, mas, nos registros do Tribunal Penal Internacional, era identificado apenas como Testemunha 1. Para proteger sua identidade, havia uma cortina isolando a seção dos espectadores na ampla sala de audiências, e versões eletronicamente distorcidas de sua voz e imagem eram transmitidas ao pequeno público presente e pela internet. A alguns metros de distância, na mesa da promotoria, eu tinha acabado de começar a inquiri-lo com as preliminares habituais: idade — 38 anos, respondera, embora parecesse muito mais velho — e onde morava em 27 de abril de 2004 — no lugar que chamavam de Barupra, na Bósnia.

— E quanto a Barupra? — indaguei. — Alguém dividia a casa com o senhor?

Ferko inclinava a cabeça para a direita quando ouvia a voz do intérprete nos fones de ouvido.

— Minha esposa. Três filhas. E o meu filho.

— Quantos filhos o senhor tinha no total?

— Seis, mas duas filhas já eram casadas e moravam com os maridos.

Peguei uma foto minúscula, toda amassada e completamente desgastada.

— E o senhor me entregou uma foto antiga da sua família quando chegou pela manhã?

Ele fez que sim. Avisei que a foto seria marcada como Prova P38.

— Trinta e oito? — perguntou a juíza Gautam, que presidia a sessão. Ela era um dos três juízes presentes, todos impassíveis, ouvindo o relato em suas togas pretas, com punhos e lapelas de um azul-real reluzente. Seguindo o costume europeu, usavam uma gravata de linho branca esquisita, idêntica à que eu usava, chamada "jabot"*.*

— Permita-me chamar sua atenção para o monitor diante do senhor. A foto exibida nele, a P38, retrata com fidelidade a aparência da sua família em 27 de abril de 2004?

— A terceira filha já era muito mais alta. Mais alta que a mãe.

— Mas, de um modo geral, essa era a aparência de todos na época, certo? Do senhor, da sua esposa e dos filhos que ainda moravam na sua casa.

Ele voltou a olhar para o monitor; a expressão se retorcendo aos poucos até mostrar resignação, antes de finalmente dizer que sim.

Comecei outra pergunta, mas Ferko se levantou de repente e acenou para mim, protestando em romani, usando palavras que pegaram o intérprete desprevenido de tal forma que ele não se deu ao trabalho de traduzi-las. Levei um tempo até entender que Ferko estava preocupado com a foto. Esma Czarni, a advogada inglesa que havia apresentado a queixa ao Tribunal Penal Internacional, também se levantou, aproximando-se o suficiente para que seus cabelos pretos o obscurecessem brevemente enquanto tentava acalmá-lo. Enquanto isso, pedi à segunda secretária que devolvesse a foto. Depois disso, Ferko ficou olhando para a imagem por um momento, segurando-a com as duas mãos, antes de guardá-la no bolso da camisa e se sentar outra vez ao lado de Esma.

— E na P38 sua casa está diretamente atrás do senhor?

Ele assentiu com a cabeça, e a juíza Gautam pediu que respondesse em voz alta, para que o estenógrafo pudesse registrar a resposta.

— E quanto às outras estruturas ao fundo? — prosseguiu. — Quem morava naquelas casas?

"Casa" era uma descrição generosa. As habitações na foto não passavam de barracos, improvisados com o que quer que os residentes de Barupra encontrassem. Vigas de sustentação ou velhos postes de ferro foram enfiados no chão e cobertos com lona azul ou revestimento de plástico. Também havia materiais de construção, especialmente pedaços de telhados velhos recolhidos dos destroços de casas próximas, destruídas durante a Guerra da Bósnia. Já fazia nove anos que a guerra tinha acabado, em 2004, mas ainda havia muitos escombros intocados, porque ninguém sabia onde poderia haver armadilhas ou minas.

— O povo — respondeu Ferko, falando dos vizinhos.

— E a palavra romani para "povo" é "roma"?

Ele assentiu novamente.

— Para que fique claro nos registros, uma palavra mais vulgar para roma *é "ciganos"?*

— Ciganos — repetiu Ferko, fazendo que sim de forma assertiva. Provavelmente era a única palavra em inglês que ele conhecia.

— Muito bem, empregaremos "roma". *Só havia* roma *em Barupra?*

— Sim, todos roma.

— Quantas pessoas, aproximadamente?

— Umas quatrocentas.

— Peço ao senhor que olhe novamente para o monitor. Prova P46, *Excelências. Essa era a aparência do vilarejo de Barupra durante o tempo em que o senhor morou lá?*

Esma tinha conseguido algumas fotos de Barupra e da área em torno tiradas em 2000 por uma organização internacional de auxílio. A que eu exibia mostrava o campo a distância: várias moradias precárias à beira de um declive acentuado.

— E por quanto tempo o senhor e os outros roma *viveram lá?*

Ferko inclinou a cabeça para um lado, depois para o outro.

— Cinco anos?

— E onde o senhor, a sua família e as outras pessoas de Barupra moravam antes disso?

— Kosovo. Fugimos de lá em 1999.

— Por causa da Guerra do Kosovo?

— Por causa dos albaneses — respondeu ele com outro meneio desanimado de cabeça.

— Retornemos às últimas horas de 27 de abril de 2004. Cerca de vinte homens surgiram no campo de refugiados roma em Barupra, na Bósnia, correto?

Aguardamos novamente pelo laborioso processo de tradução que ocorria acima da sala de audiências, onde estavam os intérpretes, atrás de uma divisória de vidro. Minhas perguntas eram traduzidas primeiro do inglês para o francês — o outro idioma oficial do Tribunal Penal Internacional —, e então um segundo intérprete as traduzia para o romani, a língua dos roma. A resposta vinha da mesma maneira, como uma marola na praia, até finalmente chegar a mim no elegante sotaque britânico da intérprete. Dessa vez, no entanto, o processo foi interrompido.

— Va — respondeu Ferko assim que ouviu a pergunta em sua língua, assentindo enfaticamente. Todos compreendemos.

— E de que natureza eram esses homens? — perguntei. — Eles pareciam ter alguma profissão específica?

— Chetniks.

— Por favor, descreva para o tribunal o que o senhor quer dizer com essa palavra.

Inclinei-me para perto de Goos, o investigador alto e corado designado para o caso, que estava sentado ao meu lado à mesa principal da promotoria.

— O que diabos é um chetnik? — sussurrei.

Até então, eu achava que estava me saindo razoavelmente bem, ocupando o cargo havia exatamente três dias. Nada ali me era familiar — nem a sala de audiências, nem os colegas, nem os procedimentos do Tribunal Penal Internacional, com seu ar de formalidade. A beca preta que eu vestia e a toalhinha de renda que se passava por minha gravata faziam com que eu me sentisse em uma peça da escola. Também era a primeira vez que eu inquiria minha própria testemunha sem ter tido a oportunidade de conversar com ela antes. Havia conhecido Ferko Rincic no corredor, segundos antes de Esma escoltá-lo até a sala de audiências. Ele apertara a mão que eu tinha estendido apenas com a ponta dos de-

dos, em um claro sinal de desconfiança. Ninguém precisava me dizer que Ferko não estaria ali se tivesse escolha.

— Supostamente são soldados — explicou Ferko, falando dos chetniks. — Mas, no geral, não passam de assassinos.

A esta altura, Goos já escrevera sua própria resposta, em uma caligrafia irregular, no bloco de papel entre nós: "Paramilitares sérvios."

— E como esses chetniks estavam vestidos?

Na mesa de testemunhas, Ferko vestia uma calça de sarja surrada, uma camisa branca sem colarinho, um colete preto e um chapéu Pork Pie amarelado que ninguém se lembrara de dizer a ele que tirasse ao entrar na sala. Tudo em Ferko — o nariz comprido e torto, que parecia ter sido quebrado várias vezes, o chapéu e o bigode grosso, que poderia ter sido pintado com maquiagem cênica — o fazia parecer um filho perdido dos irmãos Marx.

— Roupas do Exército. Fardas militares. Coletes à prova de balas — respondeu Ferko.

— Havia algum distintivo ou qualquer outra identificação nas fardas?

— Não que eu me lembre.

— O senhor conseguiu ver os rostos deles?

— Não, não. Eles estavam usando máscaras. Chetniks.

— Que tipo de máscara? Era possível distinguir as feições?

— Balaclavas. Pretas. De esquiar. Só dava para ver os olhos.

— Eles estavam armados?

Outra vez, Rincic assentiu com a cabeça. Para enfatizar a necessidade de responder em voz alta, a juíza Gautam deu uma batidinha na haste prateada do microfone diante dela, que também ficava diante de Ferko, de mim e dos outros quarenta assentos nas fileiras que circulavam a mesa dos juízes. Esses lugares eram normalmente reservados aos advogados de defesa e aos representantes das vítimas, mas não tinham ocupantes durante o Juízo de Instrução daquele dia, em que a promotoria era a única parte ativa.

A ampla sala de audiências era um exemplo perfeito do estilo holandês moderno, com cerca de trinta metros de largura, piso de bambu e móveis e lambris de bétula amarelada, como mostarda picante. O design dava preferência ao básico, e não ao grandioso. Os elementos decorativos se resumiam a painéis de madeira na parte frontal das mesas e na pa-

rede atrás dos juízes, onde também ficava o brasão redondo e branco do Tribunal Penal Internacional.

Quando Ferko disse que sim, perguntei:

— O senhor reconheceu as armas que eles estavam carregando?

— Eram AKs — respondeu. — Zastavas.

— Seria a Zastava M70? — Era a versão da AK-47 utilizada pelo Exército iugoslavo. — E como o senhor foi capaz de reconhecer uma Zastava?

Ferko ergueu as mãos em um gesto vago, enquanto seu rosto mais uma vez exibia uma série de expressões confusas.

— Nós vivemos aqueles tempos — respondeu ele.

Goos exibiu uma foto da arma nos monitores espalhados pela sala, ao lado dos microfones. Era um fuzil de assalto no estilo Kalashnikov, com coronha rebatível e um longo punho de madeira atrás do carregador curvo que se projetava como uma ameaça fálica. Eu tinha visto Zastavas pela primeira vez anos antes, no condado de Kindle, quando participara dos julgamentos de gangues de rua que com frequência tinham armamentos melhores que a polícia.

— Quando os chetniks chegaram, onde o senhor estava? Em casa?

— Não. Eu estava na latrina.

Eu já suspeitava que a intérprete, com seu sotaque aristocrático, estava aprimorando significativamente a gramática e a escolha de palavras de Ferko. Com base na minha breve primeira impressão, eu tinha quase certeza de que ele não dissera nada nem remotamente parecido com "latrina".

— E por que o senhor estava na latrina?

Quando a pergunta por fim chegou a Ferko, ele fez um gesto brusco de surpresa e, lentamente, ergueu as mãos com as palmas voltadas para cima. Houve risadas por toda a sala — na mesa dos juízes, entre os integrantes da secretaria sentados abaixo deles e entre meus novos colegas da procuradoria, vários deles nas mesas atrás de mim para acompanhar aquela audiência inédita.

— Permitam-me retirar essa pergunta tola, Excelências.

Goos, com o rosto redondo e corado virado para mim, sorriu com camaradagem. O momento de descontração pareceu agradar a todos.

— Peço sua permissão para conduzir a testemunha, Excelências. Alguma necessidade o acordou no meio da noite, senhor, e o levou até a latrina?

— Va — *disse Rincic, dando tapinhas na barriga.*

— *Se o senhor estava na latrina, como conseguiu ver os chetniks?*

— *Tem um espaço no alto da porta. Para ventilar. E um banquinho dentro da latrina. Quando ouvi a comoção, assim que eles chegaram ao vilarejo, abri um pouco a porta. Mas, quando vi que eram chetniks, tranquei a porta e subi no banquinho para espiar.*

— *Havia alguma luz na área?*

— *Na latrina, sim, tinha uma pequena lâmpada a bateria. Mas a lua estava bem clara naquela noite.*

— *E o senhor ficou sozinho na latrina durante todo o tempo em que viu ou ouviu os chetniks?*

Várias pessoas na sala riram de novo, achando que, mais uma vez, eu havia tropeçado no óbvio.

— *No começo, sim — respondeu Ferko. — Mas, quando as pessoas começaram a correr e gritar, eu vi o meu filho passar perto dela. Ele estava perdido e chorando, então eu abri a porta rapidamente e puxei o menino para dentro.*

— *Quantos anos tinha o seu filho?*

— *Três.*

— *Depois de agarrar o seu filho, o que o senhor fez?*

— *Eu cobri a boca do menino para mantê-lo em silêncio, e, quando ele entendeu que não podia falar, subi de novo no banquinho.*

— *Quero perguntar sobre o momento em que os gritos começaram. Mas, antes disso, vamos falar de outras coisas que o senhor pode ter ouvido. Esses soldados chetniks, eles disseram alguma coisa?*

— Va.

— *Para o povo, entre si ou ambos?*

— *Ambos.*

— *Muito bem. Como eles falaram com o povo?*

— *Um deles tinha um alto-falante eletrônico. — Ele estava se referindo a um megafone.*

— *E em que língua esse soldado falou?*

— *Bósnio.*

— *O senhor fala bósnio?*

Ele deu de ombros.

— Eu entendo. É mais ou menos como se fala em Kosovo. Não é igual. Mas consigo entender a maior parte.

— E ele soava como outros bósnios que o senhor já tinha ouvido?

— Não completamente. As palavras estavam certas. Como as de um professor. Mas, mesmo assim, não soava direito para mim.

— O senhor está dizendo que ele tinha sotaque estrangeiro?

— Va.

— E os chetniks conversaram entre si?

— Muito pouco. Na maior parte do tempo, era através de gestos. — Ferko ergueu os dedos magros e gesticulou para demonstrar.

— Eles usavam sinais de mão?

Houve uma pausa acima de nós. Pelo visto, o termo "sinal de mão" não tinha equivalente óbvio em romani. Por fim, Ferko mais uma vez disse que sim.

— O senhor ouviu os soldados dizerem alguma coisa entre si? — indaguei.

— Alguns sussurros quando estavam perto da latrina.

— E essas palavras eram em que língua?

— Não sei.

— Era algum dialeto servo-croata? Croata, bósnio, sérvio? O senhor entende esses dialetos?

— O suficiente.

— E as palavras que o senhor ouviu faziam parte de alguma dessas línguas?

— Não, não. Acho que não. Achei que era estrangeiro. Algo estrangeiro. Não reconheci. Mas foram poucas palavras.

— E o homem com o megafone? Qual foi a primeira coisa que ele disse em bósnio?

— Ele disse: "Saiam das casas. Se vistam rápido e se reúnam aqui. Vocês vão voltar para Kosovo. Reúnam os objetos de valor que conseguirem carregar. Não se preocupem com os outros bens pessoais. Vamos coletar tudo e levar para Kosovo com vocês." Ele repetiu isso muitas vezes.

— O senhor disse que foi aí que os gritos começaram. Fale sobre isso, por favor.

— O soldado continuou gritando no alto-falante, mas os outros chetniks foram de casa em casa com seus fuzis e lanternas, acordando todo mundo. Eles eram muito organizados. Dois entravam, enquanto os outros formavam um círculo do lado de fora, com os fuzis apontados.

A juíza Gautam o interrompeu. Tinha uns 50 anos, com modos agradavelmente serenos e os longos cabelos pretos repicados. Contudo, eu havia sido avisado de que ela não era nem de longe tão afável quanto aparentava ser.

— Com licença, Sr. ten Boom — disse ela.

— Excelência?

— A testemunha acabou de dizer que os soldados falavam uma língua estrangeira que não era croata, bósnio ou sérvio. Então parece que não eram chetniks, não é?

— Não sei, Excelência. Eu nunca ouvi essa palavra antes.

Mais uma vez, o som de risos atravessou a sala de audiências, mais acentuadamente atrás de mim, entre os promotores. Os outros dois juízes também riram. Gautam abriu um sorriso seco.

— Posso dirigir uma ou duas perguntas de esclarecimento à testemunha? — perguntou ela.

Fiz um gesto magnânimo com a mão. Não existe nenhum tribunal no mundo em que um advogado possa mandar uma juíza ficar na dela.

— O senhor afirmou que os soldados usavam fardas. Eram fardas camufladas?

— Va.

— Todos usavam o mesmo tipo ou eram fardas diferentes?

Ferko olhou para cima enquanto refletia.

— Provavelmente o mesmo.

— E, durante seus anos em Kosovo e na Bósnia, o senhor viu muitos soldados usando fardas camufladas?

— Muitos.

— E o senhor notou que diferentes Exércitos e Forças Armadas possuem suas próprias fardas, com cores e padrões de camuflagem distintos?

Ele assentiu com a cabeça.

— E, naquela noite em 2004, quando viu os soldados fardados, o senhor conseguiu reconhecer o Exército ou a Força a que pertenciam?

Ferko ergueu novamente as palmas das mãos, em um gesto de impotência.

— Talvez iugoslavo? — arriscou ele.

— Mas ao longo dos anos o senhor notou que, às vezes, as fardas de diferentes países são parecidas? O senhor já percebeu, por exemplo, a similaridade entre as fardas camufladas do Exército Nacional da Iugoslávia e da Força Aérea dos Estados Unidos?

Ferko olhou para o teto por um momento e então fez um gesto vago com as mãos.

— Mas, no escuro, o senhor seria capaz de dizer se aqueles soldados usavam fardas iugoslavas ou americanas?

Quando a pergunta chegou até ele, Ferko balançou a cabeça e fez uma careta.

— Não — respondeu ele simplesmente.

A juíza Gautam assentiu com um ar sábio.

— Sr. ten Boom — disse ela —, gostaria de dar seguimento a minhas perguntas?

No meu bloco de anotações, Goos, que havia trabalhado nos Bálcãs uma década antes, tinha escrito "não havia Força Aérea americana na Bósnia naquela época". Olivier Cayat, o colega de faculdade que me recrutara para o TPI, havia me falado um pouco da juíza Gautam. Ex-oficial da ONU na Palestina que jamais exercera o direito, sabia-se que ela fazia parte de um grupo do TPI que tinha ficado incomodado com o fato de um promotor americano ser designado para o caso. Mas sua insinuação de que eu pudesse estar encobrindo meus compatriotas era ofensiva — e injusta. Ela acabara de testemunhar meus consideráveis esforços para garantir que Ferko mencionasse que os atiradores falavam uma língua que ele não conhecia.

Como eu me sentei enquanto a juíza fazia suas perguntas, levei um tempo ajustando a beca ao voltar a me levantar, preparando-me para perguntar a Ferko se ele tinha visto algum membro da Força Aérea americana em solo bósnio naquela época. Atrás de mim, Olivier me passou um bilhete discretamente, que desdobrei na altura da mesa. O papel dizia: "Ignore. Armadilha".

A atenção da sala de audiências estava focada em mim, mas permaneci em silêncio até compreender. Se eu fizesse a pergunta, a juíza Gautam, que com certeza teria a última palavra, acrescentaria algum comentário que me marcaria como partidário dos Estados Unidos. Inclinei ligeiramente o queixo para mostrar a Olivier que havia compreendido. O ar formal do TPI *parecia suave como veludo, mas as correntes subterrâneas eram traiçoeiras.*

— Sem seguimento — respondi.

— Muito bem — disse a juíza. — Dadas as respostas da testemunha, e sem objeção dos meus colegas, pedirei que evite descrever os homens como "chetniks", referindo-se a eles simplesmente como "soldados". O senhor poderia fazer o mesmo, Sr. ten Boom?

Ela tentou dar um sorriso agradável, mas havia um brilho letal em seus olhos escuros.

Nesse meio-tempo, Esma aproximou a cadeira e se inclinou para perto de Ferko, explicando as ordens da juíza. Eu a tinha conhecido na noite anterior, quando havíamos conversado sobre o que eu podia esperar de Ferko. Em certo momento, eu pedira a ela que limitasse as conversas com ele na frente dos juízes. O depoimento teria pouco valor se parecesse que Ferko era apenas o porta-voz de uma advogada experiente. Ela havia me tranquilizado com um sorrisinho irônico, divertindo-se com o fato de eu achar que precisava orientá-la sobre a dinâmica de uma sala de audiências. E tinha provado sua competência ao não usar roupas de grife, como no dia anterior, chegando ao tribunal com um suéter azul simples de gola alta e quase nenhuma maquiagem ou joia.

Eu me virei outra vez para Ferko.

— O senhor disse que houve gritos?

— As mulheres gritavam porque homens estranhos as estavam vendo sem roupa. As crianças choravam. Os homens estavam irritados. Eles saíam correndo das casas, às vezes só de sapato e cueca, e xingavam os soldados.

— E o senhor se lembra de alguma coisa que o povo de Barupra tenha dito aos soldados?

— Às vezes as mulheres gritavam: "Meu Deus, para onde vamos? Não temos outra casa. Aqui é a nossa casa agora. Não podemos ir embora." E alguns soldados gritavam: "Poslusaj!"

Com a ajuda de Goos, consegui fazer com que Ferko explicasse que o termo significava "Faça o que estou dizendo".

— Em cada casa que entravam — continuou ele —, os soldados só davam um minuto para as pessoas saírem. Então dois ou três soldados entravam com os fuzis para conferir se o lugar estava vazio. Muitas vezes, eles simplesmente destruíam a casa enquanto as lanternas iam de um lado para o outro.

— O senhor já tinha ouvido falar de planos para deslocar os residentes de Barupra para Kosovo? — perguntei.

— Quando chegamos, sim. Mas depois, não. Durante anos, não ouvi nada sobre isso.

— O senhor queria voltar para Kosovo?

— Não.

— Por que não?

— Porque os albaneses matariam o povo. Eles já tentaram. Por isso fomos para a Bósnia. Para ficar perto da base americana. A gente achou que estaria em segurança perto dos americanos.

— E com isso o senhor quer dizer a base Eagle, estabelecida perto de Tuzla pelo Exército americano como parte dos esforços de paz da OTAN*?*

Havia sido um passo grande demais. Quando a tradução chegou até ele, Ferko mais uma vez me encarou comicamente e ergueu as palmas das mãos, sem saber o que dizer.

— Soldados americanos, OTAN*. É só o que eu sei.*

— Depois que os soldados esvaziaram as casas e os residentes foram reunidos em vários pontos, o que aconteceu?

— Vieram caminhões lá de baixo.

— Quantos caminhões?

— Quinze?

— Que tipo de caminhões?

— De carga. Com laterais de metal. E cobertos com lona.

— O senhor reconheceu o modelo?

— Eram iugoslavos, acho. Pelo formato da cabine. Mas não sei com certeza. Eram caminhões militares.

— Quando os veículos chegaram, aconteceu mais alguma coisa fora do comum?

— O tiroteio?

— Houve um tiroteio, senhor...? — Interrompi-me. Estivera prestes a dizer o nome dele. — Por favor, fale do tiroteio para este Juízo de Instrução.

Com isso, eu me virei para a mesa dos juízes, olhando para eles diretamente pela primeira vez. A análise dos juízes normalmente é um exercício furtivo, porque, ao menos nos Estados Unidos, eles não gostam de ser observados em busca de sinais de suas reações. Os três juízes, muito atentos, ocupavam uma mesa apenas alguns degraus acima, em uma versão mais longa das mesas amareladas de estilo Bauhaus no poço do tribunal. Do lado direito da juíza Gautam estava sentada a juíza Agata Hallstrom, uma loira esguia com cerca de 60 anos que havia sido juíza cível na Suécia, e, do lado esquerdo, o juiz Nikolas Goodenough, de Trinidad, que fora presidente do Supremo Tribunal de lá. Ele estava sempre fazendo anotações.

— Enquanto os soldados iam de casa em casa — prosseguiu Ferko —, as pessoas reclamavam. Elas gritavam: "Eu não vou embora." Especialmente as mulheres. Os soldados as agarravam e as forçavam a sair e, se elas resistissem, davam coronhadas ou batiam com o cano dos fuzis. Duas vezes, atiraram para o alto em sinal de advertência. Uma vez, um soldado atirou e, mesmo assim, uma mulher não se mexeu. Então a ouvi gritar enquanto saía correndo: "Ele me queimou com a arma. Encostou o cano em mim enquanto ainda estava quente. Eu vou ficar com essa marca para sempre." Houve muitos gritos e muita correria. Mas os soldados, especialmente aqueles no círculo externo, permaneciam...

Nova pausa, enquanto a intérprete buscava uma palavra.

— ... impassíveis — disse ela por fim, provavelmente passando a quilômetros de distância da palavra que Ferko realmente havia usado. — Eles ficaram em posição, com as armas apontadas. Mas, perto da latrina, um homem, Boldo... quando chegaram à casa dele, ele saiu de lá correndo com sua própria AK.

— O senhor sabe por que Boldo tinha uma AK?

— Porque ele tinha dinheiro para comprar uma — respondeu Ferko, causando outra onda de risos na sala de audiências. A Bósnia, mesmo em 2004, não era um lugar onde uma pessoa pudesse ficar completamente tranquila sem ter uma arma.

— E Boldo disse alguma coisa?

— Ah, sim. Ele estava gritando: "Não vamos embora. Vocês não podem nos obrigar, e não vamos sair." Os dois soldados que estavam revistando a casa se jogaram no chão. Eles gritaram, em bósnio: "Spusti! Spusti!"

Houve outro momento de silêncio quando o intérprete se deparou com um beco sem saída, pois não sabia bósnio. Ao meu lado, Goos murmurou "Largue isso". A despeito de toda a sua amabilidade, falar servo-croata era, até onde eu sabia, o único talento visível que ele trouxera para o caso.

— Eles estavam gritando "Largue isso" em bósnio?

— Va.

— E ele largou?

— Não, não. Ele continuou brandindo a AK. O soldado encarregado, que tinha o alto-falante, gritou de novo.

— Em que língua?

— Bósnio. Então ele contou "um, dois, três" e atirou. Bum, bum, bum. O sangue esguichava de Boldo e ele caiu duro. O filho dele saiu correndo da casa. Os soldados gritaram de novo: "Stani!"

— Fique aí — sussurrou Goos.

— Os soldados continuaram gritando para que o filho ficasse longe, mas era o pai dele que estava caído lá, e, quando ele avançou, houve tiros que vinham do outro lado. Dois ou três. Ele também caiu.

— E quantos anos tinha o filho de Boldo?

— Uns 14? Era um menino. — Mais uma vez, Ferko balançou a cabeça com amargura. — Nisso, o irmão de Boldo saiu correndo da casa. Ele gritava e xingava. "Como vocês puderam atirar na minha família? O que eles fizeram?" Ele chorava e se lamentava. Então desabou no chão, perto dos corpos. E pegou a AK de Boldo. Depois dos tiros, o soldado que parecia estar no comando, o que tinha matado Boldo, saiu correndo e começou a acenar e dar ordens. Ele deu um empurrão no soldado que tinha atirado

no filho de Boldo. E ordenou aos outros soldados que agarrassem o irmão. Eles lutaram por bastante tempo. O irmão gritava e não largava a arma. Bateram nele com os fuzis algumas vezes, mas uma coronhada acertou um soldado, e não o irmão de Boldo, e o soldado caiu. Nesse momento, o comandante ordenou que os soldados recuassem e disse para o irmão de Boldo, da mesma forma que tinha dito para o próprio Boldo, que, se ele não largasse a arma antes do três, levaria um tiro. E o irmão ergueu a AK, então o comandante atirou nele também. Duas vezes. No lado. Ele caiu, com a mão nos ferimentos, e emitiu uns barulhos horríveis.

— Eles prestaram algum socorro médico?

— Não, ele ficou lá gemendo o tempo todo.

— E o que aconteceu com o irmão de Boldo?

— Ele morreu. Ainda estava lá, em uma grande poça de sangue, quando saí da latrina mais tarde.

— E quanto às palavras que o comandante gritou para os soldados, o senhor as compreendeu?

— Não, não. Mas havia muita gritaria. O povo estava gritando para que todo mundo recuasse e se protegesse.

— Depois dos tiros, como ficou o ambiente no campo, na sua opinião?

— Silencioso. Como em uma igreja. O povo foi para os caminhões. Ninguém gritou. As pessoas não queriam ser mortas. Os soldados ajudaram a subir. Quando as casas foram esvaziadas, os caminhões foram embora. Uns vinte minutos depois dos últimos tiros, o campo estava vazio.

— Quando os caminhões partiram, em que direção foram?

— Para o oeste, na direção da mina.

Eu tinha um mapa topográfico, mas duvidava que Ferko conseguisse entendê-lo. Ele mostrava o vale adjacente a Barupra e a sinuosa estrada de terra que descia até o local onde uma grande mina fora escavada.

— Que tipo de mina havia no vale?

— Disseram que era de carvão. Foi fechada por causa da guerra.

— E que tipo de mina de carvão era? Escavada ou a céu aberto?

— Eles faziam buracos para retirar o carvão. Cavavam a terra. Era carvão marrom.

— E a que distância do vilarejo ficava a mina?

— Talvez um quilômetro pela estrada.

— Quando os caminhões partiram, o senhor voltou a ouvir o megafone?

— Sim, ouvi. Ele ecoou pela colina.

— O que estava sendo dito?

— "Saiam dos caminhões. Vocês devem esperar aqui na caverna pelos ônibus que vão levá-los a Kosovo. Vamos voltar para pegar suas coisas, e elas vão ser levadas nos caminhões."

— E a que o senhor acha que o soldado com o megafone se referia ao dizer "a caverna"?

— À caverna — respondeu Ferko.

— Que caverna era essa?

— A caverna sobre a qual ele estava falando.

Ao meu lado, Goos apertou os lábios para conter o riso.

— Parte da mina era uma área que o povo chamava de caverna?

— Va.

— Eu gostaria de chamar sua atenção novamente para o monitor em sua mesa. Prova P76, *Excelências. Essa foto retrata a caverna mais ou menos como era em abril de 2004?*

Era outra foto que Esma tinha conseguido, dessa vez tirada do New York Times. *Havia sido feita a certa distância em janeiro de 2002. Mostrava dezenas de pessoas catando carvão com as mãos nuas durante o inverno rigoroso, muitas delas mulheres idosas com lenços na cabeça, rastejando pelo declive abaixo de Barupra. Havíamos ampliado e recortado a imagem para destacar o cenário. Aparentemente, anos antes, um veio de carvão tinha sido descoberto na encosta da colina e, com o uso de equipamento pesado, uma abertura profunda e oblonga fora escavada. Aquela era a caverna. Com uma grande saliência se projetando sobre a abertura, o local não parecia especialmente estável e, de fato, havia placas amarelas em bósnio dizendo às pessoas que mantivessem distância:* ZABRANJEN ULAZ.

— Qual era o tamanho da caverna? O senhor pode fazer uma estimativa?

— Centenas de metros de largura.

— E quão profundamente ela penetrava a colina?

— Cinquenta metros. No mínimo.

— Era larga o bastante para que todos de Barupra ficassem em pé lá dentro?

— Mais ou menos.

— O senhor ouviu mais alguma coisa pelo megafone?

— Sim. Ele começou a repetir: "Voltem para dentro. Fiquem juntos. Todos dentro da caverna. Todos. Sem exceção. Precisamos fazer uma contagem e anotar seus nomes. Vocês podem sair um por um enquanto fazemos a contagem. Fiquem aí. Fiquem aí. Só vai levar alguns minutos."

— Quando essas instruções foram dadas, onde o senhor estava?

— Quando os caminhões e o povo foram embora, eu saí da latrina. Eu e o meu filho nos escondemos no que restava de uma das casas, de onde eu conseguia olhar para o vale lá embaixo.

— E o senhor conseguia ver a caverna?

— Não muito bem. Via melhor os faróis dos caminhões. Sob aquela luz, eu os vi empurrando o povo.

— E o que aconteceu com os veículos?

— Os caminhões? Depois de vários minutos, eles começaram a se mover de novo. Achei que estavam voltando para recolher as coisas de todo mundo, como o homem do megafone tinha dito. Peguei o meu filho e me preparei para correr de volta até a latrina, mas vi as luzes seguindo na direção oposta, entrando ainda mais no vale e seguindo até a outra estrada.

— Para o oeste? — perguntei.

Ele simplesmente indicou a direção com a mão.

— E o senhor ouviu o megafone depois que os caminhões foram embora?

— Sim, só que parecia mais fraco.

— E quais eram as ordens transmitidas pelo megafone?

— A mesma coisa. "Fiquem aí. Fiquem aí." — Dessa vez, Ferko repetiu as palavras em bósnio. — "Ostanite na svojim mjestima."

— E o que o senhor observou em seguida?

— Em seguida? — Ferko fez uma pausa. Pela primeira vez, um tremor de emoção percorreu seu rosto longo. Ele apertou a ponte do nariz antes de recomeçar. — Em seguida, vi flashes na colina sobre a caverna

e ouvi explosões. Seis ou sete. Então a colina desmoronou. — Sem que eu pedisse, Ferko balançou as mãos sobre a cabeça e imitou o som, como o motor de uma motocicleta. — O som da terra e das pedras escorregando era quase tão alto quanto as explosões. E vinha em ondas. A barulheira durou um minuto inteiro.

— O senhor acredita que as explosões iniciaram um desmoronamento?

— Va.

— E o que o senhor fez em seguida?

— O que eu podia fazer? Eu estava apavorado, e o meu filho estava comigo. Eu me escondi com ele debaixo de uma lona, para o caso de os soldados voltarem. E esperei por meia hora. De repente, tudo ficou imóvel. De vez em quando, eu ouvia o barulho do vento. Sob a lona, sentia a poeira se assentando, vinda do céu.

— Depois dessa meia hora, o que o senhor fez?

— Eu mandei o meu filho continuar debaixo da lona. Então corri até o vale.

— O senhor foi até a caverna?

— É claro. Mas ela tinha desaparecido. A colina tinha desmoronado. A caverna estava quase toda preenchida e havia rochas obstruindo a entrada.

— E o que o senhor fez?

— O que eu podia fazer? — Ferko balançou a cabeça miseravelmente. Estava chorando. Ele secou os olhos e o nariz na manga da camisa antes de continuar. — Eu gritei os nomes da minha mulher e das minhas filhas. Chamei pelo meu irmão e pelos filhos dele. Chamei, chamei e me arrastei por cima das pedras, escalando, chamando e empurrando pedras. Só Deus sabe por quanto tempo. Mas era inútil. Eu sabia que era inútil. Eu podia cavar pelo resto da minha vida e não conseguiria chegar mais perto. Eu sabia que não ia chegar a lugar nenhum.

— O que o senhor quer dizer com isso?

— Eles estavam mortos. A minha mulher. As minhas filhas. Todo o povo. Eles estavam mortos. Enterrados vivos. Todos os quatrocentos.

Embora praticamente todos os presentes na sala de audiências — os juízes, as fileiras de promotores, os oficiais do tribunal, os espectadores atrás da cortina e os poucos repórteres com eles — soubessem qual seria a resposta, ouvir os fatos narrados em voz alta foi devastador. O silêncio envolveu a sala como se um dedo admoestador tivesse sido erguido, e cada um de nós pareceu se encolher, no interior da cratera de medo e solidão à qual a face do mal inevitavelmente nos lança.

Então você veio para cá, pensei subitamente enquanto o momento se prolongava. Agora você está aqui.

I.
Haia

1.

Recomeço — 8 de janeiro de 2015

Aos 50 anos, decidi recomeçar. Isso não foi nem de longe um plano consciente, mas, nos quatro anos seguintes, deixei minha casa, meu casamento, meu emprego e, finalmente, meu país.

Essas escolhas foram recebidas com espanto ou com piadas por praticamente todo mundo que era próximo de mim. Minha irmã achou que eu ainda estava me recuperando das mortes em rápida sucessão dos nossos pais. Meus sócios no escritório de advocacia afirmaram que eu jamais havia me ajustado à vida longe dos holofotes. Minha ex-mulher considerou tudo uma forma prolongada de crise de meia-idade. E meus filhos alternaram entre ficar atônitos e irritados com o fato de seu pai, sempre com uma vida estável, ter se tornado tão volúvel quanto um adolescente justamente quando eles pareciam ter encontrado a própria estabilidade na vida adulta. Ignorei todos eles, porque minha vida tinha se chocado com a rocha de uma verdade maior. Apesar de todo o meu sucesso, ao olhar para trás, não conseguia identificar um momento no qual, em meu âmago, tivesse me sentido verdadeiramente à vontade comigo mesmo.

Meu exílio na Holanda e no Tribunal Penal Internacional não era uma solução garantida, mas foi a proverbial porta que se abriu quando outra se fechou. Quem de fato surgiu à minha porta foi meu colega de faculdade Roger Clewey.

— Boom! — gritou ele, e, aproximando-se para me dar um aperto de mão, ziguezagueou entre as caixas de papelão abertas que ocupavam grande parte do meu escritório espaçoso.

Eu passara três dias sentado com um cesto de lixo entre as pernas, praticamente imobilizado em meus esforços para embalar tudo. A partir de 1º de janeiro de 2015, eu deixaria de ser sócio do DeWitt Royster, onde havia trabalhado por quatorze anos, à frente da equipe de crimes do colarinho-branco. Alguém com uma natureza mais prática teria empacotado tudo em questão de horas, mas eu me demorava em praticamente tudo que tocava — livros de direito, pequenos enfeites de mesa, fotos dos meus filhos em várias idades e dezenas de placas, canetas e cristais comemorativos que havia recebido durante meu mandato de quatro anos, uma década e meia atrás, como procurador federal do condado de Kindle. Tomado pela emoção e pela força do tempo, eu retornava das minhas memórias e me descobria olhando, quarenta andares abaixo, para a faixa coberta de neve das Tri-Cities e para a linha cinzenta que era o rio Kindle, congelado em mais um inverno terrível do nosso clima de extremos.

— Disseram que você decidiu dar o fora — comentou Roger.

— Está mais para "vou sair antes que me mandem embora".

— Não foi o que eu ouvi. Seus filhos estão bem?

— Eles dizem que sim. Pete ficou noivo.

— Você já esperava por isso — disse Roger, acertadamente. — E quanto à *sua* vida pessoal? Ainda aproveitando a putaria pós-divórcio?

— Acho que eu já superei essa fase — falei, uma resposta mais conveniente que contar que ela jamais havia começado.

Eu e Roger nos conhecemos na Faculdade de Direito de Easton há mais de trinta anos. Depois da graduação, Rog havia entrado para o Ministério das Relações Exteriores, atuando como responsável jurídico de várias embaixadas. Durante algum tempo, achei que sabia o que ele fazia. Então suas designações para vários locais de conflito, como os Bálcãs, o Afeganistão e o Iraque, passaram a incluir tarefas que ele nunca podia discutir. Com o passar dos anos, concluí que meu amigo era espião, embora jamais soubesse ao certo para que agência trabalhava. Recentemente, sua história era de que tinha voltado a trabalhar para o Departamento de Estado, embora eu não tenha certeza de que é possível pedir demissão de um disfarce diplomático. Ele tinha o hábito de aparecer em Kindle sem avisar e a misteriosa habilidade de saber quando eu estava na cidade, o que com o tempo percebi que devia ir além de um mero golpe de sorte.

— O que vai acontecer agora? — perguntou ele.

— Só Deus sabe. Acho que vou me dar um ano de férias de verão, seguindo o sol ao redor do mundo. Nadar, fazer trilha, malhar todo dia, reencontrar velhos colegas, jantar *al fresco* ao pôr do sol e então passar as noites lendo tudo que sempre quis ler.

— Sozinho?

— Para começar. Talvez eu conheça alguém no caminho. Estou certo de que os meninos vão topar uma viagem ou outra, se o destino for agradável o suficiente. E se eu pagar a conta.

— Quer saber o que eu acho?

— Você vai me dizer de qualquer jeito.

— Eu acho que em um mês você vai estar entediado e se sentindo sozinho, um holandês amargo e mal-humorado se perguntando em que merda se enfiou.

Dei de ombros. Eu tinha certeza de que seria melhor que isso.

— Além disso — continuou Roger —, eu tenho uma oportunidade incrível para você. Alguma chance de você ter conversado com Olivier nas últimas horas?

Olivier Cayat era outro colega de faculdade. Ele havia sido muito mais próximo de Roger naquela época, mas, havia cerca de dez anos, chegara ao condado de Kindle, vindo de Montreal, para me ajudar na defesa de um executivo canadense que demonstrara incrível imaginação na maneira como havia fraudado a contabilidade de sua empresa. Perdemos o julgamento, mas ficamos muito mais próximos. Recentemente, Olivier tinha passado por sua própria crise de meia-idade e se mudara para a Holanda, de onde com frequência relatava estar bastante feliz.

— Olivier afirma que você vem ignorando as mensagens dele há uma semana — disse Roger.

No fim do ano, eu havia criado respostas automáticas nos sistemas de voz e e-mail do escritório, explicando que me desligaria em 1º de janeiro e não verificaria as mensagens com regularidade; o que, ao menos durante a primeira semana, significou que não verifiquei nunca. Eu achava melhor me afastar completamente. Mesmo assim, com Roger observando, virei-me para o computador atrás de mim e batuquei no teclado até localizar o primeiro dos quatro e-mails enviados por Olivier desde a virada do ano.

"*Mon ami*", dizia ele, "me ligue. Tenho uma novidade que você pode achar interessante."

Eu me virei de novo para Roger.

— Falando nisso, Rog, no que Olivier trabalha lá na Holanda?

— No Tribunal Penal Internacional, em Haia. É um tribunal de crimes de guerra permanente. Olivier é um dos principais promotores de lá, mas Hélène quer que ele fique em casa. — Roger se permitiu uma pausa dramática antes de acrescentar: — Olivier acha que você é o cara certo para o lugar dele.

Após minha própria pausa, perguntei:

— Então sua grande ideia é que eu volte a ser promotor?

Eu tinha sido escolhido como procurador federal do condado de Kindle por mero acaso, em 1997, em boa parte para que nosso senador sênior, que fizera a recomendação à Casa Branca, não tivesse de escolher entre dois outros candidatos, ambos políticos influentes que se odiavam. Na época, eu era promotor havia quase doze anos, incluindo dois como primeiro-assistente, o segundo cargo mais alto da hierarquia. Mesmo assim, aos 37 anos, eu ainda era jovem demais para a responsabilidade, e toda manhã, durante meses, tivera de conter o terror diante da ideia de fazer alguma besteira. Com o tempo, havia passado a sentir que tinha o melhor emprego possível para um advogado de litígios: eletrizante, desafiador e significativo. Mesmo assim, eu disse a Roger que não tinha interesse em voltar. Aquele filósofo grego estava certo ao afirmar que não é possível atravessar duas vezes o mesmo riacho.

— Não, não — disse ele. — Isso é diferente. Eles trabalham com atrocidades em massa. Genocídio. Limpeza étnica. Mutilação, estupro e tortura como instrumentos de guerra. Esse tipo de coisa.

— Rog, eu não sei merda nenhuma sobre esse tipo de coisa.

— Deixa de besteira. Tudo se resume a testemunhas, documentos e técnicas forenses, apenas em maior escala. Os crimes são hediondos, mas provas são provas.

Roger havia tirado uma caixa do caminho e se sentara em uma poltrona, sentindo-se tão confortável em me provocar quanto nos últimos trinta anos. Hoje em dia, sua barriga escondia o cós da calça e sua cabeça calva com cabelos brancos exibia alguns daqueles constrangedores fios rebeldes que se projetavam da careca reluzente. Havia assumido aquela atitude WASP de meia-idade de parecer que vestia o mesmo terno todo dia nos últimos vinte anos, como se fosse vulgar se preocupar demais com a própria aparência. Seus sapatos, resistentes e caros quando comprados, não viram mais graxa desde então. E eu duvidava que ele tivesse mais que duas ou três gravatas. Era apenas um uniforme que vestia toda manhã. Ele jogava para um time cujos astros eram muito discretos.

— Rog, por que você está aqui no meu escritório defendendo o caso de Olivier? Você tem algum interesse profissional nisso?

— Alguns — respondeu ele. — Há um caso naquele tribunal que os Estados Unidos odiariam ver em mãos erradas.

— Que tipo de caso?

— Você sabe onde fica a Bósnia? — perguntou ele.

— Em algum lugar do leste.

— Em 2004, havia um campo de refugiados perto de Tuzla. Todos *roma*.

— Ciganos?

— Esse não é o termo politicamente correto.

— Ok, alguns ciganos — insisti.

— Quatrocentos. Todos assassinados.

— Ao mesmo tempo?

— É o que dizem.

— Por quem?

Roger se recostou na cadeira.

— Bom, é aí que as coisas ficam meio obscuras.

— Ok. E 2004... a Guerra da Bósnia já tinha acabado?

— Ah, sim. Há anos. O Acordo de Dayton pôs fim à guerra em 1995. Nove anos depois, sérvios, croatas e bósnios, ou seja, muçulmanos, praticamente haviam parado de se matar. A OTAN estava lá impondo o acordo, o que significava recolher toneladas de armas e caçar criminosos de guerra para serem julgados em Haia. Suas forças incluíam cerca de mil e oitocentos soldados americanos em um perímetro de campos perto de Tuzla.

— Ou seja, perto dos ciganos.

— Muito perto. Alguns quilômetros.

— E por que alguns garotos americanos, que estavam lá para manter a paz, matariam quatrocentos ciganos?

— Não mataram. Eu aposto a minha vida nisso.

— Quem matou?

— Exterminar quatrocentas pessoas ao mesmo tempo exige bastante poder de fogo. Por isso, a lista de suspeitos não é muito longa. O mais provável é que tenham sido paramilitares sérvios. Talvez policiais agindo por conta própria. Ou o crime organizado. Havia muito disso naquela época. Além de alguns jihadistas, que originalmente foram para a Bósnia defender os muçulmanos bósnios dos sérvios.

— Bem, não me parece que os militares americanos tenham muito com que se preocupar.

— Não é tão simples assim. Agora entramos no domínio da diplomacia e da política.

Meu reflexo foi dar um gemido. Política e processos judiciais não eram uma boa mistura.

— O TPI — disse Roger — foi estabelecido por um tratado negociado entre a maioria dos países-membros da ONU, incluindo os Estados Unidos. Clinton assinou em 2000, mas o pessoal do Bush odiou a ideia, principalmente Dick Cheney, que parece que tinha medo de ser julgado por ter autorizado o afogamento simulado. Em 2002, Bush anunciou que renunciaria ao tratado do TPI.

— É possível fazer isso? Renunciar?

— Você acha que isso importa? Em vez disso, os republicanos, que controlavam o Congresso, aprovaram uma coisa chamada Lei de Proteção aos Membros do Serviço Militar, que basicamente diz que, se você tentar levar os nossos soldados a julgamento, vamos invadir a merda do seu país e os traremos para casa.

— Literalmente?

— Não acho que eles tenham usado a palavra "merda". Fora isso, é um resumo legislativo bastante preciso. Na Europa Ocidental, era chamada de "Lei de Invasão de Haia".

— Você está dizendo que, se o TPI acusar soldados americanos, vamos começar uma guerra contra a Holanda?

— Digamos que correremos o risco de criar sérios conflitos com nossos aliados mais próximos. E essa simples ideia causa angina em andares inteiros dos departamentos de Estado e de Defesa.

— Por isso o caso está pendente há onze anos? Porque gente como você está tentando obstruí-lo?

— Primeiro, quero que conste nos registros — disse Roger, com um sorriso travesso — minha objeção à palavra "obstruir". Nós simplesmente expressamos nosso ponto de vista a várias autoridades. E grande parte do atraso não tem nada a ver com a gente. Mesmo as organizações *roma* só começaram a investigar o caso depois de muitos anos, porque o único sobrevivente estava escondido debaixo da cama, se cagando de medo. E, sendo sincero, eu não fui muito bom nas minhas tentativas de obstrução. Há várias semanas, a procuradoria do TPI solicitou uma investigação formal, principalmente porque os malditos ativistas *roma* não param de gritar: "Como quatrocentas pessoas podem ser exterminadas sem que ninguém se dê ao trabalho de investigar?"

— Me desculpa, Rog, mas essa me parece uma boa pergunta.

Roger deu de ombros. Ele não discordava. Mas tinha um trabalho a fazer.

— E o que você quer dizer com "ativistas *roma*"? — indaguei.

— O que você sabe sobre os *roma*? — rebateu ele.

Ergui os olhos para os painéis fluorescentes no teto do escritório e concluí que a resposta honesta era:

— Quase nada.

— Esse não é o tipo de competição que alguém queira vencer, mas, mesmo levando-se em conta os genocídios de armênios, curdos e, é claro, judeus, talvez não exista um grupo de pessoas brancas no mundo que tenha sido massacrado com mais frequência que os *roma* no último milênio. — Roger se inclinou para a frente e baixou a voz. — Basicamente, eles foram os crioulos da Europa. — Ele se referia ao tratamento que eles receberam. — Os *roma* foram escravos na Romênia durante quatrocentos anos, sabia?

— Os ciganos?

— Eles nunca têm descanso. Hitler tentou exterminá-los. Noventa mil fugiram de Kosovo. E Sarkozy chutou alguns milhares da França há alguns anos. Todo mundo, de Atenas a Oslo, odeia os caras.

— Eles são ladrões, não são?

— Você quer dizer todos eles?

— Não, só um número suficiente para que sejam odiados.

— Sim, um número suficiente. Batedores de carteira, trapaceiros, fraudadores de cartões de crédito, crianças que fazem parte de gangues, ladrões de carros, falsos mendigos. A caravana cigana entra na cidade e muita coisa desaparece. A mesma velha história de sempre. Em contrapartida, eles raramente conseguem empregos ou são admitidos nas escolas, então eu não sei o que mais poderiam fazer.

— Ok, agora eu estou com pena dos ciganos, mas ainda não vejo o meu papel nesse drama.

— Estou chegando lá — respondeu ele. — Os membros do TPI são ambivalentes quanto aos Estados Unidos. Eles nos odeiam por não sermos signatários do tratado. Mas precisam de nós no longo prazo. Uma operação como a deles não tem como acontecer sem o apoio da nação mais poderosa do mundo. Assim, eles evitam nos irritar de forma irreparável. O que significa que tem muita coisa acontecendo nos bastidores.

— E "bastidores" significa você e Olivier?

— Significa que temos sido garotos de recado dos nossos chefes. Mas, depois de semanas de discussão, todo mundo parece acreditar que a melhor opção seria que a investigação do TPI fosse comandada por um promotor americano sênior.

— Uma espécie de promotor especial?

— Algo assim. Mas sem nenhum título formal. E tem que ser a pessoa certa. Não um babaca. Alguém que seja respeitado por eles e por nós. Para nós, isso significa um cara com qualidade que tenha uma reputação à prova de balas se algum caipira do Congresso quiser fomentar uma crise mundial só porque existe uma inquirição em curso no TPI.

— E esse cara sou eu? — questionei, com genuína incredulidade. — O cara blindado?

— Você ainda tem muitos fãs de ambos os lados do corredor em Washington, Boom.

Isso era um exagero com o intuito de me bajular. Eu tivera um bom relacionamento com a procuradora-geral durante seu mandato anterior como vice e tinha um colega de faculdade que agora era senador republicano pelo Kentucky.

— Rog, eu já li alguma coisa sobre esse caso?

— Não. Os principais jornais não falaram dele. Existem alguns detalhes nuns blogs. Os advogados *roma* tentaram agitar as coisas, mas o massacre é notícia velha e, como tem sido impossível nomear um culpado, não dá boas manchetes. E achamos isso ótimo.

— E quanto tempo vai durar a investigação?

Ele fez um gesto com a mão como quem diz que é impossível prever, mas reconheceu que essas questões costumavam andar lentamente.

— Mas, por causa disso, os casos por lá parecem ônibus — acrescentou. — As pessoas entram e saem o tempo todo. Quando encher o saco, você pode ir embora.

Coloquei um dedo sobre os lábios para pensar.

— Espera — disse Roger. — Eu ainda não vendi a parte holandesa. Achei que você ia adorar essa coisa de *raízes*. Você nunca passou muito tempo na Holanda, não é?

— Não, os meus pais nunca quiseram voltar.

Eu ainda não havia contado a Roger a versão estendida do passado da minha família. E aquele não era o momento adequado. Em vez disso, eu me recostei na minha grande cadeira de couro, fazendo meu melhor para agir como um advogado, analisando todos os ângulos da situação e escrutinando Roger. O lado competitivo do nosso relacionamento significava que ele jamais revelaria suas intenções por completo. Mas, como um amigo de décadas, Roger sabia que eu ia achar o trabalho intrigante. Mesmo depois de anunciar minha saída do escritório, eu sentia que ainda não havia desistido do direito. Eu ainda achava que a prática jurídica não casava bem com o capitalismo, mas gostava do que os advogados faziam e me senti imediatamente atraído pela ideia de desempenhar meu ofício no exterior.

— Olha, Rog. Vamos ignorar o fato de que você está vendendo um cargo que não tem o direito de oferecer. Olivier e as pessoas que trabalham com ele vão ter que dar explicações. Mas é óbvio que você quer substituir um amigo por outro. Por isso eu só vou ligar para Haia se você olhar nos meus olhos e me disser que vou poder conduzir o caso sem interferências, doa a quem doer.

Roger se inclinou para a frente outra vez e me deixou ver seus olhos suaves afundados nas tristes bolsas de carne que a idade havia colocado em seu rosto.

— Doa a quem doer — concordou ele.

2.

Haia — 2 de março de 2015

No fim de janeiro, após muitas ligações com Olivier, com frequência duas ou três por dia, aceitei formalmente o cargo oferecido pelo Tribunal Penal Internacional. Precisei de mais um mês para ajeitar as coisas em Kindle — alugar meu apartamento, guardar as coisas em um depósito — e conversar com Willem e Piet, meus filhos. (Ellen e eu demos nomes holandeses aos meninos, achando que isso inspiraria meus pais a educá-los sobre seu legado. Essa esperança se provara infundada, e meus filhos já chamavam a si mesmos de Will e Pete quando entraram no colégio.) Agora, os dois pareciam desconcertados diante da perspectiva da minha partida, o que me deixava frustrado. Nos últimos anos, enquanto lidavam com a raiva que sentiam de mim pelo fim do casamento, eles agiram como se nossos almoços de quinze em quinze dias fossem algum tipo de trabalho forçado.

No domingo, 1º de março, embarquei num voo noturno para Schiphol, o aeroporto internacional de Amsterdã. Estava vários dias adiantado em relação ao cronograma original, porque o Juízo de Instrução inesperadamente ordenara que a procuradoria apresentasse o depoimento de Ferko no fim daquela semana. Em Schiphol, descobri o Intercity, o trem de alta velocidade azul e amarelo que conectava as principais cidades holandesas. Uma hora depois, eu estava sentado na praça principal de Haia, a Plein, observando o ritmo matutino da vida holandesa enquanto tentava atenuar meu jet lag com café e com o que se passava por luz do dia.

Quando cheguei à Holanda, comecei a compreender por que seus pintores transcendentais, como Rembrandt ou Vermeer, eram obcecados por luz e sombra. A escuridão do inverno era ainda pior que em Kindle, que eu sempre havia descrito como viver sob a tampa de uma panela. No dia da minha chegada, o vento açoitava as nuvens no céu cinzento.

A despeito do clima, Haia me pareceu uma cidadezinha próspera e elegante, com um alegre ar cosmopolita. No centro antigo, edifícios sólidos de tijolos marrons, com telhados inclinados feitos de ardósia e janelas de cores reluzentes, tinham séculos de idade e causavam uma sensação semelhante a lã felpuda. Do outro lado da Plein, atrás dos onipresentes ciclistas, era possível ver um antigo palácio, o Ridderzaal, cujas pequenas torres, pontiagudas como chapéus de bruxa, lembravam vagamente a Disneylândia. Arrastei minha mala por mais uma quadra e parei em uma ponte para observar as pessoas patinando no canal congelado abaixo, com os cachecóis pesados esvoaçando atrás delas enquanto enfrentavam o gelo, a despeito da temperatura em torno dos quatro graus. Adorei o lugar à primeira vista.

Depois de um tempo, peguei um táxi para o hotel de uma rede que o TPI usava quando recebia visitantes, cujo lobby apertado parecia almejar por um clima jovem com focos de luz verde-limão e malva. Na parte de cima, em um quarto menor que algumas geladeiras de luxo, liguei para Olivier para confirmar mais uma vez nossa reunião na corte; depois, abri minha mala e comecei a ajeitar meus ternos.

Como eu descobriria com o tempo, uma das características definidoras dos holandeses é que eles adotam com orgulho o que outros podem ver como excentricidade. Assim, em um país aproximadamente do tamanho de Maryland, duas cidades partilhavam as funções tradicionais de uma capital. Por lei, o papel cabia a Amsterdã. Mas Haia era, havia muito tempo, a sede do governo. Enquanto Amsterdã era um renomado centro comercial, o principal negócio em Haia era o idealismo. Cerca de cento e cinquenta instituições internacionais diferentes estavam situadas lá, incluindo vários órgãos da ONU e da União Europeia, além de uma grande variedade de ONGs internacionais: a Organização para a Proibição de Armas Químicas, o Centro de Política Africana na Diáspora e outras igualmente nobres. A cidade também abrigava mais de cem embaixadas e consulados. Como resultado, quase um oitavo do um milhão de habitantes da área coberta pelo metrô era de expatriados. O inglês era falado como segunda língua em praticamente todo lugar.

Com o tempo, o status de Haia como centro internacional único havia levado à expansão de uma nova indústria: a justiça global. Nove tribunais internacionais independentes operavam na cidade. A Corte Internacional de Justiça, para mencionar apenas um deles, era onde os países processavam uns aos outros. A mais nova adição eram os tribunais penais, criados nas últimas décadas pela Organização das Nações Unidas para julgar atrocidades cometidas em diferentes guerras: Camboja, Líbano, Serra Leoa, Ruanda. Quando cheguei, todos esses tribunais, mesmo aqueles com décadas de existência, ainda lidavam com acusações, oferecendo um silencioso tributo à relutância de qualquer forma de burocracia em deixar de existir.

Por muitos padrões, o mais bem-sucedido dos tribunais penais *ad hoc* era o Tribunal Penal Internacional para a Antiga Iugoslávia, que acusara cento e sessenta líderes sérvios, croatas, bósnios e kosovares de perpetrarem assassinatos em massa e outras atrocidades durante as guerras nos Bálcãs. Embora o Tribunal Iugoslavo ainda trabalhasse em julgamentos pendentes, havia fechado as portas para novos casos em 2004. O Tribunal Penal Internacional, criado em 2002, tinha se tornado, em qualquer sentido prático, desde o pessoal antigo — incluindo juízes, advogados e administradores — até os procedimentos adotados, seu herdeiro muito mais abrangente.

No fim da década de noventa, a ONU havia reconhecido que a proliferação de fóruns penais especiais em Haia indicava um triste fato: o genocídio e as atrocidades de guerra não estavam perto de acabar.

Foram iniciadas as negociações de um tratado global para criar um tribunal permanente de crimes de guerra, o TPI. Contudo, enquanto as conversas se arrastavam, mais e mais potências mundiais perceberam os riscos de se submeter a penalidades criminais controladas por estrangeiros. Não apenas Estados Unidos como também Rússia, China, Israel, Índia, Paquistão, Coreia do Norte e a maioria das nações árabes se recusaram a participar. As nações europeias, latinas e africanas assinaram o tratado, profundamente desapontadas com os Estados Unidos e os outros países por terem recuado.

Uma hora depois, eu me apresentei na entrada do TPI, que parecia a de uma prisão. Na base dos dois arranha-céus brancos geminados, o controle de segurança tinha portões de ferro de três metros de altura em três lados, ligados a cercas de metal com cinco fios de arame farpado.

Finalmente, Olivier apareceu de camisa e gravata, mas sem paletó. Sem Hélène por perto para ficar de olho, ele havia engordado uns quinze quilos. Suas belas feições agora estavam rechonchudas, e parecia que tinha um globo escondido sob sua camisa. Mas seu jeito caloroso e animado permanecia inalterado, e ele ficou alegre como uma criança ao me ver, me dando um abraço forte quando as portas giratórias foram liberadas para eu atravessar.

Ele me conduziu pelas escadas até um escritório espartano que, dali a alguns dias, seria meu. Sentamo-nos a uma pequena mesa ao lado da porta e conversamos sobre nossos filhos e sobre minha partida de Kindle antes de falarmos do trabalho.

— Você vai ficar frustrado de vez em quando — preveniu ele. — Não vou mentir. Já ouviu a frase "com grandes poderes vêm grandes responsabilidades"? No TPI, você vai ter grandes responsabilidades, mas nenhum poder. Você vai investigar os piores crimes cometidos no mundo com pouca ou nenhuma autoridade funcional para compelir testemunhas, ou mesmo vítimas, a falar com você ou entregar documentos.

Ele se recostou na cadeira Aeron e cruzou as mãos por trás dos tufos de cabelo grisalho que contornavam a cabeça calva.

— Devo admitir que, se a decisão fosse minha, eu provavelmente não teria ido adiante com esse caso dos *roma*.

— E só agora você me diz isso — comentei com um sorriso. Na verdade, ele dissera mais de uma vez ao telefone que o caso seria "um desafio".

— Um dos problemas — continuou Olivier —, como você com certeza deve entender, é que o fato em questão ocorreu há onze anos. Na melhor das hipóteses, essas investigações, que aqui chamamos de "situações" para ser mais delicados, são como tentar caçar ecos. Você acusa um general, e, durante o julgamento, ele finge ter sido um anjo: "Me mostre a ordem para atirar. Ou queimar. Ou estuprar." Nesse caso, com lembranças antigas e sem registros, os problemas com as provas provavelmente vão ser intransponíveis.

"Mas o maior obstáculo vão ser os militares americanos. A Lei de Proteção aos Membros do Serviço Militar impede qualquer tipo de assistência americana durante uma investigação do TPI, mesmo que seja para acusar outra pessoa. Como o Exército americano estava no controle da área quando o suposto massacre aconteceu, grande parte das evidências de fato significativas vai estar fora do seu alcance."

— Então por que os mandachuvas daqui decidiram continuar com isso?

Ele deu um sorriso enigmático enquanto agitava a mão no ar, à cosmopolita maneira francesa.

— O procurador e a vice-procuradora não se sentiram na obrigação de me explicar — respondeu Olivier. — Mas muita gente aqui veria a recusa em investigar como um prêmio à intransigência americana. Além disso, tenho certeza de que você notou onde residem todos os trinta e seis réus acusados pelo tribunal.

Eu tinha notado. Todo caso que o tribunal julgara em seus treze anos de existência havia surgido na África — Congo, Quênia, Costa do Marfim e Líbia, por exemplo. Deixar de lado uma investigação que poderia culminar em acusações contra pessoas brancas poderia aprofundar o ultraje que o continente africano sentia em relação ao TPI.

— Mas — disse Olivier, erguendo o dedo — existe um ponto positivo. — Ele se inclinou para a frente e entrelaçou os dedos das mãos gorduchas, como se a informação que estava prestes a revelar exigisse alguma formalidade. — Considero esse o melhor trabalho que já tive como advogado, incluindo meus anos como procurador real. Se eu conseguisse tirar Hélène lá de Montreal, passaria mais uma década aqui.

— E qual é a parte boa? A missão?

— Sim, a missão no geral é nobre. Durante a maior parte da história documentada, os vencedores sequer fingiram que faziam justiça. Eles simplesmente executaram os derrotados. Mas, para além disso, as apostas aqui são tão altas que você jamais vai questionar o valor do seu trabalho, como a gente faz com frequência na iniciativa privada. Você é responsável por levar justiça a quatrocentas almas. Quando sair daqui, pare em frente ao tribunal e conte o número de pedestres até chegar a esse número. Vai demorar. A importância do que você está fazendo e as poucas ferramentas que vai ter a sua disposição vão exigir que você tenha uma imaginação extraordinária. Você mesmo vai ser seu motivo de inspiração. — Olivier deu uma risadinha da descrição que fez e deu um tapa na mesa. — E agora, ao trabalho.

Ele me entregou a ordem judicial de duas páginas emitida pelo tribunal na semana anterior, convocando Ferko a testemunhar perante um Juízo de Instrução dali a alguns dias.

Nos Estados Unidos, um júri de acusação teria a função de supervisionar o trabalho investigativo do promotor. No TPI, os Juízos de Instrução desempenhavam esse papel. Sem aprovação do juízo, a procuradoria não podia sequer fazer perguntas diretas a uma potencial testemunha. Até que isso acontecesse, as únicas informações sobre o caso eram as que terceiros, como jornais ou organizações de direitos humanos, conseguiam reunir.

Nas últimas semanas, eu tinha lido o tratado do TPI, todas as sentenças e a maioria dos pareceres. Um fato se destacava: o Juízo de Instrução jamais havia pedido um testemunho presencial antes de autorizar uma investigação.

— É verdade — disse Olivier —, mas todos concordamos que isso é válido. Foi por isso que eu pedi que você viesse mais cedo. Nos nossos casos, normalmente há centenas de vítimas. Nesse, existe um único sobrevivente. O tribunal quer ter certeza de que ele realmente está disposto a testemunhar e que sua história faz sentido. Não há razão para causar controvérsia se descobrirmos que ele não bate muito bem.

Aceitei essa explicação, mas confessei que não me sentia muito confortável com o costume europeu, que exigia que eu apresentasse o primeiro depoimento de uma testemunha sem ter conversado com ela antes, baseando-me apenas em algumas declarações anteriores.

— Você vai querer conhecer a advogada dele, Esma Czarni — avisou Olivier. — Ela é da Aliança Roma Europeia e foi quem encontrou a testemunha. E ela planeja estar presente no tribunal. — Ele vasculhou a mesa e, por fim, me entregou um Post-it com o número do telefone dela. Então ergueu um dedo em sinal de advertência. — Você vai achá-la encantadora. Brilhante. *Très jolie* — disse, movendo as sobrancelhas para cima e para baixo, num gesto muito francês. — Mas ela só pensa no caso dos *roma*.

Para encerrar a questão, Olivier deu outra gargalhada cordial e passou a discutir com entusiasmo nossas opções para o jantar.

3.

Começando a trabalhar — 3 e 4 de março

Passei a manhã de terça-feira no escritório da administração do tribunal, recebendo manuais e assinando formulários. A despeito de ser uma organização relativamente nova, o TPI já havia desenvolvido sua própria burocracia engessada, ainda que fosse bastante típica da Europa Ocidental, na qual os burocratas agiam como se a história pudesse parar se os documentos não fossem preenchidos de acordo.

A surpresa mais agradável foi o salário: cento e cinquenta e dois mil e oitocentos euros, além de várias ajudas de custo. Fiquei ligeiramente constrangido ao me dar conta de que jamais havia perguntado o valor. Ainda pensava em mim mesmo como uma pessoa frugal e de gostos modestos, mas fazia um tempo que dinheiro havia deixado de ser uma preocupação na minha vida. Eu havia passado mais de uma década recebendo um milhão de dólares ao ano no DeWitt Royster — com frequência, até muito mais —, embora nunca tivesse realmente compreendido o que os advogados faziam para justificar tanto dinheiro. Quando me divorciei, Ellen ficou com a maior parte das nossas economias, mas foi fácil ser generoso, dada a fortuna que herdara dos meus pais. Os milhões que meu pai silenciosamente havia acumulado durante décadas de habilidosos investimentos surpreenderam a mim e a minha irmã, Marla, mas, àquela altura, já tínhamos aprendido a aceitar a natureza reservada dos nossos pais.

À tarde, Olivier me levou de escritório em escritório e me apresentou aos colegas de trabalho, incluindo o próprio procurador, Badu Danquah, ex-juiz de Gana, e Akemi Moriguchi, a vice-procuradora de cabelos eriçados que parecia jamais abrir a boca.

A quarta-feira foi dedicada aos poucos preparativos possíveis para a audiência do dia seguinte. Reli a petição que a procuradoria havia apresentado ao juízo, resumindo o provável depoimento da Testemunha 1, assim como seu arquivo interno, compilado pelos chamados analistas de situação, que não ia muito além de uma pilha de artigos sobre a situação política na Bósnia em 2004 e a história da acossada comunidade dos *roma* lá e em Kosovo.

À tarde, finalmente conheci Esma Czarni. Eu havia ligado para seu celular de Londres depois de Olivier me passar o número. Ela estava num julgamento em Nova York e só chegaria a Haia na quarta. Já prometera passar a maior parte do dia com Ferko, mas concordou em se encontrar comigo às quatro da tarde, em seu hotel.

O Hotel Des Indes, com sua fachada de um amarelo reluzente, era um refúgio com uma elegância assertiva. Pilares retangulares de mármore de Carrara, juntamente com madeira escura e brocados pesados, dominavam o lobby no qual Esma entrou apressada e alguns minutos atrasada. Ela veio diretamente até mim.

— Bill ten Boom? Você é igualzinho as suas fotos na internet. — Havia milhões de fotos minhas da época em que eu era promotor. Ela me deu um aperto de mão firme. — Sinto muito por ter feito você esperar. Você chegou tem muito tempo? Sua testemunha estava inquieta. Foi a primeira vez que ele chegou perto de um avião.

Ela não havia parado e fez um sinal para que eu a seguisse até o elevador. Tinha um forte sotaque de Oxbridge, como os antigos locutores da BBC. Classe alta.

— Tenho tudo planejado — avisou ela. — Podemos trabalhar e pedir o jantar quando você quiser. Meu apetite está em outro fuso, mas, infelizmente, eu sei que ele vai chegar.

Em sua suíte, que ficava na esquina do prédio, Esma tirou o casaco e pegou o meu, enquanto eu olhava com admiração para o quarto e, para ser honesto, também para ela. Olivier tinha dito que Esma era bonita, mas, quando eu havia pesquisado por ela na internet, não encontrara nenhuma foto. Ao vivo, a mulher era deslumbrante; não exatamente digna de capa de revista, mas muito atraente, com uma beleza pouco convencional. Emoldurado pelo volumoso cabelo preto e indisciplinado, havia um rosto redondo com a cor morena da Ásia Meridional e feições muito marcadas: lábios carnudos, nariz aquilino, malares felinos e grandes e imponentes olhos pretos. Sob o tailleur de grife, seu corpo era atraente, embora ligeiramente cheio, e joias pesadas tilintavam enquanto ela se movimentava pelo quarto.

Esma me ofereceu uma bebida, que eu recusei. Como ela ainda estava entorpecida em função da viagem, pedimos café, que chegou quase imediatamente. Ela serviu duas xícaras, e nos sentamos nas cadeiras estofadas redondas em torno da mesinha com tampo de vidro sobre a qual ela havia empilhado seus papéis.

Tentando quebrar o gelo, perguntei sobre seu escritório em Londres. Acontece que eu conhecia um advogado da cidade, George Landruff, cuja voz era alta o bastante para sacudir os quadros das paredes. Então, como esperava, arranquei risadas de nós dois ao me referir a ela como "suave". Com isso, pareceu seguro perguntar sobre a Testemunha 1 e o que esperar de seu depoimento.

— Ferko? — Era a primeira vez que eu ouvia o verdadeiro nome dele, que havia sido ocultado no arquivo dos analistas de situação. — Ele é um homem simples.

— Ainda aterrorizado?

— Acho que consegui acalmá-lo. — Com membros da Unidade de Vítimas e Testemunhas do tribunal, Esma mostrara a Ferko a sala de audiências e havia explicado o básico: juízes e advogados. — Você vai encontrá-lo bem preparado para o depoimento. Revisamos as declarações anteriores dele com muito cuidado. Ele entende que deve ouvir as perguntas e tentar dar respostas diretas. Os *roma* não gostam de dar informações sobre si mesmos aos *gadjos*, os forasteiros, então as respostas provavelmente vão ser curtas.

— Como você o conheceu?

— Com muita persistência. Eu trabalho com as organizações *roma* desde que saí da faculdade. Em interesse próprio, é claro.

— Você é *rom*?

— Criada numa caravana no norte da Inglaterra. — Isso significava que ela havia exercido o que os ingleses veem como direito das classes educadas e adquirira seu sotaque aristocrático na escola. — Em 2007, eu me juntei ao conselho da Aliança *Roma* Europeia. Na época, em Paris rolavam boatos sobre um massacre dos *roma* na Bósnia, alguns anos antes. Eu fui para Tuzla tentar descobrir alguma coisa. As pessoas ouviram histórias sobre centenas de *roma* enterrados vivos em uma mina de carvão, mas ninguém parecia saber mais que isso. Ou mesmo se isso era verdade.

"Até que eu visitei um vilarejo *roma* e fui informada de que o único sobrevivente de Barupra estava na vizinhança. Eu consegui o celular de Ferko, mas ele estava apavorado demais para falar. Acho que eu liguei para ele uma vez por mês durante um ano. Eu estava pronta para desistir e tinha decidido ir até Kosovo, de onde saíram os moradores de Barupra. Minha ideia era provar o massacre de forma circunstancial, encontrando familiares que pudessem confirmar que todas as comunicações com Barupra haviam cessado de forma abrupta em abril de 2004. Mas fui poupada da viagem quando Ferko finalmente decidiu se encontrar comigo."

Durante a hora seguinte, enquanto eu digitava intensamente no tablet, Esma leu linha por linha das anotações de suas muitas conversas com Ferko desde 2008. Ao longo dos anos, ele se contradissera em alguns detalhes menores — o horário em que os caminhões apareceram ou como tinha encontrado o filho. Isso é normal em se tratando de testemunhas. Se elas contam a mesma história de novo e de novo, isso significa que ou foram instruídas ou estão mentindo.

No meio da leitura, Esma tirou os sapatos de salto alto e se aninhou no sofá, apoiando as pernas nas almofadas vermelhas. Ela disse que era uma daquelas pessoas que não conseguem dormir em avião e, àquela altura, estava acordada havia quase quarenta horas.

Sua suíte, como o restante do Des Indes, tinha estofados de crina de cavalo em tons de sangue, grandes espelhos com molduras de mogno e janelas cobertas por cortinas francesas. Era um quarto amplo, mas sem divisórias, então a cama estava sempre no campo de visão.

Enquanto isso, analisei as outras informações que ela havia fornecido ao tribunal para corroborar a história de Ferko. Usando fotos e relatórios de refugiados da ONU, Esma estabelecera a presença de um campo de refugiados *roma* de quatrocentas pessoas, perto de Tuzla, em abril de 2004. Seu súbito desaparecimento havia sido confirmado por certidões da polícia local, de oficiais da província e de dois padres ortodoxos, que haviam batizado as crianças e enterrado os mortos em Barupra. Fotos mostravam as mudanças no panorama da mina de carvão abaixo do campo em abril de 2004, e ela obtivera relatórios de duas estações sismográficas diferentes, que haviam registrado a perturbação do solo no fim da noite de 27 de abril. Por fim, vários residentes da cidade mais próxima, Vica Donja, descreveram, sob juramento, um comboio de caminhões se afastando da mina em alta velocidade logo após a explosão. Embora tivesse demorado onze anos para chegarmos a esse ponto, a necessidade de uma investigação parecia incontestável.

Enquanto eu lia, Esma anunciou que estava com fome. Ela ligou para o serviço de quarto e cobriu o bocal por tempo suficiente para perguntar o que eu queria. Pedi peixe.

— Você fez um trabalho impressionante com tudo isso — eu disse a ela quando voltou. Assim como a grandeza de muitos cientistas está no projeto de seus experimentos, o bom serviço advocatício requer considerável criatividade na hora de reunir provas.

— Gentileza sua — respondeu ela. — Não que isso tenha ajudado a despertar o interesse de alguém com autoridade para prosseguir com a investigação.

Então Esma descreveu uma longa jornada de frustração. O Tribunal Iugoslavo finalmente havia concluído que o caso estava fora dos limites temporais de sua jurisdição. Os promotores bósnios arrastaram a questão até 2013, mas claramente temiam antagonizar os Estados Unidos e agravar as divisões em sua já dividida nação. Em vez disso, o governo da Bósnia e Herzegovina encaminhara o caso ao TPI, dando-lhe o poder de agir com a mesma autoridade legal. A despeito disso, o arquivo tinha permanecido intocado no TPI até Esma ameaçar organizar manifestações.

— Mas não vou fingir que estou surpresa. A verdade, Bill, é que poucas pessoas nesse continente se importam com os *roma*. Mesmo as mais cultas, progressistas e tolerantes falam sem constrangimento sobre "aqueles ciganos sujos". Você vai ver.

Perguntei como ela explicava um preconceito tão enraizado. A pergunta deu energia a Esma, que se endireitou na cadeira.

— Não vou dizer que os *roma* não fizeram nada para inspirar esse tipo de atitude. "*Roma*" significa "o povo". Dessa forma, você — ela apontou uma unha pintada para mim — é uma "não pessoa" que, caso sofra qualquer ato imoral por parte de um *rom*, incluindo roubo, fraude ou mesmo violência, não vai receber retratação do grupo. Essa atitude é imperdoável.

"Mas nós estamos entre vocês há mais de mil anos, desde que os *roma* migraram da Índia para a Grécia. E, geração após geração, o que mais enfureceu os europeus a respeito dos *gitanos*, *celo*, *tziganes* ou qualquer outro dos milhares de nomes que recebemos foi nossa absoluta e obstinada insistência em viver de acordo com os nossos valores, e não com os seus. Quando eu era criança, Bill, não me ensinaram a ver as horas. Eu nunca vi um *rom* usando relógio. Partimos quando estamos prontos. Parece uma coisa menor, mas não é, não se você pretende frequentar uma faculdade ou conseguir um emprego. Milhões de nós foram assimilados até certo nível, especialmente nos Estados Unidos. Mas o número na Europa é muito menor.

A menção aos ciganos americanos subitamente evocou a memória infantil do homem que puxava um carrinho pelas ruas de Kewahnee, onde eu fora criado, cantarolando as sílabas ininteligíveis de uma canção sedutora. Ele carregava uma mó movida a pedal e, às vezes, eu ficava por perto e observava as faíscas voarem enquanto ele afiava as facas da minha mãe. De boina e casaco de tweed amarrotado, ele era da cor do cobre manchado, como o castiçal que minha mãe certa vez lhe pedira para polir. Mas o homem sabia seu lugar. Ele nunca chegava perto das portas. As mulheres da vizinhança levavam facas e panelas até ele — e mantinham uma mão protetora no ombro dos filhos.

— E dessa determinação em permanecer diferente veio a incansável perseguição aos *gadjos*. Escravidão. Açoitamentos. Marcas a ferro. Prisões e execuções organizadas. Cidades nas quais éramos proibidos de entrar e assentamentos de onde éramos proibidos de sair. E uma mitologia de pecados: que somos sujos, quando o interior de uma casa *rom* é impecável; que roubamos crianças, quando a verdade é que os *roma* frequentemente foram forçados a se separar dos filhos; que as mulheres são prostitutas, quando na verdade a pureza é valorizada.

Com uma batida, o garçom, num longo casaco com botões chineses, entrou empurrando o carrinho. Galantemente, peguei meu cartão de crédito, mas Esma o dispensou com um aceno, o que me causou certo alívio, uma vez que meu treinamento no TPI não incluíra reembolso de despesas.

Após abrir as laterais do carrinho para formar uma mesa e destampar as baixelas, o garçom retirou a rolha de uma garrafa de Entre-Deux-Mers e serviu duas taças antes que eu tivesse tempo de oferecer alguma objeção. O linguado que Esma havia pedido para mim estava delicioso, e eu agradeci.

— Ah, sim. Esse lugar é adorável. — Ela passou manteiga em um pãozinho e o comeu com prazer. Não havia nenhuma delicadeza na maneira como atacou a comida ou balançou a taça de vinho na minha direção para que eu a enchesse outra vez. — Diga, Bill. Qual é a sua história?

Comecei a descrever meu currículo, mas ela me interrompeu com um gesto.

— Não, Bill. Como um advogado americano bem-sucedido arrancou suas raízes e veio para Haia? Eu posso chamar você de Bill?

— Boom é melhor. Ninguém me chama de Bill desde que eu estava no ensino médio.

Os colegas que começaram a me chamar de Boom lá pelo sétimo ano estavam sendo irônicos. Fui uma criança quieta. Mas Esma torceu o nariz ao ouvir meu apelido.

— Acho que vou continuar com Bill, se você não se importar. E como foi que decidiu vir para cá?

Contei a ela o que estava apenas começando a compreender a respeito de mim mesmo, ou seja, que meio que havia recomeçado a vida aos 50 anos.

— A onisciente internet diz que você é divorciado — comentou ela.

— Há mais de quatro anos.

— E foi tranquilo ou violento?

— No fim, foi tranquilo.

— Ela concordou?

— Não inicialmente. Mas, quando reencontrou seu namorado do ensino médio, cerca de seis meses depois de eu sair de casa, mal podia esperar pelo divórcio.

— Então não havia outra mulher envolvida?

Não havia. Só tédio terminal.

— E por quanto tempo você foi casado?

Agora que havíamos entrado no campo pessoal, seus olhos escuros se tornaram penetrantes.

— Quase vinte e cinco anos.

— O motivo foi o aniversário que estava se aproximando?

— Conscientemente, não. Meu filho mais novo estava prestes a se formar na faculdade. Nós trabalhamos juntos para criar a nossa família, e acho que fizemos um bom trabalho, em grande parte graças a Ellen, mas parecia que não havia muito o que esperar das nossas vidas juntos.

— E depois disso, Bill? — perguntou Esma, com um sorriso ligeiramente malicioso. — Muitos romances?

Dei de ombros.

— Você se incomoda com as perguntas?

— Elas parecem meio unilaterais.

— E são, mas a minha história ou leva a noite inteira ou se resume a poucas palavras. Sem maridos ou filhos e vários relacionamentos, mas nenhum no momento. Melhor agora?

Dei de ombros novamente.

— Eu conheci muita gente agradável — falei. — Mas ninguém com quem eu quisesse realmente me comprometer.

— E é isso que você quer? Compromisso?

— Acho que eu pensava nisso quando meu casamento acabou: ter um relacionamento melhor com outra pessoa. Mas é complicado. Quando se chega à meia-idade, descobre-se que muitas pessoas ainda estão solteiras por algum motivo. E isso me inclui, é claro.

— A mim também — disse ela. — Mas acho que, no meu caso, o problema é que eu fico entediada muito rápido. E agora as mulheres estão correndo atrás de você?

Dei de ombros mais uma vez.

— Ser um homem de meia-idade bem-sucedido que subitamente está solteiro é um pouco como ser o garoto que carrega água para o time de futebol americano que de repente descobre que foi transformado em rei do baile por um gênio.

Esma claramente conhecia bem a cultura americana, pois achou graça na brincadeira. Mas eu estava sendo honesto sobre a desconfiança que sentia em relação à minha súbita ascensão na escala social. É verdade que, aos 50 anos, a aparência importa menos, porque todo mundo já foi marcado pelo tempo. Meu cabelo ainda era loiro e liso, eu não andava curvado e permanecia razoavelmente em forma. Mas tinha traços grosseiros e, durante a escola e a faculdade, sempre soubera que não estava à altura das garotas realmente bonitas. No meu último ano em Easton, eu tinha ficado atônito quando Ellen, que claramente não era para o meu bico — esperta, adorável em todos os sentidos e integrante da equipe de corrida da universidade —, mostrara-se disposta a sair e então namorar comigo. Ainda acredito que ela sentiu certa satisfação egoística ao descobrir o que as outras garotas deixaram passar: que, a despeito da minha ocasional timidez, eu podia ser um cara bem divertido.

Esma finalmente pareceu se compadecer do meu desconforto com esse tipo de conversa e foi ao banheiro. Quando voltou, só chegou até a cama. Atirou-se nela dramaticamente, com os braços bem abertos.

— Estou acabada — avisou ela.

Pedi desculpa.

— A culpa é toda minha — respondeu Esma. — Eu não devia ter bebido a terceira taça.

Enquanto eu juntava meus papéis, perguntei se ela entrevistara o filho de Ferko. Ela o fizera, embora o menino não se lembrasse de nada relacionado aos eventos, que ocorreram quando ele tinha apenas 3 anos.

— E quais foram os boatos que você ouviu em Tuzla — perguntei enquanto fechava o zíper da maleta — em relação aos responsáveis por esse massacre?

— Só suposições. Os sérvios. Os americanos.

— Alguma menção ao crime organizado?

— Uma ou duas vezes. Alguns *roma* em Barupra supostamente estiveram envolvidos com uma gangue que roubava carros, e a máfia local se ressentiu com a competição.

— E quanto a jihadistas?

Ainda deitada do outro lado do quarto, ela colocou a mão na testa, em um gesto pensativo, e disse que não foram mencionados.

— E que motivos os americanos ou os paramilitares sérvios supostamente teriam para matar quatrocentas pessoas?

Ela emitiu alguns sons inarticulados enquanto tentava se lembrar.

— Sempre se especulou que os *roma* foram massacrados como represália pela tentativa americana fracassada de capturar Laza Kajevic em abril de 2004. Você sabe quem era ele?

— O ex-líder dos sérvios na Bósnia? Claro.

Advogado por formação, Kajevic tinha o mesmo talento de Hitler, transformando sua enorme presunção em sinônimo da importância de seu país e seus discursos inflamados na voz da raiva havia muito reprimida de seu povo. Mas associá-lo ao assassinato dos *roma* parecia um pouco como colocar a culpa no bicho-papão. Eu disse isso a Esma, que assentiu vigorosamente.

— Kajevic e seus seguidores foram responsáveis pelas únicas fatalidades que os Estados Unidos sofreram durante todo o período que passaram na Bósnia. Mas essa é uma antiga tradição europeia:

quando alguma coisa acontece, a culpa é dos ciganos. Ferko jamais mencionou Kajevic.

Ela se apoiara em um cotovelo durante minhas perguntas finais, mas deitou novamente de costas.

— Bill, eu sinto muito, mas acho que vou dormir no meio da conversa e falar durante o sono. E a gente não se conhece bem o bastante para isso.

Rindo, agradeci pelo jantar e disse que o próximo seria por minha conta. Mencionamos a possibilidade de jantarmos juntos de novo depois da audiência do dia seguinte.

Do lado de fora, sentindo-me estranhamente revigorado, caminhei sem pressa para pegar o Sprinter, o trem que me deixaria a uma quadra do meu hotel. A rua onde eu estava, a Lange Voorhout, era uma avenida ampla, com uma esplanada central de árvores antigas e altas, e ladeada por casas majestosas, a maioria delas convertida em embaixadas ou consulados, de acordo com as grandes placas de cobre ao lado das portas. Haia, às dez da noite de um dia de semana, era bastante silenciosa. Alguns casais caminhavam abraçados para se proteger da brisa marinha intensa, enquanto ciclistas isolados passavam com suas toucas, cedendo a vez aos pedestres com grande relutância.

Despedir-me de Esma era bastante parecido com ir para a sombra depois estar sob o sol equatorial, com a pele ainda formigando de calor. Ela era dinâmica e surpreendentemente franca, uma daquelas mulheres cuja beleza natural era inevitavelmente ampliada pela inteligência e pela irrestrita autoconfiança. Era *sui generis*, desafiadoramente autêntica, o que talvez se devesse à sua herança cultural. Encolhi os ombros por causa do frio e dei uma risada. Era a primeira vez naquela semana que eu tinha certeza de que havia feito a coisa certa indo para Haia.

II.
Mudança

4.

A ordem

COUR PÉNALE INTERNATIONAL

TRIBUNAL PENAL INTERNACIONAL

Original: inglês
No: TPI-04/15
Data: 9 de março de 2015

JUÍZO DE INSTRUÇÃO IV

Composição: presidente Joita Gautam, juiz Nikolas Goodenough, juíza Agata Hallstrom

SITUAÇÃO NA REPÚBLICA DA BÓSNIA E HERZEGOVINA
Documento público
Decisão relativa ao Artigo 15 do Estatuto de Roma, sobre a autorização de investigações

O JUÍZO DE INSTRUÇÃO IV ("Juízo") do Tribunal Penal Internacional ("Tribunal"), ao qual a situação da República da Bósnia e Herzegovina foi designada, publica a presente decisão, de acordo com o artigo 15(4) do Estatuto de Roma ("Estatuto"), sobre a "Requisição de autorização para investigação de acordo com o Artigo 15" ("Requisição da Procuradoria"), submetida pelo procurador em 14 de novembro de 2014.

Em relação à Requisição da Procuradoria e ao depoimento da Testemunha 1, o Juízo decide: Há base razoável para a realização de uma investigação sobre a situação, levando-se em conta o âmbito material e territorial estabelecido na Requisição da Procuradoria.

Aguarde-se a íntegra da decisão.

Essa breve decisão era um desvio das práticas usuais do Tribunal, que precisava de pelo menos cinquenta páginas, com centenas de notas de rodapé, simplesmente para dizer olá. A longa decisão, com sua intrincada discussão legal, viria mais tarde, porém o rápido pronunciamento reconhecia que tempo demais havia se passado, o que equivalia a uma instrução para que a procuradoria — e eu mesmo — começasse a se mexer. Dificilmente era uma vitória imprevista. Por mais que a juíza Gautam discordasse da decisão de colocar um americano no comando, não havia dúvidas de que permitiria a investigação. Mesmo assim, uma vitória era uma vitória. Meus novos colegas apareceram ao longo do dia para me felicitar, e fui recebido brevemente no escritório de Badu, a fim de que ele também pudesse me dar o protocolar tapinha nas costas.

Goos, meu investigador, achou que era a ocasião perfeita para me convidar para uma bebida no fim do expediente. Ele era um ex-policial belga que viera trabalhar para o Tribunal Iugoslavo em Haia. Como muitos outros, recentemente se transferira para o TPI e fora designado para o meu caso um dia depois da minha chegada, porque tinha aprendido um pouco de servo-croata, o que seria útil com testemunhas e documentos bósnios.

Como promotor, eu rapidamente havia aprendido que minha competência dependia da competência dos meus investigadores, os policiais e os agentes federais cujas habilidades para descobrir evidências confiáveis determinavam o sucesso dos meus casos muito mais que meu desempenho nas audiências. Mas Goos parecia pouco promissor. Devia ter mais ou menos a minha idade, alto e com barriga de chope, de bochechas avermelhadas e cabelo loiro e farto que ficava espetado como um ouriço. Usava um cavanhaque grisalho que, acostumado aos agentes do FBI, eu achava pouco profissional. De fato, na primeira vez que entrara em seu escritório para me apresentar, um dia antes do depoimento de Ferko, eu o encontrara ao computador, divertindo-se com vídeos do YouTube. Meus anos na Procuradoria Federal me ensinaram que a natureza confortável do emprego público frequentemente embotava a ambição e, à primeira vista, Goos parecia alguém em busca de uma aposentadoria precoce: animado e afável, mas completamente desmotivado.

Por volta das cinco da tarde, cruzamos Maanweg, o amplo bulevar em frente ao tribunal, e caminhamos até um barzinho cheio de estilo em Voorburg. Em apenas dois quarteirões, viajamos de uma familiar metrópole ocidental, com edifícios elegantes e carros em alta velocidade, para a velha Holanda, com tortuosas ruas de paralelepípedos e prédios de tijolos atarracados com toldos protegendo a fachada.

Conversando sobre os passos a seguir, concordamos que precisávamos ir à cena do crime, na Bósnia. Mesmo assim, pelas rígidas regras do TPI, seu braço diplomático, a Seção de Complementaridade, precisava dar aos bósnios trinta dias para mudar de ideia sobre a possibilidade de conduzir a investigação. Até lá, tudo que podíamos fazer era planejar.

— Em primeiro lugar, parceiro — começou Goos —, precisamos dar uma olhada na cova que Ferko cavou para Boldo e a família, ver se a equipe forense consegue fazer alguma coisa com os restos mortais.

Dados seu nome e o pouco que havia descoberto sobre seu histórico, eu esperava um sotaque flamengo quando o conhecera. Em vez disso, Goos falava inglês australiano. Ele contou que tinha sido criado em "Oz", onde o pai gerenciara as operações australianas de um importador belga de café. Em Sydney, fora conhecido como Gus até voltar à Bélgica para fazer faculdade, aos 19 anos.

— E quanto a exumar a caverna? — perguntei.

Ele recuou visivelmente.

— Isso exige equipamento pesado, parceiro, e muita gente para vasculhar os escombros. A administração ia ter um ataque se a gente pedisse para gastar dezenas de milhares de euros logo de cara. Primeiro precisamos ter certeza absoluta do que Ferko disse.

Anotamos vários outros caminhos para a investigação, e perguntei a Goos o que ele sabia sobre o incidente com Kajevic em abril de 2004, já que ele visitava a Bósnia regularmente naquele período.

— Houve um estardalhaço enorme na época — respondeu ele. — Alguns americanos alvejados. Quatro mortos, se eu me lembro bem. Todo mundo na OTAN ficou com raiva. Mas nunca ouvi uma palavra sequer sobre os *roma*.

Quando terminamos a primeira cerveja, Goos quis saber minhas impressões sobre Haia e o tribunal.

— Até agora, tudo bem — respondi —, com exceção do meu quarto, que mais parece um caixão.

Goos tinha ficado no mesmo hotel quando chegara e fez uma careta de reconhecimento, como quem se lembra da extração de um dente. Perguntei o que ele achava de Haia, depois de tanto tempo.

— Eu gosto daqui na maior parte do tempo. — Goos se aproximou e baixou a voz. — Acho que não preciso falar dos holandeses com você.

Os americanos frequentemente ficavam confusos ou impressionados com "ten Boom". A maioria achava que eu era nativo americano. (Nunca tive coragem de perguntar ao senador se ele tivera a mesma impressão equivocada ao me indicar como procurador.) Mas "ten Boom", como muitos sobrenomes europeus, simplesmente designava um lugar. Significava "na árvore" em holandês, como Atwater ou Stonehouse em inglês.

— Meus pais nasceram aqui — contei a Goos —, mas eram completamente americanizados. Eles nunca falavam holandês e nunca retornaram à Holanda. Sequer gostavam de moinhos de vento.

Goos riu com vontade. Fiquei satisfeito com seu senso de humor.

— Os holandeses são gente boa — comentou ele. — Não se metem na vida dos outros. Dá para perceber isso pelos cafés que vendem maconha e pelas garotas nas vitrines. Mas são um grupo fechado e seguem os próprios costumes. — Goos cerrou o punho. — Olhe para as janelas quando caminhar por aí. Não têm cortinas. Isso porque uma pessoa não deve ter nada a esconder. Eles também não escondem o que pensam. Se encontro um vizinho que não vejo há algum tempo, tenho que atravessar a rua, senão o sujeito vai dizer algo como "Nossa, sua barba está tão grisalha!". Como se eu não tivesse espelho em casa. *Baise-moi l'ail.*

Francês era outra das línguas da Bélgica. Os poucos vestígios remanescentes do meu aprendizado escolar permitiram que eu entendesse a frase: "Beije minha cabeça de alho." Dei uma gargalhada quando compreendi.

— Mas, tudo somado — continuou Goos —, eu me dei bem aqui. O salário é bom. O apartamento é confortável. E sobrou menos tempo para eu e minha mulher rosnarmos um para o outro quando estamos juntos. Ela ficou em Bruxelas.

Ele levantou os olhos da caneca de cerveja. O álcool dera cor ao seu rosto, acentuando o contraste com o cabelo claro e arrepiado. Sua expressão era impenetrável, quase como se ele mesmo não soubesse como se sentia em relação à situação com a esposa.

Eu começava a gostar de Goos. Suas qualidades como colega de copo eram evidentes, embora ele não tivesse demonstrado muito foco como investigador. Como eu imaginava, Goos não estava disposto a ir embora quando me levantei do banco e peguei minha maleta. Agradeci pela bebida e parti sozinho.

Na tarde seguinte, liguei para Esma a fim de dar a notícia sobre a ordem. Eu me vira pensando nela involuntariamente durante o fim de semana e, ao pegar o telefone no dia anterior, tivera uma estranha sensação que me fez adiar a ligação. Mesmo com tão pouco contato, as coisas já eram desconfortáveis entre nós.

A despeito da minha promessa de retribuir seu convite para jantar, não saímos após a audiência. A caminho do tribunal naquela manhã, eu mencionara a Akemi, a vice-procuradora, que Esma me colocara a par do caso na noite anterior, em seu hotel. Uma mulher de meia-idade minúscula com cabelo preto, duro e raiado de cinza, Akemi era uma pessoa de poucas palavras, mas tinha me lançado um olhar sombrio que tomei como reprovação. Refletindo a respeito, conseguira entender seu ponto de vista. Mesmo que meu primeiro encontro com Esma tivesse sido planejado para tratar puramente de assuntos profissionais, futuros réus se sentiriam livres para questionar minha objetividade se eu desenvolvesse o hábito de jantar sozinho com os principais defensores das vítimas. Em vez de explicar minha reserva quando Esma me abordara na sala de becas depois da audiência, eu havia usado a desculpa esfarrapada de ter esquecido um compromisso anterior.

— Uma outra hora, então — dissera ela alegremente. E, seguindo o costume europeu, dera beijos nas minhas bochechas antes de ir embora.

Agora, ao telefone, eu me ofereci para enviar uma cópia da ordem para seu escritório em Londres, mas ela respondeu que um e-mail seria suficiente. E perguntou sobre as próximas ações da investigação.

— Ele não vai gostar — avisou ela quando expliquei que queríamos que Ferko nos mostrasse a cova de Boldo em Barupra. — Eu disse a ele que, depois do depoimento, levaria muito tempo para que fosse contatado novamente. Retornar a Barupra vai ser traumático.

— O depoimento não valerá muita coisa se não pudermos corroborá-lo, Esma.

— Eu vou ter que convencê-lo — respondeu ela. — Por favor, me mantenha a par do cronograma. — Ela estava prestes a desligar quando acrescentou, com leveza: — E, quando os ventos levarem você a Londres ou a Nova York, Bill, não esqueça que me deve um jantar.

Esma desligou, e eu fiquei encarando o telefone na minha mão. Solteiro havia cinco anos, já não era completamente cego aos sinais de que uma mulher se mostrava disponível e interessada. Mas ainda relutava em acreditar nisso em relação a ela. Com sua aparência exótica e estilo elegante, Esma estava fora da minha alçada, pois era o tipo de mulher glamorosa geralmente vista ao lado de milionários ou senadores, homens proeminentes com autoestima suficiente para ir atrás de mulheres de 30 anos. A verdade é que, com sua autoconfiança imponente, ela parecia demais para mim. Segurei o telefone com força e me senti meio envergonhado, porque, ao me lembrar das questões profissionais que eram uma barreira entre nós, percebi que me sentia aliviado.

5.

Adaptação — 11 de março a 8 de abril

Passei os dias seguintes lendo sobre o ataque de cerca de onze anos antes, em 10 de abril de 2004, no qual forças americanas sob o comando da OTAN falharam em capturar Laza Kajevic. No início de 2004, as tropas americanas estavam em seus últimos dias na Bósnia, porque o presidente Bush precisava de mais soldados no Iraque. De fato, o supremo comandante aliado da OTAN, general Layton Merriwell, que se tornara figura de certo destaque, embora não pelas razões que teria escolhido, já fora nomeado para liderar as forças de coalizão em Bagdá e estava prestes a partir da Europa.

Naquela época, Kajevic era visto universalmente como força-motriz por trás do massacre bósnio. Além da extrema importância que se dava, ele se apresentava como uma figura majestosa, alta e imponente, com uma cabeleira negra que se distinguia por uma mecha branca que poderia ou não ser obra de um cabeleireiro. O cabelo descia por sua testa e chegava aos olhos, como um roqueiro das antigas, e era alvo de muitos comentários, pois permanecia impecável, não importando quão veemente fosse em seus discursos racistas.

Em 1992, Kajevic se pronunciara perante o parlamento e basicamente ameaçara iniciar o genocídio de muçulmanos bósnios se a

Bósnia votasse pela independência da Iugoslávia, como acabou fazendo. Nos três anos seguintes, ele havia feito de tudo para cumprir sua promessa tenebrosa. O Exército Nacional Iugoslavo e os paramilitares sérvios, aliados a gangues nômades, bombardearam, fuzilaram, estupraram, queimaram e encheram de minas todas as áreas não habitadas pelos sérvios. Por fim, em Srebrenica, oito mil homens e meninos muçulmanos foram executados por ordem de Kajevic. Após Dayton, em 1996, ele fora acusado pelo Tribunal Iugoslavo e permanecia foragido desde então, sendo o homem mais procurado da Europa.

No fim de março de 2004, a inteligência do Exército americano descobrira que Kajevic e seu bando de vinte e poucos guarda-costas se refugiaram numa área destruída de Doboj, que, em virtude da limpeza étnica, tornara-se um enclave sérvio perto de Tuzla. Ele estava praticamente escondido debaixo do nariz dos americanos.

De acordo com os relatos que li, Kajevic era apoiado por uma rede secreta que se espalhava pela Sérvia e pela Bósnia e operava como a Ku Klux Klan nos Estados Unidos décadas antes. Era protegido por ex-Tigres de Arkan, os mais odiados e temidos paramilitares chetniks. A fim de conseguir dinheiro para Kajevic, os Tigres se transformaram numa gangue criminosa que contrabandeava gasolina, drogas e escravas sexuais, além de, supostamente, cometer assassinatos encomendados pela máfia russa.

Para o general Layton Merriwell, a captura de Kajevic seria o maior símbolo do sucesso dos esforços de paz da OTAN na Bósnia. A operação foi planejada cuidadosamente, e as tropas das Forças Especiais ainda no país — que haviam sido a maior fonte de temor de muitos fugitivos — foram convocadas.

Em 10 de abril, uma força estabeleceu um perímetro em torno do prédio abandonado em que supostamente Kajevic se escondia, enquanto dois esquadrões o invadiam por várias portas. Os soldados estavam no interior havia apenas alguns segundos quando explodiram duas granadas lançadas por foguete, disparadas de cima. Atiradores de elite escondidos nos telhados atingiram os soldados das Forças Especiais enquanto eles fugiam.

A emboscada sérvia deixou quatro soldados americanos mortos e oito feridos. Jamais avistados, imagina-se que Kajevic e seus guarda--costas tenham fugido em dois caminhões roubados do Exército americano, que foram vistos se afastando em alta velocidade.

As mortes, as únicas fatalidades de combatentes americanos em mais de oito anos na Bósnia, foram uma amarga conclusão para o período que Merriwell trabalhou no país e chegaram às manchetes nos Estados Unidos. Naquela que talvez seja a citação mais famosa sobre o episódio, um suboficial havia rosnado para a câmera: "A gente não veio pra cá pra morrer por esse povo de m... [*bipe*]."

Três dias depois, eu tinha lido cada artigo e cada postagem de blog que conseguira encontrar sobre a fuga de Kajevic, além de ter pedido a ajuda dos pesquisadores do tribunal. Não havia menção a "*roma*", "ciganos" ou "Barupra" em nada do que havia sido escrito sobre o ataque.

Na terça-feira seguinte, Goos entrou no meu escritório com uma folha de papel. Eu assumira o espaço de Olivier alguns dias antes, embora ainda estivesse me acostumando ao ambiente estéril. A mobília era esparsa: uma escrivaninha arredondada de madeira clara para o computador, em meio a vários armários laminados brancos. Os holandeses não viam com bons olhos a exibição de itens pessoais em espaços públicos, e as paredes brancas não continham nada além de um mapa colorido de Serra Leoa, que Olivier prendera com fita adesiva e eu tinha deixado no lugar, numa pequena rebelião contra a monotonia. Era muito diferente da Parede do Respeito que eu tivera no DeWitt Royster, com as fotos de três presidentes me dando um aperto de mão, esboços a grafite de cenas dos meus julgamentos mais famosos e vários documentos importantes — diplomas, a aprovação na Ordem e minha carta-patente de procurador federal — em caras molduras de couro.

— Uma *sheila* que eu conheço no Iugoslavo — disse Goos, referindo-se a uma mulher —, advogada de defesa, disse que ela e o marido podem ter um quarto para alugar durante alguns meses.

Eu passava as horas vagas na internet procurando apartamentos para alugar, mas a maioria exigia contratos de vários anos. Um aluguel de curto prazo permitiria que eu escapasse da cela monástica a que estava confinado enquanto me ambientava em Haia, antes de assumir algo mais definitivo.

Depois do trabalho, Goos me acompanhou no Sprinter até o centro da cidade. Após uma breve caminhada, encontramos o prédio, com o corredor de entrada repleto de bicicletas presas ao aquecedor.

O apartamento duplex era organizado e limpo, esparsamente mobiliado com peças modernas, mas já meio antigas, que pareciam ter sido herdadas. Minha potencial senhoria se chamava Narawanda Logan, indonésia de nascimento, mas residente em Haia durante a maior parte da vida. Ela era baixinha e miúda como um passarinho, de cabelo escuro e grandes óculos de armação preta que pareciam cobrir metade do rosto. Com base na data que disse ter se formado na NYU, concluí que tinha quase 40 anos, embora sua aparência delicada a fizesse parecer muito mais jovem.

Seu marido, Lew, era um americano que ela havia conhecido na faculdade. Recentemente, a organização internacional de auxílio para a qual ele trabalhava o enviara a Manhattan, com a promessa de que a posição temporária não duraria mais que seis meses. No entanto, os vertiginosos aluguéis de Nova York estavam pesando nas finanças da família, e eles decidiram alugar um quarto. Ele ficava no andar de cima e era pequeno para os padrões americanos, mas espaçoso se comparado ao meu hotel. Continha as grandes janelas típicas dos holandeses em sua ânsia pela luz do sol e um lavabo minúsculo que, anos antes, havia sido instalado no lugar do closet para acomodar as necessidades de algum parente idoso.

A Sra. Logan disse que acordava cedo e voltava para casa tarde, e que o uso da cozinha seria principalmente meu, porque ela raramente cozinhava. A relativa privacidade do acordo me pareceu imediatamente atraente. Além disso, a localização era privilegiada, a apenas algumas quadras da Frederikstraat, "a Fred", com suas lojas elegantes e seus cafés agradáveis. Conhecendo a mim mesmo, eu sabia que, a menos que a diversão estivesse a alguns passos da minha porta, eu jamais sairia do apartamento.

Goos me disse que o aluguel — quinhentos e cinquenta euros por mês — era uma bagatela. Eu disse sim imediatamente e me mudei na noite seguinte.

Na segunda-feira, 23 de março, chegou a notícia de que os bósnios confirmaram a designação da investigação ao TPI. A um mês de completar onze anos, a investigação criminal do massacre em Barupra podia começar.

Não fiquei surpreso quando Roger, que sabia de tudo, ligou mais tarde.

— Ouvi dizer que você venceu na audiência.

— É meio difícil afirmar uma vitória quando não tem ninguém do outro lado, Rog.

— Sei. Agora que você está investigando, gostaria de vir até D.C. para conversar com Layton Merriwell?

— O general Merriwell?

— Ele está disposto a conversar com você em caráter privado.

— Sobre o caso?

— Não, sobre a criação de pôneis-anões. É claro que é sobre o caso. Ele tem lido sobre o assunto.

A ordem do tribunal havia gerado a primeira notícia sobre Barupra nos Estados Unidos, um pequeno artigo nas últimas páginas do *The New York Times*. O jornal havia mencionado que o massacre ocorrera numa área controlada pelo Exército americano. Eu podia entender por que isso tinha chamado a atenção do supremo comandante da OTAN na época.

— O general quer que você conheça a versão dele — continuou Roger. — Ele quer contar o que sabe, o que é quase nada.

Eu quase perguntei a Roger o que o general Merriwell ganharia com isso, mas isso seria encarar fixamente os dentes de um cavalo dado. Em vez disso, depois de desligar, fiquei sentado à minha mesa tentando responder sozinho a essa pergunta. Eu não duvidava que Roger fosse meu amigo — ele tinha pegado um voo de quatorze horas para comparecer ao velório da minha mãe, que preparara infindáveis refeições para ele durante a faculdade, e foi mais atencioso comigo do que praticamente qualquer pessoa quando decidi deixar Ellen. Mesmo assim, como muitos homens, provavelmente me incluindo nisso, a concepção de amizade dele não impedia que houvesse uma competição entre nós. Ao longo dos anos, Roger quase acabou comigo na quadra de squash, fazendo com que eu me matasse de correr, atirando a bola nas minhas costas a cento e trinta quilômetros por hora e — em geral, quando estava perdendo — fazendo movimentos amplos o bastante para me atingir com a raquete. Segundo ele, era tudo parte do jogo.

Tentei adivinhar qual seria o jogo dele agora. Roger era funcionário do governo dos Estados Unidos. Portanto, o que quer que Layton Merriwell tivesse a me dizer, atenderia aos interesses americanos, os quais, naturalmente, incluíam absolver suas forças militares.

Fui pelo corredor até a sala de Goos.

— Macacos me mordam — exclamou Goos, o que devia significar que ele estava tão surpreso quanto eu acerca de Merriwell. Suas expressões idiomáticas foram basicamente preservadas em âmbar, e ele falava como se ainda tivesse 19 anos.

Os protocolos do TPI exigiam a acusação de líderes, não de soldados que afirmariam apenas ter seguido ordens. Assim, se várias centenas de *roma* tivessem sido massacrados por soldados americanos, o general Merriwell seria o nosso alvo principal. Sua oferta para falar comigo contradizia o que qualquer bom advogado criminal — e eu me incluo nisso — teria lhe dito para fazer, ou seja, manter a boca fechada. As penitenciárias estavam cheias de caras que tentaram confirmar sua proclamada inocência com mentiras que os condenaram.

— Não podemos dizer não — declarou Goos. Numa investigação em que a lei americana proibia qualquer cooperação dos militares do país, seria impossível recusar até mesmo um interrogatório feito em interesse próprio. — Mas isso vai deixar o velho muito, muito nervoso — acrescentou ele.

Goos se referia a Badu. O procurador, assim como o presidente do tribunal — um juiz que atuava como presidente-executivo —, era escolhido pelos países-membros, o que significava que devia evitar qualquer controvérsia que pudesse inflamar alguma facção. A decisão do Juízo de Instrução sobre a "situação" havia autorizado a investigação somente no "âmbito territorial" da requisição da procuradoria, que, naturalmente, não mencionava os Estados Unidos. Na verdade, dada a Lei de Membros do Serviço Militar, conduzir uma investigação do TPI em solo americano provavelmente seria ilegal.

Liguei para Roger a fim de expor essas questões e, vinte e quatro horas depois, ele propôs que eu e Merriwell nos encontrássemos na sala de reuniões da embaixada da Bósnia e Herzegovina em Washington, que, sob a lei internacional, era território soberano bósnio. Os bósnios, como muitos outros, reverenciavam Merriwell e jamais negariam uma solicitação tão simples.

Assim, agendei uma reunião com Badu e Akemi, na esperança de conseguir a aprovação de ambos. Nós nos encontramos no escritório espaçoso de Badu, em torno de uma mesa de reunião branca, ao lado de uma parede com janelas que iam do chão ao teto. Badu estava na cabeceira, e Akemi a um canto, com seu bloco de anotações. Com o rosto escuro sempre parecendo tomado de preocupação, Akemi estava o tempo todo no tribunal, de porta aberta, não importava quão cedo eu chegasse ou quão tarde saísse, normalmente escrevendo como uma louca nas pilhas de documentos à sua frente. Embora fosse minha supervisora, nossas conversas eram raras, dada sua frugalidade com as palavras, que, de qualquer modo, eram difíceis de compreender. Ela falava aquela versão japonesa do inglês cultivada nas universidades do Japão, que é praticamente um dialeto. Embora a sala de Akemi ficasse a apenas duas portas da minha, eu adquirira o hábito de lhe enviar e-mails sobre praticamente tudo.

Badu era igualmente inescrutável, mas por razões muito diferentes. Ele era um homem alto e afável, com mais de 70 anos, robusto e careca, com renomada autoridade em direito internacional. Tinha um belo inglês, como se cantasse ao falar, e era sereno e charmoso à sua maneira distante, claramente adequada ao aspecto cerimonial de seu trabalho, que incluía receber representantes diplomáticos de várias nações. Era mestre do assentimento grave e do risinho compreensivo, ambos empregados em intervalos habilidosos quando seus subordinados falavam. Mas raras vezes respondia diretamente a perguntas ou sugestões. Quando expliquei a possibilidade de me encontrar com Merriwell, ele ficou repetindo "Muito incomum, muito incomum" e então acrescentou sua leve risada, sem oferecer mais.

Supunha-se em grande parte no TPI que as decisões mais críticas eram na verdade tomadas por Akemi. Por exemplo, me contaram que tinha sido ela quem finalmente vencera as engessadas camadas de resistência para investigar Barupra. Mas ela se mostrava relutante sobre meu interrogatório com Merriwell. Akemi concordou que conversar com o general na embaixada bósnia era tecnicamente legal, mas disse que o tribunal, cujas despesas eram auditadas anualmente pela ONU, jamais poderia pagar uma viagem investigativa aos Estados Unidos.

Normalmente, isso teria sido definitivo. Mas, durante semanas, meus ex-sócios insistiram para que eu retornasse às Tri-Cities a fim de discutir uma investigação de formação de cartel entre as refinadoras de petróleo do condado de Kindle, que, durante décadas, cobraram os preços mais altos do país. Levou alguns dias, mas meus antigos clientes confirmaram que ficariam felizes em pagar pelo melhor assento de avião. Quando expliquei que poderia fazer a viagem sem custo para o tribunal, Akemi não teve como recusar.

Assim, eu me preparei para voltar para casa. Também havia assuntos familiares à minha espera. Logo depois que eu havia anunciado os planos de me mudar para Haia, meu filho mais novo, Pete, e a namorada dele, Brandi Rosenberg, me avisaram que estavam noivos. Eu e Ellen tínhamos tentado combinar um jantar de comemoração com os pais de Brandi, mas a família dela ainda estava passando o inverno na Flórida quando eu parti. Assim, liguei para minha ex para ver se poderíamos marcar para a noite de sábado, 11 de abril, o que deu certo. Enquanto isso, Roger disse que Merriwell poderia se encontrar comigo às três da tarde no dia 10 de abril, algumas horas depois de eu aterrissar em Dulles.

O último passo foi pedir a Esma que notificasse Ferko de que precisaríamos encontrá-lo em Barupra, para onde eu iria quando voltasse dos Estados Unidos. Ela havia me ligado algumas vezes durante o intervalo, ostensivamente para saber qual tinha sido a decisão dos bósnios. Por causa da diferença de fuso em relação a Nova York, acabamos nos falando sempre no final de seu expediente no tribunal, o que significava tarde da noite em Haia. Quando encerrávamos as discussões profissionais, ela inevitavelmente prolongava as conversas com perguntas sobre meus filhos ou histórias sobre si mesma.

Eu gostava especialmente das histórias sobre crescer com quatro irmãos num trailer. Ela descrevia o pai como um trapaceiro que enganava velhinhos e um bruto que batia na mulher e nos filhos. Sua vingança fora ir à escola sempre que eles paravam em alguma cidade. Como era proibido que garotas *roma* se associassem a *gadjos* depois da puberdade, o pai a havia expulsado da nação cigana quando ela entrou na faculdade. Esma afirmava que não se importava.

Por mais interessante que Esma fosse, os perigos que apresentava permaneciam óbvios, e eu me vi tentando limitar nossas ligações a cinco minutos. Dessa vez, recorri ao e-mail, mas o meu telefone tocou pouco depois.

— Ferko vai mostrar a cova, mas ele exige que eu esteja lá para acompanhá-lo — avisou ela.

Não tinha me ocorrido que ela poderia fazer a viagem, e meu coração disparou.

— Não tem necessidade, de verdade — falei, embora soubesse que Esma tinha todo o direito de estar presente, se era isso que Ferko queria.

— Bill, eu duvido que você consiga se encontrar com Ferko sem a minha ajuda. E ele mal consegue falar servo-croata. Eu posso traduzir a partir do romani.

Aceitei a decisão e expliquei que estaria vindo dos Estados Unidos. Em resposta a sua curiosidade habitual, falei dos meus planos.

— E você e sua ex-mulher vão se sentir confortáveis à mesma mesa?

— Vamos, sim. Agora que não somos mais responsáveis pela felicidade um do outro, nos damos muito bem. Na verdade, vou passar a noite de sábado na casa dela e do marido.

— Uau! — exclamou Esma, o que, para dizer a verdade, refletia minha própria ambivalência sobre esse detalhe. — Você pode me contar mais em Tuzla. A gente se vê na quinta. No Blue Lamp?

Goos já me dissera que o hotel era a melhor escolha em Tuzla, por uma margem considerável.

Após desligar, eu simplesmente fiquei sentado no meu novo escritório, atingido pela dura realidade que surgia com frequência depois das minhas conversas com Esma: eu estava sozinho. Pior ainda: chegando aos 55 anos, continuava inquieto em relação a questões fundamentais. Eu ainda aprovava minhas escolhas dos últimos meses, mas havia feito uma grande aposta em relação ao meu futuro — e a minha identidade. Sentado ali, senti o frio vazio no qual mergulharia se as coisas não dessem certo.

6.

Merriwell — 10 de abril

A embaixada da República da Bósnia e Herzegovina ocupava um edifício futurista de fachada achatada perto da 21 com a E Street NW, não muito longe do Departamento de Estado. O bairro, Foggy Bottom, ficava numa parte tranquila da cidade, onde construções dos séculos XVIII e XIX abrigavam embaixadas, museus, hotéis e residências aristocráticas ao longo de suas ruas arborizadas.

Cheguei por volta das três da tarde, carregando minha mala, porque tinha ido para lá direto de Dulles. Os taciturnos oficiais de segurança bósnios me trataram — como tenho certeza de que fariam com qualquer outro visitante — como um terrorista em potencial. Depois de passar pelo detector de metais, minha mala foi trancada num armário e minha maleta, revistada. Sem nenhum pedido de desculpas, meu celular e meu tablet foram apreendidos durante a visita, juntamente com duas canetas. Roger havia ligado na noite anterior para dizer que eu não poderia fazer anotações durante a reunião.

Ao longo dos anos, meu trabalho como advogado tinha me levado a confrontar muitas pessoas supostamente importantes — o arcebispo católico do condado de Kindle, incontáveis CEOs, o Comitê Judiciário do Senado, que havia me sabatinado sobre a indicação para procurador federal. E, mesmo assim, a alguns minutos da reunião, eu me senti incomumente nervoso.

O general Layton Merriwell havia adquirido aquele distinto perfil público ao qual se referiam como "icônico". Era possivelmente o soldado mais condecorado de sua geração e tinha sido — breve, mas seriamente — cogitado como candidato à presidência dos Estados Unidos. Mas sua notoriedade havia crescido de forma substancial quando ele se juntara à longa marcha de homens dos Estados Unidos com grande poder e notórias realizações que mergulhavam de cabeça rumo à desgraça.

Na minha infância, a imagem popular de um oficial do Exército bem-sucedido era Patton, alguém que supostamente tinha colhões do tamanho de bolas de futebol, chamava Deus pelo primeiro nome e podia inspirar um nível de coragem em seus soldados que eles jamais imaginaram possuir. Pessoalmente, eu não tinha nenhuma experiência com o serviço militar americano, uma vez que pertencia àquela classe social que, na minha época, não se envolvia na defesa do país, de forma muito parecida com os mais de quinhentos integrantes do Congresso que votaram para autorizar a invasão do Iraque e então, enquanto grupo, enviaram um único filho para o combate quando a guerra começou. Mas, com o tempo, eu havia desenvolvido a clara impressão de que homens e mulheres que chegavam ao topo das nossas Forças Armadas tinham muito mais nuances que Patton.

Esse certamente parecia ser o caso de Layton Merriwell. Ele representava a quarta geração da sua família a frequentar West Point e fora o segundo melhor aluno de sua turma, antes de iniciar seu treinamento como oficial de infantaria e paraquedista. Durante os anos, alternara entre o Pentágono, o campo de batalha e postos acadêmicos, dando um curso de estratégia na Faculdade de Guerra do Exército e passando alguns semestres no MIT, onde terminava um doutorado em teoria dos jogos.

Suas visões estratégicas eram simples e frequentemente citadas: "Lute somente quando for absolutamente necessário e então lute com força total." Seu histórico na frente de batalha era glorioso: Granada, Panamá, Haiti. Durante a Tempestade no Deserto, fora chefe de estado-maior do general Schwarzkopf, planejando a operação de cem horas no solo que se seguira ao nosso incessante assalto aéreo.

Tudo isso o havia levado aos Bálcãs, onde fora o primeiro comandante das tropas americanas na força de estabilização da OTAN na Bósnia. Tinha sido realocado quando a missão de paz estava bem estabelecida, mas retornara como comandante supremo das forças da OTAN durante o bombardeio dos sérvios em Kosovo e a subsequente pacificação daquele país e da Bósnia. Finalmente, em 2004, por recomendação de seu amigo Colin Powell, fora enviado para liderar o comando central no Iraque. Havia obtido algum sucesso em neutralizar a al Qaeda, somente para enfrentar a insurgência sadrista. Após dezoito meses, pedira para ser substituído, supostamente convencido de que não havia perspectiva de um Iraque democrático no curto prazo. Em vez disso, teria sugerido ao presidente que dobrássemos nossas forças para reprimir e desarmar por completo os muito descontentes, a exemplo do que havia sido feito na Bósnia, e então nos retirássemos do país.

De volta aos Estados Unidos, Merriwell pedira licença para terminar seu doutorado enquanto circulavam muitos relatos de seus receios em relação à guerra. No início de 2007, vários democratas proeminentes sugeriram seu nome como candidato presidencial para a eleição de 2008, até que ele anunciou que não deixaria o Exército. Três anos depois, em 2010, o presidente Obama o nomeara para a chefia do Estado-Maior Conjunto.

Quarenta e oito horas depois do anúncio, tanto o *Washington Post* quanto o *The New York Times* publicaram matérias de capa, provavelmente baseadas em vazamentos de partidários do ex-presidente ansiosos por retaliação, sobre o longo romance de Merriwell com sua ajudante de campo na OTAN. No começo do relacionamento, a capitã Jamie St. John, que tinha metade da idade do general, era solteira, aluna talentosa de West Point e filha de um dos colegas de turma dele. O que quer que a jovem tenha oferecido a Merriwell, era algo de que ele não estava disposto a abrir mão. Ele a havia levado para o Iraque, mas o relacionamento apresentara alguns problemas por lá. A capitã St. John solicitara transferência, que ele, de maneira infrutífera, tentara bloquear ao mesmo tempo que continuava a enviar e-mails para ela, o teor das mensagens tornando-se cada vez mais abjeto e profano. Por fim, após o noivado da moça com um colega oficial cuja idade era muito mais próxima da dela, Merriwell enviara uma série de ameaças ridículas — muitas escritas tarde da noite e claramente sob efeito de álcool —, ameaçando acabar com a carreira dela no Exército, a menos que voltasse para ele.

Tanto o romance quanto a turbulência que veio depois dele tinham chegado ao fim havia quase quatro anos, quando se tornaram notícia; nesse intervalo, Merriwell se desculpara várias vezes por escrito com a agora major St. John. Mesmo assim, pediu demissão do Exército na semana em que a história vazou, sua esposa, com quem estava casado havia quarenta anos, o expulsou de sua casa em McLean e suas duas filhas o condenaram publicamente. Ele agora era CEO da Distance Communications, fabricante de componentes eletrônicos de alta tecnologia para vários sistemas balísticos e parte do imenso mercado cinza de subcontratos militares, nos quais milhões eram ganhos e muito pouco era conhecido publicamente.

A ruína de Merriwell ocorrera nos últimos dias do meu casamento e me fascinara mais que a de Bill Clinton, Sol Wachtler, Eliot Spitzer ou de qualquer outro das centenas de homens respeitados que passaram pelo mesmo constrangimento em décadas recentes. A visão comum sobre eles afirmava que eram idiotas que provaram, mais uma vez, que o homem é apenas um ser humano amarrado a um maníaco sexual. Mas, para mim, havia um enigma ainda mais profundo: por que cada um deles havia achado esse desejo mais poderoso que sua ligação a todas as outras coisas pelas quais lutaram tanto para conseguir? Como grupo, seu comportamento dizia algo que reverberava em mim: apesar de todas as vitórias, o sucesso não era o suficiente. Algo essencial permanecia ausente. Talvez todos os seres humanos se sentissem assim e os homens poderosos simplesmente dispusessem de meios para seguir o canto da sereia. Ou talvez esse fenômeno refletisse o fato de que a motivação dos homens realmente poderosos era o permanente descontentamento.

Cada caso provavelmente tinha suas próprias respostas, incluindo a de que, para muitos desses homens, a única novidade é que foram pegos. Mas as matérias sobre Merriwell incluíam incontáveis depoimentos de amigos que insistiam que esses eventos quase certamente não tinham precedentes. E, mesmo assim, em suas últimas e desesperadas mensagens a St. John, ele havia prometido abandonar a mulher e a carreira no Exército por ela. Sua história me tocava tanto não porque ele sentira tamanho desejo por algo que faltava em sua vida, mas porque parecia pensar que o havia encontrado.

Quando me aproximei da sala de reuniões, vi, através do painel de vidro da porta, Layton Merriwell esperando por mim. Sua aparência era impecável, mas comum, e ele parecia um homem muito solitário naquele momento, olhando para o vazio de pernas cruzadas e um reluzente sapato Oxford balançando preguiçosamente sob o vinco perfeito da calça. Quando entrei, Merriwell se levantou e estendeu a mão. Era um pouco mais baixo e mais magro do que parecia na TV, com feições afiladas e cabelo grisalho bem curto, embora ainda longo o bastante para ser penteado. Para uma pessoa de sua idade — 68 anos, de acordo com a internet —, seu rosto era incomumente rosado, talvez por causa da bebida. Suas mãos, pálidas e talvez cuidadas por uma manicure, eram inesperadamente refinadas para um soldado.

Ainda em pé, conversamos um pouco sobre Roger. Merriwell disse que os dois serviram no mesmo local várias vezes, e trocamos algumas observações superficiais sobre sua natureza intensa. Merriwell me fez rir ao imitar o rosto contorcido de Roger quando ele refletia sobre alguma coisa. Então, apontou uma cadeira. Nós nos sentamos do mesmo lado da longa mesa de reuniões.

— O que posso lhe contar, Sr. ten Boom? — Ele deu um breve sorriso, entendendo a ambiguidade da frase.

— Tenho certeza de que muitas coisas, general, mas primeiro precisamos passar por algumas preliminares.

— O senhor vai me dizer que tenho direito à presença de um advogado?

— Sim, vou; e sim, o senhor tem.

— Como deve imaginar, meus advogados já me disseram para não falar com o senhor.

Àquela altura, Merriwell tinha bastante experiência com advogados, uma vez que a revelação do seu caso extraconjugal levara a uma investigação do Congresso e a um breve comparecimento perante o grande júri, que não havia chegado a lugar nenhum porque a suposta vítima insistira que jamais se sentira realmente ameaçada. Eu sabia que as condições que ele tinha imposto — que eu o encontrasse sozinho, em caráter extraoficial e sem fazer anotações — refletiam os conselhos de um advogado, uma vez que o protegiam de qualquer uso subsequente de suas palavras.

— Nós dois sabemos que eu não estou enfrentando um grande risco aqui, Sr. ten Boom. Se o TPI tentasse me acusar, nosso governo faria o que fosse preciso para me socorrer.

— Ah, sim — eu disse, sorrindo. — A Lei de Invasão de Haia.

O general Merriwell também sorriu, mantendo os lábios cerrados. Estávamos de frente um para o outro em duas cadeiras de encosto alto e revestidas de um couro azul incomumente intenso. Havia dezoito delas em torno da mesa de faia, com seus laivos rosados revelados pela luz da tarde de fim de abril que entrava pelas grandes janelas. Os painéis também eram de faia, e a sala tinha pé-direito duplo, com três candelabros arredondados sobre a mesa. No canto, a bandeira azul da Bósnia e Herzegovina, com a faixa amarela e as estrelas brancas, e a bandeira americana estavam dispostas em mastros de ambos os lados da face de obsidiana de uma grande TV que, presumivelmente, servia para ocasionais teleconferências diplomáticas, além de transmissões via satélite das ligas de futebol.

— Sr. ten Boom, não quero começar com o pé esquerdo, mas o que o senhor está fazendo é exatamente o que as Forças Armadas temiam que o Tribunal Penal Internacional fizesse. Os países que assinaram o tratado do TPI se recusaram a isentar as tropas de manutenção da paz, como as que tínhamos nos Bálcãs, da possibilidade de acusação.

Dado seu papel na OTAN naquela época, ele obviamente estava falando com conhecimento de causa.

— General, como se pode conceder a alguém imunidade para cometer crimes contra a humanidade? Ingleses, franceses e alemães também tinham tropas de manutenção da paz na Bósnia e, mesmo assim, assinaram o tratado.

— Ingleses, franceses e alemães não são alvos como o nosso país costuma ser, Sr. ten Boom. E, em Dayton, esses governos concordaram que os nossos soldados só poderiam ser acusados sob a lei americana. Aparentemente, o TPI não se vê obrigado por essa estipulação.

— O tribunal jamais assinou esse acordo, general. Mas o senhor mencionou um excelente ponto. — O elogio o pegou de surpresa, e Merriwell arqueou uma sobrancelha pálida. — O senhor sabe se o Exército fez alguma investigação sobre o suposto massacre?

Merriwell hesitou antes de responder.

— Não enquanto eu estava no serviço. Depois disso, não tenho como saber. Mas ninguém partilharia os resultados com o senhor, de qualquer modo.

— Não é por isso que eu estou perguntando. As regras do TPI só o autorizam a investigar crimes quando as nações envolvidas não podem ou se recusam a fazer isso. Como o senhor observou, o Exército americano detém o poder de julgar seus soldados. Assim, uma investigação minuciosa da Justiça Militar e um relatório público sobre as descobertas teriam evitado que o TPI sequer se aproximasse do caso. Eu não entendo por que isso não aconteceu.

— Sr. ten Boom, as Forças Armadas não pretendem permitir que nenhum órgão internacional lhes mande investigar nossos soldados quando não há motivo para fazê-lo. Ou para revelar suas descobertas se houver uma investigação. Já é difícil o bastante persuadir o povo americano a permitir que nossos soldados realizem intervenções no exterior sem ter que dizer aos pais que seus filhos e filhas vão estar sujeitos aos caprichos moralistas de um tribunal a milhares de quilômetros de distância, com procedimentos muito distintos dos nossos.

— A justiça é a mesma por toda parte, general. Prender quatrocentos homens, mulheres e crianças numa mina de carvão, sem nenhuma provocação, é crime em qualquer nação, e duvido que o senhor realmente veja a investigação de uma atrocidade dessas como "moralista".

A despeito da discussão, nosso tom era agradável, até divertido, com sorrisos ocasionais que eram quase uma piscadela. Ambos conhecíamos os argumentos. Provavelmente não era surpresa que um militar e um advogado apreciassem essa esgrima verbal como forma de se conhecer melhor. Mas meu último desafio a Merriwell resultou em um olhar mais sóbrio.

— Certamente não, Sr. ten Boom. Eu tinha acabado de me alistar na época das revelações sobre o massacre de My Lai, no Vietnã, e ele permaneceu para sempre na minha memória. A guerra é um inferno. E coisas infernais acontecem. Embora exista uma indústria que não gosta de mencionar esse fato, soldados em combate estão desesperados de medo e lutando por suas vidas, e isso nem sempre traz à tona o melhor dos seres humanos. Mesmo assim, não haveria desculpa para assassinar quatrocentas pessoas, se isso tivesse acontecido. Mas não aconteceu.

O general baixou um pouco o queixo e me lançou um olhar duro. A intensidade de seus olhos cinzentos, que eu havia notado desde o começo, redobrou. Agora estávamos falando sério.

— E de onde vem toda essa certeza, general?

— Na última semana, falei com cada oficial sênior que estava na Bósnia naquela época. Todos eles disseram que não havia uma centelha de verdade nessas acusações.

— Eu tenho certeza de que, se estivesse no meu lugar, o senhor iria preferir falar pessoalmente com esses oficiais.

— Se eu estivesse no seu lugar, Sr. ten Boom, me consideraria muito afortunado por estar falando com um alto comandante, especialmente levando em consideração que a lei americana proíbe essa conversa.

Fiquei em silêncio, basicamente porque ele estava certo. Mesmo assim, Merriwell havia redobrado minha curiosidade sobre suas razões para estar ali.

— Permita-me ser detestável e agir como advogado, general. O senhor está me dizendo que não sabe nada sobre um massacre em Barupra, com base em tudo que viu ou ouviu falar?

— É exatamente isso que estou dizendo. É uma invenção.

— E qual parte foi inventada: o massacre ou o envolvimento dos soldados americanos?

— A última parte, certamente. Mas, se compreendi bem as alegações, um comboio de caminhões e uns trinta soldados se movimentaram por uma área sob o nosso controle, explodiram uma mina de carvão e dizimaram quatrocentas pessoas no processo. A menos que eu tenha sido um completo fracasso como comandante, isso não poderia ter acontecido sem que um soldado americano notasse algo e relatasse aos seus superiores.

A primeira impressão que uma pessoa tem de outra, seja lá qual for, pode se provar falsa — pergunte a qualquer um que tenha ido a um segundo encontro —, mas eu gostei do general Merriwell, principalmente porque ele irradiava disciplina em face da verdade. Sua postura dizia que não estava iludindo a si mesmo nem se dispunha a mentir sobre algo que sabia.

— General, é indiscutível que toda a população daquele vilarejo desapareceu da noite para o dia em abril de 2004.

— Não seria a primeira vez que ciganos agem como ciganos e vão embora, Sr. ten Boom.

— Mas o senhor não acabou de dizer que quatrocentas pessoas não poderiam sair andando por vários campos americanos sem que os nossos soldados relatassem esse fato?

— Eu estava me referindo a uma operação militar estrangeira seguida de uma explosão, Sr. ten Boom. Grandes movimentações da população civil, em contrapartida, eram muito comuns. Na Bósnia, em 2004, havia pouco trabalho e muita escassez de comida. As pessoas saíam para procurar alimentos e carvão, catar pedaços de ferro e caçar. Sem mencionar os milhares de refugiados que voltavam para casa. Algumas centenas de pessoas caminhando pela estrada não teriam atraído muita atenção.

— Mas, general, as pessoas de Barupra não dispunham de meios físicos para se deslocar, com exceção dos próprios pés. A maioria dos *roma* vivia sob lonas de plástico.

— Se minha memória não me falha, Sr. ten Boom, alguns desses ciganos eram conhecidos ladrões de automóveis.

— Para mover quatrocentas pessoas, general, seria preciso roubar dezenas de veículos, o que criaria muitos problemas com a polícia bósnia.

Sem mencionar o fato de que não existe nenhum relato de alguém ter visto ou ouvido falar dessas pessoas desde aquela noite há onze anos.

Merriwell se recostou na cadeira e me estudou com atenção. Encarei seu silêncio, similar ao meu alguns instantes atrás, como admissão de que meus argumentos eram mais convincentes que os dele.

— Finalmente, senhor — continuei —, todas essas teorias alternativas são inúteis em face de algo que nenhum de nós mencionou até agora: eu tenho uma testemunha, general, um homem que morou em Barupra e afirma que todos foram soterrados naquela caverna.

— Eu sei disso.

— O senhor leu o depoimento?

— Por acaso, sim. Roger me enviou.

No tribunal, eu não soubera de nenhuma solicitação de transcrição, o que significava que a agência de Roger copiara a transmissão pela internet. Nenhuma surpresa nisso. Ele tinha deixado claro, desde o início, que o caso seria monitorado.

— Francamente, Sr. ten Boom, não consigo compreender como o senhor não se levantou e protestou a plenos pulmões contra o que a bruxa daquela juíza estava fazendo. Só um punhado de aviadores foi para a Bósnia, e eles partiram anos antes do acontecimento.

Eu expliquei que acreditava que a juíza Gautam pretendia me desacreditar mais que aos Estados Unidos. É claro, isso não era algo que eu gostaria que fosse repetido por aí, mas quis baixar a guarda com o general, esperando que talvez ele fizesse o mesmo. Pelo olhar intenso que me foi lançado, concluí que meu raciocínio fez sentido para Merriwell enquanto teorista dos jogos.

— Deixando a conduta da juíza de lado, general, o senhor não ficou impressionado com o depoimento da testemunha?

— Perdoe-me por ser politicamente incorreto, mas vou partilhar uma lição que aprendi pelo mundo: ciganos mentem, Sr. ten Boom. Para eles, não é realmente mentir. Eles não possuem história escrita. Em vez disso, o passado é constantemente recriado para atender às necessidades do momento. Além disso, quando lidam conosco, eles se protegem. Mentir mantém a maior parte do mundo a distância.

— Não vou discutir antropologia social com o senhor, general. Não é minha área. Vou para Barupra na semana que vem, mas devo dizer que, até agora, tudo que o homem disse parece ter embasamento.

— Descrevi as fotos, as declarações juramentadas e os relatórios sísmicos que Esma havia reunido. — Essas evidências apoiam a alegação de massacre. E, como o senhor mesmo reconheceu, é muito difícil acreditar que uma explosão ou uma operação paramilitar pudessem ter ocorrido sem que os soldados americanos soubessem. Uma das razões possíveis para nenhum soldado americano ter relatado algo aos seus superiores é o fato de estarem envolvidos.

Eu tinha percebido, assim que Merriwell admitira que alguém sob seu comando teria que saber sobre Barupra, que ele demonstrara por que seus advogados haviam lhe dito que não conversasse comigo. Alguns argumentos, como se diz no tribunal, provam coisas demais e acabam servindo ao outro lado.

Usar seu argumento contra ele mesmo fez com que o general hesitasse. Ele se levantou para alcançar a garrafa prateada no meio da mesa. Serviu água para nós dois e ajustou as pernas da calça antes de se sentar novamente.

— Quanto o senhor sabe sobre a guerra nos Bálcãs, Sr. ten Boom?

Eu disse a verdade, ou seja, que minhas leituras recentes me deixaram pasmo sobre quão pouco eu havia absorvido na época.

— O senhor com certeza não foi o único a não apreciar plenamente os eventos — comentou o general. — A princípio, nossos aliados na Europa viram o combate na Bósnia apenas como uma extensão das rivalidades étnicas que existem desde o século XIV, quando os otomanos chegaram à região. Mas o que os sérvios estavam fazendo com os muçulmanos na Bósnia era nada menos que um genocídio, tão intencional quanto o esforço nazista para exterminar os judeus e, embora felizmente em menor escopo, ainda mais violento. Vinte mil mulheres bósnias sofreram abusos, muitas delas em campos de estupro, cujo objetivo era engravidá-las de bebês sérvios. Nos outros quinhentos campos de concentração que os sérvios controlavam, com dez vezes esse número de croatas e muçulmanos combinados, eles deixavam os prisioneiros passarem fome e trabalhar até a morte. Sem mencionar as centenas de execuções em massa.

"Tudo isso, Sr. ten Boom, acontecia a menos de mil quilômetros de Dachau, no mesmo continente e no mesmo século, a despeito das nossas promessas de "nunca mais". Mas, por mais horrível que fosse, por mais lentos que tenhamos sido em compreender o que estava acontecendo e a despeito dos repetidos avisos do nosso amigo Roger, entre outros, os Estados Unidos da América finalmente viram a verdade, reagiram e acabaram com essas atrocidades. A Bósnia foi a primeira operação militar real da OTAN. E foi um sucesso esmagador.

"Separamos os três grupos étnicos divergentes. E, tão importante quanto, retiramos deles os meios de voltarem a matar uns aos outros. Quando a Iugoslávia se desfez, o marechal Tito tinha o terceiro maior exército da Europa. Apreendemos oitocentas e cinquenta mil armas, a maioria de paramilitares, jihadistas e justiceiros que ficaram muito aborrecidos por terem que entregá-las, e fizemos isso sem nenhuma fatalidade. Também prendemos vinte e nove criminosos de guerra, a maioria sérvios mas também alguns croatas, bósnios e kosovares procurados em Haia.

"Eu olho para trás e sinto apenas dois arrependimentos. O maior deles ocorreu no 11 de Setembro, quando subitamente ficou claro que deveríamos ter feito muito, muito mais para alardear a salvação de bósnios e albaneses pelo mundo árabe.

"Mesmo assim, para aqueles, como eu, cujas vidas foram dedicadas à crença de que a força militar também é um instrumento de paz, nosso papel nos Bálcãs foi um momento supremo."

Merriwell havia falado contendo a paixão. Eu ouvira sem fazer perguntas, tanto para ser educado quanto porque tinha certeza de que ele chegaria ao ponto crucial mais cedo ou mais tarde.

— General, o senhor não é o tipo de homem que precisa de aprovação dos outros, muito menos da minha. Eu gostaria de saber o que está tentando sugerir.

— Estou tentando lhe dar uma noção do que está em jogo na sua investigação, Sr. ten Boom.

— Quatrocentas mortes me deram uma boa noção do que está em jogo, general. E eu sei que o senhor não está sugerindo que, como milhares de vidas foram salvas, algumas centenas de ciganos assassinados não importam.

— Certamente não. Mas sua investigação vai ter consequências, especialmente se essas alegações receberem atenção, e espero que o senhor tenha isso em mente. Mesmo uma falsa acusação dessa natureza fortalece aqueles que dizem que nós deveríamos poupar o dinheiro dos contribuintes, permanecer em solo americano e deixar o mundo cuidar de si mesmo. E beneficia muitos no mundo todo, como russos, chineses, venezuelanos, o Estado Islâmico, o Irã e os extremistas de várias ideologias, que ficam bastante satisfeitos quando não projetamos o nosso poderio no exterior.

— Eu digo aqui e agora, general, que espero que esse pensamento jamais me passe pela cabeça.

Merriwell recuou visivelmente.

— Meu trabalho em Haia, general, é o mesmo que era há quinze anos em Kindle: investigar crimes e levá-los a julgamento quando as evidências forem fortes e as violações da lei forem sérias. Eu indiciei o nosso arcebispo católico por saquear os cofres da Igreja para sustentar o filho.

— Eu me lembro desse caso.

— Antes de apresentar as acusações, um enviado papal me procurou em Kindle para dizer que as minhas ações poderiam fazer com que milhares de pessoas perdessem a fé. E vou dizer ao senhor o que disse naquela ocasião: "A última coisa que o senhor quer é que eu faça o seu trabalho." Ele estava encarregado de ministrar aos fiéis, e pessoas como Roger e o senhor podem se preocupar com a política externa e militar dos Estados Unidos. Eu sou só um Joe Friday glorificado.

A comparação fez Merriwell dar um breve sorriso, então meneou a cabeça, discordando. Tínhamos chegado a outra cesura. Ele se permitiu um momento de distração com o celular. Perguntei se precisava fazer uma pausa, mas Merriwell estava pronto para continuar após um segundo copo d'água.

— General, o senhor disse que tem dois grandes arrependimentos. Suponho que o outro seja não ter conseguido capturar Laza Kajevic.

A menção a Kajevic fez com que ele se retesasse. Era a primeira emoção empática que demostrava.

— O homem era um monstro — começou Merriwell. — Se ele tivesse a oportunidade, teria massacrado tanta gente quanto Stalin, Hitler e Pol Pot. Nunca foi um líder político, só um sádico com a consciência adormecida e um ego maior que Júpiter.

— O senhor deve ter ficado horrorizado com as fatalidades em Doboj quando tentou capturá-lo.

— A parte mais difícil de ser um comandante no campo de batalha é sempre a perda de vidas, Sr. ten Boom, especialmente as dos seus próprios soldados. Passamos oito anos na Bósnia sem uma única fatalidade em combate. Ver quatro soldados morrerem e oito ficarem feridos, três deles gravemente, enquanto uma criatura maligna como Kajevic continuava livre foi um dos momentos mais tristes da minha carreira.

— E como ele conseguiu fugir dos seus soldados? Presumo que tenha sido uma falha da inteligência.

— "Falha" é uma palavra forte demais. Mesmo os esforços mais diligentes nessa área nem sempre são bem-sucedidos. Como foi relatado na época, subestimamos terrivelmente o quão bem armados eles estariam. Havíamos perdido Kajevic um mês antes e, para fugir disfarçados, eles abandonaram a maior parte das armas.

— Mas eles também pareciam saber exatamente quando o ataque ocorreria.

— Parece que sim.

— E como conseguiram essa informação?

— Se eu soubesse, Sr. ten Boom, não poderia dizer ao senhor. Mas posso assegurar que não repetimos erros passados. — Durante minhas leituras, eu tinha ficado atônito com os relatos de que os franceses sabotaram vários esforços iniciais para a captura de Kajevic, acreditando que isso levaria os sérvios a se voltarem para a Rússia. — Os detalhes operacionais do nosso plano para capturar Kajevic em Doboj provavelmente foram o segredo mais bem guardado do meu tempo em Mons — declarou ele, referindo-se à cidade belga onde o Comando Aliado de Operações se localizava. Em outras palavras, os franceses não foram informados de nada.

— E o que o senhor acha que aconteceu?

— Como conjectura? Alguém traiu o nosso plano. Tentávamos respeitar as autoridades bósnias locais. Havia líderes muçulmanos que não queriam que Kajevic fosse capturado, com medo de que isso fizesse os tumultos recomeçarem. E, é claro, ele tinha espiões em todas as forças policiais. Tudo o que posso dizer, Sr. ten Boom, é que investigamos exaustivamente a questão. Não houve um americano servindo na Bósnia que não tenha ficado furioso com as fatalidades em Doboj.

— Furioso o bastante para matar quatrocentos *roma*?

Merriwell voltou a se recostar, com a mesma sobrancelha fina arqueada. Continuei, em resposta ao seu silêncio:

— Existe uma história recorrente em Tuzla de que o massacre em Barupra teve relação com o fracasso na captura de Kajevic.

Merriwell fez que não com a cabeça antes de responder.

— Novamente, Sr. ten Boom, estamos falando de informações estratégicas que não tenho liberdade de discutir.

Eu estava andando às cegas, mas tinha aprendido, nas inquirições, que uma das chaves para o sucesso era continuar no mesmo ritmo e sem mudar de expressão. A última resposta de Merriwell sugeria que os *roma* poderiam ter tido algum papel naquilo.

— Tenho pensado muito a respeito disso, general, e me perguntado que conexão os *roma* poderiam ter com o ataque a Kajevic para que todos fossem mortos, e uma clara possibilidade é que, de alguma forma, tenham auxiliado os americanos.

Merriwell hesitou mais uma vez, me deixando ainda mais certo de ter encontrado algo. No fim, abriu um sorriso largo.

— Deixe-me ver, Sr. ten Boom. Quantas armadilhas essa pergunta contém? Primeiro, eu disse ao senhor que não acredito que tenha havido um massacre. E também disse que não posso comentar esse tipo de informação.

— Mas, caso o senhor estivesse errado sobre o massacre, general, sem revelar nenhum detalhe secreto, sua primeira suspeita recairia sobre Kajevic e seus seguidores?

Ele pensou a respeito com a boca retorcida.

— Analisando o caráter dele, com certeza. Matar centenas de pessoas em um ato de vingança não seria nada de mais para ele. Mas procuramos intensamente por Kajevic na área em torno de Tuzla durante as últimas semanas de abril de 2004, e ele seria louco se voltasse para lá.

— Ou incrivelmente arrogante.

Após um instante, Merriwell inclinou a cabeça para indicar sua concordância. Eu sabia que ele não diria mais nada, mas sua atitude continuava sugerindo que eu estava no caminho certo.

Durante a entrevista, eu não havia olhado para a única página com anotações que Roger dissera que eu podia levar. Peguei-a no bolso do colete, para ter certeza de não estar esquecendo nada.

Quando tentei descobrir o interesse de Roger nessa conversa, eu finalmente percebi que ela oferecia uma clara vantagem aos Estados Unidos. Quando a procuradoria apresentasse o requerido relatório público ao tribunal, ao fim da investigação, já não poderíamos mais dizer que os militares americanos não cooperaram de forma alguma. E, de qualquer maneira, se era isso que eles queriam, fazia sentido pressionar para conseguir um pouco mais de cooperação do Exército, e foi o que eu fiz.

— Eu não teria muitas esperanças se fosse o senhor.

— Mas, se é importante que não haja nenhuma falsa insinuação sobre o envolvimento americano, como o senhor diz, então a única maneira de inocentar os americanos é encontrar outros perpetradores ou, se isso não for possível, obter as evidências que o Exército possui e que exoneram seus soldados.

— Não é difícil provar uma negação, Sr. ten Boom?

— Eu não sou especialista militar, mas coisas como registros de caminhões e escalas de serviços lançariam muita luz sobre o assunto. Se os documentos militares não refletirem nenhum movimento das tropas, isso pode ser significativo. Mas o fato de o Exército não estar sequer disposto a admitir publicamente que examinou esses registros me incomoda. Parece que as Forças Armadas não querem olhar porque não querem descobrir o que está lá. E isso significa que os soldados vão ser sempre suspeitos.

Os olhos cinzentos de Merriwell, que começaram a me fazer pensar em duas pontas de lápis, repousaram sobre seu colo enquanto ele pensava.

— Eu entendo o que quer dizer, Sr. ten Boom, mas há muito tempo que essas questões estão fora do meu controle. Há algo mais?

Merriwell se levantou, e eu fiz o mesmo. O general se ofereceu para caminhar comigo até a saída.

Era época de floração das cerejeiras em Washington, e a cidade era uma vitrine de suave beleza. Na Tidal Basin, as árvores japonesas eram uma nuvem rosada. Mesmo naquela vizinhança, havia algumas em flor, e suas pequenas pétalas pálidas ondulavam a cada brisa, como um lembrete intenso, após nossa discussão sobre caos e força, das coisas delicadas que ainda embelezavam a vida.

Eu ainda estava com a minha mala, e o general perguntou se eu ia para o aeroporto. Expliquei que, como não sabia quanto tempo duraria nossa reunião, tinha planejado passar a noite em Washington antes de ir para Kindle, na manhã seguinte.

— E quais são os seus planos para essa noite?

— Eu vou para o hotel, anotar tudo que conseguir me lembrar da nossa conversa e então ligar para Haia antes de dormir.

— A gente pode jantar junto, se quiser. O senhor estará liberado às nove. Também tenho que pegar um avião bem cedo.

— É muita gentileza sua — respondi.

— Na verdade, não. Eu janto sozinho com bastante frequência. Muitos amigos me convidam para almoçar, mas não sou bem-vindo nos jantares com as esposas. — Ele me lançou um sorriso tenso que era doído demais para ser realmente bem-humorado. — Além disso, eu gosto de advogados, Sr. ten Boom.

— Não se ouve isso com muita frequência, general.

— Meu avô era presidente do Tribunal Militar de Apelações. Ele era um homem muito honrado. Talvez seja influência sua, mas eu me sinto atraído pela forma de pensar dos advogados, em parte porque é muito diferente da maneira como os soldados encaram os problemas. Advogados discutem os princípios essenciais. Nós nos preocupamos mais com as consequências. Eu garanto — acrescentou — que o interrogatório terminou quando saímos da embaixada da Bósnia, como exige a lei. E asseguro que o jantar não vai ser grandioso o suficiente para constituir suborno.

Eu ri.

— Não se preocupe, general, a advogada dos *roma* já me pagou um jantar no mês passado.

— A Srta. Czarni? É esse o nome dela? Então claramente o senhor me deve a mesma oportunidade. Embora, pelo que me disseram, a ideia de jantar comigo não seja tão sedutora.

— Ela é muito atraente, se é isso que o senhor quer dizer, general. Muito, muito esperta. E bastante determinada. — Experimentei a familiar excitação ao falar de Esma. — Ela joga nas cinco posições, se o senhor conhece o termo.

Ele deu uma risada alta pela primeira vez.

— Conheço bem. Eu adoro beisebol. Então assunto não vai faltar. Podemos falar das perspectivas para essa temporada. Alguma restrição alimentar?

— Eu só como o que já está morto. Não mato nada. Fora isso, sempre fui de limpar o prato.

Merriwell sorriu outra vez e perguntou:

— Às sete? — E me disse o endereço antes de se afastar.

7.

Jantar

O general morava no vasto complexo Watergate e me recebeu à porta do apartamento no sexto andar. Havia tirado o paletó, mas ainda estava de camisa branca e gravata, com uma dose de uísque pela metade na mão esquerda.

Enquanto ele pendurava meu paletó, ouvi o barulho de talheres na cozinha. Meu primeiro pensamento foi de que ele morava com alguém, mas então me lembrei de seu comentário sobre jantar sozinho. Um criado apareceu logo em seguida, um homem asiático pequeno usando avental branco, e me ofereceu uma bebida. O general o apresentou como Paul e explicou que seu irmão mais velho, que era oficial da Marinha, o trouxera de Saigon quando ele ainda era criança.

— Ele tem quatro filhos agora — disse Merriwell. — O mais jovem acabou de se formar na Faculdade de Direito de Easton. Foi onde o senhor conheceu Roger, não foi? — Ele ainda mantinha uma mão calorosa no ombro de Paul. — Temos um grande país, Sr. ten Boom.

Eu tinha uma suspeita natural do jingoísmo americano, mas um mês e meio fora dos Estados Unidos havia aumentado meu orgulho pelo nosso país, e experimentei uma onda de emoção ao ouvir o comentário do general. Nossa nação fazia muitas coisas grandiosas melhor que outros lugares.

Paul voltou com uma bebida para mim e outra para o general, e Merriwell me mostrou o apartamento. A decoração era esparsa. As atrações estavam do lado de fora das grandes janelas. Ele tinha uma bela vista do Potomac e dos monumentos. Mas o tesouro real era seu escritório. O cômodo era tão ordenado que achei intimidador, pois não conseguia manter sequer minha maleta assim tão organizada. Ele tinha uma coleção de relíquias do Exército — a insígnia das unidades em que servira e as patentes que ocupara — e uma parede com fotos assinadas que fazia aquela da qual eu certa vez havia me orgulhado, no meu escritório no DeWitt Royster, parecer tola em comparação. Layton Merriwell havia conhecido praticamente todo mundo que detinha algum poder em Washington em sua época. Ele havia sido fotografado ao lado de cada presidente desde Reagan, frequentemente acompanhado pelo secretário da Defesa correspondente e pelos líderes dos comitês da Força Aérea na Câmara e no Senado. Colin Powell estava em várias delas. Todas reveladas em vinte por vinte e cinco, as fotos estavam equidistantes, do piso ao teto, à exceção de um espaço em branco no canto inferior direito.

— Quem fica ali? — perguntei, apontando.

Ele abriu a gaveta de cima e retirou uma foto autografada de si mesmo trocando um aperto de mão com Alex Rodriguez, a estrela dos Yankees que estava retornando de um ano de suspensão por ter usado várias substâncias químicas para melhorar o desempenho.

— Eu acabei de conseguir isso de volta, Bill. Posso chamar você de Bill, agora que estamos fora do expediente?

— Eu respondo mais rápido a "Boom".

— Merry — disse ele, tocando a camisa na altura do peito. Suspeitei que o apelido lhe fora dado no mesmo espírito de ironia adolescente que o meu. Mas talvez o general tivesse sido muito mais jovial no passado. — Foram necessários dezoito meses de negociação entre os advogados para que eu pudesse pegar algumas coisas do meu escritório em casa. Roger me disse que você já passou por isso.

Compreendi imediatamente o real motivo do convite. O divórcio depois de um longo casamento não é um fenômeno isolado, mas você se une a uma minoria que recebe limitada simpatia.

— De qualquer modo, Paul acabou de reorganizar as fotos, e vamos pendurar o Sr. Rodriguez amanhã.

Eu ri do mal-entendido.

— Eu achei que o senhor tinha acabado de retirá-lo da parede.

— De modo algum. Quem tem telhado de vidro... — disse o general. — Não consigo imaginar quantas fotos minhas foram retiradas das paredes nessa cidade, Boom.

O general se forçou a dar um leve sorriso e recolocou a foto na gaveta aberta, mas, quando se virou, seu olhar estava distante, e ele permaneceu em silêncio por alguns segundos, encarando um ponto vazio na parede. Inesperadamente, percebi a magnitude de sua vergonha, de maneira muito mais pungente que até então. Layton Merriwell havia sido figurativamente obrigado a caminhar nu pela Pennsylvania Avenue diante de uma multidão que escarnecia dele. Os principais jornais foram decorosos demais para publicar seus e-mails mais piegas para a ex-amante, mas os sites sensacionalistas, que adoram esse tipo de coisa, reproduziram cada linha: palavras furiosas, atormentadas, suplicantes e, com muita frequência, pornográficas. Merry havia tido que suportar todo o turbilhão de questões internas que a maioria de nós jamais partilha exibido para o mundo inteiro, sabendo que isso sempre estaria associado ao seu nome.

Fui poupado da tentativa de fazer um comentário reconfortante quando Paul anunciou o jantar. Uma tigela de sopa de caranguejo fumegava sobre a velha mesa de mogno.

O general se provou um grande contador de histórias. Como havia prometido, falamos de beisebol. Merry tinha muitas histórias dos bastidores por causa do seu relacionamento com vários donos e administradores de times. Eram histórias engraçadas ou, com mais frequência, inspiradoras sobre atletas que reagiram ao enorme sucesso com incomum humildade ou generosidade. Merry também tinha uma memória admirável para estatísticas. Ele nutria grandes esperanças para os Yankees naquele ano. Por ser do condado de Kindle e torcedor dos Trappers, eu não tinha nenhuma.

Quando Paul retirou os pratos, o general acenou para que eu o acompanhasse pelo corredor de volta ao seu escritório, onde me pediu para segurar seu uísque — o quarto, pelas minhas contas —, enquanto ele usava um banquinho de mogno para alcançar o alto de um armário fechado. Desceu do banquinho segurando duas grandes caixas de couro com fechos prateados. E as abriu sobre a mesa para revelar uma notável coleção de bolas de beisebol autografadas. Em cada compartimento quadrado e forrado de veludo, as bolas foram dispostas com precisão para revelar as assinaturas de grandes nomes do esporte, a começar por Napoleon Lajoie, que fora um astro perto do fim do século XIX. Ele tinha bolas assinadas de Honus Wagner, cujas estatísticas eu conhecia desde criança, assim como de rebatedores recordistas como Ty Cobb e Rogers Hornsby. A segunda caixa era dedicada exclusivamente aos astros dos Yankees no último século: Ruth, Gehrig, DiMaggio, Mantle, Dickey, Reggie Jackson, Dave Winfield, Jeter e A-Rod.

Eu as admirei por um tempo, enquanto o general retirava um par de luvas brancas de algodão de uma gaveta. Ele calçou uma e pegou a bola de Gehrig. Então me ofereceu a outra e, em seguida, a bola. Sofrendo de esclerose lateral amiotrófica, Lou Gehrig havia se declarado "o homem mais sortudo do mundo" no dia em que se aposentara. Claramente era o tipo de sujeito que um soldado admiraria.

— Estive pelo mundo inteiro em alojamentos temporários — disse Merriwell —, nos quais eu não tinha nada além dos meus uniformes. Por isso, fiquei surpreso com a falta que senti dessas coisas. Embora ainda não tenha aquelas que mais desejo.

— Quais são elas?

— As fotos das minhas filhas, que ficavam no meu escritório. Florence diz que são dela.

Merry balançou a cabeça, pasmo com a onda de amargura que engolfara sua vida.

Expliquei que eu e Ellen havíamos nos divorciado em relativa paz.

— Mas eu passei por coisas o suficiente — continuei — para saber que cinco anos de divórcio são piores que tortura.

Minha compaixão era sincera, embora não fosse muito difícil defender o caso da Sra. Merriwell. Ela havia cuidado da casa e da família por quarenta anos, enquanto Merry estava fora, realizando grandes feitos, e provavelmente acreditara ter um casamento relativamente feliz, apesar de todas as difíceis concessões e da aceitação relutante que muitos casais enfrentavam. Um dia, abriu o jornal matutino e descobriu não somente que o marido obtivera um clímax de satisfação até então desconhecido com outra mulher, que a mulher em questão era mais jovem que uma das suas filhas e, ainda pior, que ele tinha implorado pela chance de abandonar a Sra. Merriwell, a quem se referia repetidas vezes em termos pouco refinados. Talvez a revelação mais dolorosa de todas tenha sido que, após o caso, ele visse seu tempo com a esposa como o purgatório árido ao qual estava confinado, em uma espécie de punição poética pelo êxtase que havia experimentado por pouquíssimo tempo.

— Nenhuma conclusão à vista? — indaguei.

— Eu quis negociar. Nenhum de nós, minha esposa, minhas filhas ou eu mesmo, precisa oferecer ainda mais material para a imprensa, apelando aos tribunais. Mas estou perdendo as esperanças. Estou ganhando bem pela primeira vez na vida e, enquanto não assinar o divórcio, Florence fica com metade. — Ele me olhou e ofereceu o sorriso espirituoso que começara a emergir perto do fim da nossa reunião. — Existe um motivo para as pessoas odiarem advogados, Boom. E, é claro — acrescentou —, embora nada esteja resolvido, minhas filhas parecem se sentir na obrigação de ficar do lado da mãe. Eu tive uma neta no ano passado que ainda não conheci. — Ele havia bebido demais para permanecer completamente impassível depois desse comentário e baixou os olhos cinzentos por um momento. — Mas recebi aquela foto no Natal, então ainda há esperança.

Admirei a foto de um belo embrulhinho loiro, emoldurado no centro exato de sua mesa.

— E como vai a sua vida amorosa agora? — perguntei.

— Ah — respondeu Merriwell. — Não teve nada. Meu advogado acha que seria jogar lenha na fogueira, já que inevitavelmente seria um evento público. E, de qualquer modo, não sei se estou pronto para isso.

— Depois de cinco anos, Merry, você provavelmente está tão pronto quanto jamais vai estar.

— Dez, na verdade. — Demorei um pouco para compreender, então percebi que ele se referia à major St. John. — E qualquer relacionamento vai envolver compromissos que não quero assumir.

Uma onda incapacitante de emoção, alimentada pelo álcool, paralisou suas feições por um momento, e o general se recusou a olhar para mim enquanto eu analisava o fato de que ele ainda não havia superado o passado. Merry voltou o olhar para a bebida.

— Eu tive uma vida disciplinada — comentou ele. — E então chegou uma hora em que eu já não conseguia mais ser assim. Gostaria de poder dizer que, em retrospecto, jamais repetiria o que fiz. Eu me sinto devastado pela dor que causei a todo mundo. Mas, agora, tenho uma noção muito melhor de quem eu sou. E não gostaria de ter passado pela vida sem saber isso. — Merry finalmente olhou para mim. — Isso é muito estranho?

— É claro que não — respondi, embora não tivesse tanta certeza. — Só estou tentando entender, Merry.

— E a que conclusão chegou?

— Duvido que as minhas impressões valham alguma coisa.

— Sem desculpas. Você parece ter ficado intrigado com alguma coisa.

Pensei a respeito por algum tempo.

— Isso não é da minha conta e provavelmente estou errado — falei —, mas você parece estar dando permissão a todo mundo para puni-lo, a começar por você mesmo, como se isso pudesse compensar o valor que dá àquela experiência. Acho que está na hora de seguir em frente e tirar vantagem do que aprendeu. Não faço a menor ideia de para onde estou indo, mas me sinto muito melhor agora que estou em movimento do que nos anos em que parecia estar imobilizado.

Era bem provável que eu fosse a milésima pessoa a dizer algo assim a Layton Merriwell. Mas isso não significava que as outras novecentas e noventa e nove foram ouvidas. Ele me encarou como se minhas palavras fossem a Anunciação.

— Obrigado — disse por fim.

Passava um pouco das nove. Chamei um táxi e tirei meu paletó do closet. Ficamos parados à porta.

— Foi um prazer conhecê-lo, Boom. Espero que nos vejamos novamente.

— Eu também, Merry.

A vida, é claro, está cheia de pessoas das quais você gosta muito e depois nunca mais vê. É uma das muitas pequenas tragédias de se viver apenas uma vez. Ambos parecemos contemplar esse fato por um momento.

— Desejo sorte na sua investigação, Boom. De verdade. Não sei o que você vai descobrir, mas sei o que não vai. — O general abriu a porta e estendeu a mão, que apertei. Para minha surpresa, ele a segurou por um momento. — Eu pensei no que você disse sobre os registros do Exército absolverem a todos nós. E existe um aspecto que você pode não ter levado em consideração. O controle dos documentos que você gostaria de ver é mais complicado do que imagina, Boom. Nossos soldados operavam sob o comando da OTAN. Assim, alguns documentos pertencem à OTAN e outros são cópias de documentos dessa mesma organização. Se eu fosse você, leria cuidadosamente o estatuto das Forças e prestaria atenção nas provisões sobre assistência na investigação de crimes.

Assim que Merry disse isso, eu soube que era uma revelação que jamais teria sozinho. Com exceção dos Estados Unidos, todos os países da OTAN eram signatários do tratado do TPI, o que significava que seriam obrigados a cooperar com uma requisição de documentos do tribunal.

Eu o encarei por um minuto inteiro antes de agradecer.

III.

Bósnia

8.

Attila — 11 a 15 de abril

Meu fim de semana no condado de Kindle, como era de se imaginar, acabou sendo intenso. Estar de volta me fez perceber quão persistente havia sido minha sensação de ser um estrangeiro em Haia, onde eu sabia, do momento em que acordava até a hora de dormir, que praticamente em cada palavra e cada gesto havia camadas de sentido que estavam além do meu alcance. A contrastante percepção de que eu já não morava mais nas Tri-Cities fez com que me sentisse um pouco instável.

No sábado, meu filho mais novo, Pete, que magicamente conseguia ingressos para qualquer evento esportivo, comprou entradas para o jogo de abertura dos Trappers para si próprio, para o irmão e para mim. Fingi estar empolgado, mas havia desistido de ir à abertura do campeonato havia vinte anos porque, nessa época do ano, o clima raramente era propício para beisebol em Kindle. Como eu esperava, a temperatura mal chegou aos quatro graus e, depois de suportar cinco *innings*, fomos para o bar mais próximo, onde nos alternamos zombando uns dos outros, normalmente dois contra um, com mais frequência os dois contra mim.

Em Haia, eu havia combinado de conversar com meus filhos por telefone às seis da manhã das terças e quintas, com um deles em cada dia, o que caía no fim dos seus dias no Meio-Oeste. As conversas costumavam ser agradáveis, mas era reconfortante vê-los ao vivo.

O jantar da noite de sábado com os pais de Brandi foi um sucesso, com brindes calorosos e risadas quase constantes. Pete e Brandi estavam juntos desde o ensino médio e, depois de anos de receios dos quatro pais, todos reconhecemos o que eles já sabiam havia muito: formavam um casal apaixonado e estável.

Em seguida, fui para casa com minha ex e seu marido, Howard, um engenheiro que tinha ficado absurdamente rico como um dos primeiros trolls de patentes. Ter uma ex-esposa com a qual você se dá bem é um pouco como ter uma irmã, alguém que o conhece intimamente e com eterna afeição. Contudo, a maioria das pessoas fugiria da simples ideia de voltar a morar sob o mesmo teto que a irmã, e até mesmo a perspectiva de uma única noite lá me deixava apreensivo. Eu aceitei porque Ellen, como sempre indo direto ao ponto, apresentara um argumento incontestável: "Quem mais você vai incomodar às onze da noite de sábado? Os meninos não têm espaço."

Eu estava certo de que ela queria me mostrar o esplendor de sua nova vida na mansão em Lake Fowler que Howard havia construído para a primeira esposa, que morrera de câncer havia mais de seis anos. Mas minha estada acabou sendo calma e cordial. Aproveitei os confortos da casa de hóspedes e, na manhã de domingo, fui para Center City, a fim de começar o trabalho com meus ex-sócios e clientes. Após dois dias ouvindo desculpas pouco convincentes de executivos do petróleo, fiquei feliz em partir.

Cheguei à Bósnia no alvorecer da quarta-feira. De Kindle, eu havia feito um voo de nove horas até a escala em Istambul, num terminal elegante, mas lotado e abafado como um caixão. O aeroporto de Sarajevo era do tamanho de um aeroporto regional dos Estados Unidos, com placas azul-turquesa que declaravam *dobrodosli u sarajevo.*

Antes de aceitar o emprego em Haia, a Bósnia, para mim, assim como para a maioria dos americanos, sempre parecera um lugar remoto, desconcertante e amplamente irrelevante. O alfabeto cirílico, usado com frequência na região, era indecifrável; a língua, o servo-croata, não se parecia com nenhuma língua ocidental que eu conhecia; e eu não sabia quase nada sobre as duas maiores religiões locais, o islamismo e a Igreja Ortodoxa Sérvia. Cheguei preparado para encontrar uma realidade muito diferente da minha, e essa expectativa foi prontamente atendida.

Goos havia chegado a Tuzla, através da Áustria, naquela manhã, a fim de completar os preparativos para nossa viagem até Barupra, no dia seguinte, mas tinha prometido enviar um carro para me buscar. Não vi meu nome em nenhum dos cartazes segurados por três ou quatro motoristas em ternos escuros, mas subitamente ouvi alguém chamando "Boom". A pessoa acenando não era ninguém que eu conhecesse mas também era estranhamente irreconhecível num nível mais básico.

Foi isto que eu vi: uma pessoa magra, com cerca de um metro e setenta, cabelos castanhos, vestindo jeans surrados e largos demais e uma parca de gola redonda da Members Only com pelo menos duas décadas de idade, dando um sorriso exuberante, como se estivéssemos nos reencontrando após anos de separação. Eu me sentia deslocado, por causa da viagem e do local não familiar, e minha mente girou como um velho toca-discos enquanto eu tentava definir uma categoria fundamental: o gênero. Pensei imediatamente em Pat, o personagem de *Saturday Night Live* que, durante várias temporadas, fora alvo de intrépidas e fracassadas tentativas de determinar se era menino ou menina.

— Attila Doby. — Estendeu sua mão musculosa em saudação. Attila era um nome masculino, mas a voz era fina e soava como a de uma mulher. A parca estava aberta, mas a camisa azul era larga demais para revelar se havia seios diminutos por baixo dela. — Merry disse que você estava a caminho. Por isso eu mandei os meus caras que vinham buscar você ficar em casa e eu pessoalmente te levaria até Tuzla.

As origens raciais de Attila também eram incertas. Apesar da pele escura, tinha sardas e olhos castanho-esverdeados, embora o nariz largo fosse africano. "Nacionalidade americana" era o único detalhe biográfico de que eu tinha certeza depois que ele ou ela pronunciou as primeiras palavras.

Attila pegou minha mala e passou a puxá-la, acenando para o estacionamento. Caminhava como se sofresse espasmos, de joelhos valgos e com os cotovelos distantes do corpo, o que fazia seus ombros ficarem erguidos. Finalmente, ele — era meu melhor palpite — abriu a porta do Audi A8 e guardou a bagagem no porta-malas.

— Então — disse Attila do banco do motorista, virando-se para mim —, você está se perguntando "que merda é essa?", certo? — Seus olhos encontraram os meus brevemente antes de se voltarem para a frente. — Nem precisa se dar ao trabalho de pedir desculpa. Eu passo por essa merda o tempo todo. Era nisso que você estava pensando, não era?

— A-há — respondi, percebendo que não tinha saída.

— Mulher, ok? Casada com outra mulher. E eu me visto como eu quero. Mas, da última vez que usei saia, eu tinha uns 13 anos. Brinco com os meninos desde os 3, ok? — Attila sorria o tempo todo, como se a explicação fosse uma piada inofensiva à custa dela. — E sim — continuou —, o nome é Attila. Etelka, na verdade, mas Attila é a coisa mais próxima em inglês. Minha mãe é húngara. Meu pai era sargento do Exército americano, nascido no Alabama e muito conservador até que a filha nasceu meio tostada, coisa que todo mundo fingiu não notar. Então, sim, eu sou esquisita, e agora a gente não precisa mais falar disso, ok?

— Ok — respondi, e comecei a rir. Zonzo por causa do jet lag, não conseguia decidir se era apropriado me divertir tanto com a franqueza de Attila. — Você disse que foi mandada pelo general Merriwell?

— Não, eu falei com Merry, mas foi o seu cara que pediu o carro. Swan?

— Goos?

— Isso, Goos. Qualquer veículo para aluguel: caminhão, meia-lagarta, limusine. Esse é o meu ramo de negócio. Um deles, pelo menos.

Estávamos entrando na cidade de Sarajevo propriamente dita, onde prédios residenciais da era Tito — blocos de concreto que pareciam prisões — erguiam-se ao lado de torres de vidro contemporâneas enfeitadas com luzes espalhafatosas no estilo de Xangai. A cidade que eu via já não era a ruína devastada por bombas de vinte anos atrás, mas reconstruir edifícios provavelmente era muito mais fácil que se recuperar do trauma.

— E como você conheceu Merry? — eu quis saber.

— Ele foi meu oficial comandante durante praticamente metade do meu tempo no serviço militar. Sargento-mor Attila Doby — disse ela, tocando o esterno com o polegar —, pensionista do Exército americano. Vinte anos de serviço e um monte de medalhas no peito. Servi sob o comando de Merry na Tempestade do Deserto, e ele me trouxe quando veio para a Bósnia. Eu era a principal não combatente daqui. Intendência. A merda é sempre igual no Exército, mas a intendência é pior. Os oficiais superiores estavam sempre na Virgínia, assinando contratos e planejando futuros requerimentos. Se você quisesse uma folha de papel higiênico para limpar a bunda, era melhor falar comigo.

"Completei os vinte anos em 2000. Fui dispensada, mas os Estados Unidos, cara... Quinze anos atrás, preta e lésbica? As pessoas não sabiam o que fazer comigo. Acabei voltando pra cá, alguns anos depois, para colocar ordem na CoroDyn. Você sabe o que é isso?"

Respondi que não. Attila fez uma pausa, assentindo enquanto olhava pelo para-brisa.

— Merry era um grande comandante por vários motivos, mas um dos mais importantes era o fato de não ter medo de mudar as coisas. Ele meio que inventou o uso de terceirizados para exercer as funções de não combatentes. Nosso exército é voluntário, então é preciso aproveitar bem os soldados. Por que deixá-los trabalhando na cozinha quando eles poderiam estar lá fora com uma arma na mão? A CoroDyn era a terceirizada daqui, e eu era a conexão dela com o Exército, garantindo que faria tudo o que devia fazer.

"Mas, depois da guerra, a situação aqui na Bósnia não era normal. E muitos empregados da CoroDyn estavam envolvidos com escravas sexuais, meninas de 12 a 15 anos que eles comiam e trocavam entre si. A imprensa ficou sabendo quando Merry estava no comando central da OTAN. Depois de praticamente estrangular o CEO, ele me ligou e disse: 'Quanto esses caras precisam pagar para você voltar para cá e cuidar de tudo?'

"Basicamente, a gente fazia tudo que não exigia arma. Alimentávamos as tropas. Fazíamos a manutenção dos ônibus. Lavávamos as roupas. Fornecíamos e dirigíamos os caminhões. Armazenávamos as armas apreendidas. Cuidávamos de todo o lixo. E fazíamos a maior parte da contabilidade. Éramos como a equipe de apoio, e os soldados eram os atores."

Attila havia feito um desvio a caminho da rodovia para me mostrar a biblioteca da cidade, uma estrutura extraordinária construída na época austro-húngara. A alvenaria alternava faixas de salmão e ferrugem, enquanto o telhado exibia uma cúpula mourisca e uma fileira de merlões decorativos. De acordo com ela, o edifício inteiro fora reconstruído a partir dos escombros.

— E por que você ainda está aqui? — perguntei. — Por causa da sua esposa?

— Não. Eu a conheci aqui, mas ela está muito feliz nos Estados Unidos. Preciso voltar para casa para vê-la, não é engraçado? Eu ainda estou aqui porque o Exército contratou milhares de civis bósnios. Eles falam inglês, têm ficha limpa, foram aprovados na inspeção de habilitação de segurança e, o melhor, a maioria é muçulmana, o que significa que eles conhecem as regras dos países islâmicos. Depois que os Estados Unidos se retiraram, eu basicamente montei uma agência de empregos. Forneço trabalhadores bósnios para apoiar operações militares americanas em todo o Oriente Médio: Iraque, Afeganistão, Kuwait, Arábia Saudita. Eles ganham bem, e eu também. Trabalham por um ano, voltam, comem a esposa, compram uma casa ou um carro e então pegam outro trabalho. Teve uma época em que eu tive quatro mil pessoas na minha folha de pagamento; ainda tenho mais de mil e quinhentas. E comprei e agora alugo todos os veículos para os quais a CoroDyn já não tinha utilidade na Bósnia. Como eu disse, eu sou rica pra caralho.

— E você continuou em contato com o general Merriwell?

— Eu tento. Merry nunca foi um daqueles generais que não sabem o nome dos seus soldados. Ele me ligou tem duas semanas a respeito dessa besteira de massacre, tentando decidir se falaria com você, e hoje resolvi ligar para saber como foi a conversa. E ele disse que a gente tem que ajudar você. Isso é tudo que preciso saber. Vou dizer uma coisa sobre Layton Merriwell. Eu daria a minha vida por aquele filho da mãe. Quantos generais do Exército americano veriam uma mestiça lésbica vestida de homem e diriam "eis aqui um excelente soldado, vou cuidar dele"? Estou aqui na Bósnia vivendo como um rei, tenho uma esposa morando numa mansão lá nos Estados Unidos e devo tudo isso a Merry. Ele disse para ajudar, e aqui estou.

Ri outra vez, me divertindo com Attila, que parecia sempre discursar quando falava. Achei que ela poderia fornecer uma resposta sincera para um enigma persistente.

— E por que Merriwell está fazendo isso, tentando ajudar? Você consegue entender?

— Ele não disse nada, mas acho que eu consigo. Num dia, todo mundo, do presidente para baixo, está puxando o seu saco e dizendo que você é o maior comandante militar desde Eisenhower. No dia seguinte, subitamente as manchetes dizem que você é um canalha que não seria bem-vindo em espelunca nenhuma. Tente dizer a si mesmo que não se importa com o que os outros pensam de você numa situação dessas. Eu acho que Merry se preocupa muito com sua reputação como comandante. Ok, ele enfiou o pau num moedor de carne, e, em vez de saudá-lo, todo mundo ri quando ele passa, mas ele pensa: "A história está do meu lado." No fim das contas, o que vai importar não é quem ele comeu, mas como liderou suas tropas. Mas não se estiver circulando essa história de que a primeira operação de combate da OTAN incluiu enterrar vivas quatrocentas pessoas em uma mina de carvão. Aí ele vai ser só um merda.

A teoria de Attila sobre Merriwell parecia bastante convincente, embora o desejo por redenção histórica também pudesse levá-lo a mentir com tanta facilidade. Mas, presumindo que ela tivesse razão, isso tornava ainda mais notável o que ele tinha me dito algumas noites antes: que, em se tratando de Jamie St. John, faria tudo novamente.

Perguntei a Attila se ela havia conhecido a major.

— Jamie? Claro. Se você conhecia Merriwell, conhecia Jamie. Ela estava sempre grudada nele. Esperta, corpo bonito, nenhuma beldade. E ótima como soldado. Sempre me tratou com respeito. Era uma pessoa decente. E ela e Merriwell... Cara, que fogo! Seria preciso um afastador hidráulico para separá-lo daquela boceta. Ele trepava como se nunca tivesse feito isso na vida. E que bom para ele! Melhor do que morrer se perguntando como seria, não é?

Com certeza. Jamais foi preciso usar um afastador hidráulico comigo, ao menos não que eu me lembrasse. E eu duvidava que isso fosse uma vantagem.

— Você está com fome? — perguntou Attila. — Não vai ter nada aberto quando chegarmos a Tuzla. A cidade é bacana, mas não é exatamente Manhattan.

Paramos em uma lanchonete de beira de estrada que ela conhecia para comer *cevapi*, que ocupava o mesmo espaço na dieta bósnia que o hambúrguer na americana. Eram pedaços muito temperados de carneiro e boi, servidos no pão pita com cebola e molho. Gostei muito do *cevapi*, mas não da ida ao banheiro turco do restaurante, que ocorreu logo em seguida. Não há nada como um sistema sanitário no chão para lembrá-lo de que você não está mais em casa.

Quando voltamos ao carro, já era noite. No escuro, aquela parte da Bósnia, da qual eu conseguia enxergar apenas os contornos, lembrava o Colorado, com montanhas, pinheiros e casas em formato de A, com telhados muito inclinados para não acumular neve. Comecei a lutar contra o sono, pois ainda precisava passar algum tempo com Goos quando chegasse a Tuzla. Para ficar acordado, tentei fazer com que Attila falasse, o que não exigiu muito esforço.

— Você mencionou a "besteira" que estou investigando.

— Não é nada pessoal. Mas é besteira.

— O quê?

— Que os americanos tiveram alguma coisa a ver com o assassinato dos ciganos.

— E quanto ao fato de os *roma* serem massacrados? Você acredita que isso aconteceu?

— Bom, sem dúvida eles sumiram. Com milhares de funcionários nativos, eu ouço todo tipo de história. Assim que as pessoas notaram que Barupra era uma cidade-fantasma, começaram os rumores de que Kajevic tinha ordenado que alguns Tigres enterrassem os ciganos vivos. Aqueles Tigres prenderiam a avó numa caverna se Kajevic mandasse.

— E quando você começou a ouvir esses rumores?

— Não tenho certeza. Quando isso supostamente aconteceu? Na primavera de 2004? No fim do verão, então. Talvez no outono.

— E por que Kajevic mataria quatrocentos *roma*?

Attila me olhou com um sorriso revelador.

— Você está perguntando o que as pessoas estavam dizendo, certo? Porque eu gosto muito da minha habilitação de segurança. Se perdê-la, vou ter que voltar para o Kentucky para cavar cocô de cavalo e tudo mais. O que eu sei por causa do trabalho, e que não é muito, não posso contar.

— Entendi. Diga apenas o que ouviu dos moradores locais.

— Eles diziam que foram os *roma* que avisaram o exército sobre a localização de Kajevic.

Pensei nisso por um segundo, para não perder o ritmo em que fazia as perguntas. Mas esse era claramente o fato que Merriwell havia insinuado.

— E como os *roma* saberiam disso?

— Como falei, se eu soubesse e te contasse, teria que envenenar seu *cevapi*. — Ela abriu um sorriso largo. — Mas você não tem uma testemunha secreta importante que supostamente estava lá? Pergunte a ela.

O problema era que Ferko — ao menos de acordo com Esma — não sabia nada sobre o envolvimento dos *roma* com Kajevic.

— E Kajevic — continuei. — Ele realmente mataria quatrocentas pessoas por vingança? Mulheres? Crianças?

Attila deu uma fungada desdenhosa.

— O cara está foragido há quinze anos. Você acha que ele conseguiu fazer isso só usando a camuflagem certa? Ele organizou a coisa toda de um jeito que, se entrar num supermercado no centro de Sarajevo, todo mundo se vira para a parede e age como se olhar para ele fosse pior que olhar para o rosto de Jeová. Matar quatrocentas pessoas seria como erguer um outdoor dizendo "Fale e morra".

— O general Merriwell acredita que não há como o massacre ter acontecido sem o conhecimento das forças americanas — comentei.

Attila deu uma risada zombeteira.

— Generais... — disse ela. — Mesmo esse general. Às vezes eles bebem o próprio mijo e acham que é limonada.

Dei uma risada.

— Mas, em abril de 2004, você trabalhava na base americana, não trabalhava? — perguntei.

— Todo santo dia.

— E, naquela época, não no verão, mas na primavera, você não ouviu nenhum americano falar do desaparecimento dos *roma* de Barupra?

— Não que eu me lembre. — Pensei nisso por algum tempo, e Attila me encarou outra vez. — Você não acredita em mim?

— Bom, Attila, é estranho. Não há dúvida de que houve uma grande explosão em Barupra, bem no meio da noite. Com quatro campos americanos a alguns quilômetros de distância, é difícil imaginar que nenhum soldado tenha ouvido a explosão ou feito perguntas a respeito.

— Eu não disse que ninguém ouviu. Mas explosões em torno da base Eagle não eram novidade. A Bósnia era o lugar com mais minas da face da Terra. Os sérvios fizeram isso para impedir que os muçulmanos retornassem aos vilarejos. O que, de um modo geral, funcionou. Pense numa visão patética: aqueles pobres coitados, vestindo trapos, voltam para casa depois de alguns anos, e você vê uma família inteira de joelhos, enfiando lápis no chão com tanta delicadeza que poderiam foder a Sininho, e, assim que voltam, alguém pisa no único centímetro que não verificaram, a casa desaparece e metade da família fica sem perna. Até hoje, ninguém caminha por um lugar sem antes alguém dizer que é seguro. E é melhor você prestar atenção também.

Ela desviou os olhos da rodovia e me encarou para ter certeza de que eu tinha compreendido o aviso.

— E as minas não são tudo — continuou. — Você sabe qual é a principal atividade industrial por aqui?

Respondi que não fazia ideia.

— Mineração. Cavar em busca de pedras. Carvão. Sal. Tuzla significa "sal" em turco. Em 2004, eles estavam tentando voltar aos negócios, o que significa que sempre tinha alguém explodindo as encostas das montanhas.

— No meio da noite?

— É a hora mais segura. Todo mundo está em casa, abrigado dos destroços. A única coisa que eu faria se ouvisse uma explosão na direção de uma mina de carvão seria cobrir a cabeça.

— E o que você pensou no outono, quando finalmente soube que os *roma* de Barupra haviam desaparecido?

— A verdade? O que eu pensei foi: "Já vão tarde." Aquela gente significava problema. Com "p" maiúsculo.

— E tudo bem se Kajevic tiver matado quatrocentos deles?

— É claro que não. Mas, com os *roma*, nunca se sabe no que acreditar. A única coisa certa é que, o que quer que eles digam, estão mentindo.

Lancei a ela um olhar de reprovação e perguntei:

— Mas, até onde você sabe, ninguém da OTAN investigou o suposto massacre, certo?

— Esse trabalho já não era mais nosso. Os bósnios estavam de volta ao comando.

Esma tinha dito exatamente isso: quatrocentos ciganos mortos representavam apenas quatrocentos problemas a menos.

— Além disso, você precisa entender como era a Bósnia, Boom. Era o inferno na Terra. Mesmo em 2004, ainda havia coisas horríveis sendo descobertas todos os dias: valas comuns ou ossos nas margens dos rios. Eu sei o que parece quando falo dos ciganos. Pessoas que odeiam você sem nenhuma razão? Essa é a porra da minha autobiografia. Mas, em 2004, eu e todos os outros estávamos de saco cheio do pessoal de Barupra. Eu estava aqui quando eles chegaram, em junho de 1999. Você conhece essa história?

Eu tinha lido relatos. Como dezenas de milhares de outros *roma* em Kosovo, eles foram expulsos de suas casas, em sua maioria pelos albaneses, que achavam que eles eram aliados sérvios porque professavam a fé ortodoxa sérvia. Esse grupo particular fora instalado num campo de refugiados numa cidade chamada Mitrovica, no Kosovo, logo depois de o bombardeio da OTAN ter forçado os sérvios a recuar. Alguns dias depois, os albaneses cruzaram a ponte principal da região, cercaram o campo e atearam fogo. Foi só a intervenção do embaixador americano que salvou os *roma*, que imploraram para que a ONU os mandasse para perto das bases americanas na Bósnia, presumindo, ironicamente, que estariam mais seguros. De algum modo, caminhões da ONU carregando refugiados *roma* chegaram a uma instalação americana deserta, o campo Bedrock, antes que seu reassentamento fosse aprovado pelos comandantes americanos.

— Num dia — disse Attila —, o campo Bedrock era uma rocha amarela e vazia, só mato e lixo, e, no outro, todos aqueles ciganos encardidos estavam montando sua cidade de barracos. É isso que "Barupra" significa em romani, "Bedrock", o leito de pedra. Mais ou menos. A polícia militar chegou e disse aos capacetes azuis, você sabe, os caras da ONU: "Leva esse pessoal de volta." Como se isso funcionasse com a ONU. Aqueles idiotas provavelmente ainda estão dirigindo por aí, tentando encontrar o caminho de volta para Kosovo.

"E, você sabe, ficamos com pena daquela gente. Expulsos de um país e vivendo como lixo em outro? Especialmente as crianças, todas com aqueles olhos escuros enormes.

"Merry era o comandante na época, e eu ainda estava no serviço, na intendência. Ele me disse: 'Attila, veja o que você pode fazer por esses pobres coitados.' Eu fui até a CoroDyn, tentando encontrar trabalho para eles. Veja bem, oitenta por cento dos bósnios estavam desempregados. Mas aqueles malditos ciganos estavam realmente morrendo de fome. E você acha que eles apareceram para trabalhar? Apareciam para o turno das oito ao meio-dia e diziam que não gostavam de asfaltar estradas ou lavar caminhões.

"Eu não sei o que tem de errado comigo. Devo ter o coração maior que o cérebro, porque, quando voltei dos Estados Unidos e fiquei encarregada da CoroDyn, vi toda aquela gente ainda vivendo tão mal em Barupra e decidi tentar novamente. Ciganos sempre acham que conhecem carros tão bem quanto conhecem cavalos. Então perguntei a alguns deles: 'Se vocês não gostam de lavar caminhões, que tal dirigi--los?' Eles gostaram da ideia. Mas sempre apareciam com crianças. Eu podia proibir quanto quisesse. O cara chegava toda manhã com os filhos de 10 e 13 anos, em vez de mandá-los para a escola, e, sempre que eu dava as costas, deixava o menor dirigir a meia-lagarta. E, se isso não fosse o bastante, os desgraçados começaram a roubar. Eu enviava um cigano com um caminhão pela manhã e era a última vez que via o motorista, o caminhão e o que quer que estivesse dentro dele. Cheguei no meu limite. Mandei todos embora. Só Deus sabe quantos milhões em equipamentos já tinham sido perdidos."

Nós subíamos e descíamos as montanhas, passando rapidamente por campos abertos onde a neve fina refletia debilmente a luz das estrelas e desacelerando periodicamente para atravessar pequenos vilarejos onde quase sempre havia um minúsculo restaurante de aparência bávara, com teto inclinado e paredes caiadas.

— Mas quero que você entenda uma coisa — continuou Attila. — Até hoje, tenho excelentes *roma* trabalhando para mim. Espertos como o diabo, todos eles. Talvez por isso tenham sobrevivido por tanto tempo, porque são tão espertos. Mas aqueles que contrato foram à escola, usam relógio e falam a língua. A gente de Barupra? Eles não queriam sair da reserva, se você entende o que quero dizer.

Foi a última coisa que ouvi. Adormeci com a testa encostada no vidro gelado do carro.

9.

O Blue Lamp

Attila me sacudiu quando chegamos a Tuzla.

— Hora de acordar.

Na curva de uma rua estreita com as dimensões de uma passagem construída originalmente para carroças, vi a placa do hotel. Dizia: BLUE LAMP, HOTEL BOUTIQUE. Attila foi na frente com a bagagem. A noite fria, por volta dos dez graus, fez com que eu me sentisse desperto. Havia um pequeno comércio na esquina que parecia uma loja de conveniência, e alguns jovens, usando jaquetas de couro justas, estavam parados à porta, sacudindo os cigarros uns para os outros e se provocando, como os jovens sempre fazem.

Ao entrarmos no lobby do hotel, Attila imediatamente começou uma animada conversa em bósnio com o jovem casal atrás do balcão.

— Eles disseram que eu sou o rei por aqui — disse Attila. — Você deveria se sentir honrado por eu carregar sua bagagem. — Ela me entregou seu cartão e me disse para ligar se precisasse de algo.

Assim que Attila saiu, detectei movimento à direita. Atrás de mim, havia um pequeno lounge com mesinhas de canto e poltronas de couro pretas. Não fiquei surpreso ao ver Goos com uma cerveja na mão, inclinando-a na minha direção. Depois de pegar a chave do quarto, afundei na poltrona ao lado dele. Ela aparentava o brilho e a suavidade da mobília da embaixada em Washington. Os bósnios pareciam gostar de couro.

— Bem-vindo — disse Goos.

— Estou em outro planeta — falei. A mistura de sono e jet lag fazia com que eu me sentisse como se metade do meu corpo ainda estivesse no condado de Kindle.

— Bebida? — perguntou Goos.

Um dos recepcionistas me serviu uma dose de uísque, pedida em silenciosa gratidão a Merriwell, que permanecia na minha mente após a conversa com Attila.

— Quem era o seu motorista? — perguntou Goos.

Ele riu quando eu disse o nome.

— Eu queria contratar uns caras para nos ajudar amanhã — comentou ele —, e todo mundo me mandou ligar para Attila. Tentei falar com ele o dia todo.

— Ela, na verdade.

Goos encarou a porta por onde Attila havia partido.

— Sério? — perguntou ele.

— Ela disse que você a enviou para me buscar.

— É mesmo? Não me lembro disso. Eu liguei para uma empresa de táxi.

— Acho que ela é a dona.

— Vou dizer uma coisa, parceiro: não vamos usá-la como intérprete. Aqueles garotos lá disseram "Você acha que é o rei por aqui, mas aí está você, carregando a bagagem desse cara", e ele distorceu as coisas, dizendo que você deveria se sentir honrado. Ela — corrigiu-se Goos.

O Blue Lamp tinha uma aparência contemporânea e confortável, mas não luxuosa, com rodameios de mogno escuro e detalhes laminados brancos nos espaços compactos. Dava para ver uma pequena área para o café da manhã, com algumas mesas brancas, atrás de Goos. No balcão de canto da recepção, uma grande TV exibia um slide show de cenas bósnias: montanhas, a grande mesquita em Sarajevo e um antigo castelo romano em algum lugar perto de Tuzla. As mesmas imagens eram mostradas numa TV menor na parede atrás de nós.

Eu tinha mandado um e-mail para Goos durante o fim de semana, falando da ideia de usar a OTAN para obter os registros do Exército americano. Antes de partir de Haia, ele desenterrara o estatuto de forças a que Merry havia se referido. E começou a ler na tela do celular.

— "O Estado anfitrião e os Estados convidados devem auxiliar uns aos outros em todas as necessárias investigações de crimes", blá-blá-blá, "inclusive na apresentação de evidências". Blá-blá-blá.

— Isso é ótimo. Podemos pedir os documentos em nome dos bósnios.

Goos assentiu com a cabeça.

— É claro que os advogados vão fazer o que sempre fazem e vão dizer que as palavras não significam o que está escrito. Podem se passar dez anos antes de chegarmos perto desses papéis. Mesmo assim, foi uma boa ideia, Boom.

— Não foi minha — declarei.

Dadas as implicações legais, eu havia sido cuidadoso com o que escrevera a respeito da reunião com Merriwell. Goos se endireitou na poltrona quando contei que a orientação para procurar a OTAN tinha vindo do general.

— A outra coisa útil que consegui com o general — continuei — foi que ele não negou que os *roma* de Barupra ajudaram o Exército de algum modo na tentativa de capturar Kajevic. Attila falou que os rumores que rolavam diziam que os ciganos revelaram a localização dele. Mas isso não está fazendo sentido.

— Por quê?

— Bom, eu reli o arquivo sobre toda aquela confusão com Kajevic em Doboj enquanto estava no avião. E não consigo imaginar por que uns ciganos esfarrapados saberiam mais sobre Laza Kajevic que a inteligência da OTAN.

— Eu acho que é por isso que nos chamam de investigadores, Boom. — Goos sorriu.

Como eu, ele ficou confuso com a solicitude de Merriwell. Partilhei a teoria de Attila de que, após cair em desgraça, Layton Merriwell tinha ainda mais interesse em inocentar a si mesmo e aos seus soldados. Afastado da imprensa americana e de suas obsessões, Goos não sabia nada sobre o caso. Resumi a história e falei do jantar, que descrevi como um convite para nos comiserarmos juntos sobre as dificuldades enfrentadas por um divorciado de meia-idade. Aparentemente, eu não tinha falado muito com Goos sobre o fim do meu casamento, e ele reagiu encarando profundamente seu copo de cerveja.

— Eu nunca consegui entender o divórcio — comentou ele. — Não consigo entender como ele torna as coisas melhores.

Goos terminou a cerveja num único gole e ergueu um dedo para o recepcionista, pedindo outra. Estivera bebendo por tempo suficiente para ceder ao impulso confessional.

— São apenas fatos, parceiro. Sete bilhões de pessoas no mundo e eu acordo todos os dias com a mesma? Depois de algum tempo, qualquer um começa a se sentir preso. É só uma questão de como se reage a isso.

Eu entendia essa atitude, a abordagem fatalista do casamento. Eu e Ellen tínhamos sido incapazes de lidar com o tédio, que fora acompanhado, de ambos os lados, por um ressentimento incessante e destrutivo.

— Um camarada meu — continuou Goos — sempre diz que a cerveja é uma companhia melhor que qualquer mulher. Ela sempre está lá. Você sempre sabe como vai se sentir após uma, duas ou cinco. E você sempre vai se sentir melhor do que quando começou.

Ele deu um sorriso ambíguo ao fazer essa observação, enquanto um tumulto ocorria na entrada do hotel. Esma Czarni, seguida por um motorista se debatendo com duas malas grandes, chegou à recepção. Ela pagou ao motorista enquanto um dos jovens recepcionistas, que a chamou pelo nome, lhe dava as boas-vindas e se aproximava para ajudar com a bagagem. Esma não havia deixado a sofisticação de lado em prol da longa viagem. A gola de sua capa de chuva da Burberry estava erguida para protegê-la do frio, e um cachecol púrpura felpudo estava elegantemente dobrado sobre seus seios. A saia era curta o bastante para mostrar as pernas em reluzentes botas de salto alto.

Ela deu um sorriso esfuziante assim que me viu e se aproximou imediatamente.

— Bill!

Ela me deu os dois beijos europeus de costume, e eu a apresentei novamente a Goos. Ele nos informou sobre o cronograma para o dia seguinte.

— Estamos bebendo? — perguntou Esma, indicando nossos copos com uma mão cheia de pesados anéis de ouro que eu não havia notado antes.

Falei que o uísque tinha me deixado tonto e que estava pronto para ir dormir.

— Boa ideia — disse ela. — Para dizer a verdade, eu também estou cansada. Vou acompanhá-lo até lá em cima.

Goos, como sempre, disse que tomaria outra cerveja, embora tenha lançado um olhar para mim, rápido demais para interpretar.

Meu quarto ficava no que os europeus chamam de primeiro andar; o segundo para nós. Numa daquelas demonstrações europeias de consumo consciente que fazem com que fiquemos constrangidos com nosso desperdício, as lâmpadas fluorescentes no teto eram controladas por detectores de movimento e se acendiam conforme avançávamos, iluminando o corredor que levava até meu quarto. De pé no corredor, pedi a Esma que conversasse com Ferko mais uma vez, para ver se ele tinha alguma ideia de como alguém em Barupra poderia ter sabido onde Laza Kajevic estava escondido. Então, quando eu estava prestes a entrar no quarto, ela me olhou de cima a baixo.

— Estou feliz em te ver, Bill. Estive pensando em você.

— É bom te ver também, Esma.

Ela inclinou ligeiramente o rosto moreno e me lançou um olhar dissimulado, com seus olhos parecendo enormes nas sombras, sorrindo com malícia. O recado era como algo que meus professores no colégio gostavam de dizer: não banque o palhaço.

Esperei alguns segundos e então decidi, a despeito dos meus receios, que havia chegado a hora.

— Esma, eu estou tão cansado quanto você estava na noite em que nos conhecemos, e não lido tão bem quanto você com a falta de sono. Então, provavelmente vou dizer uma grande bobagem aqui e, se for o caso, peço desculpas. Mas, quando eu tinha uns 20 anos, descobri o que me pareceu uma verdade muito triste. Quando acho uma mulher imensamente atraente, outros homens também acham. O que significa que você não precisa que eu repita o que sem dúvida já ouviu milhares de vezes.

Ela abriu um grande sorriso, numa glamorosa exibição de dentes grandes e perfeitos.

— Algumas coisas jamais ficam batidas, Bill — retrucou ela.

Eu sorri também.

— Mas não pode acontecer nada aqui, Esma. — Movi a mão direita no espaço entre nós.

— Você se envolveu com alguém?

— Não é isso, Esma. Você é advogada de um cliente cujas alegações devo ser capaz de avaliar objetivamente, como promotor do caso.

— Ferko não é meu cliente. Fui indicada para ajudá-lo durante uma única audiência, que já passou.

— Se ele não é seu cliente, Esma, por que você está aqui? Além disso, as tecnicalidades não mudam as aparências. Você é uma advogada boa demais para não entender o que estou dizendo.

Como antes, o elogio a agradou, embora apenas brevemente.

— Não tenho certeza de que vejo as coisas da mesma forma, Bill. Estou tão consciente quanto você das regras profissionais. Mas achei que seríamos bons um para o outro.

— Não nesse momento, Esma. Quem nós somos no caso inevitavelmente iria se misturar ao que seríamos um para o outro.

Havia sido nessa autoilusão que Layton Merriwell, Bill Clinton e centenas de outros homens acreditaram e a razão pela qual as pessoas zombavam deles: o poder que se provara sedutor para certas mulheres não era realmente deles, mas sim um presente que lhes fora confiado temporariamente e com objetivos muito distintos.

Mas Esma balançou ligeiramente a cabeça.

— Eu não cheguei à mesma conclusão, Bill. Sim, o profissional afeta o pessoal. Mas não há nada falso a respeito disso. Será que eu me enganei em relação a você? Eu o vejo como um homem que abriu mão de uma vida confortável e foi para um lugar a milhares de quilômetros de distância para descobrir que suas energias estão devotadas a consertar grandes erros. Isso é muito atraente, você tem razão. Esse tipo de convicção é uma qualidade mais rara do que você imagina.

Enquanto ela falava, as luzes voltaram a se apagar. Nas sombras, fiquei subitamente consciente de seu perfume, um cheiro poderoso, cheio de doçura e sedução, que até então eu absorvera meramente como parte de sua presença extremamente sensual.

Eu sabia que Esma possuía um intelecto ágil demais para que eu a convencesse com argumentos. Então usei meu trunfo.

— Eu não posso, Esma. — Achei que estava falando por uma questão de princípios, mas, ao dizer essas palavras, tive uma estranha percepção da minha própria fraqueza. E percebi, mais uma vez, que sentia um pouco de medo de Esma.

Durante um instante, o hotel permaneceu imóvel a nossa volta, antes que uma porta desse uma batida forte no andar de baixo.

— Muito bem, Bill. Não vou forçar a barra. — Sob a luz débil, ela me encarou por mais um instante e então se aproximou para me dar um beijo no rosto, como havia feito no lounge, porém demorando-se um pouco mais. — Mas prevejo que, no futuro, você vai mudar de ideia.

— Você prevê? — A palavra me divertiu. — Você lê a sorte, Esma, como as mulheres ciganas nas carroças?

— Eu sou meio intuitiva. A maioria das mulheres *roma* é. Não ria. É verdade.

Assenti com a cabeça em vez de discordar.

— Eu certamente leio mentes. Posso ler a sua mente e sei o que você não diz e nem sabe que precisa dizer. — Ela falou com extrema seriedade, sem traço de ironia e de um modo bastante autoritário. — E prevejo que vai mudar de ideia. — Ela havia apoiado a mão no meu braço ao me beijar, mas a retirou.

— Talvez, Esma. Mas, para mim, infelizmente, isso vai ser num futuro distante.

Ela se virou, e, com seu movimento súbito, as luzes fluorescentes se acenderam de novo. Na dolorosa claridade, Esma deu um aceno elegante e se afastou.

Arrastei minha bagagem até o quarto. A porta se fechou atrás de mim, com um som definitivo e fatal. Sozinho após ter recuado, eu me senti pesaroso e desamparado, mas abri a mala para retirar as poucas coisas de que precisaria antes de dormir.

Durante toda a minha vida, meu inconsciente havia se expressado em canções. Eu habitualmente me pegava cantarolando por motivos que demorava a compreender. Enquanto guardava as roupas na cômoda, comecei a murmurar uma balada soul que Pete me apresentara anos antes. O título era a primeira linha do refrão, que se erguia em meio a grandes floreios de trompete. Cantarolei até me lembrar das palavras. A música se chamava "Don't Make Me Do Wrong".

10.

Barupra — 16 de abril

Às nove da manhã, chegamos à rocha amarela de Barupra. Viajando em comboio, havíamos seguido uma fila de carros da polícia bósnia, que tinha ficado a nossa espera do lado de fora do hotel. O capitão baixinho e barrigudo insistira, bastante animado, que o governo bósnio faria tudo o que fosse possível para ajudar o tribunal.

— Ajudar o caralho — disse Goos assim que fechamos a porta do pequeno Ford.

— O que você acha que eles estão fazendo?

— Estão nos vigiando, parceiro. Esse ainda é um país com facções dentro de facções. Existem três governos nacionais por aqui, e cada um desses caras se reporta a alguém diferente. — Goos trocou de marcha com certa ênfase e apontou para mim. — O que a advogada devia fazer era se livrar deles. Ferko não vai gostar de ficar no meio de tantos policiais.

Esma tinha dito a mesma coisa. A lealdade dos policiais bósnios era sempre duvidosa.

A polícia nos conduziu ao que parecia ser uma estrada secundária para sair da cidade. Subimos as colinas, percorrendo ruas residenciais que me faziam lembrar dos cânions a oeste de Los Angeles. Há gente rica por toda parte, e, em Tuzla, aquele parecia ser seu habitat. As estradas onde finalmente emergimos eram sinuosas, com vistas impressionantes da cidade surgindo ocasionalmente por entre árvores que começavam a secar. Após uns vinte minutos, chegamos ao vale ainda coberto de neve e passamos por fazendas e casinhas caiadas que poderiam ter sido o lar de João e Maria.

Após o Acordo de Dayton, os Estados Unidos estabeleceram uma base, com uma rede de seis campos, no planalto ao sul de Tuzla. Como era de imaginar, as instalações militares americanas ficavam na fronteira entre as áreas controladas por muçulmanos e croatas e o território que se tornaria o enclave autônomo da República Sérvia. A base aérea do Exército, em campo Comanche, incluía uma antiga pista para MiGs do Exército iugoslavo que, anos depois, tornou-se o aeroporto civil de Tuzla, ao qual, várias vezes por semana, chegavam os voos matinais de duas companhias aéreas.

A leste do campo Comanche, do outro lado das colinas, o campo Bedrock havia sido construído sobre os destroços de duas minas de carvão adjacentes. A escória amarronzada fora desbotada pelo sol e pelo vento até adquirir uma cor parecida com a de sementes de mostarda e formava uma pilha alta, criando uma saliência rochosa sobre o vale de Tuzla, a distância, e a mina de carvão Rejka, imediatamente abaixo. Era o tipo de posição elevada que todos os militares desde os romanos valorizavam muito, trocando a exposição à aridez dos elementos pela quase invulnerabilidade aos ataques por terra.

Os policiais nos conduziram até o antigo campo, descendo por uma estrada de terra e pedras que corria pelos fundos do antigo perímetro da cerca de arame e passava por uma velha quadra de basquete com o asfalto arrebentado pelo mato. Saí do carro. Estávamos em Barupra.

Nos onze anos desde que os *roma* desapareceram, o local havia se tornado o depósito de lixo da cidade, talvez num gesto de "já vão tarde". Entre as grandes rochas cinzentas, a maior parte da área estava coberta pelo que pareciam ser restos de materiais de construção, especialmente pedaços de gesso cartonado, em meio aos detritos usuais: garrafas empoeiradas, latas de aerossol e, é claro, as onipresentes e indestrutíveis sacolas de plástico, que vão ocupar os espaços vazios durante séculos e nos afligir por milênios.

Além da polícia, havia outro carro na caravana, contendo três trabalhadores que Goos havia contratado na empresa de Attila. Acompanhada pelo motorista da noite passada, Esma chegou por último. Ainda estava vestida como uma dama, e sua única concessão ao cenário eram as botas sem salto.

Quando paramos, todos os policiais saíram dos carros e ficaram apoiados nos capôs. Goos estava certo. Eles estavam ali para espionar. Eu me aproximei do capitão e, depois de vários minutos, consegui convencê-lo de que os protocolos estabelecidos entre o tribunal e o governo bósnio exigiam que trabalhássemos sem supervisão. Mesmo assim, Esma insistiu que Ferko não se sentiria à vontade para falar na frente dos três trabalhadores, que acabaram sendo despachados para Vica Donja, a cidade mais próxima, a fim de comprar café, que aparentemente podia ser obtido mesmo no alto das montanhas da Bósnia. Só então Esma pegou o celular para chamar Ferko, para quem havia ligado mais cedo e que esperava ali por perto.

Ele apareceu cerca de dez minutos depois, num Opel vermelho dos anos noventa caindo aos pedaços, com ferrugem no para-lama dianteiro e a porta traseira presa com fita adesiva. Ao sair do carro vermelho, Ferko me pareceu mais alto e mais magro contra o cenário árido, especialmente perto de Esma, que, sem o salto, se revelou mais baixa do que eu esperava. Esma o segurou pelo cotovelo, quase como se estivesse conduzindo um prisioneiro. Ferko vestia calça xadrez, o mesmo colete e chapéu que havia usado durante o depoimento e, por baixo do casaco aberto, uma camisa alaranjada de colarinho largo. Goos se aproximou para dar as boas-vindas, mas Ferko ainda estava falando com Esma, gesticulando muito, e Goos, com uma capa de chuva púrpura, parou e ficou olhando para mim com ar irritado.

Por fim, Ferko estava pronto, e nós quatro caminhamos com dificuldade pelas pedras e pelos buracos de Barupra, enquanto ele revivia sua narrativa. Ele nos mostrou onde o abrigo que chamava de casa ficava, a uns cem metros da entrada do campo, e então, do outro lado do vilarejo, a latrina onde havia se escondido quando os agressores mascarados chegaram. Por alguma razão, eu imaginara uma construção de madeira, mas o que restara tinha paredes de cimento, o que significava que era a única estrutura ainda de pé, embora o telhado e a porta tivessem desaparecido havia mais de uma década. Ele apontou para o lugar onde Boldo, o filho e o irmão foram massacrados.

Depois disso, Ferko nos levou aos fundos do campo, acima do vilarejo, de onde havia observado o extermínio de sua família e de todos que conhecia. A mina era uma abertura abrupta abaixo de nós, numa queda de centenas de metros. Eu nunca fui um grande fã de altura, e o declive me deixou com vertigem, embora eu apreciasse a vista majestosa das colinas verdejantes, com chapéus brancos nos pontos mais altos. O vento agitava a calça larga de Ferko enquanto ele gesticulava para a sinuosa estrada de terra sob nós. Talvez uns quatrocentos metros abaixo, um declive de carvão e rochas mais claras jazia sobre o que outrora havia sido a caverna e agora era um cemitério secreto. Observando solenemente, Ferko balançou a cabeça uma única vez.

Voltamos ao local onde ficava o vilarejo. Ele mostrou mais ou menos onde tinha se escondido com o filho após os assassinatos. Por fim, conduziu-nos lentamente para a estrada, até chegarmos à depressão onde ele disse ter enterrado os corpos dos três homens que foram mortos a balas. Construíra um dólmen de pedras brancas para marcar o lugar. As pedras foram chutadas por pessoas que passaram por lá ou por crianças brincando, mas várias delas permaneciam onde as colocara, dando-lhe a certeza sobre o local.

Goos se agachou para examinar uma das pedras e ficou segurando-a. Então lançou um olhar surpreendentemente duro para Ferko.

— É uma distância grande para arrastar três corpos — comentou ele.

Assim que Esma traduziu, Ferko bateu um dos tênis no chão para enfatizar seu argumento.

— Ele concorda — disse Esma —, mas não foi fácil encontrar um lugar macio o bastante para cavar.

Ferko já dera alguns passos em direção ao carro vermelho que o havia transportado até lá.

— A que profundidade estão os corpos? — perguntou Goos.

Esma e Ferko conversaram um pouco.

— Ele disse que só cavou o suficiente para que os corpos não fossem devorados pelos animais. Algo em torno de um metro. Com esse vento durante dez anos, pode não ter mais de trinta centímetros até os ossos.

Ferko ergueu a mão debilmente e voltou as costas para nós. Esma caminhou ao seu lado.

Eu me aproximei de Goos.

— Assim que chegamos, você ouviu alguma coisa que não gostou.

— Ah, sim. — O investigador baixou a cabeça. — Os dois estavam discutindo em romani, mas ele usou uma ou duas palavras em servo-croata para dar ênfase. *Ste obecali*. "Você prometeu." E ficou repetindo isso. "Eu quero aquilo que você prometeu." É melhor que ela não esteja dando dinheiro a ele, Boom. O depoimento de Ferko não vai valer nada se tiver sido comprado.

Prometi abordar a questão mais tarde. Assim que Ferko foi embora, Goos chamou os trabalhadores de volta. Enquanto ele estava ao celular, outro problema me ocorreu.

— Não podemos cavar aqui, podemos? Não precisamos de um antropólogo forense para isso?

Goos estava de lado para proteger o telefone do vento, mas se virou para mim bem lentamente, com a boca fina um pouco aberta.

— Parceiro — disse por fim —, eu *sou* antropólogo forense.

Geralmente bem-humorado, Goos ficara cada vez mais amargo naquela manhã, por razões que eu não entendia, e agora parecia totalmente desgostoso comigo.

Eu queria falar o óbvio: ninguém me disse isso. Isso era verdade, mas ambos parecíamos reconhecer um insulto mais profundo, a implicação de que, de algum modo, eu não o levara suficientemente a sério para descobrir sozinho.

Ele se virou para aguardar seus homens.

Na pequena depressão a que Ferko havia nos levado, ainda restavam alguns pontos de neve manchada de fuligem. Ao lado deles, os inspiradores brotos verdes de algumas gramíneas precoces brotavam da terra.

A equipe de Goos chegou com enxadas e sacolas de lona, aparentemente contendo outras ferramentas. Ele abriu a sacola e vestiu macacão branco, gorro cirúrgico e luvas de plástico. Então se agachou sobre o ponto mais baixo, analisando o local como se contivesse algo metafísico, empurrando a terra solta até recolher um punhado, que depositou num saco plástico com fecho.

Perguntei o objetivo daquilo.

— Verificar a mistura de subsolo e terriço. — Ele ainda estava mal-humorado e respondeu com um grunhido quase inaudível. Então olhou para a sacola de lona e retirou dela uma pequena câmera de vídeo, que me entregou em seguida. — Faça alguma coisa de útil. Grave a escavação, para que ninguém diga que plantamos evidências.

Levei algum tempo para entender o funcionamento dos botões, mas Goos começou a trabalhar imediatamente. Ele iniciou o procedimento com uma barra de aço inoxidável em formato de T, de quase um metro de comprimento e ponta afilada, erguendo-a acima da cabeça e subitamente enfiando-a no solo. Pediu uma fita métrica, que usou para determinar a profundidade da sonda, fazendo anotações num caderninho em espiral que guardava no bolso de trás da calça. Então fez um gesto pedindo outra ferramenta, tão longa quanto a primeira, mas com um par de hastes verticais perto da ponta. Ele a torceu no solo a fim de extrair outra amostra, que ergueu com um palito de madeira simples, parecido com hashis. Não falou comigo, exceto para dizer as medidas em voz alta o bastante para que a câmera registrasse.

Finalmente, Goos fez com que os trabalhadores abrissem quatro grandes lonas azuis nos quatro cantos da depressão. Ele deu a cada trabalhador uma pequena pá de jardinagem e demonstrou como escavar superficialmente, depositando a terra sobre a lona. Com seu hashi, inspecionou o que descobriram.

Eu estava em silêncio havia uns bons vinte minutos quando finalmente perguntei o que ele estava procurando. Goos demorou um pouco para responder.

— Fragmentos de bala. Eles saem do corpo durante a decomposição. Se encontrarmos algum, vamos poder fazer um teste de balística.

Com ferramentas tão pequenas, a escavação ocorria em ritmo laborioso, mas, por fim, após outros quinze minutos, Goos ergueu abruptamente a mão enluvada e prendeu uma lâmpada halógena na faixa elástica que usava na testa. Então afofou o solo com um novo par de hashis e usou uma escova pequena para varrer delicadamente, até que eu pude ver um caroço amarronzado da cor de cogumelo. Percebi que ele estava desenterrando um osso da bacia.

A visão desses restos mortais me afetou com muito mais intensidade do que eu tinha previsto. Advogados — todos os advogados — vivem numa terra de conceitos e palavras, com pouquíssima intrusão da realidade física. Nos meus anos como promotor, ouvir o juiz pronunciar a sentença e ver o delegado federal colocar algemas no réu e levá-lo para a cela era algo que costumava me angustiar. Era só então que eu parecia compreender integralmente que meus esforços visavam não apenas àquela abstração que eu chamava de justiça, mas, de forma mais concreta, prender um ser humano numa gaiola durante boa parte de sua vida.

Goos expusera a maior parte da pelve e o alto do fêmur quando o A8 de Attila chegou sacolejando e levantando poeira. Fiquei aliviado por ter um motivo para me afastar da cova e entreguei a câmera a um dos trabalhadores.

Esma, que também se mantivera distante, aproximou-se de mim.

— Encontraram alguma coisa?

Assenti com a cabeça.

— Não gosto de sangue nem de ossos — comentou ela.

— Nem eu — falei.

Ela riu e passou o braço pelo meu enquanto caminhávamos até Attila. Fiz as apresentações.

— A famosa Attila — disse Esma. Seu motorista, como aparentemente metade da população de Tuzla, era funcionário dela.

— Eu não sou a babaca que dizem que sou — defendeu-se ela. — Na minha humilde opinião.

— Pelo contrário, você foi muito elogiada.

Attila abriu um imenso sorriso. Ser maltratada com tanta frequência indubitavelmente a deixara vulnerável a qualquer elogio. Em seguida, com seu caminhar desconjuntado e parecido com o de um pombo e a postura estranhamente ereta, ela foi até a cova conversar com Goos e se assegurar de que ele tinha toda a ajuda de que precisava. Tive uma ideia sobre algo útil que eu poderia fazer e que me manteria longe dos restos mortais.

— Esma, você não disse que ouviu falar de Ferko num vilarejo *roma*?

— Sim. Voltei lá algumas vezes.

— É longe daqui?

— Lijce? Não tenho certeza.

Dado o circuito fechado da comunidade *roma*, achei que provavelmente encontraríamos em Lijce as melhores informações sobre Barupra. Quando Attila voltou, disse que a cidade ficava a uns vinte minutos dali e se ofereceu para me levar até lá.

Fui até onde tinha deixado Goos. Ele já abrira caminho até um segundo esqueleto, mas, no momento, fixava uma fina agulha de carboneto de tungstênio a uma pequena picareta de mão, a fim de afofar a terra em torno do primeiro conjunto de ossos, examinando-os em busca de sinais de trauma.

Ele concordou com o plano. Quando me virei, ele disse às minhas costas:

— Eu não estava tentando bancar o importante, Boom.

Goos estava se desculpando por ter sido pretensioso.

— É claro que não. A culpa foi toda minha. Eu deveria saber.

Ele assentiu, aparentemente satisfeito com a resposta.

Quando retornei, descobri que Esma estava se preparando para dispensar o motorista e ir até Lijce comigo e Attila. Todos os *roma* eram seu povo, pessoas com quem tinha uma conexão particular, e ela era conhecida na cidade. Mesmo assim, eu estava relutante com sua presença, uma vez que confirmar a história de Ferko era a principal razão para ir até lá. Chamei-a de lado e expliquei isso.

— Você fala romani? — perguntou ela. — Porque muitos deles não são fluentes em nenhuma outra língua.

Ponto para Esma. Conversei novamente com Goos, que achou que ela seria mais benéfica que prejudicial, ao menos naquela visita exploratória. Sempre poderíamos retornar com nosso próprio intérprete.

11.

Lijce

Attila nos levou até Tuzla, porque Esma queria parar e comprar algumas coisas para as crianças de Lijce.

— Eles são muito pobres, e os presentes vão fazer com que seja mais fácil aceitar a presença de um *gadjo*.

Enquanto isso, Attila caminhou comigo por algumas quadras, até uma ponte de aço sobre a rodovia, a fim de me mostrar o lago Pannonica, uma curiosidade local. No fim do século XX, as centenas de anos de extração de água salgada sob Tuzla para a produção de sal cobraram seu preço, e a área central da cidade tinha começado a afundar. A produção de sal tinha sido interrompida, mas, depois da guerra, as antigas piscinas nas quais as águas subterrâneas eram estocadas foram transformadas em instalações recreativas, tornando-se uma rede de lagos de água salgada, uma espécie de mar interno com praias pedregosas que ficavam lotadas no verão.

Quando voltamos à praça principal, Esma nos aguardava com duas sacolas abarrotadas. Ao sair da cidade, passamos pelas imensas instalações da Tuzla Elektrik, cujas chaminés desenhadas contra o céu pareciam os braços de uma multidão agitada, com as aberturas em formato de ampulheta, a vários metros de altura, lançando vapor constantemente.

Logo estávamos subindo outra vez. Era um adorável cenário de montanhas verdejantes. Em alguns campos, os montes de feno, enrolados com uma vara, pareciam grandes piões. Esma, bem mais baixa que eu, se oferecera para viajar no banco de trás. Ela se inclinou para a frente a fim de ouvir o que Attila estava dizendo e, quando o carro acelerou, apertou meu ombro para se segurar.

— Mina de sal — comentou Attila apontando para a direita, onde era possível ver grandes tanques de armazenamento brancos no topo da colina. Dois dutos finos, um amarelo e outro verde, corriam paralelamente à rodovia.

Vinte minutos depois, pegamos uma estrada de terra amarelada para entrar na cidade *roma* de Lijce. Mal havíamos chegado à primeira casa quando um garotinho reconheceu Esma, cuja generosidade anterior obviamente havia causado impacto. Seu grito animado atraiu mais de dez crianças, que vieram correndo até nós, impedindo o avanço do carro. Tinham o aspecto de crianças de rua, sujas de terra e vestidas com roupas velhas, desbotadas e descombinadas, mas pareciam bem-nutridas e felizes, com exceção de um garoto com uma ferida aberta e purulenta no rosto. Os meninos usavam short e vários tipos de calçado, a maioria sandálias de plástico ou tênis de velcro. Nenhum deles usava meias.

Esma saiu do carro, rindo quando as crianças começaram a pular ao redor dela. Fez perguntas sobre as famílias de cada uma e distribuiu presentes de acordo com a aparente necessidade. Attila baixou o vidro, conversando com elas em bósnio.

— O que estão dizendo? — perguntei.

— O que você acha? Elas querem dinheiro. Estão barganhando: "só um keim" — respondeu ela, referindo-se à moeda bósnia. Oficialmente, valia meio euro, o que significava que as crianças estavam pedindo cinquenta centavos. Attila entregou todas as moedas que tinha. O garoto com a ferida insistiu que também aceitava notas.

Era quinta-feira, pouco depois do meio-dia. Quando Esma voltou para o carro, perguntei:

— Por que essas crianças não estão na escola?

Ela sorriu.

— Pergunte a elas. Veja se consegue a mesma resposta duas vezes. Mas algumas mal falam bósnio. Por toda a Europa, as pessoas lamentam o fato de os *roma* não mandarem os filhos para a escola, mas em pouquíssimos lugares as autoridades tentaram ensinar na nossa língua ou respeitar os nossos costumes. Depois da puberdade, as tradições *roma* exigem que os estudantes sejam separados por gênero, o que os *gadjos* não aceitam. Com isso, mesmo as crianças que recebem alguma educação não passam do sexto ou do sétimo ano. — Isso significava 11 ou 12 anos.

Quando Attila estacionou, desci do carro para observar a cidade. A estrada atravessava duas elevações sobre as quais havia não mais que trinta casas, quase todas com quintais transformados em depósitos de entulho. Havia pequenos montes de refugo, frequentemente incluindo peças enferrujadas de carros velhos, empilhados ao lado do lixo acumulado: sapatos sem cadarço, eletrodomésticos quebrados, molas de colchões, vasilhas usadas, restos de material de construção — um notável *goulash* de itens, aparentemente preservados porque poderiam ter algum uso futuro. Algumas casas pareciam maciças, com bases de estuque ou concreto e estruturas de madeira, embora o revestimento estivesse inacabado, como se a madeira tivesse sido pregada antes que alguém pudesse chegar para pegá-la de volta. Ao lado das casas maiores, havia carros novos estacionados e, em três ou quatro delas, vi antenas parabólicas no telhado. Mas a maioria das moradias em Lijce era minúscula, feita de pedra ou blocos de concreto e recoberta com peças sobrepostas de aço corrugado reaproveitado.

Após alguns minutos, várias pessoas arriscaram sair das casas, observando-nos com olhares sombrios. Por fim, uma voz se elevou, cantarolando "*Ays-Ma*", e isso bastou para que os moradores avançassem. Em questão de segundos, havia um círculo em torno de nós, todas mulheres, em geral corpulentas e usando longas saias e lenços de cabelo coloridos que emolduravam madeixas pretas e rostos acobreados. Estavam claramente intrigadas com Esma e, uma vez que já a conheciam, tocavam suas roupas sem hesitação, especialmente o cachecol lavanda de lã em torno do pescoço. Esma reagiu bem, rindo e agradecendo os elogios, antes de se virar para mim.

— Mulheres ciganas — disse ela. — Querem saber quantos filhos eu tenho, como se a resposta pudesse ter mudado desde a última vez em que estive aqui, há uns dois anos. Também querem saber por que vocês vieram.

— Por favor, diga a elas que eu estou aqui para ouvir sobre os *roma* que moravam na cidade de Barupra.

A pergunta provocou comoção, com lamentos agudos e grandes gestos que Esma fez seu melhor para traduzir, juntamente com Attila, uma vez que as respostas eram em romani e bósnio. Pouco depois, as mulheres de Lijce estavam discutindo entre si.

— Aquela mulher disse que eles desapareceram — traduziu Esma. — Essa senhora concorda e diz que o Exército os matou e jogou seus corpos no rio.

— Pergunte qual Exército, por favor.

— O Exército bósnio. Com a saída dos americanos, os bósnios queriam retomar as terras onde ficava o campo.

Uma mulher mais velha pareceu irritada com essa teoria.

— Ela diz que os bósnios não matariam os *roma* porque eles lutaram por esse país. Mas a outra diz que os moradores de Barupra eram ortodoxos e, para os muçulmanos, iguais aos sérvios. E aquelas duas mulheres — Esma apontou — estão rindo das outras e dizendo que os americanos assassinaram os *roma* de Barupra porque achavam que eles tinham ajudado Kajevic a matar seus soldados.

Tentei obter detalhes sobre o que os *roma* teriam feito para ajudar Kajevic, mas as mulheres também estavam confusas.

Eu me voltei para Attila, do outro lado do círculo, em busca de sua versão.

— A maior parte delas diz que foram os Tigres de Arkan mandados por Kajevic — explicou Attila —, embora aquela senhora acredite que o povo de Barupra simplesmente tenha voltado para Kosovo.

Eu nunca tinha ouvido essa hipótese, e Attila riu dela.

— E ninguém ouviu falar sobre eles em onze anos? Mesmo com celulares? Elas estão falando besteira — disse ela. — Nenhuma delas faz a menor ideia do que aconteceu. Elas são ciganas. Respondem porque gostam de contar histórias.

Achei que Esma fosse ficar ofendida, mas ela riu junto com Attila. Enquanto isso, a senhora mais velha, obesa e encurvada, mas com uma força evidente que poderia ser pura resiliência, fez um ruído e agitou a mão enquanto se afastava.

— Onde estão os homens? — perguntei a Attila e Esma. — Trabalhando?

— Em parte — respondeu Attila. — Eu contratei alguns para a Arábia Saudita, se me lembro bem. A Bósnia sempre teve um grande mercado cinza de bens roubados, e os ciganos são bons nisso. Alguns estão na cidade dando golpes. A maioria está catando ferro.

— Alguns estão na prisão — acrescentou Esma, didática como sempre. — Os *roma* são os homens mais presos na Europa.

Foquei em Attila.

— O que você quer dizer com "catando ferro"?

— Coletando restos de metal — explicou ela. — Aço. Alumínio. Eles vendem para os comerciantes. Qualquer coisa serve. Molas de colchão velhas, latas, qualquer lixo. Era isso que a maioria dos homens de Barupra fazia para ganhar dinheiro.

Alguns minutos depois, um homem baixo e gordo rompeu o círculo de mulheres para se apresentar. Falava um inglês rudimentar.

— Sou prefeito aqui. Tobar.

Com três dentes faltando na arcada superior, Tobar tinha mais ou menos um metro e sessenta e usava um cinto branco bem largo que envolvia sua imensa barriga. Seu corte de cabelo, com fios oleosos e escorridos em torno do topo calvo, dava a impressão de que alguém tinha derrubado uma tigela de sopa em sua cabeça. Havia três grandes anéis de ouro na mão que ele me estendeu. Mas, quando viu Esma, deixei de ser o foco de sua atenção. Ele arquejou, fez uma mesura e beijou a mão dela.

— A bela dama!

Esma deu uma bela risada.

— Os homens ciganos estão sempre flertando — comentou ela.

Mas até mesmo Esma perdeu parte do interesse de Tobar quando Attila voltou, depois de ter se afastado para atender a uma ligação. Ela e Tobar se cumprimentaram calorosamente em bósnio, dando tapas nos ombros um do outro.

— Tobar trabalhava no campo Comanche — explicou Attila. — Ele cuidava da lavanderia.

Expliquei a Tobar que estávamos ali para perguntar sobre os *roma* de Barupra. Ele recuou um passo e retorceu o rosto como se tivesse sentido um cheiro ruim.

— Não é boa *baxt*. — Esma disse que a palavra significa sorte ou fortuna.

— Por quê?

— Eles são fantasmas agora — traduziu Esma quando Tobar passou para o romani. — Não devemos perturbá-los.

Perguntei o que acontecera, mas Tobar mostrou as palmas das mãos, como se fosse complicado demais para explicar. Em vez disso, insistiu em nos mostrar a cidade. Como ela não tinha mais de dois quarteirões de comprimento, não vi motivo para recusar. A primeira parada foi a sua casa, que ele apontou da estrada.

— Muito grande — comentou ele, e certamente era a maior dali, com duas antenas parabólicas.

Tobar, que fora obrigado a se unir ao Exército bósnio durante a guerra, posteriormente recebera subsídios do governo para ajudar na construção. O segundo andar era demarcado por um balaústre branco de madeira, no clássico estilo abaulado, em cima do qual ele havia afixado uma fileira de cisnes de plástico do tipo que se via nos gramados da Flórida na década de cinquenta. Talvez por uma questão de segurança, a metade frontal de um Impala de uns vinte anos também estava empoleirada no segundo andar, não muito longe dos pássaros.

De lá, Tobar nos levou até um belo riacho de águas rápidas. Era a fonte de água fresca da cidade, que não dispunha de encanamento. Por fim, retornamos à sua casa, onde ele nos ofereceu café. Esma inclinou a cabeça para indicar que deveríamos aceitar, e nos sentamos do lado de fora, no frio, em torno de uma mesa de piquenique. A Sra. Tobar surgiu com um fumegante jarro plástico contendo um líquido negro como piche, e Esma me mostrou como beber à maneira *roma*, sem deixar a xícara tocar os lábios.

Finalmente, dirigi a conversa de volta a Barupra.

— Os *roma* que viviam lá estão mortos? — perguntei a Tobar.

— O que mais poderia ter acontecido com eles?

— Por quê? Sob que pretexto?

— Eles são *roma*. — Ele repetia em bósnio e romani, e Esma e Attila se alternavam traduzindo o que dissera para o inglês, com Tobar acrescentando uma ou duas palavras de vez em quando. — Desde quando os *gadjos* precisam de pretexto para matar *roma*? Mas isso é má sorte. Quando coisas tristes acontecem, não devemos ficar pensando nelas. — Ele deu um aceno pesado com a cabeça diante da própria sabedoria.

— Uma mulher com quem a gente falou ao chegar acredita que os americanos achavam que os *roma* de Barupra tinham ajudado Kajevic.

Tobar sacudiu seu estranho cabelo, inclinou-se para perto e baixou a voz.

— Nunca — respondeu ele. — Todos os *roma* desprezam Kajevic. Quando os sérvios capturavam muçulmanos, procuravam em seguida por um ou dois *roma* e os forçavam, sob a mira das armas, a cavar dois buracos, um pequeno e um grande. E depois atiravam em todos, incluindo os *roma*.

— Por que dois buracos? — perguntei.

— Porque os *roma* não eram bons o bastante para ser enterrados no primeiro buraco — explicou Tobar.

Esma me olhou para se certificar de que eu compreendera o preconceito.

Eu disse que tinha ouvido especulações de que os *roma* em Barupra foram mortos por gângsteres porque estavam competindo com eles, roubando carros.

— Bom, sim — respondeu Tobar, assentindo com a cabeça. — Eles eram catadores de ferro, e você sabe que um carro é feito em sua maior parte de aço. Ouvi dizer que alguns em Barupra roubavam carros. Mas a máfia jamais se daria ao trabalho de matá-los; simplesmente enviaria a polícia para prendê-los. Os mafiosos controlam a polícia. — Ele esfregou o indicador no polegar.

O celular de Attila tocava a cada poucos minutos, e, quando ela se afastou para atender a mais uma ligação, tirei vantagem de sua ausência para perguntar se Tobar conhecia Ferko, cujo nome eu não queria citar na presença dela.

— Sim, mas a gente se encontrou apenas uma vez. Ele veio aqui, não lembro por quê. Algum tipo de negócio. Eu sou o prefeito e fui cumprimentá-lo. Ele disse que era de Barupra, o único sobrevivente depois dos chetniks. No ano seguinte, essa bela dama veio até aqui fazendo muitas perguntas sobre Barupra. Eu disse que era má sorte, mas ela queria o número do celular dele. Um homem não pode dizer não a uma mulher tão bonita, pode?

Esma apontou o dedo para Tobar e me disse para aprender com ele. Nós três rimos.

Esperando por Attila, passamos outros dez minutos com Tobar, que nos falou dos problemas recentes em seu negócio de venda de telefones.

Enquanto caminhávamos de volta ao carro, vi a mulher idosa que se afastara do círculo mais cedo. Ela estava do lado de fora, usando uma vara comprida para mexer algo num velho barril de madeira, e pedi que Esma me ajudasse a conversar com ela.

A senhora lembrava um pouco uma índia americana. O cabelo grisalho sob a *babushka* estava trançado, e seus dois dentes da frente estavam quebrados. A longa saia estampada arrastava no chão, mas, apesar do frio, os pés, tão cheios de calos que pareciam cinzentos, calçavam apenas chinelos de dedo.

Eu tinha uma carta de apresentação do governo bósnio e a retirei do bolso do paletó, mas ela a afastou com um tapa.

— Ela não sabe ler — disse Esma em voz baixa. — Você vai descobrir que pouquíssimas mulheres daqui sabem.

Esma fez seu melhor para explicar sobre o tribunal, mas a mulher, que nunca havia saído de Lijce, não parecia interessada. Ela era uma daquelas idosas naturalmente rabugentas e, assim que Attila se juntou a nós, disse algo a ela, apontando para Esma. Attila deu uma risadinha, mas pareceu hesitante em traduzir.

— Ela diz que prefere falar bósnio comigo — disse ela, por fim. — "O romani daquela ali dói nos meus ouvidos."

Esma aceitou a queixa com bom humor.

— O romani tem milhares de dialetos — explicou ela. — E, é claro, todos os *roma* acreditam que o seu é o correto.

Descobri que a senhora estava lavando roupa para si mesma e para o neto solteiro, num ensopado de tecido que girava em meio ao vapor que subia do barril. Esma disse que lavar toda a roupa levaria a maior parte do dia, e as tarefas de ir ao riacho, recolher e ferver a água e lavar precisariam ser realizadas duas vezes, pois seria má *baxt* se as roupas de homens e mulheres se tocassem.

A velha continuou seu trabalho no barril cheio de vapor enquanto Attila traduzia seus resmungos. A casa atrás dela, onde morava com o neto, não tinha mais que vinte metros quadrados e era feita de gravetos e lama.

Perguntei por que ela tinha ficado irritada com o que suas vizinhas disseram sobre Barupra.

— Elas falam para ouvir a própria voz. Ninguém aqui sabe de nada. A irmã de Sinfi se casou com um homem de Barupra. Pergunte a ela. Ela deveria saber, mas também não sabe de nada. — Com a mão artrítica e nodosa, a velha apontou para a porta seguinte, onde uma jovem muito magra também lavava roupa, de costas para nós e com uma bebezinha no colo.

Começamos a seguir naquela direção, mas a senhora nos chamou de volta. Após insultar os vizinhos por falarem do que não sabiam, ela revelou a própria teoria.

— Aquelas pessoas vão voltar. É assim que nós somos.

Quando perguntei quem lhe dissera isso, ela bateu a vara no interior do barril, embora estivesse claro que teria preferido usá-la em mim.

— Ninguém precisa dizer a ela — traduziu Attila. — Ela é uma anciã e sabe das coisas.

Olhei para Esma.

— Mulheres ciganas?

— Muito poderosas — respondeu ela. — Eu disse.

— Pergunte, por favor, onde estão as pessoas de Barupra enquanto esperam para voltar — pedi a Attila.

Attila riu com vontade antes de traduzir a resposta.

— Ela ouviu dizer que advogados são espertos, mas isso não deve incluí-lo, se espera que uma velha saiba mais que você.

Fomos até a casa seguinte para falar com a jovem Sinfi. Ela havia entrado, mas foi até a porta quando nos aproximamos com um sorriso tímido. Ainda segurava a bebê no colo e estava descalça. Eu havia notado que ninguém usava sapatos no interior da casa de Tobar. O cômodo que eu conseguia ver às costas de Sinfi estava imaculadamente limpo, mobiliado com um armário desconjuntado e uma velha tapeçaria na parede, embora o teto estivesse abaulado e mostrasse danos causados pela umidade que poderiam fazê-lo cair. Sinfi vestia calça com estampa de leopardo e uma camiseta com palavras em alemão que não entendi, à exceção de "*Gesundheit*". O cabelo preto estava solto em torno do rosto, e seus olhos eram de um verde brilhante, uma raridade entre os *roma*. Era muito magra e muito bonita, exceto quando sorria, revelando o tom esverdeado dos dentes. A bebê, de uns nove meses, nos observava avidamente e agarrava nossos dedos quando estendíamos a mão em sua direção.

Outra vez retirei a carta do paletó. Sinfi sorriu, mas não se deu ao trabalho de olhar. Como havia acontecido antes, preferiu que Attila traduzisse.

Ela disse que sua irmã tinha se casado com um jovem de Barupra. Ela a visitara duas vezes com os pais, antes de eles irem embora de Lijce depois da morte de sua avó paterna.

— Outras pessoas de Lijce se casaram com gente de Barupra?

— Só a minha irmã. Os outros não aceitariam.

— Porque eles eram ortodoxos?

Minha pergunta a divertiu.

— Porque eram muito pobres. Não tinham nada.

Esma interrompeu para explicar que, nas comunidades tradicionais, os *roma* adotavam amplamente as religiões dos *gadjos* como medida de proteção, a fim de que padres e imãs ajudassem com enterros e nascimentos. Sua verdadeira fé, da maneira como Esma a descreveu, soava como um tipo de espiritualismo, frequentemente envolvendo os fantasmas dos ancestrais.

— Minha irmã tinha o braço direito defeituoso — continuou Sinfi —, murcho. Meus pais ficaram felizes por ela conseguir se casar. Prako tinha lábio leporino, então eles eram uma boa combinação.

Ela sorriu em silenciosa ironia. Entre as cinquenta e tantas pessoas que eu tinha visto ali, as consequências da inevitável consanguinidade eram claras — estrabismo e fissuras labiopalatais eram comuns —, mas também, especialmente entre as crianças, havia exemplos de espantosa beleza, ao menos até que ela fosse diluída pela dieta pobre e por outras privações.

— E onde está a sua irmã agora? — eu quis saber.

— Eles sumiram de Barupra. Todos eles.

— E para onde foram?

— As pessoas dizem que foram assassinados.

— Você acredita nisso?

— Eu não quero acreditar — disse ela, mas balançou a cabeça para indicar que sua esperança era débil. — Que seja feita a vontade de Deus!

Ela explicou que, após o casamento, a irmã ligava para os pais a cada dois ou três meses de um celular emprestado. Em outro costume indiano que os *roma* ainda mantinham um milênio após o êxodo, a nova esposa se tornava parte da família do marido, subordinada à sogra e, de certa maneira, separada da família de origem.

— No começo — continuou Sinfi —, como ela não ligou, a gente tentou ligar para o número da amiga que tinha o celular, mas ninguém atendeu. Depois que o inverno inteiro se passou sem que tivéssemos notícias dela, meu pai decidiu ir até lá. Pegamos um carro emprestado. Mas eles não estavam lá. Não tinha ninguém lá. O vilarejo havia desaparecido. Meu pai procurou a polícia em Vica Donja. Eles agiram como se fosse loucura pensar que alguma vez tinha havido gente em Barupra. — Ela parou de falar por um momento e olhou para o chão, a fim de manter a compostura. — Isso fez meu pai ter certeza de que Kajevic tinha matado todos eles.

— Por que Kajevic?

— Da última vez que falei com a minha irmã, ela disse que um soldado tinha passado por lá para avisar que Kajevic mataria alguns dos homens que moravam em Barupra.

— Um homem? Muitos homens?

— Muitos.

— E por quê?

— Kajevic achava que eles tinham falado com os americanos. Mas a minha irmã disse que Prako não estava preocupado. Não era da sua conta. Ele não tinha nada a ver com aquilo.

— Sua irmã disse quem havia falado com os americanos? Ou o que tinham falado? Alguma coisa assim?

Sinfi não sabia de mais nada. Mesmo assim, era a primeira coisa que eu ouvia em Lijce que se parecia vagamente com uma evidência. Era um testemunho indireto à centésima potência, mas ela narrara um evento concreto que, se realmente tivesse ocorrido, ofereceria uma forte evidência sobre quem havia planejado o massacre.

Perguntei se poderia gravar sua história com o celular, mas ela disse que o marido ficaria irritado se soubesse que ela falara de Kajevic.

— Mas você e os seus pais acreditam que soldados de Kajevic mataram todo mundo em Barupra? — indaguei.

— Eu? Acho que sim. Meu pai também. Minha mãe, não. Ela teve um sonho, há alguns anos, no qual a minha irmã chamava por ela. Então ela ainda tem esperança. — Seus olhos se encheram de lágrimas.

Antes de irmos embora, Esma retirou o cachecol púrpura que havia sido alvo de tanta admiração e o enrolou em torno da bebê. Quando nos despedimos, Sinfi se aproximou e olhou para mim com os olhos semicerrados para se proteger do sol, que tinha acabado de surgir entre as nuvens.

— Você vai descobrir quem os matou? — perguntou ela.

— Vou tentar.

— Eles deveriam ser punidos — declarou ela. — Nem mesmo os *roma* deveriam ser tratados assim.

12.

Ainda uma cigana

— Vocês estão com fome? — perguntou Attila quando fomos embora de Lijce. — Tem um lugar interessante a alguns quilômetros daqui.

Já passava das quatro, e nenhum de nós havia comido nada desde o café da manhã. Attila parou numa grande hospedaria de beira de estrada, na encosta de uma colina, composta por uma série de construções rústicas que pareciam um hotel-fazenda, com telhados inclinados e paredes de cedro decoradas com velhas rodas de carroça. Para aumentar o apelo turístico, havia reconstruções da vida bósnia há cem anos. Numa das cenas, um boneco de cera usando colete e um fez examinava uma saca de sementes.

No segundo andar da construção principal, entramos num salão a céu aberto, feito de pinho e bastante luxuoso. Garçons vestindo coletes formais e gravatas-borboleta nos conduziram a uma mesa ao lado da janela, com vista para outro adorável riacho montanhoso trinta metros abaixo, de onde emergia um romântico burburinho.

Attila, sem surpreender ninguém, era uma excelente anfitriã. Ela pediu um vinho branco da Eslovênia, embora, como descobrimos, não bebesse álcool. Seu foco estava num grande prato de queijos e carnes secas, uma iguaria local, acompanhados de um incomum pão amarronzado feito a partir de dezenas de camadas muito finas, um pouco como a crosta de um *strudel*. Enquanto relaxávamos, Attila fumou sem remorso, e Esma filou alguns cigarros, explicando que fumava apenas quando bebia e não estava na Inglaterra.

Attila havia acabado de escolher a entrada quando Esma pediu licença. Assim que ela se levantou, Attila se inclinou confidencialmente para a frente. Sua personalidade era tão grandiosa que eu quase me habituara a ignorar sua aparência esquisita, com aquela grande bola de cabelo crespo amarronzado, a pele cheia de sardas irregulares, os ombros estreitos e estranhamente quadrados e os braços magros e pálidos saindo da mesma camisa de manga curta que vestia quando tinha me buscado no aeroporto no dia anterior.

— O que você acha, Boom? Parece que foi Kajevic, não parece?

— Talvez. Eu estou muito longe de poder tirar conclusões, Attila.

— Um cara manda um mensageiro para dizer que vai matar um punhado de homens, e, uma ou duas semanas depois, eles estão todos mortos. Esse cara é o principal suspeito, não é?

— Claro. Mas essa não é a única possibilidade. O que você achou da mulher que disse que os bósnios mataram os *roma* porque queriam a base de volta?

— Eu achei que ela estava falando tanta merda quanto todas as outras; ou melhor, todas menos a última. Os Estados Unidos haviam se retirado. O campo tinha voltado a ser propriedade do governo. Se os bósnios quisessem expulsar os *roma*, eles só precisariam usar escavadeiras. Não havia razão para um massacre.

Bebi um gole de vinho, pensando em como abordar o assunto seguinte. Eu passara o dia todo querendo um instante a sós com Attila.

— Eu também não estou pronto para declarar que o Exército americano não é mais um suspeito.

Como eu imaginava, ela fez uma careta.

— E por que não?

— Bem, Tobar confirmou algo que venho ouvindo há semanas: que alguns ciganos em Barupra eram ladrões de carros. Aliás, você mesma disse que demitiu os motoristas *roma* quando eles desapareceram com alguns caminhões. Não foi isso?

— É verdade. — Ela assentiu com toda a parte superior do corpo.

Na noite anterior, eu havia acordado por volta das três, o que não era incomum quando estava sofrendo de jet lag. Sentia um aperto no coração por causa de alguma reconstrução onírica do encontro com Esma no corredor. Eu tinha me lembrado de suas unhas vermelhas quando ela apoiara a mão no meu braço, mas o sonho terminara em agitação e arrependimento, embora, como acontece com tanta frequência, eu não conseguisse me lembrar do que estava arrependido ao acordar. Por fim, quando havia me acomodado e começara a cochilar, minha mente se voltara para o caso. Tinha sido então, semiadormecido, que eu havia feito a conexão que vinha me incomodando desde que bebera com Goos no bar do hotel.

— Você disse que todos os caminhões que a OTAN usou na Bósnia eram seus. Da CoroDyn. Certo?

— Basicamente. Os veículos operacionais estavam sob o comando da unidade de transportes, mas eram todos meus.

— Ok. No avião, eu reli os meus arquivos sobre a tentativa de prender Kajevic em Doboj. A maioria dos relatos da imprensa diz que ele fugiu em caminhões roubados do Exército americano. A primeira vez que li isso, achei que ele e seus Tigres tinham feito ligação direta nos veículos utilizados pelas forças especiais. Mas toda a emboscada teve um planejamento minucioso demais para envolver uma fuga improvisada. Foi então que percebi, no meio da noite, na verdade, que Kajevic já tinha aqueles caminhões.

Eu tinha conseguido atrair a atenção de Attila. Suas sobrancelhas finas e sem forma estavam contraídas sobre os olhos miúdos.

— O que significa — continuei — que os veículos em que Kajevic fugiu foram roubados de vocês e da CoroDyn. Certo?

Attila comprimiu os lábios antes de falar.

— Eu já falei, Boom. Gosto de você e tudo mais, mas não vou foder com a minha habilitação de segurança.

— Não pode ser segredo a quem os caminhões pertenciam, Attila. Eles tiveram que ser identificados para que a polícia bósnia pudesse procurá-los.

Ela deu de ombros.

— Foram os *roma* de Barupra que roubaram os caminhões e venderam para Kajevic, não foram?

Attila estava olhando fixamente para a mesa. Então ela ergueu os olhos e acendeu outro cigarro.

— Boom, você já falou demais? — perguntou ela, com a chama do Zippo ainda acesa.

— Ocasionalmente.

— Eu fiz isso a vida toda. A merda sai da minha boca e eu fico me perguntando por que caralho eu disse aquilo. E, Boom, eu realmente não sei por quê. Eu sempre acabo me envolvendo nessas situações.

Eu não estava disposto a me deixar distrair pelos seus arrependimentos passados.

— Mas foi *assim* que os *roma* ficaram sabendo onde Kajevic e seu pessoal estavam escondidos. E foi por isso que puderam fornecer a localização para a inteligência do Exército.

— Eu não estou aqui para mentir para você, Boom. Mas tenho que ser muito mais cuidadosa com o que digo.

— Bem, talvez você possa responder a outra pergunta, Attila. Se os *roma* me dissessem onde Kajevic estava escondido, eu fosse até lá e acabasse caindo numa emboscada, eu ficaria puto, talvez mortalmente puto, *ainda mais* quando percebesse que eles mesmos venderam os caminhões que Kajevic usou para fugir. Isso poderia me parecer uma grande traição.

Ela balançou a cabeça enfaticamente.

— Não foi assim que aconteceu.

— E como foi?

— Eu não posso me envolver nisso, Boom. Eu sei que falo demais, e, com um cara esperto como você, uma coisa leva a outra. Não posso dizer mais nada. Só uma coisa: você ouviu aquela moça dizer que Kajevic jurou matar todos os ciganos.

O celular de Attila, que ela colocara sobre a mesa de madeira, começou a tocar de novo, vibrando tanto que, por um momento, achei que poderia voar pela janela. Ela colocou a mão sobre ele antes que o deslizasse para longe e atendeu. Eu teria jurado que Attila havia ligado para si mesma a fim de evitar mais perguntas, mas o celular tocara bem na minha frente e eu conseguia ouvir uma voz falando em servo-croata do outro lado da linha.

— Merda — disse ela ao desligar. E se levantou. — Preciso ir. Tenho que encontrar cinco caras que falem pachto e mandá-los para Cabul até as oito da noite de amanhã. E o problema, Boom, é que qualquer pessoa que fale pachto trabalhou no Afeganistão. E qualquer pessoa que trabalhou no Afeganistão prefere dar o cu a voltar para lá. Isso vai custar caro. Vou passar a noite ao telefone.

Attila me deu um aperto de mão e disse que um motorista chegaria em uma hora e nos levaria de volta a Tuzla quando estivéssemos prontos. Ela caminhou uns cinco passos antes de dar meia-volta e se inclinar sobre a mesa, me deixando frente a frente com seus olhos estreitos e sua pele ruim. Então disse em voz baixa:

— Diga a Esma que foi um prazer conhecê-la. Mas tome cuidado, meu camarada. Aquela mulher é esperta demais. E nunca esqueça que ela ainda é uma cigana.

Então foi embora com um breve aceno.

A comida — carneiro grelhado com vegetais numa grande travessa de inox — chegou alguns minutos depois, segundos antes de Esma retornar. Expliquei a partida de Attila, e ambos ficamos encantados com ela por algum tempo. Esma parecia completamente extasiada. Ela se sentara diante de mim enquanto Attila estivera presente, mas agora se acomodara ao meu lado, perto o bastante para nossos cotovelos se tocarem.

— E então, Boom? Descobriu alguma coisa útil hoje?

— Eu preciso processar tudo o que ouvi. — Eu ainda não queria partilhar meus pensamentos sobre a investigação. Em vez disso, perguntei sobre Lijce, sabendo que sua paixão pelo seu povo a distrairia.

— O desafio dos *roma* é permitir a interação com a sociedade dos *gadjos* para aqueles que, como eu, desejam se unir a ela, sem impor os valores da sua sociedade, Bill, aos muitos que não desejam.

— Mas como as crianças *roma* podem fazer essa escolha sem ter acesso à educação formal?

— O valor da escola não é claro para a maior parte do meu povo — respondeu Esma. — Em romani, não há palavras para "ler" ou "escrever". A música *roma* é maravilhosa. Mas não existe literatura. Minha avó ficava preocupada sempre que me via com um livro. Ela me perguntava: "*So keres?*" "O que você está fazendo?" Para o meu povo, o conhecimento é adquirido através da interação social, da conversa.

— Uma tradição oral?

Ela deu um leve sorriso, divertindo-se com a ambiguidade dos costumes *roma*.

— Sim, mas não pense nos anciões nativo-americanos repetindo lendas para um círculo de jovens ouvintes. Os *roma*, Bill, são um povo sem história, sem entendimento partilhado do passado. Minha avó se recusava a acreditar quando eu dizia que a gente não veio do Egito, um erro comum que levou ao nome "*gypsy*". Para nós, não existe um mito prevalente de criação nem sete dias e sete noites. Os homens ciganos com quem cresci eram ferozes lutadores, mas jamais houve um Exército cigano, porque não há terras que tenhamos sido inspirados a conquistar e defender ou para onde tenhamos sentido vontade de retornar.

"E, ao contrário de quase todos os outros grupos humanos do mundo, nosso senso de identidade não é forjado pelas incontáveis injúrias do passado. Não contamos histórias sobre nossos séculos de escravidão, diferente dos afro-americanos e dos judeus. Em vez disso, os ciganos são excelentes em esquecer. Você viu isso com Tobar, quando perguntou sobre Barupra. A gente vive no presente. Para os ocidentais, somos tão estranhos quanto marcianos."

Outra vez, ela deu aquele sorriso largo, repleto de prazer e orgulho pelo seu legado diferente.

— E qual foi o impacto disso tudo em você, Esma? Você se sente presa entre dois mundos?

— Não. Eu fiz as minhas escolhas. Para pessoas como aquela senhora que a gente viu em Lijce, eu sequer sou *rom*. Foi por isso que ela não quis falar romani comigo.

— E quanto à sua família? Sua mãe é mais tolerante que seu pai?

— Minha mãe morreu. Câncer. Todos aqueles cigarros. Ela discutia com o meu pai por minha causa, mas sempre senti que era mais para contrariá-lo que por ver qualquer valor na minha educação. Quando fiz 15 anos, ela começou a falar de casamento. Ela já havia conversado com a outra família. O garoto, que se chamava Boris, parecia gostar muito de mim, mas o sentimento não era recíproco. Então ele me sequestrou e me estuprou. Isso não é incomum entre os *roma* ingleses, para os quais um pau duro frequentemente equivale a um pedido de casamento. Depois do sexo, ele poderia declarar que tínhamos fugido juntos. Mas ficou furioso quando não viu sangue nos lençóis. A família dele, é claro, desistiu de suas intenções, e o meu pai ficou furioso.

"Mesmo assim, essa foi a minha libertação. Como passei a ser inadequada para o casamento, estava livre para continuar frequentando o colégio e ir para a universidade."

— Oxford?

— Cambridge. Caius College.

— E você nunca se casou?

— Não. Eu sou independente demais, Bill. Ainda penso em filhos de vez em quando, mas não sou constante o suficiente para ser uma boa mãe.

A comida, que comíamos enquanto conversávamos, era excelente, preparada sem muita fanfarra, mas saborosa e com uma bela apresentação. No centro do prato, havia uma cebola grelhada da qual pimentas brotavam como antenas. Durante a refeição, havíamos pedido uma segunda garrafa de vinho.

Quando terminamos a sobremesa, pedi a conta, mas descobri que Attila já deixara tudo pago. Esma riu e imediatamente apontou que, por causa disso, eu ainda lhe devia um jantar.

Do lado de fora, o carro que Attila havia prometido estava à nossa espera, um antigo veículo iugoslavo grande como um tanque. Esma e eu nos sentamos no banco de trás e partimos para Tuzla, atravessando as colinas enquanto anoitecia. Não fiquei surpreso quando Esma, que tinha bebido mais que eu, ficou em silêncio e de olhos pesados e então caiu num sono profundo, com a cabeça jogada para trás e ressonando ligeiramente. Uma curva fechada a jogou em cima de mim, e ela apoiou a cabeça no meu ombro, me lançando numa rede de sensações. Eu podia ser tão cauteloso quanto quisesse, mas, com sua beleza e personalidade forte, seu *sex appeal* parecia uma corrente elétrica, e o calor do seu corpo tão próximo, sua respiração no meu pescoço e seu perfume no ar me mantiveram excitado durante a maior parte do caminho.

Quando começamos a sacolejar pelas ruas de paralelepípedos de Tuzla, ela se endireitou e balançou a cabeça para acordar. Esma pegou o celular, mas falou por apenas alguns segundos em romani.

— Preciso me encontrar com Ferko — avisou ela quando paramos em frente ao Blue Lamp. — Eu disse que o veria hoje à noite para discutirmos algumas coisas.

Finalmente me lembrei de perguntar a ela sobre o que Goos tinha ouvido.

— Goos disse que Ferko estava insistindo para que você cumprisse o que prometeu. Desculpe, sei que não preciso dizer isso a você, mas, se estiver recompensando Ferko de alguma forma pelo depoimento, ele não vai ter nenhum valor.

Ela recebeu o comentário com uma risada.

— Você *não* precisa me dizer isso. A única conversa que tivemos sobre dinheiro foi quando eu disse que ele poderia receber alguma forma de reparação do tribunal, num futuro distante, se houvesse uma condenação. Mas ele não tocou no assunto desde então. O que prometi a Ferko quando ele concordou em testemunhar foi que você faria todo o possível para mantê-lo em segurança. E é direito dele insistir para que essa promessa seja cumprida, você não acha?

Assenti com a cabeça. Querendo ou não, eu tinha que ficar satisfeito com essa resposta.

— Eu ainda não tive a chance de pressioná-lo sobre Kajevic, como você pediu — continuou ela —, mas vou mencionar o assunto e manter você informado.

Ela ouvira Sinfi, assim como eu. Era difícil duvidar da jovem, o que significava que seria bastante peculiar se Ferko — ou qualquer outra pessoa vivendo em Barupra — não tivesse ouvido falar das ameaças de Kajevic.

Esma guardou o celular na bolsa e me encarou já com um pé na rua.

— Obrigada por me deixar dormir, Bill. Eu me senti confortável do seu lado. — Ela não disse mais nada, mas me lançou um olhar demorado, franco e íntimo, antes de se afastar.

De pé na rua em frente ao hotel, eu reverberava. E, subitamente, pensei em Layton Merriwell.

13.

Arrependimento

Vi Goos assim que entrei no lobby. Ele estava no lounge com seu copo de cerveja, como era de esperar, conversando com duas inglesas de meia-idade, ambas loiras de cabelo curto que pareciam estar apreciando a companhia. Troquei um aperto de mão com as duas, Cindy e Flo, e notei seu claro desapontamento quando indiquei uma mesa somente para dois no salão de café da manhã. O copo de Goos estava vazio, e eu o peguei.

— Hoje você bebe por minha conta.

Voltei com outra cerveja para ele e uma água com gás para mim. Já bebera bastante vinho com Esma.

— Desculpe por não ter lido o comunicado sobre a sua formação, Goos.

— É. Doutorado. Essa coisa toda. Provavelmente eu sinto mais orgulho disso do que deveria.

Fiz a pergunta óbvia: como ele havia se tornado policial.

— Bom, você sabe como é, eu era um moleque encrenqueiro. Mas bom nos estudos. Então decidi continuar. Gostava de antropologia, até estar quase terminando o curso e perceber que, na verdade, gostava mais do trabalho policial. Para dizer a verdade, provavelmente foi por ter encontrado muitos policiais no contexto profissional. Mas eu não era nenhum vagabundo. Só me metia em confusões de vez em quando ou enchia a cara com os colegas e curtia a noite à custa do governo. Mas sabia que um bom policial podia fazer a diferença. Tive um conselheiro em Antuérpia que disse: "Com um diploma de antropologia forense, acho que você consegue entrar na força policial."

"Foi o que eu fiz. A Bélgica é um lugar bastante pacífico, com menos de duzentos assassinatos por ano e sem muitos corpos para desenterrar. Mesmo assim, entrei no Departamento de Homicídios. E era bom no que fazia. Conheci uma garota bonita e me tornei um sujeito civilizado. Mas, quando o Tribunal Iugoslavo foi criado, pensei que seria o lugar ideal para as minhas habilidades."

— E o que as suas habilidades disseram a você sobre a cova em Barupra?

— Estou com alguns ossos na sacola, se é disso que está falando.

— E qual é o veredicto?

— Parecem os ossos certos. Três homens, um mais novo que os outros dois.

— Você é capaz de dizer gênero e idade?

— Sim, por causa do tamanho da bacia e de certas formações ósseas na pelve. E por causa da densidade óssea. Vou ter certeza quando examinar com um microscópio.

— E quanto às balas que você estava procurando?

— Encontrei duas. Vamos fazer uma análise de balística quando voltarmos.

— Existe algum laboratório criminal confiável na Holanda?

— Sim, o Instituto Holandês de Perícias Forenses. Top de linha.

— Ok. Vamos analisar os ossos e as balas, e depois?

— Bem, devíamos pensar nas requisições de documentos para os nossos amigos na OTAN, presumindo que você consiga autorização com Akemi e Badu. E eu gostaria de voltar aqui com um geólogo. Trabalhei com uma professora muito boa em Nantes. A professora Tchitchikov. Adoraria saber se ela consegue dizer quão recente é o deslizamento na caverna. E gostaria que ela analisasse a cova de Boldo.

Goos disse que os policiais bósnios voltaram no fim do dia, ávidos por fazer algo, e cercaram a área escavada com uma fita de isolamento. Eles também prometeram vigiar o local.

— Eu não conheço muito bem as formações do terreno daqui — explicou Goos quando perguntei por que ele queria que a professora Tchitchikov examinasse o local. — A terra pareceu macia demais para um enterro feito há uma década. Para mim, parece uma mistura de horizontes A e B. Mas essa não é minha *spécialité.*

— Mas qual é o significado potencial dessa mistura de solos?

— Pode significar que o lugar foi escavado há muito menos que dez anos.

— Ladrões de covas?

— Possivelmente. O mais provável é que tenham sido curiosos. Talvez crianças. Mas também poderia ser alguém querendo ver o que encontraríamos.

— Você acha que pode ter sido Ferko?

— Ele ainda me parece meio suspeito, mas não foi nele que eu pensei.

— Os ossos estão onde ele disse que estariam, Goos.

Ele assentiu, admitindo que eu tinha razão, e perguntou sobre a viagem a Lijce. Como eu, ficou interessado no que Sinfi dissera. Mas o momento em que pareci impressioná-lo, provavelmente pela primeira vez, foi quando narrei minhas deduções sobre os caminhões nos quais Kajevic tinha fugido e a possibilidade de os americanos terem suspeitado de traição quando a informação dos *roma* os levara a uma emboscada.

— Attila não quis admitir nada sobre os caminhões — contei —, mas acho que ela só está tentando proteger as tropas americanas. Ela entende a importância disso, mas fica repetindo a ladainha de Merriwell e insistindo que os americanos jamais fariam algo assim.

— Sabe, os americanos que eu conheci quando passei a vir para a Bósnia, por volta de 1997, eram de outro nível. Com os russos e os turcos, eu às vezes me perguntava em que prisão foram recrutados para o Exército. Eles iam atrás de meninas que passavam fome e trocavam comida por sexo. Mas os americanos eram disciplinados e bem-treinados. Jogavam futebol e ouviam música com as crianças locais. Distribuíam doces. É difícil imaginá-los participando de um assassinato em massa.

— Psicologia de grupo é uma coisa engraçada — comentei.

Eu havia acusado dezenas de homens e mulheres, executivos corporativos, corretores de títulos e funcionários do governo, a maioria com uma vida inteira de comportamento impecável, gente que havia aceitado suborno, falsificado registros ou enganado clientes, todos oferecendo a mesma desgastada desculpa ao serem pegos: todo mundo fazia a mesma coisa. O exemplo mais marcante para mim, que partilhei com Goos, fora o de um colega do time de futebol do ensino médio, Rocky Whittle, que havia sido indiciado enquanto eu era procurador. Rocky passara anos aceitando pequenos subornos para manter a confiança dos outros sessenta inspetores com os quais trabalhava e que aceitavam muito mais dinheiro que ele. Sua decência fundamental permanecia tão clara para mim, mesmo décadas depois, que, após me declarar impedido, tinha sido sua testemunha de caráter durante a audiência.

— Mas existe um limite, Boom. Certo? Alguns dólares no bolso ou fazer o que for necessário para se manter no emprego são coisas diferentes de assassinato em massa. Você me contou uma história, e eu vou contar outra. Pensei nela o dia inteiro. O suficiente para me arrepender de ter vindo até aqui.

Ele esvaziou o copo se preparando para falar, e eu fiz um sinal para o recepcionista, que trouxe outro.

— Foi uma testemunha que tive no Tribunal Iugoslavo — começou Goos após um tempo considerável de silêncio. — Uma mulher chamada Abasa Mensur. Muçulmana. Ela vivia do outro lado do rio em Sarajevo, no que subitamente se tornou o lado sérvio. Os chetniks invadiram a casa dela. Isso aconteceu alguns dias depois de o marido de Abasa ser morto em batalha a alguns quarteirões de lá. Se você conhecesse os sérvios, já saberia essa parte sem que eu precisasse contar. Eles a estupraram na frente dos filhos. O esquadrão inteiro. Quando terminaram com ela, passaram a estuprar a filha de 11 anos. Então, só de farra, pegaram o bebê de 3 meses e colocaram no forno. Eles ligaram o forno, Boom, mantendo todo mundo sob a mira das armas. O bebê gritou e gritou, enquanto os soldados continuavam violentando a menina de 11 anos. Quando os gritos finalmente pararam, eles tiraram a criaturinha do forno, riram e o entregaram à mãe, dizendo: "É assim que fica um porquinho assado." Uma mulher muçulmana.

"E que Deus a abençoe, Boom, Abasa foi até Haia, prestou depoimento e indicou o capitão que havia liderado o esquadrão. Cara, eu sou um policial endurecido, já vi muita coisa ruim e sei como as pessoas podem ser horríveis, mas, mesmo assim, eu chorei na sala de audiências. E, graças a Deus, o capitão... aquele homem, se é que se pode chamar alguém assim de homem, está apodrecendo na prisão. Mas havia outros onze com ele, que sequer tentamos acusar. Depois de Dayton, alguns desses caras devem ter voltado para casa e tido filhos. No que eles pensavam enquanto seguravam seus bebês no colo, Boom? Como é que não meteram uma bala na cabeça?

"Então, com ou sem grupo, quero acreditar que algumas pessoas não teriam feito aquilo. Porque preciso ser capaz de dizer 'eu não faria isso'. E, espero, nem seu amigo Rocky. E talvez nem aqueles garotos americanos que serviram aqui, que sabiam das coisas e não deram ouvidos a todos os parentes que cuspiam asneiras sobre os monstros muçulmanos que maltrataram seus ancestrais durante séculos."

Bebi o restante da minha água. Depois dessa história, não havia muito a dizer, e esperei em silêncio enquanto Goos terminava sua cerveja. Ele partiria pela manhã para passar o feriado na Bélgica, e concordamos em conversar novamente na segunda-feira, em Haia. Em seguida, fui para meu quarto a fim de responder aos e-mails que haviam se acumulado durante dois dias, esperando que o trabalho ajudasse a dissipar o horror do que ele descrevera. O mal daquela magnitude era como um buraco negro, sugando toda luz à sua volta.

Eu estava havia pelo menos meia hora trabalhando no tablet quando ouvi uma ligeira batida à porta. Achei que Goos tivesse se esquecido de mencionar algo, mas, quando abri, Esma estava no corredor.

Parecia ter retocado a maquiagem e penteado os longos cabelos, e fui novamente atingido pela sua beleza. Mas sua expressão era puramente profissional.

— Você tem um momento, Bill?

Afastei-me para que ela entrasse. Ofereci a cadeira da escrivaninha e me sentei na cama. Perguntei se gostaria de algo do minúsculo frigobar, que oferecia água e cerveja morna, mas ela recusou.

— Não vou demorar — começou Esma. — Eu descobri uma coisa que você vai gostar de saber. — Ela contara a Ferko o que Sinfi tinha dito sobre as ameaças de Kajevic. — Ele agiu como se tivesse acabado de se lembrar, mas concordou que a história realmente havia circulado pelo campo. Não gostei dessa omissão, e ele percebeu, mas disse que jamais tinha feito uma conexão entre as ameaças de Kajevic e a noite de 27 de abril, porque os chetniks não falavam sérvio.

— Você ficou convencida?

— Acho possível, mas não provável. Minha suspeita é que ele estava aterrorizado demais para mencionar Kajevic.

Fazia sentido. Ferko não seria a primeira testemunha a omitir fatos em função do medo. E, embora pudesse ter enganado Esma, ele não mentira durante seu depoimento ou nas declarações anteriores ao tribunal. Mesmo assim, fiquei preocupado. Se Ferko estava tentando deixar Kajevic de fora, também poderia estar alterando outros detalhes, e isso poderia ser visto como perjúrio.

— Vou ter que interrogá-lo de novo, Esma.

— Entendo. Mas acho melhor esperar um pouco. Veja para onde caminha a investigação e quais outras perguntas você pode ter. Ele já está relutante e fica tentando me fazer prometer que agora acabou. A última coisa que precisamos é que ele mude de ideia e se recuse a cooperar.

Era um bom conselho.

— Obrigado por me informar — falei.

Ela assentiu e se levantou. Em pé, me lançou outro dos seus longos olhares. Esma estava escondendo algo, deliberadamente, e se sentou mais uma vez, dessa vez ao meu lado na cama.

— A outra razão pela qual você precisa esperar para falar com Ferko é que eu acabei de explicar a ele que não vou ser mais sua representante perante o tribunal. Quando você quiser encontrá-lo novamente, a Unidade de Vítimas e Testemunhas pode entrar em contato com ele e, se necessário, conseguir outro advogado. De agora em diante, eu não tenho mais nenhuma conexão com o caso.

Ela me observou enquanto eu absorvia a importância daquilo. Ter aqueles olhos grandes e diretos sobre mim era como encarar o cano de um rifle — se um rifle pudesse expressar anseio.

— Isso foi em meu benefício? — perguntei.

— Bem, Bill — disse ela com um sorrisinho —, espero que tenha sido em meu benefício. — Com dois dedos, ela segurou a gravata que eu havia usado o dia todo, num tolo esforço para parecer oficial, e sussurrou: — Bill, você sabe a tradução literal das palavras romani para desejo? "Eu como você." Não "eu quero você", mas "eu como você". Ou, de forma mais poética, "vou devorar você".

Ela se inclinou lentamente e me beijou, não de maneira leve ou hesitante, mas se entregando totalmente ao beijo. Isso e a leveza da pressão dos seus seios contra o meu peito foram eletrizantes. Percebi que, em algum nível, eu soubera o que estava prestes a acontecer, quaisquer que fossem as minhas desculpas, no minuto em que ela havia entrado no quarto. Tinha certeza de que ela conseguia sentir meu coração, disparado com o desespero semelhante ao de um peixe fora d'água.

— Permita-se, Bill — murmurou ela. — Você não vai conhecer a si mesmo por completo até ter vivido aquele momento em que não há nada além do prazer.

Com minha gravata ainda entre seus dedos, ela me puxou para perto, enquanto eu confrontava novamente o peso de estar na segunda metade da vida. Os "Um dia" acumulados durante a juventude e a maturidade haviam se tornado uma espécie de coleção, uma lista de desejos que, com involuntária crueldade, iluminava os limites entre a fantasia e as muitas limitações da vida real. "Um dia eu vou fazer aulas de mergulho." "Um dia eu vou viajar para o Butão." "Um dia eu vou pedir demissão e me tornar marceneiro." "Um dia eu vou limpar o escritório, o closet, a garagem, o depósito, as caixas para as quais nunca mais olhei desde a morte da minha mãe." "Um dia eu vou aprender a pescar com *fly*." "Vou voltar a tocar piano." "Um dia eu vou morar na Toscana." "Um dia eu vou morar na Toscana e ler as obras de Beckett e Erving Goffman."

Depois de 54 anos, a pilha de "Um dia" havia se tornado uma montanha — e, com ela, viera o inevitável reconhecimento de que quase nenhum deles ocorreria. Tendo vivido bem, eu sentia pouca amargura em saber disso. Mas como poderia recusar um "Um dia" que, subitamente, era real?

"Um dia eu vou me relacionar com uma mulher assim, alguém que parece iluminar a sala ao passar pela porta." Em quantas salas, olhando para quantas portas, essa promessa absolutamente impossível ressoara na minha mente, feita principalmente para que eu pudesse fazer a coisa certa e olhar para o outro lado?

Talvez tudo que Merriwell tivesse querido dizer — Merriwell e todos os que, como ele, foram arrastados pela corrente do desejo — era que se chega a uma idade em que a mais amarga de todas as emoções é o arrependimento.

IV.

Para registro

14.

Registros — 16 a 23 de abril

A vida havia me ensinado uma dura verdade: sonhos antigos, quando testados pela realidade, raramente correspondem às expectativas. Mas não foi assim com Esma.

A despeito dos sites de pornografia e das postagens na internet que documentam vividamente os atos externos, ninguém jamais vai conhecer a experiência interna de outros seres humanos nesses momentos. Mas os extremos de prazer físico que experimentei com Esma eram novos para mim. Quer se tratasse de magia cigana ou do fato de que eu tinha me libertado de todas as inibições ao cruzar o limite profissional que ainda deveria ter observado, em alguns momentos eu me sentia como se tivesse chegado ao âmago da vida, um lugar onde as sensações eram tão intensas que o restante do mundo parecia remoto e viver era pura excitação.

Cada experiência era uma novidade, a começar pela primeira, com ela apoiada numa das belas poltronas de couro do meu quarto. Nunca houve barreiras ou fronteiras, apenas desejo e inspiração. Normalmente, ela fazia uma narração constante e detalhada, nos termos mais profanos e excitantes: "Que pau enorme! Que delícia! Eu vou segurar. Você gosta disso? Sim, eu sei que você gosta! Você sabe que gosta! É tão gostoso..." Vez ou outra, essa descrição cedia lugar a instruções sussurradas sobre como satisfazê-la. "Aí, bem aí. Devagarinho, assim... Ah, sim, vem, vem." "Belisca." "Com força." "Com mais força."

Mas, melhor que as manobras de balé, ela oferecia um exemplo de como se entregar ao desejo e à sua satisfação. Ela era bastante livre em suas exclamações e na vocalização do terremoto de prazer que assaltava seu corpo com surpreendente frequência. Esma transformou a cama numa bagunça deliciosa e molhada, e sempre queria mais, lembrando-me de outra verdade única sobre o sexo: você pode ver o Grand Canyon, exultar com sua majestade e retirá-lo de sua lista de coisas a fazer. Mas todo mundo quer ter mais um orgasmo.

Nua, Esma era uma inspiração, ainda que suas proporções rubenescas não fossem favorecidas pela nossa era. Quando despimos um ao outro pela primeira vez, ela subitamente pegou o vestido de seda que estava sobre a cama e se enrolou nele, no momento em que o sutiã começava a escorregar.

— Você gosta de seios grandes, Bill?

— Adoro.

— Então se prepare para o paraíso.

A visão dela se aproximando langorosamente era sempre excitante e rapidamente me levava para além do que eu acreditava serem as limitações físicas da meia-idade. Mas seu apelo era muito mais que corpóreo. Anos antes, eu havia representado uma stripper que trabalhava sob o nome de Lotta Lust e não pagava o imposto de renda havia mais de vinte anos. Não havia nada extraordinário na aparência de Stella — seu nome verdadeiro —, mas ela havia sido altamente solicitada no palco por duas décadas. Segundo ela, era uma questão de autoconfiança: "Uma garota que acredita que cada cara que conhece está morrendo de vontade de comê-la quase sempre está certa." Esma fazia com que eu sentisse, todas as vezes, que estava me dando um presente tão precioso quanto um segredo alquímico.

Como Goos iria de Tuzla para a Bélgica, eu e ela ficamos mais duas noites no Blue Lamp, partindo apenas na manhã de domingo. Durante as primeiras quarenta e oito horas, não usei uma peça de roupa sequer, aproveitando essa liberdade. Na sexta-feira, Esma sentiu fome antes de mim e foi até o lugar que vendia *cevapi* do outro lado da rua comprar sanduíches para nós dois. Esperei por ela deitado, desfrutando da solidão momentânea e recarregando as energias. Meu corpo inteiro parecia um campo de energia no qual o centro voltaico era o meu pau, e eu sentia uma sede intensa, que parecia ser o resultado de gozar com tanta frequência. Mas não queria me mexer. Em vez disso, exultei por ter escapado tão completamente das minhas amarras, mesmo enquanto os fantasmas dos bósnios assassinados, os estupros, as torturas e a selvageria irrestrita pareciam dançar sombriamente em algum lugar da minha alegria.

Cheguei a Haia no fim da tarde de domingo. Quando entrei no apartamento, havia uma mala bem no meio da sala com o nome de Lew Logan na etiqueta. Lembrei que a senhoria dissera que minha viagem seria conveniente, porque ela e o marido teriam a casa para si. Abri a geladeira para pegar um pouco de água e ouvi pancadas ritmadas no andar de cima. Levei um instante até perceber que era a cabeceira da cama batendo na parede. Depois de alguns segundos, achei que tinha ouvido os gemidos baixos de Narawanda Logan. Fiquei ali mais um pouco, sorrindo deles e de mim mesmo. Eu pretendia sair para um demorado jantar, a fim de lhes dar privacidade, mas Esma me exaurira. Deitei para tirar um cochilo e só acordei às cinco da manhã de segunda-feira.

Meus encontros com a senhoria haviam sido tão esparsos quanto ela prometera, devido, em parte, à disposição do apartamento. O andar de baixo continha uma pequena cozinha e uma sala de estar e jantar de bom tamanho. Três degraus levavam ao único banheiro com chuveiro. Havia duas escadas em frente ao banheiro, cada uma levando a um dos quartos.

Às terças e quintas, quando acordava para as conversas das seis horas com os meus filhos, eu descia para a cozinha a fim de fazer café e sempre encontrava a Sra. Logan na sala, contorcida em alguma posição de ioga. Ela vestia calça de lycra e um top folgado, ambos pretos, e era magra, mas proporcional e inesperadamente graciosa. Nos fins de semana ou quando voltava mais cedo do trabalho, ela corria. Chegava suada e sem fôlego, em outro traje todo preto, com a adição de touca e luvas. Com frequência eu estava lendo na sala, mas ela passava por mim com apenas um oi rápido. Uma vez, mencionei que também costumava correr, até que uma canelite tinha me feito parar meses antes, mas não recebi mais que um aceno cortês enquanto ela se dirigia à escada. De um modo geral, suas atitudes me deixavam ligeiramente confuso, o que era mais ou menos o que Goos me dissera para esperar.

Quando cheguei à cozinha naquela manhã, após voltar da Bósnia, a Sra. Logan estava em seu uniforme de ioga, esperando a chaleira elétrica ferver para que ela pudesse tomar chá antes da rotina matinal. A mala do marido havia desaparecido.

Eu esperava que a senhoria estivesse com o mesmo humor animado em que eu acordara, mas ela parecia distraída. Seu cumprimento foi educado — "Bem-vindo de volta. A viagem foi boa?" —, mas ela estava passando por um daqueles desânimos matinais com que algumas pessoas começam o dia e se retirou em silêncio para começar os exercícios.

Fui para o escritório mais cedo, preparado para encarar uma montanha de papelada. À tarde, eu e Goos nos sentamos em torno da minha mesa para planejar a solicitação de documentos à OTAN. Concluímos que sermos específicos seria a melhor forma de enfrentar a disposição natural do tribunal de evitar controvérsias.

O tempo que Goos passara no Tribunal Iugoslavo lhe dera uma boa ideia do que poderia estar disponível, e ele havia feito sua própria lista.

— Os exércitos não existem para lutar — comentou ele. — Eles existem para preencher formulários. Tudo deve ser documentado.

O primeiro item de sua lista eram empoeiradas escalas de serviço e os registros relacionados a elas, como relatórios dos refeitórios. Eu compreendia sua lógica — muitos soldados de licença ao mesmo tempo poderiam ser os nossos "chetniks", brincando de se disfarçar no tempo livre. Mas eu não achava que isso fosse nos levar muito longe, considerando-se o obstáculo mais básico.

— Pela lei americana, não podemos interrogar esses caras, Goos, presumindo que estejam em casa agora.

— Eu sei, eu sei, mas a gente pode checar suas contas de Facebook, YouTube e Twitter. Tenho lido os posts sobre a base Eagle há algum tempo. Tem bastante material, mas não muito que possa nos interessar. Mas, com os nomes, podemos procurar esses soldados nas redes sociais e conseguir algumas respostas. Não existe nenhuma lei contra isso, e você não acreditaria no que esses garotos revelam na internet, informações que jamais obteríamos pessoalmente.

Só então entendi por que ele estivera grudado no computador no dia em que eu o havia conhecido.

A segunda solicitação era relativa aos registros dos caminhões e relatórios do depósito de combustível. Queríamos ver se algum veículo pesado tinha deixado a base no meio da noite, mas não entendi por que ele também incluíra os relatórios dos mecânicos e os formulários de requisição de peças.

— Andando à noite naquela mina de carvão, no escuro, seria fácil um caminhão quebrar um eixo ou danificar um pneu.

Em seguida, Goos queria os diários das enfermarias dos campos.

— Eles não conseguiriam forçar quatrocentas pessoas a entrar nos caminhões sem que um dos caras desse um soco num soldado ou uma mulher enfiasse as unhas em seu rosto. Talvez alguns tenham sido atingidos por estilhaços de rocha durante a explosão.

Concordei. Ferko dissera que um dos soldados havia sido atingido pela coronha de um rifle enquanto tentava subjugar o irmão de Boldo.

O quarto item jamais teria me ocorrido, dado meu limitado conhecimento da rotina militar: registros de vigilância aérea.

— A OTAN tinha aviões por toda parte, Boom, além de satélites-espiões, tentando se assegurar de que não havia movimentação de tropas em nenhum dos lados. É assustador o nível de detalhes que eles conseguem obter do espaço.

Goos tinha várias outras ideias, todas excelentes. Com o uniforme de combate, as tropas americanas aparentemente usavam transmissores azuis de GPS projetados para emitir um sinal e, desse modo, evitar incidentes com fogo amigo. Decidimos pedir todos os registros de GPS que poderiam mostrar soldados americanos em Barupra ou nas proximidades em 27 de abril de 2004. A inteligência da OTAN provavelmente também registrara todas as ligações de celular e os endereços de IP daquela área.

Em uma linha separada, Goos havia escrito "Fotos".

— Fotos? — perguntei.

— Fotos cotidianas. De marchas. Formações. Vamos poder ver quem está faltando, talvez ferido. Isso foi perto do fim da presença americana. As câmeras provavelmente estavam trabalhando o tempo todo para registrar os bons e velhos tempos.

Assenti lentamente, fascinado. Goos era realmente extraordinário.

Sua última sugestão foi todo o arquivo da OTAN relacionado aos esforços para capturar Kajevic em Doboj, das informações da inteligência do Exército americano aos planos operacionais e relatórios de investigações: resultados de balística, relatórios dos investigadores e até mesmo necropsias. Esse era um item sobre o qual havíamos inicialmente discordado. Se a inteligência do Exército fosse sequer remotamente parecida com as unidades de inteligência com as quais eu lidara no FBI e em outras agências de investigação, ela se negaria peremptoriamente a partilhar qualquer informação, com medo de que, mesmo uma década depois, isso pudesse comprometer suas técnicas ou fontes. Em contrapartida, solicitar esses itens nos daria algo do que abrir mão durante as negociações. Tudo que realmente queríamos eram os registros mostrando como os Estados Unidos souberam da localização de Kajevic e se, mais tarde, suspeitaram de uma armação, além de todas as informações sobre os caminhões que os *roma* haviam roubado de Attila.

Quando estávamos terminando, ouvi o som de notificação do meu celular. Era uma mensagem de texto de Esma.

> Reunião em Londres. Acabo de sentir sua última gotinha pegajosa escorrendo pela minha perna.

Fiquei visivelmente corado, algo que não me acontecia desde o início da adolescência.

Eu soubera, desde o momento em que Merriwell havia sugerido solicitar os registros da OTAN, que meus chefes — Badu e Akemi — poderiam ser um obstáculo maior que o Exército americano. A cautela era a regra do tribunal. Sua burocracia férrea, tão diferente da atmosfera independente da procuradoria na qual eu havia trabalhado antes, oferecia um único consolo: era essencial. Sem uma base eleitoral permanente, a única proteção que o tribunal dispunha contra as inevitáveis controvérsias era manter uma regularidade procedimental bastante rígida, mesmo que isso me desse a sensação de que estava perseguindo os malfeitores com tanta afetação quanto um desfile equestre. No restante da semana, meu tempo foi consumido em reuniões sobre a solicitação de documentos com os chefes das três divisões da procuradoria — investigação, acusação e complementaridade. Ninguém questionou minha análise legal. O documento dos bósnios, com seu lacre de cera e suas fitas azuis e amarelas, dava ao tribunal o direito de solicitar qualquer registro a que o governo da Bósnia e Herzegovina pudesse ter acesso. Mas meus colegas permaneciam relutantes, principalmente porque a manobra era uma clara tentativa de passar por cima das leis americanas. O pessoal da complementaridade — basicamente composto por diplomatas — ficou particularmente aborrecido. Eles eram apegados ao formalismo e às vezes me parecia que ficariam completamente felizes se o tribunal nunca mais acusasse alguém, desde que isso evitasse qualquer agitação.

A última reunião com os coordenadores e chefes de divisão ocorreu no escritório de Badu. Mantive os olhos no velho o tempo todo. Ele deu risadinhas, assentiu e suspirou de seu jeito gracioso, sem revelar nada que indicasse que havia entendido o que fora dito. Eu começava a perceber que sua atitude aparentemente aérea o isolava de todos que, dentro e fora do tribunal, tentavam influenciá-lo. Perto do fim da reunião, ele disse, com seu sotaque agradável:

— Meu velho colega lorde Gowen é o embaixador inglês na OTAN. Estou pensando em ligar para ele.

Minha reação inicial foi de pânico, temendo que Badu pudesse estragar tudo de forma irrecuperável, mas, após um momento, percebi que a ligação poderia ser um movimento hábil. Se as principais nações da OTAN — Inglaterra, França e Alemanha, que também eram membros do tribunal — reconhecessem antecipadamente a legalidade da nossa solicitação, os americanos teriam mais dificuldades para recusar.

No dia seguinte, o embaixador Gowen encorajou Badu a prosseguir. O supremo comandante da OTAN no momento era outro inglês que, pelos padrões dos outros soldados, apoiava o tribunal e deixara claro que não se oporia ao pedido. Badu teve o cuidado de obter o apoio de todo o comitê executivo do TPI antes que eu enviasse a solicitação formal à OTAN. Todos nós sabíamos que essa solicitação provavelmente provocaria uma resposta americana explosiva.

Ao voltar da Bósnia, comecei a estabelecer uma rotina. Nas manhãs em que não ligava para Will ou Pete, eu acordava uma hora mais tarde e tomava café lendo o *New York Times* on-line. Depois disso, frequentemente ligava para minha irmã, Marla, para alguns minutos da conversa amena que havíamos partilhado durante toda a vida. Em Boston, eram quase duas da manhã quando eu ligava, e ela estava sempre sentada na cama, respondendo aos e-mails, recortando artigos de jornais para enviar aos filhos ou lendo o último romance do clube do livro. As luzes estavam acesas, e seu marido ortopedista, Jer, dormia profundamente ao seu lado.

Eu chegava ao escritório por volta das oito e meia e saía às cinco e meia. Jantava num dos cafés perto do apartamento e atacava a pilha de livros que havia trazido para Haia. Atualmente, estava relendo *O mago*, de John Fowles.

No dia em que nossa solicitação de documentos foi finalmente enviada à OTAN, na Bélgica, eu saí do escritório um pouco mais cedo. Era o primeiro dia de tempo bom que eu via em Haia. O solene céu de inverno dera lugar ao azul, e o vento sul aquecia o ar. Havia quase uma semana, a nova vitalidade que eu adquirira no Blue Lamp estimulava meu desejo por exercícios, algo que eu quase não tinha feito nos últimos meses. Minha senhoria me oferecera a velha bicicleta do marido, que fazia parte da horda no corredor de entrada, e eu estava pensando em aceitar, mas, como eu ainda não conhecia a cidade e com meu péssimo senso de direção, temia me perder em algum lugar sem sinal de celular.

Quando voltei para casa, descobri que Narawanda também tinha saído mais cedo, provavelmente inspirada pelo clima. Ela estava na sala, alongando-se antes da corrida, com o pé apoiado no sofá. Era a primeira vez que eu a via de short e, dada a discrição com que vivíamos, senti como se tivesse entrado no apartamento num momento inapropriado.

Corri para as escadas, mas criei coragem e me virei.

— Você se importaria se eu a seguisse por algum tempo? — perguntei. — Eu só gostaria de conhecer a sua rota. Prometo que não vou atrasá-la. Mas adoraria voltar a correr.

Ela pensou a respeito, quase como se eu tivesse proposto reduzir meu aluguel pela metade, mas finalmente me ofereceu um levíssimo sorriso e concordou.

Meu plano era correr com ela enquanto conseguisse e então caminhar de volta para casa. Nosso ritmo inicial foi vacilante, correndo pelas ruazinhas lotadas perto do apartamento. Mas Narawanda logo me levou a uma rota mais rápida, passando pela arborizada esplanada da Lange Voorhout e pela monolítica embaixada americana, que parecia um abrigo antibombas, até o grande parque de Haia, o Haagse Bos.

Baseado na minha experiência até então, eu não esperava que ela fosse loquaz, mas perguntei educadamente sobre a visita do marido.

— Foi boa — respondeu ela, o que parecia pouco, dado o vigor das pancadas na parede. — Lewis falou o tempo todo sobre quanto adora Nova York e quanto é bom estar lá de novo. — Seu inglês era correto, embora ocasionalmente forçado, pronunciado com sotaque holandês, com o "r" rolado, o "o" longo e o "g" gutural, e temperado com um leve toque dos agudos de Java.

— E você? — perguntei. — Você gosta de Nova York?

— Para visitar, é divertido. Para viver, muito difícil. Não é para mim. Estou acostumada a Haia.

Senti como se tivéssemos chegado a um impasse, mas, após um momento, ela fez várias perguntas sobre a minha viagem. Seu ritmo estava muito mais rápido, e cada palavra era um esforço, mas dei respostas longas, esperando finalmente ter alguma interação genuína com ela. Falei sobre meus filhos e sobre a Bósnia, fornecendo um breve roteiro, mas sem entrar nos detalhes da investigação.

A Bósnia fora minha primeira visita a um país majoritariamente muçulmano, e eu tinha ficado impressionado com a versão descontraída do islã praticada em Tuzla. A chamada para as orações era emitida dos minaretes cinco vezes ao dia, mas a maioria das mulheres dispensava o *hijab* e havia álcool no cardápio de todos os restaurantes. Aparentemente, a religião era um assunto particular.

— Foi com esse islã que eu cresci — disse Narawanda. — Modernista. Minha mãe cobria a cabeça na mesquita e a frequentava todas as semanas quando eu era pequena, mas sempre me lembrava do verso do Corão que dizia que o próprio Alá planejou a existência de muitas fés.

Eu havia feito as observações sobre o islã na Bósnia sem pensar que Narawanda pudesse ser muçulmana. Ela percebeu meu constrangimento, mas dispensou as desculpas.

— Eu sou uma muçulmana relapsa. Não vou à mesquita nem voltei a praticar jejum desde que me casei com Lewis.

— Vocês combinaram isso?

— Não, não. Aconteceu. Na verdade, naquela época, Lewis e eu tínhamos decidido que, se tivéssemos filhos, eles seriam educados na tradição muçulmana.

— E isso mudou?

Ela refletiu sobre a pergunta por várias passadas.

— Realmente não sei. Por enquanto, não temos condições de ter filhos. Nós sequer vivemos na mesma cidade.

Dado seu estranho temperamento, eu não sabia se ela estava aborrecida ou apenas sendo prática, mas senti meus pulmões chegando ao limite. Fiz sinal para que ela prosseguisse sem mim, prometendo me sair melhor se corrêssemos juntos novamente.

15.

Leiden — 24 a 26 de abril

Eu falava com Esma todas as noites — conversas muito explícitas nas quais eu ficava boquiaberto com as coisas que ela dizia, antes de começar a dar risadinhas lascivas. Ela deveria retornar a Nova York na semana seguinte, e concordamos que passaria o fim de semana comigo na Holanda. Eu ainda estava preocupado com a possibilidade de sermos vistos juntos. Embora ela tivesse aberto mão de qualquer papel formal no caso, o fato de ser uma defensora ardorosa das supostas vítimas a tornava parte interessada. Esma achava que eu estava sendo ridículo, mas concordamos em nos encontrar em Leiden, a quinze minutos de Haia, e reservei um hotelzinho de aspecto adorável em frente a um dos canais.

Meu trem chegou lá às três e meia da tarde de sexta, e dei uma volta pela cidade para aproveitar o tempo bom e absorver o charme de Leiden, que era parecida com Bruges, mas sem os biscoitos de gengibre. Sua rede de canais e pontes de ferro eram cercadas pelos habituais edifícios de tijolos centenários com telhados inclinados. O centro da cidade estava cheio de jovens, alunos da universidade que já começavam a aproveitar o fim de semana. Passados alguns minutos, reconheci o toldo listrado do hotel, que tinha visto numa foto na internet.

Na minúscula recepção, entreguei meu passaporte ao proprietário de meia-idade. Ele o manteria por algumas horas, como costumam fazer na Europa, a fim de preencher os formulários requeridos pela União Europeia. Ele já não precisava mais do passaporte inglês de Esma, com suas excêntricas imagens de uma coroa, um leão e um unicórnio gravadas em dourado sobre a capa vermelha, e o entregara a mim. Segurando uma evidência tangível da presença de Esma, senti uma vívida excitação abaixo da cintura.

No nosso quarto, eu a encontrei adormecida, com as cortinas fechadas e os olhos protegidos por uma máscara. Mas havia luz suficiente para vê-la. Ela havia chutado metade das cobertas, revelando as pernas bem-torneadas até a altura da coxa e mantendo o restante do corpo discretamente encoberto, como numa pintura antiga. Seu rosto estava na beirada da cama, com um braço pendente na lateral. No meio de um sonho, ela pronunciou palavras incertas e seu corpo estremeceu ligeiramente.

Eu me despi em silêncio, peguei a ponta do edredom e o afastei lentamente de seu corpo, numa espécie de strip-tease centímetro a centímetro, adorando cada segundo. A visão teve o efeito esperado. Segurei meu pau agora duro e o deslizei sobre sua boca e bochechas, afastando a máscara. Ainda adormecida, ela moveu ligeiramente a mão e, sem sequer abrir os olhos, guiou-me até sua boca.

Acordei na manhã de sábado com a mão agarrada à dela, observando a estranha coleção de anéis que notara em Tuzla, todos no dedo médio da mão direita. Ainda estava olhando para eles quando Esma acordou.

— Isso é uma aliança? — perguntei, apontando para um anel simples de ouro.

Ela riu e se sentou.

— Não se preocupe com isso. É problema meu, não seu.

— O que isso quer dizer?

Esma afastou aquela tempestade de cabelos negros do rosto e foi até o banheiro. Quando voltou, disse:

— Você está preocupado com rivais, Bill?

— Todo homem que olha para você é meu rival, Esma.

O comentário a deixou deliciada. Ela caminhou sinuosamente até a cama. Deitando-se, sussurrou:

— Eu estou com você. Vou mostrar quanto.

Mais tarde, nos sentamos do lado de fora, vestindo apenas roupões. Nosso quarto era minúsculo, mas repleto de antiguidades, para a alegria de Esma, com uma pequena sacada onde os vasos já floriam. Aproximei duas cadeiras de ferro brancas e segurei sua mão enquanto contemplávamos os telhados e os canais. Ela pareceu distante por um momento.

— Aproveite esse momento, Bill. Faça durar. Não se preocupe com o que vem em seguida.

— Por que você acha que estou preocupado?

Ela olhou para mim com um leve ar de reprovação. Eu não sabia se estava sendo repreendido por duvidar de seu vodu cigano ou apenas por ser desonesto.

— É da sua natureza. — Esma estava certa. — E eu não sou muito boa com o que vem em seguida.

— Você quer dizer a vida?

— Isso também é vida, a melhor parte dela. — Esma deslizou a mão para dentro do meu robe. — Não se apaixone por mim, Bill.

Dado o meu caráter, que Esma avaliara corretamente, eu já havia refletido sobre meus sentimentos. Sem dúvida, eu tinha sido capturado por uma luxúria viciante e sentia enorme ternura e gratidão que vinham dessa sensação. Mas eu sabia também que havia uma conexão entre nós. Desde o nosso primeiro momento juntos, eu sentira que Esma, com sua natureza passional e seu intelecto, preenchia um vazio ardente em mim. Mas amor? Eu já nem sabia o que pensar dessa palavra. E, mesmo assim, o que quer que fosse, o ardor que eu sentia era mais revitalizante que qualquer coisa que havia sentido em décadas.

— Por que não, Esma? Você não está disponível? — Eu estava pensando na aliança.

— Não é isso, mas eu tenho medo de desapontar você, Bill.

— Por quê?

— Porque eu sempre acabo fazendo isso no fim. — Ela voltara a ser a Esma essencial, séria e intensa.

Tentei brincar:

— Devo ir embora agora?

Como eu esperava, a pergunta melhorou seu estado de espírito. Ela retomou o olhar sensual e o leve sorriso dominador. Então soltou o cinto do roupão e o abriu, em plena luz do dia, à vista dos muitos telhados.

— Se quiser.

Na noite de sábado, tivemos nossa primeira discussão. Ellen queria que eu aprovasse os planos para o jantar antes do casamento de Pete, o que exigiu três breves conversas entre as onze e a meia-noite. Havíamos falado sobre o mesmo assunto no fim de semana anterior, quando eu e Esma estávamos no Blue Lamp.

— Essa situação com sua ex-mulher é muito estranha. Você fala mais com ela que com os seus filhos.

Expliquei que Ellen não tinha tempo durante a semana, quando estava trabalhando. Mas o rosto moreno de Esma exibia uma expressão de claro ceticismo, visível nos seus lábios amuados. Pensei em repetir as observações que ela havia feito antes sobre sentir ciúmes, mas sabia que Esma jamais escravizaria as próprias emoções à lógica ou à consistência.

— E você ficou na casa dela quando foi para os Estados Unidos — continuou ela. — Isso também é estranho. Vocês dão uma trepadinha de vez em quando?

Ri alto.

— Esma. Você ouviu as nossas conversas. São só assuntos de família. Não existe nenhum motivo para você se preocupar com a minha ex.

— Alguns homens nunca conseguem deixar o casamento para trás. Conheci muitos assim.

— E está reagindo ao que aconteceu com eles. Eu e Ellen estamos apenas planejando o casamento do nosso filho, e acho uma bênção podermos fazer isso juntos.

Para acalmá-la, sugeri que a gente saísse para beber. Uma mímica se apresentava sob um poste a uma quadra do hotel e nos ajudou a descontrair.

Na manhã de domingo, queríamos um pouco de ar fresco, por isso passeamos pela Hooglandse Kerkgracht, onde lojinhas luxuosas ladeavam as estreitas ruas de paralelepípedos separadas por um canteiro central que mais parecia um parque.

— Olha isso — disse Esma quando saímos da loja de antiguidades na qual ela analisara várias peças japonesas de marfim chamadas *netsuke*, esculturas de animais que colecionava. — Seu nome na vitrine, Bill.

Ela estava apontando para uma elegante joalheria com fachada de carvalho a uns trinta metros. Estava escrito TEN BOOM em grandes letras douradas acima da vitrine. No canto inferior direito, uma placa dizia *sinds 1875*.

A visão me paralisou.

— Eu achava que você tinha inventado esse nome — comentou Esma.

Finalmente, falei:

— Eu esqueci que eles estiveram em Leiden.

— Quem?

— Meus pais. Tenho quase certeza de que meu pai trabalhou naquela joalheria. Durante a Segunda Guerra Mundial.

— O que ele fazia?

— Era relojoeiro.

Mas esse dificilmente era o detalhe mais importante e, durante a hora seguinte, enquanto caminhávamos por entre os canais, contei a ela a maior parte da história dos meus pais. Me deparar com a joalheria, com o nosso nome na vitrine, fez a história sair do local amortalhado onde eu normalmente a mantinha a fim de minimizar meu desconforto.

No dia em que completei 40 anos, meus pais pediram que os visitasse sozinho. Como muitas pessoas casadas, eu raramente os visitava sem que Ellen ou um dos meninos estivesse presente como barreira protetora. Na infância, jamais havia compreendido o que me enfurecia nos meus pais, que eram moderados e gentis em tudo. Mas, ao ficar mais velho, reconheci que a ligação entre os dois tinha tal intensidade que eu e Marla sentíamos ter sido proibidos de entrar no santuário interno onde realmente viviam. Já adulto, preferia não ficar sozinho com eles, a fim de não experimentar novamente aquela sensação de exclusão.

Mesmo assim, fui até lá sozinho no meu aniversário. Eu tinha quase certeza de que eles guardavam alguma relíquia para me entregar, uma das poucas coisas que trouxeram da Holanda, talvez alguma joia que eu acabaria dando a Ellen. Sabia que, dois anos antes, quando minha irmã havia completado 40 anos, ela ganhara um colar de diamantes que estava na família desde os anos 1870. E meu pai me dera um dos seus relógios quando eu fizera 21.

De modo geral, eu esperava que fosse um bom aniversário. Estava no auge da tranquilidade da meia-idade, com os problemas da juventude tendo ficado para trás havia tanto tempo que eu nem me lembrava completamente deles. Eu era o procurador federal da minha cidade natal, uma posição mais elevada e estimada do que jamais imaginara para mim mesmo. Meus dois filhos ainda não haviam chegado à adolescência, e eu era sábio o bastante para aproveitar a companhia deles enquanto permaneciam satisfeitos com os pais. Mesmo o meu casamento parecia estar indo bem. Eu sabia que deixava Ellen completamente entediada e que ela me culpava por isso, mas ela era uma mulher interessante e competente que partilhava minha paixão pelos nossos filhos e, ao menos naquela época, isso parecia suficiente.

A casa dos meus pais era um modesto bangalô no condado de Kindle que eles compraram na década de cinquenta e que só deixariam em cima da maca de uma ambulância. Minha mãe me abraçou à porta para desejar feliz aniversário, e meu pai, um mestre do autocontrole da velha guarda, me deu um aperto de mão. Eles me levaram até a sala de onde eu e minha irmã havíamos sido praticamente banidos enquanto crescíamos. Sentaram-se no sofá florido como se tivessem recebido orientações de um diretor de palco. O rosto comprido e pálido do meu pai parecia rigidamente sereno. Minha mãe se sentou ao seu lado, com as mãos rechonchudas no colo e olhando para ele, como se esperasse o sinal para começar. Os dois já haviam passado por isso dois anos antes, com Marla, como eu viria a descobrir, mas, mesmo assim, deve ter sido um pesadelo revisitado perceber que, novamente, estavam prestes a colocar em risco o relacionamento com um dos filhos.

— Precisamos contar algo a você — disse minha mãe.

Claramente, essa era a sua fala. A parte difícil ficaria com meu pai.

— Nós somos judeus — completou ele.

A coisa mais importante que meus pais estavam dizendo, é claro, não tinha nenhuma relação com religião ou com legado familiar. Eles estavam dizendo que haviam mentido para mim e para minha irmã durante todas as nossas vidas. Em retrospecto, sempre me senti orgulhoso da maneira como reagi: sem mais nem menos, comecei a chorar. Não ficava tão abalado desde que meu cachorro tinha sido atropelado na minha frente quando eu tinha 13 anos.

Liguei para a minha irmã a caminho de casa e, pela simples maneira como eu disse seu nome, ela soube.

— Eles contaram. Finalmente. Avisei que eu não ia conseguir manter esse segredo por muito mais tempo.

— Que porra é essa?

Para Marla, qualquer que fosse o drama interno, os ajustes práticos foram mínimos. Ela se casara com Jer, um cara maravilhoso que, por acaso, era judeu, e havia criado os três filhos dentro da comunidade judaica de Lexington, Massachusetts. Sua vida era alegremente suburbana — filhos, amigos do country club, atos de caridade —, o que Ellen via como uma forma de morbidade precoce, uma opinião que eu mais ou menos partilhava na época. Somente quando meu casamento acabou, uma década depois, foi que percebi que minha irmã era feliz, bem mais feliz do que muitas pessoas que chegam à meia-idade — e eu me incluía nisso. Marla compreendeu meu choque e minha indignação, mas claramente a notícia não a havia abalado tanto assim.

Quando entrei em casa, Ellen absorveu o que eu tinha a dizer com um rio de emoções fluindo pelo rosto, culminando num sorriso.

— Ah, meu Deus — disse ela. — Isso é fascinante! Você sabe que eu adoro aqueles dois, mas sempre achei que havia algo errado.

Quantas vezes eu disse a você que os seus pais eram estranhos? — Ellen parou por um momento e continuou: — Eles precisam contar aos meninos.

Na época, meus filhos tinham 12 e 14 anos. Não me lembro de ela ter perguntado como a notícia me afetara, a não ser vários dias depois.

Embora isso pudesse ser o que os psicólogos chamam de dissonância cognitiva, minha reação foi ficar bastante feliz por ser judeu. Eu havia crescido com muitos amigos judeus e sempre sentira certa inveja de seu imenso orgulho étnico, o que contrastava com a relutância dos meus pais — agora muito mais compreensível — em relação a qualquer coisa holandesa.

Em contrapartida, eu não falava disso com muita frequência. Não me esforcei para manter o fato em segredo e não acho que me sentisse envergonhado por ter perdido meu status de Pessoa Branca de Verdade. A parte difícil era compreender meu pai e minha mãe.

Quando eles morreram, em rápida sucessão, oito anos depois, eu já havia passado por muitos estágios e finalmente dera a eles o benefício da dúvida. Abrir mão de elementos essenciais da própria identidade tinha sido um sacrifício considerável.

Quanto ao que havia acontecido durante a guerra, Marla conseguiu mais detalhes com a minha mãe nos últimos meses de vida dela, depois da morte do meu pai, quando minha leal irmã voltou para a nossa cidade para dormir numa cama dobrável ao lado da mãe moribunda.

A família do meu pai, na época chamada Bergmann e formada por distintos joalheiros, se mudara de Frankfurt para Roterdã na década de 1870, em resposta a uma das ondas periódicas de antissemitismo que varriam a Alemanha. Os tios do meu pai se juntaram a eles nos anos 1890, quando foram feitas várias propostas no Reichstag para limitar os direitos dos cidadãos judeus — propostas que, décadas mais tarde, se tornariam lei quando Hitler chegasse ao poder. Quando isso começou a acontecer, em 1933, mais de vinte primos foram para Roterdã, unindo-se à diáspora de mais da metade dos judeus alemães que partiram nos anos seguintes. Infelizmente, os nazistas estavam bem atrás dos primos Bergmann e invadiram a Holanda em 1940, levando junto suas leis raciais. Os parentes que falavam alemão eram um fardo especialmente pesado para a família do meu pai, uma vez que seu parco holandês os identificava facilmente como judeus. Meu pai sabia que, como resultado, mais cedo ou mais tarde toda a família — agora chamada Bergman, tendo abandonado um dos "n" para soar mais holandesa — seria presa e enviada para os campos.

Em julho de 1942, Aart e Miep ten Boom, de Leiden, morreram quando uma árvore caiu sobre seu carro durante uma violenta tempestade. A família ten Boom liderava a resistência holandesa, que escondera milhares de judeus dos nazistas, empregando vários métodos. Os familiares de Aart e Miep decidiram que o tributo adequado aos dois seria suprimir qualquer notícia sobre a morte deles e permitir que um jovem casal judeu assumisse suas identidades. Os ten Booms eram joalheiros que precisavam de um relojoeiro habilidoso na loja. Quando fizeram a oferta, meu pai e minha mãe deixaram suas vidas para trás, incluindo dezenas de familiares condenados. Eles se esconderam em plena vista em Leiden, com o conhecimento de centenas de residentes locais que jamais os trairiam.

O fim da guerra foi outra provação. Minha mãe, filha única cujos pais morreram antes dos 50 anos, queria voltar a Roterdã e procurar os possíveis remanescentes de sua comunidade. Meu pai aparentemente achava melhor deixar tudo para trás, dada a quase certa captura e aniquilação de sua família. Ele a convenceu de que seria muito mais seguro para os dois e, muito mais importante, para os filhos se permanecessem como Aart e Miep, em vez de se arriscar na roleta da história, na qual o número dos judeus, ao lado dos vários outros eternos perdedores, nunca era favorável.

Os vizinhos holandeses que os esconderam durante a guerra ficaram confusos diante da atitude do meu pai e se mostraram ligeiramente críticos. Eles haviam arriscado a vida porque meus pais eram judeus não convertidos e, assim, a melhor escolha para os novos Aart e Miep seria imigrar. Em 1950, por causa da necessidade de artesãos habilidosos nos Estados Unidos, meus pais receberam vistos.

A essa altura, eu e Esma estávamos sentados num banco de concreto numa praça de tijolos chamada Beestenmarkt. Um grande e antiquado moinho, com pás de lona branca, girava a alguns metros, e as pedras da praça eram molhadas constantemente por uma estranha fonte, com dezenas de pequenos jatos que jorravam de canos subterrâneos. Várias crianças loiras passeavam pelo dia que, finalmente, estava ameno o bastante para ser chamado de primavera. Elas molhavam as mãozinhas na água enquanto os pais as admoestavam e, após ficarem encharcadas, saíam correndo com gritos deliciados.

— Essa história me é bastante familiar — comentou Esma. — Há milhares e milhares de ciganos, especialmente ciganos de pele clara nos Estados Unidos, que simplesmente se incorporaram à população, deixando para trás todos os costumes *roma*.

Eu a encarei, me perguntando por que me sentia tão atraído por mulheres sem muita capacidade de empatia. Se algum dia voltasse à terapia, essa pergunta estaria no topo da minha lista.

Começamos a caminhar de volta ao hotel.

— Guerras são horríveis — disse ela. — Fazem coisas horríveis com todo mundo. — Essa parecia uma resposta mais reconfortante, e segurei a mão que Esma, como de hábito, havia passado pelo meu braço. — Foi assim que eu morri da última vez. Durante a Primeira Guerra Mundial.

Parei de súbito.

— Isso é um modo de dizer?

Seus olhos negros me fuzilaram.

— Longe disso. Eu era um soldado otomano, um pobre soldado de Ayvalik, um vilarejo minúsculo, e ainda não tinha completado 15 anos. Morri em Galípoli por causa de um ferimento infeccionado no ombro.

Fiquei muito menos espantado com essa declaração do que esperava, talvez porque ainda estivesse pensando nos meus pais ou talvez porque já tivesse aceitado o aviso de Esma sobre potenciais decepções como sinal de que havia importantes facetas do seu caráter que eu ainda não conhecia. Lidar com essas crenças era um pouco mais complicado do que descobrir que ela roía unhas e provavelmente um mau sinal no longo prazo. Mas, no curto prazo, eu estava disposto a tentar ser tolerante, uma vez que isso fazia parte da jornada por terrenos estranhos que eu havia iniciado quando a deixara entrar no meu quarto em Tuzla. Além disso, reconheci uma oportunidade de obter informações sobre o grande desconhecido.

— E a morte foi terrível? — perguntei.

— Não tão terrível, não. Solitária. Fria. Mas fiquei feliz por me afastar da dor. Não gostei da sensação de distância. Mas percebi, quase imediatamente, que seria algo temporário.

— Entendo.

Permaneci de bom humor, embora, de certo modo, resignado, enquanto eu processava tudo aquilo: meus pais, Esma, a fundamental inconstância dos seres humanos e o fato de que, com toda probabilidade, para mim ainda haveria novas buscas pela frente. Voltamos ao hotel e visitamos mais uma vez o mundo das sensações, antes que eu caminhasse com ela até a estação.

16.

O laboratório — 29 de abril

Na quarta-feira seguinte, Goos ligou do Instituto de Perícias Criminais. Vários resultados estavam disponíveis e, segundo ele, seriam mais fáceis de absorver se eu fosse até lá.

— Vou ter que olhar para ossos? — perguntei.

— Temo que sim.

Gemi, em grande parte de brincadeira.

Com o clima ameno, eu começara a usar a velha bicicleta de Lew Logan para ir ao trabalho e, àquela altura, estava preparado para o trajeto de quarenta e cinco minutos até o remoto bairro de Ypenburg. Eu já havia me acostumado com os olhos revirados e os dedos apontados das crianças locais quando viam meu capacete. Para mim, nada soava mais como a quintessência holandesa que o fato de eles zombarem de equipamentos de segurança e, ao mesmo tempo, serem os líderes mundiais em treinamento de neurocirurgiões.

Não tive problemas para encontrar o imenso Instituto Holandês de Análises Forenses, um quadrado de vidro negro sobre uma encosta verdejante que me fez pensar na máscara do Darth Vader. O lugar era uma vasta organização, com quase seiscentos profissionais. Lá dentro, senti-me imerso num mundo branco composto por jalecos, lentes de microscópio e máquinas intrigantes, visíveis através das janelas de vidro dos laboratórios enquanto eu seguia Goos pelos corredores.

Perguntei aonde estávamos indo.

— É meio difícil fazer isso na ordem certa — respondeu ele. — Mas temos resultados em cinco laboratórios diferentes: DNA, medicina legal, microinvasiva, balística e digitais.

— O que é microinvasiva?

— Você vai ver. Eles têm um microscópio especial, desenvolvido para observar minúsculas fissuras no bloco do motor de carros de corrida. — Ele balançou a cabeça ante essa escolha de prioridades. — Vamos começar com o seu favorito. — A última palavra veio com forte sotaque australiano.

No gelado laboratório de medicina legal, colocamos toucas de plástico e aventais cirúrgicos. Goos me conduziu até uma mesa de aço inoxidável na qual foram dispostos três esqueletos quase completos: de acordo com Ferko, os restos mortais de Boldo, seu irmão e seu filho. As lâmpadas especiais de tungstênio davam ao laboratório uma claridade que parecia superar a luz do dia.

— Ok — disse Goos —, vamos relembrar o que queremos fazer.

— Corroborar o depoimento de Ferko e descobrir o máximo possível sobre quem matou essas pessoas.

Pela maneira lenta como ele assentiu, percebi que não conseguira mais que uma nota seis no teste. Eu tinha deixado passar algumas questões subjacentes, especificamente a idade dos ossos e a causa das mortes.

— Quanto você sabe de medicina legal, Boom? Não quero dar explicações desnecessárias.

— Explique quanto quiser, Goos. Atuei na área de colarinho-branco durante toda a minha carreira. Crimes envolvendo ganância, não violência. Não passei muito tempo em lugares como esse. — Minha única visita ao laboratório de medicina legal como promotor ocorreu quando os Black Saints Disciples mataram um jovem que concordara em testemunhar para o governo. Os agentes do caso queriam que eu visse o que tinham feito com o garoto, o que não havia sido nada bonito.

Goos tirou uma ponteira laser de baixo do avental e me mostrou os vários pontos da pélvis empregados para determinar o gênero e a idade dos corpos. No laboratório, ele era expansivo e parecia maravilhado com os refinamentos científicos em seu campo desde que tinha saído da faculdade. O DNA estabelecera que os restos mortais pertenciam a três homens, e análises estatísticas das mudanças ocorridas ao longo do tempo na pélvis, nas pernas e nos dentes de uma ampla população (incluindo, de acordo com ele, "a densidade dos vasos sanguíneos") haviam permitido determinar suas idades. Apesar de todos os avanços forenses, o resultado estava próximo de sua estimativa original feita a olho nu. Dois dos homens tinham cerca de 40 anos — talvez 40 e 45 — e o terceiro fora um adolescente de uns 15 anos.

Goos havia calçado luvas para manusear os esqueletos. Os ossos agora possuíam um brilho suave, resultado de uma camada plástica protetora que tinha sido aplicada para evitar degradação. Ele inclinou o topo de um crânio na minha direção.

— Você notou algo diferente nesse cara? — Havia um buraco quase perfeitamente redondo no centro da testa, com uma rede de finas fraturas ao redor. Na parte de trás, havia um buraco muito maior.

— Bala?

— Sim, promotor, seria minha opinião de especialista que esse pobre-diabo levou um tiro na cabeça. E bem de perto. — Ele inseriu a ponteira laser na órbita ocular para que eu pudesse ver a luz através do buraco frontal. — Temos uma superfície perfurada, pequenos fragmentos de ossos ausentes e uma chanfradura na camada externa do crânio. Temos um buraco maior aqui — disse ele, indicando duas costelas do mesmo esqueleto. — Tenho quase certeza de que ele foi atingido primeiro a distância. A oscilação da bala aumenta com a distância, criando buracos maiores.

Então ele narrou o exame dos outros dois esqueletos. O "jovenzinho", em suas palavras, havia levado um tiro na mão e outro no peito, no qual o pequeno ferimento de entrada sugeria que a bala se fragmentara. O terceiro conjunto de ossos — aparentemente do irmão que sangrara até a morte — não exibia buracos de balas, o que seria consistente com ferimentos de entrada nos tecidos macios e órgãos.

— A última coisa relevante — avisou Goos, abrindo a mandíbula do esqueleto do meio — é que todos os três têm dentes faltando, inclusive o carinha mais jovem. Eu diria que eles tiveram poucos cuidados dentários.

— O que significa que eram pobres?

— Ou que não gostavam de dentistas. Mas digamos que eram pobres.

— Como as pessoas em Barupra?

— Como a maioria das pessoas do mundo, mas as de Barupra também.

Ele depositou o crânio novamente sobre a mesa, causando um ruído abafado.

— Acabamos aqui — disse ele, retirando a touca.

Caminhamos pelo corredor até as escadas. Goos cumprimentou várias pessoas usando jalecos. Suspeitei que, naquele local, alguém com um doutorado recebia muito mais respeito que um humilde policial. No segundo andar, entramos por uma porta com a placa LABORATÓRIO DE MARCAS DE INSTRUMENTOS E ANÁLISE MICROINVASIVA.

— Esse é o lugar com o microscópio especial?

— É chamado de microscópio de foco infinito.

Do lado de dentro, a primeira coisa que vi foi uma grande mesa de luz para exibição de radiografias e outros slides. Do teto, pendiam dutos de ventilação, sinos invertidos de plástico usados para aspirar vapores indesejados. Um osso longo, cuja ausência eu notara no primeiro esqueleto, estava sob o microscópio todo-poderoso.

— Aqui é meu *domaine royal*. — Goos se virou para mim com as mãos erguidas num gesto grandioso. — Tafonomia, o estudo da degradação corporal. Sem embalsamamento, um corpo se reduz a ossos em aproximadamente seis semanas. Descobrir se os ossos estiveram sob a terra por cinco ou quinhentos anos exige que examinemos outros fatores. Os ossos se decompõem mais lentamente que a carne, mas também se decompõem. O problema é que, como você sabe, há muito sal no terreno perto de Tuzla. Isso faz com que a superfície dos ossos se degrade mais rapidamente, o que significa que podemos concluir que os restos mortais são mais velhos do que realmente são. E é aí que entra o nosso amigo microscópio. Quando serramos os ossos, o interior apresenta decomposição independente do contato com a terra. Eu diria que esses ossos estavam enterrados há mais ou menos dez anos, e o Dr. Gerber, o maioral dessa área, concorda.

Refleti sobre o que ele havia me mostrado até então.

— De modo geral, eu diria que Ferko está se saindo muito bem.

Na segunda-feira após nosso retorno de Tuzla, eu contara a Goos sobre a súbita lembrança de Ferko em relação às ameaças de Kajevic. Ele reagira basicamente da mesma maneira que eu. Não era um grande problema em si, mas significava que tínhamos que analisar a história com ainda mais cautela. Assim, era reconfortante saber que os resultados laboratoriais pareciam corroborá-la.

— Até aqui, sim — declarou Goos. — Mas as coisas estão prestes a ficar um pouco mais complicadas. Vamos falar sobre a análise de DNA, porque é aí que surgem os problemas. Posso acessar o relatório desse computador. — Ele começou a digitar algo.

Eu era melhor em DNA que em medicina legal, pois essa ciência se provara reveladora em todo o universo criminal. Era possível extrair DNA de uma digital borrada num cheque, como acontecera com um desafortunado cliente meu que havia subornado um oficial de zoneamento do condado pagando a faculdade do filho dele.

— A análise de DNA de ossos enterrados é complicada. Sempre aparecem pequenas criaturas no solo que corroem os ossos e deixam seu próprio DNA para trás.

A descrição dos métodos de extração desenvolvidos para reduzir a contaminação do solo foi profunda, mas eu consegui acompanhar. A comparação entre amostras do interior dos ossos e da superfície ajudava a isolar os efeitos microbianos.

— Fizemos análise do DNA mitocondrial e do STR-Y — disse Goos.

— O mitocondrial vem do lado materno e está menos sujeito à contaminação, certo?

— Muito bem, Boom. O lado materno mostra que mais de setenta por cento do genoma de cada um dos homens é consistente com origens indo-arábicas.

— Era isso que esperaríamos se fossem *roma*, certo?

— É o que dizem os especialistas. O STR-Y foi muito mais complicado. A boa notícia é que todos os três exibem um cromossomo Y em comum, o que seria de se esperar se fossem pai, filho e tio. Mas mesmo esse resultado foi difícil de obter por causa dos problemas de contaminação.

O problema clássico de contaminação, mesmo num cenário laboratorial, vinha do fato de que não havia como afirmar a origem do DNA que estava sendo examinado. Poderia ser sangue, osso ou pele de um indivíduo ou uma partícula de caspa de um dos investigadores.

— Mesmo depois que isolamos os efeitos microbianos, as células de cristal ósseo da superfície apresentaram muito mais contaminação humana que as do interior. E, se esses ossos permaneceram debaixo da terra durante dez anos, esse não deveria ser o caso, a menos que eu e meus escavadores tenhamos sido muito mais descuidados com a exumação do que eu imaginava.

"Esse resultado se alinha ao que eu disse a você em Barupra, ou seja, que detectei solo superficial dentro da cova. A professora Tchitchikov, nossa geóloga, confirmou isso. A conclusão, Boom, é que alguém escavou aquele local muito recentemente. E é provável que tenha tocado nos ossos."

— E o que isso significa?

— Vamos ver os outros resultados.

Caminhamos alguns passos até o laboratório de balística. Através de uma janela nos fundos da sala, eu podia ver dois homens em trajes de proteção brancos prontos para disparar espingardas contra a porta de um carro. Goos, que tinha ido conversar com um técnico assim que entramos, voltou com um envelope do qual retirou dois objetos: uma bala intacta de cerca de cinco centímetros e um fragmento destroçado com o interior reluzente. O brilho intenso, como uma joia polida, num objeto que fora letal para outro ser humano me lembrou da curiosa beleza de um slide de células cancerígenas que o oncologista da minha mãe nos mostrara.

— A primeira coisa que notei — começou Goos — foi que não havia nada nos supostos ferimentos de bala que observamos no laboratório de medicina legal que se mostrasse inconsistente com esses projéteis. Eles são remanescentes do que às vezes se chama munição Yugo M67, comumente usada em Zastavas, com revestimento metálico, ponta arredondada afilada e 7,62 por 39 milímetros. Essa foi uma das grandes contribuições do marechal Tito para a humanidade: a criação de um projétil para rifles no estilo Kalashnikov que cria um ferimento de entrada maior quando é desestabilizado pelo corpo. Mas é aí que os nossos resultados começam a ficar confusos.

Goos foi até o computador e abriu uma série de fotos dos fragmentos, ampliadas para cerca de quatro vezes o que o olho humano é capaz de observar. As fotos mostravam as estrias criadas pelas saliências existentes no interior do cano das armas, a fim de aumentar a rotação das balas.

— Primeiro, pode-se dizer, pelas ranhuras, que os projéteis foram disparados por duas Zastavas diferentes. Mas é a bala intacta — ele levantou a peça de metal — que apresenta problemas. Os caras daqui não conseguiram combinar nenhum dos ferimentos que vimos nos restos mortais no laboratório de medicina legal com o fato de uma bala desse calibre e poder de fogo ter permanecido intacta no interior do corpo. Se o projétil tivesse atingido um osso, apresentaria alguma compressão. Se tivesse passado apenas pela carne, considerando-se onde Ferko disse que os chetniks estavam posicionados, teria atravessado os corpos e, consequentemente, não teria sido enterrado com eles. Está acompanhando?

Estava. Eu e Goos sabíamos que todo caso apresentava suas anomalias, coisas que os especialistas achavam inescrutáveis e que eram atribuídas a um princípio universal: merdas acontecem. O mais famoso exemplo no mundo da balística era a teoria da "bala mágica" do assassinato de JFK, em que um único disparo parecia ter atingido o governador Connally e então se desviado, acertando o presidente Kennedy em dois lugares diferentes. Eu disse isso a Goos, mas ele meneou a cabeça.

— Ainda tem mais, parceiro. Vamos olhar as digitais.

Entre as ciências forenses que estivéramos discutindo, digitais era a que eu conhecia melhor. Eu não era especialista, mas estava familiarizado com o jargão de sulcos, espirais e pontos de comparação.

O laboratório era menos dramático que os outros: apenas microscópios e computadores com monitores enormes, protegidos por uma cobertura preta de metal para evitar reflexos. Mesmo assim, segundo Goos, era um dos mais avançados laboratórios de digitais do planeta. Ao realizar análises computadorizadas de centenas de milhares de digitais recolhidas em todo o mundo nos últimos vinte anos, o instituto tinha sido capaz de atribuir probabilidades estatísticas aos padrões de sulcos, podendo dizer quão frequentemente determinada característica surgia na população humana, assim como era feito havia anos com o DNA. Em função de disputas científicas recentes sobre a unicidade das digitais, a técnica do instituto parecia destinada a se tornar o novo padrão. Mas o antigo método, no qual vapores de supercola eram usados para revelar os detalhes, ainda era bom o bastante para nossos objetivos.

— Eles encontraram duas digitais intactas, uma em cada bala. A parte preocupante é que ambas vieram do mesmo dedo.

Ele esperou que eu registrasse a importância do que tinha dito. A balística já estabelecera que as balas recuperadas haviam sido disparadas por duas armas diferentes. Parecia improvável que a mesma pessoa tivesse carregado ambos os rifles. Mas essa parecia ser a única explicação inocente.

— E aqui está a digital da bala intacta. — Depois de um minuto de pesquisa, Goos exibiu a imagem no imenso monitor à sua frente. Era a imagem negativa padrão obtida com vapores de supercola, mas fora colorida de amarelo contra um fundo anil. Goos deu um zoom para que a digital sobre a bala ficasse clara. — Notou algo?

Eu não havia notado. Era uma bela digital intacta.

Ele usou o lado sem laser da ponteira para me mostrar.

— Está vendo aqui?

Finalmente consegui ver. A digital se estendia para além da linha da cápsula. Isso significava que a bala havia sido manuseada depois de ser disparada.

— Talvez crianças brincando pela área?

— Acho que não, Boom. O fato é que a cova foi adulterada. A partir da contaminação de DNA, já era possível dizer que alguém havia manuseado os ossos e, considerando-se as digitais e o fato de que a bala intacta não combina com os ferimentos nos restos mortais, é provável que essas balas tenham sido plantadas, não apenas tocadas por algum garoto se metendo onde não devia. Alguém está brincando com a gente, Boom. Pode ser que quem quer que tenha retirado coisas da cova também tenha deixado outras para trás. Mas alguém adulterou as nossas evidências. Esse é ponto principal.

Não era uma conclusão agradável.

— Estavam tentando nos enganar? — perguntei.

— Não consigo pensar em outra razão para se plantarem balas, mas isso não significa que elas não existam.

Fiquei ruminando sobre isso em silêncio.

— O passo seguinte — continuou Goos — envolve a professora Tchitchikov. Vou enviar a ela um pedaço de cada um dos esqueletos para que ela possa combinar os minerais que os ossos absorveram com as amostras de solo das covas. A professora precisa fazer a análise química antes de analisar o local na Bósnia.

— E quanto a examinar a caverna?

— Ela vai fazer isso também. — Goos, impassível e com os usuais olhos lacrimejantes, me encarou por um instante. — Tem um número suficiente de coisas estranhas aqui para você querer ir junto.

Gemi em sinal de protesto. Eu não pretendia voltar para a Bósnia tão cedo, especialmente para receber notícias ruins.

17.

Reunião — 27 de abril a 10 de maio

Entramos em outro período de espera, não apenas para que a OTAN respondesse à nossa solicitação de documentos como também para que a Seção de Complementaridade renovasse nossas credenciais junto ao governo da Bósnia e Herzegovina, a fim de que pudéssemos retornar com a geóloga francesa. Enquanto nossa própria investigação marcava passo, pediram a mim que assumisse o papel de supervisionar duas outras "situações" que estavam nos últimos estágios de investigação, uma no Sudão, outra no Congo. Com um cronograma lento, eu aproveitava o horário de almoço para conhecer meus colegas, incluindo alguns juízes que estavam curiosos ao meu respeito.

À noite, várias vezes por semana, eu falava com Esma, que parecia ter submergido em Nova York, adiando duas vezes seu retorno à Europa. Seus textos eróticos continuavam a me excitar e constranger, chegando de maneira imprevisível enquanto eu estava em minha mesa comparando declarações de testemunhas ou durante alguma reunião com a Seção de Complementaridade sobre as últimas comunicações com Bruxelas. **À noite, antes de dormir, ouço os sons que você faz, seus gemidos involuntários quando finalmente sucumbe ao prazer.**

Após nossa primeira corrida juntos, Narawanda havia se mostrado disposta a me aceitar como parceiro. Como eu, ela parecia estar atravessando um período tranquilo no trabalho e, na maioria das tardes, corríamos juntos às cinco e meia ou às seis. Após a terceira ou quarta vez, consegui acompanhar seu ritmo, embora com considerável esforço. Eu insistia para que ela não me deixasse atrasá-la, e ela negava que isso estivesse acontecendo, mas eu tendia a duvidar. Narawanda era uma excelente corredora, com ossos de passarinho como os dos melhores atletas de longa distância e uma postura perfeita na qual o movimento dos braços e o ângulo do pescoço eram perfeitamente sincronizados com as passadas, o que maximizava sua eficiência. Para mim, em contraste, cada movimento era uma luta, mas eu gostava do desafio e ficava satisfeito com o fato de as partes vulneráveis do meu corpo de meia-idade, especialmente os joelhos e a lombar, não estarem se queixando, por mais que meus músculos gritassem quando eu saía da cama no dia seguinte.

Acabou se tornando uma rotina nossa parar para comer algo depois das corridas, que sempre me deixavam faminto. Nara era o tipo de pessoa que só percebia que estava com fome quando tinha comida diante de si e, então, frequentemente comia mais que eu. Era comum pararmos num dos pequenos cafés perto de casa, sentados do lado de fora para não ofender ninguém com nosso suor. Tomávamos uma cerveja e uma grande garrafa d'água cada um, muitas vezes num lugar que se tornou meu favorito, uma excentricidade holandesa: um restaurante de fast-food que servia frutos do mar frescos. Por trás dos balcões de vidro, a grande variedade de pesca europeia era uma exibição de tons pastel sobre gelo: anchova, cavala defumada, camarão, mexilhão, lula, vários peixes filetados, como dourado, espetos de peixe cru e muitos tipos de arenque. Uma placa do lado de fora dizendo *NIEUWE HARING* nos levara até lá pela primeira vez, pois era uma iguaria local que Nara insistia que eu devia provar. O arenque, limpo, mas ainda com espinha, era servido com rodelas de cebola e consumido sem talheres, simplesmente segurado pela cauda. Meu pai havia sido um grande admirador de arenque, embora jamais tivesse explicado que era um prato holandês. Mesmo assim, o sabor me levava de volta à infância, quando o sabor pungente representara um desafio. Descobri que conseguia comer quatro ou cinco de uma vez.

Quanto à minha senhoria, passei a gostar de sua companhia quando a conheci melhor. Nara se mostrou uma daquelas pessoas que ficavam em silêncio principalmente porque nunca sabem direito o que dizer. Suas observações eram sempre um pouco excêntricas e com frequência muito mais francas que sua natureza tímida parecia permitir.

Seus pais eram indonésios. O pai era um engenheiro que havia trabalhado para a Shell e subira alto o bastante para ser enviado para a Holanda, onde Nara havia sido criada. Ela começara como estudante de arte na faculdade, mas descobrira que a família havia sido apanhada na agitação indonésia de meados dos anos sessenta, quando mais de meio milhão de supostos simpatizantes comunistas foram assassinados por Suharto e pelos militares, com outro milhão aprisionado, incluindo todos os seus tios maternos. Os relatos dolorosos da mãe sobre aquele período a inspiraram a mudar de carreira, estudar direito e concluir o mestrado que a levara ao emprego no Tribunal Iugoslavo. Mas ela admitiu que tivera um motivo adicional para estudar na NYU.

— Eu fiquei na universidade para que a minha mãe não me forçasse a casar — disse ela uma noite, quando estávamos do lado de fora, sentados a uma mesa de aço inoxidável. Sem os pesados óculos pretos, tinha uma expressão mais leve e bonita. — Ela estava disposta a permitir que eu terminasse os estudos, mas fiquei muito feliz quando conheci Lewis, porque ela já havia escolhido alguém em Jacarta.

— E como os seus parentes reagiram a Lew?

— Como se poderia esperar de uma família tradicional javanesa. Minha mãe ficou nervosa e disse que essa tinha sido sua recompensa por sair da Indonésia para manter a filha em segurança. E tinha razão, é claro: eu sou muito mais ligada a Amsterdã e Haia que a Jacarta, que é somente o lugar onde meus avós moram e onde eu jamais me sentiria à vontade para tomar uma cerveja durante o jantar. — Nara ergueu o copo com um sorriso malicioso e irônico, de lábios fechados e bochechas arredondadas, que eu via cada vez com mais frequência.

Em 3 de maio, o tribunal recebeu uma resposta formal da OTAN. Solicitaram que os Estados Unidos fornecessem a maior parte dos documentos que buscávamos, e o Departamento de Defesa, citando a Lei de Proteção aos Membros do Serviço Militar, recusara.

Eu me reuni várias vezes com Akemi e Badu para discutir nossas opções.

Legalmente, a resposta americana era pouco convincente. De modo geral, em situações de conflito de leis, os tratados internacionais superam as leis internas, o que significava que as obrigações dos Estados Unidos sob o Tratado do Atlântico Norte eram superiores à Lei de Proteção aos Membros do Serviço Militar. Mas não estava clara qual era a disposição da liderança da OTAN para confrontar seus parceiros americanos.

— Gowen falou sobre algum tipo de concessão — disse Badu quando me reportei a ele após alguns dias de pesquisas legais.

Não gostei de ouvir isso. Concessão significava que os americanos entregariam apenas os documentos que não pudessem prejudicá-los, e somente em quantidade suficiente para que Bruxelas não ficasse mal. O tribunal não tinha direitos próprios na OTAN, nem os bósnios, em cujo nome agíamos, porque nenhum deles era membro. Nossa única maneira de litígio era iniciar uma ação na Corte Internacional de Justiça, na qual os países processavam uns aos outros, em nome da Bósnia. Isso levaria anos, e os americanos certamente pressionariam os bósnios a recuar.

Após várias discussões, os líderes do TPI decidiram que eu deveria enviar uma longa carta aos países da OTAN que também eram membros do tribunal, explicando as falácias da posição americana e a importância de defender os princípios legais internacionais. Badu concordou em apresentar o documento pessoalmente a cada um dos embaixadores dessas nações em Haia. A esperança era criar mais pressão diplomática sobre os Estados Unidos, embora ninguém parecesse especialmente otimista quanto à mudança de posição americana.

Na segunda semana de maio, enquanto tudo isso acontecia, Nara viajou para se encontrar com Lew em Londres, para onde sua ONG o enviara por alguns dias. Pensei em viajar com ela, uma vez que Esma tinha esperança de finalmente retornar de Nova York. Ela permaneceu indecisa sobre seus planos, até que, por volta das oito da noite de sexta, ligou para dizer que estava a caminho do JFK e ia direto ao meu encontro, num voo que chegaria a Schiphol às seis de sábado. Prometi ir buscá-la.

Nosso hotel em Leiden estava lotado, assim como alguns outros nos quais tentei reservar quartos. Como Esma teria que retornar a Londres no fim da tarde de domingo, decidi que podíamos correr o risco de ficar no apartamento, algo que sabia que ela gostaria de fazer. Eu continuava preocupado com as aparências, mas, depois de duas semanas separados, não esperava passar muito tempo do lado de fora.

Esma e um carregador com uma montanha de malas atravessaram as portas do desembarque internacional pouco depois das seis. Ela se aproximou langorosamente e se jogou nos meus braços.

— Senti a sua falta — sussurrou.

Os holandeses, que se sentiam mais seguros ou eram mais fatalistas, ainda armazenavam bagagem em Schiphol, e Esma deixou as malas no depósito. Ficou apenas com uma pequena maleta de mão.

— Acho que não vou precisar de muita coisa — disse ela, com uma expressão totalmente lasciva.

Como sempre, tentei analisar meus sentimentos em relação a Esma, uma vez que sua aparência, seu cheiro e seu toque permaneciam eletrizantes. De fato, ela era excêntrica. Mas ainda havia algo especial entre nós. O sexo é um esporte em equipe, e, juntos, éramos astros. Entre nós, havia um nível de confiança, engajamento e união que excedia a compreensão.

— Sobre o que é esse caso em Nova York? — perguntei a ela quando estávamos no trem para Haia.

— É um processo de divórcio. O outro lado é completamente maluco. O marido está tentando estabelecer adultério e tratamento desumano, em vez de consentir com um divórcio não litigioso. Tem muita amargura nesse caso desagradável.

— E quanto à sua cliente?

— Na verdade, eu gosto muito dela. É de família iraniana, exilada com os xás. Casou-se com outro persa, trinta anos mais velho, mas eles acabaram levando um ao outro à loucura. É como observar um daqueles programas sobre a vida selvagem na TV, com dois animais cujas presas estão fincadas na garganta um do outro, nenhum dos dois disposto a desistir ou ser o primeiro a morrer. Eu a conheci em Londres há muitos anos, e ela insistiu para que eu me envolvesse no caso. Vai receber uma grande quantia no fim, todo mundo sabe disso, mas o marido quer que ela sofra pelo dinheiro.

Quando chegamos ao apartamento, Esma vasculhou o lugar inteiro, incluindo o quarto de Narawanda, a despeito de meus protestos contra a intrusão.

— Tem poucos sinais do marido por lá — comentou ela, descendo as escadas. — As únicas fotos do casal feliz estão aqui embaixo, provavelmente para manter as aparências.

— É típico dos holandeses. Eles nunca são muito abertos sobre suas emoções.

— Achei que você tinha dito que ela era indonésia.

— Sim, mas criada aqui e quase totalmente holandesa agora. Eles pareciam estar se divertindo da última vez que ele esteve aqui. — Contei a ela sobre as pancadas na parede.

— Bom para eles — disse Esma. — Devemos seguir o exemplo.

Ela pegou minha mão e me puxou até o quarto. De sua pequena maleta, tirou um objeto em formato de U, púrpura e com uns oito centímetros de comprimento. Era de látex e mais pesado do que eu esperava quando o toquei. Ergui uma sobrancelha questionadora.

— Eu já desapontei você alguma vez? — perguntou ela, com um olhar velado.

Eu jamais tivera queixas sobre minha vida sexual com Ellen. O sexo podia até ser um pouco sem graça, mas, para um casal de quase 50 anos, parecíamos nos dar melhor que muitos amigos que faziam alusão ao ato como uma atividade do passado, a exemplo de drogas recreativas e partidas individuais de tênis. Depois que nos separamos, eu não precisara navegar muito pela internet para descobrir que havia muita coisa que não tinha experimentado. Algumas pareciam interessantes; em outros casos, eu ficara curioso sobre o que tantas pessoas pareciam achar recompensador. Mas minhas explorações se expandiram muito após conhecer Esma.

Vivemos o sábado de trás para a frente. Depois de nos divertirmos, ela tirou um cochilo: murmurou um pouco e então adormeceu no meio de uma frase. Eu me levantara às quatro e meia para buscá-la e também cochilei, mas acordei às onze e fui na ponta dos pés até a sala, onde trabalhei por algumas horas, até que Esma apareceu e encostou o rosto no batente da porta, parecendo adorável. Preparei café e fizemos amor no sofá, a despeito da minha preocupação em manchar o forro.

Em seguida, corri até meu restaurante de frutos do mar para comprar comida, além de duas garrafas de vinho branco no caminho de volta. Quando estávamos deitados novamente no andar de cima, tarde da noite, Esma perguntou sobre a investigação. Falei que havíamos recebido os resultados de laboratório das amostras que tínhamos recolhido na Bósnia.

— Algum problema? — perguntou ela.

Fiz aquele gesto ambíguo que não denota nenhuma preocupação real.

— E o que vem em seguida?

Respondi que ainda estávamos esperando o que poderia ser o grande avanço no caso, a produção de registros.

— Isso só poderia vir do Exército americano.

— Não posso comentar.

— E por que não?

— Porque é confidencial. O tribunal é um lugar muito formal. Tudo lá é secreto. Sempre há regras.

— E, se você as seguisse estritamente, não estaria deitado aqui.

Esma estava certa, embora me incomodasse o fato de ela só admitir isso naquele momento, quando lhe parecia conveniente. Em contrapartida, os princípios legais envolvidos na solicitação de documentos não eram secretos. Expliquei os conceitos, sem dizer explicitamente que havíamos agido a partir deles.

— E os Estados Unidos estão recusando o pedido da OTAN?

— A OTAN não me responde. Mas foi a impressão que eu tive.

— E ninguém pode forçar os Estados Unidos a obedecerem. É esse o objetivo?

— Poderíamos iniciar uma ação na Corte Internacional de Justiça. Mas os bósnios provavelmente não nos apoiariam. E, mesmo que o fizessem, levaríamos quatro ou cinco anos para conseguir os registros.

— Não existe nenhuma outra opção?

— Nenhuma na qual eu consiga pensar.

Ela se apoiou num cotovelo e deu um sorriso cativante.

— A imprensa pode ser muito efetiva nesse tipo de situação.

— Badu e Akemi teriam um ataque. Vazamentos não são o estilo deles. Eu tive que mover céu e terra para convencê-los a solicitar os documentos.

— Você não precisa de permissão para vazar informação, Bill. Só precisa de negação plausível.

Como procurador federal, eu havia sido rígido com a minha equipe sobre vazamentos. As normas do processo penal proibiam a revelação de qualquer informação relacionada à matéria submetida ao júri, e eu não gostava da ideia de os promotores violarem as leis para cumpri-las, por mais efetivo que pudesse ser. Eu presumia que as regras de conduta para os promotores do TPI seriam as mesmas, embora jamais tivesse me preocupado em perguntar. Prometi que faria a pesquisa, mas apenas para que ela mudasse de assunto.

Por volta das três horas, gozei pela quarta vez naquele dia — não havia como manter registro dos orgasmos de Esma, que os tinha frequentemente —, e ela desceu as escadas para usar o banheiro. Eu estava deitado em êxtase, maravilhado comigo mesmo, pensando, sem chegar a nenhuma conclusão, sobre a declaração de Merriwell de que faria tudo de novo, quando congelei. Pensei ter ouvido a porta do apartamento bater. Nara só voltaria no fim do domingo, dali a pelo menos dezesseis horas, e eu disse a mim mesmo que o som devia ter vindo do apartamento dos fundos. Mas ainda estava prestando atenção quando ouvi o som distinto de saltos altos no piso de madeira da sala. Procurei desesperadamente pelo roupão dentro do closet e ainda estava tentando fechá-lo quando corri escada abaixo.

Logo abaixo de mim, um notável confronto ocorria em frente à porta do banheiro. Esma, completamente nua, usava as mãos como proteção, uma sobre os seios e a outra sobre seu triângulo feminino. Ela e Nara se encaravam, claramente surpresas, mas impassíveis. Quando eu ainda estava a alguns degraus de distância, Esma deixou os braços caírem, num ato que pareceu conter tanto orgulho quanto desafio.

Enfiei-me entre elas e, por mais estúpido que fosse, fiz as apresentações. Esma deu um leve sorriso para Narawanda, que usava vestido de seda, meia-calça e saltos altos, mas não disse uma palavra. Agarrei uma toalha de banho no banheiro e a ofereci a Esma, mas ela me ignorou e se dirigiu lentamente às escadas, parecendo belíssima enquanto caminhava.

— Eu não sabia que você tinha uma convidada — finalmente conseguiu dizer Nara.

— Eu também não sabia que ela viria quando você viajou. Ela chegou de repente hoje de manhã. Eu teria dito alguma coisa, se soubesse.

— É claro.

— Eu tinha certeza de que você só voltaria amanhã no fim do dia. — Olhei para o relógio. — Ou hoje.

— Era o combinado. Meus planos mudaram de repente.

— Eu devia ter ligado. Me desculpe.

— Besteira. Você mora aqui. Eu é que devo desculpas. Eu disse que estaria fora.

Olhamos um para o outro miseravelmente por um momento, então Nara pegou sua pequena mala vermelha, que estava atrás dela, e começou a subir seu lado da escada.

Esma, ainda nua, estava apoiada nos travesseiros da minha cama, sorrindo sutilmente. Parecia bastante satisfeita consigo mesma.

— Você está bem? — perguntei.

— É claro.

— O que você disse a ela?

Esma balançou a cabeça lentamente.

— Nada. Nenhuma de nós falou. Ambas sabíamos quem era a outra. Não havia necessidade de apresentações.

Dada a minha preocupação com as aparências, eu certamente não tinha dito a Nara que estava saindo com Esma, mas entendi que ela quisera dizer que as circunstâncias permitiram que ambas percebessem imediatamente a posição uma da outra: a amante, a senhoria.

— Ela brigou com o marido? — perguntou Esma.

— Não disse nada.

— Uma mulher chegando em casa às três da manhã? Uma mulher que você disse que dorme às dez? Ela deixou Londres às pressas. Bill, francamente. Eu sempre fico surpresa com quão pouco você entende sobre a outra metade da espécie. — Esma sorriu. — Venha se deitar. Vamos tirar um cochilo e depois fazer a cabeceira da cama bater na parede antes de eu ir embora.

18.

Acordo — 15 a 28 de maio

Cinco dias depois, na manhã de sexta-feira, eu estava lendo o *New York Times* no tablet enquanto tomava café na cozinha. Quando as principais notícias surgiram na tela, passei por um daqueles momentos em que sua visão oscila e seu coração parece parar quando você percebe que a vida que conhece e valoriza mudou contra a sua vontade.

Um artigo no lado inferior esquerdo da página dizia o seguinte:

EXÉRCITO BLOQUEIA TRIBUNAL INTERNACIONAL E OTAN EM INVESTIGAÇÃO DE MASSACRE DOS ROMA

Os Estados Unidos estão se recusando a cumprir uma requisição da Organização do Tratado do Atlântico Norte (OTAN) por registros do Exército americano que fazem parte da investigação realizada pelo Tribunal Penal Internacional sobre o suposto massacre de quatrocentos *roma* na Bósnia, em 2004. Soldados americanos que serviam como agentes de manutenção da paz da OTAN na área são suspeitos em potencial no caso.

Os Estados Unidos não são membros do Tribunal Penal Internacional, e suas leis proíbem cooperação americana nas investigações do tribunal, mas juristas afirmam que as obrigações americanas para com o tratado parecem exigir que o Exército entregue os registros à OTAN. Os Estados Unidos se recusaram a fazê-lo e, supostamente, protestaram veementemente contra o fato de a OTAN entregar registros de seus próprios arquivos.

A situação teria causado sérias tensões no comando central multinacional da OTAN na Bélgica e considerável consternação no Tribunal Penal Internacional, que não dispõe de recursos formais para forçar a colaboração americana.

Em março, um sobrevivente do massacre depôs no tribunal, que fica em Haia, na Holanda, dizendo que, em abril de 2004, quatrocentos *roma* do campo de refugiados de Barupra, na fronteira da base americana, foram levados sob a mira de armas por soldados mascarados e enterrados vivos em uma mina de carvão. A testemunha não foi capaz de identificar a afiliação militar dos soldados, mas disse que não falavam servo-croata, a língua dos soldados e paramilitares locais.

O suposto massacre ocorreu semanas depois que quatro soldados americanos foram mortos e outros oito ficaram feridos durante uma tentativa fracassada de capturar o líder dos sérvios bósnios, Laza Kajevic. De acordo com fontes da OTAN, suspeita-se que os *roma* de Barupra forneceram alguns dos equipamentos usados pelas forças de Kajevic.

A segunda metade do artigo citava um ex-general da Justiça Militar e dois professores de direito, que foram questionados se o Exército podia se recusar a fornecer os registros, dadas as atribuições conflitantes da Lei de Proteção aos Membros do Serviço Militar, de um lado, e o tratado da OTAN, o Acordo de Dayton e o estatuto de forças da OTAN, do outro. O ex-general a chamou de "questão difícil, mas uma na qual o Exército pode não prevalecer", enquanto os dois professores acreditavam que as obrigações do tratado claramente prevaleciam, ainda mais em relação a registros que não estavam armazenados nos Estados Unidos.

Li o artigo várias vezes. Ele alegava ser baseado em múltiplas fontes e estava especialmente claro que alguém da OTAN tinha aproveitado a oportunidade para irritar os americanos. Mas também havia detalhes relacionados ao tribunal — que havia consternação em relação a como responder à recusa americana — que me deixaram com a nauseante sensação de que sabia de quem a repórter recebera a dica.

Meu telefone tocou enquanto eu pensava. Era um número restrito, o que nunca é um sinal encorajador.

— Ora, mas você é um filho da puta esperto. — Era Roger.

Pelos meus cálculos, passava um pouco da meia-noite em Washington, o que significava que o alarme havia soado no Departamento de Estado assim que o *Times* postara a notícia, havia cerca de uma hora. Tinha sido Roger quem convencera seus colegas de que eu era um sujeito correto que faria tudo nos conformes.

— Não fui eu, Roger.

— É claro que não. Você é inteligente demais para isso, Boom. Foi aquela piranha que você chama de namorada.

Duas palavras ressoaram: "piranha" e, especialmente, "namorada". Por que eu não tinha pensado na possibilidade de a CIA estar me seguindo? Ou será que estavam seguindo Esma?

Roger havia trabalhado um bocado durante aquela hora e cobrara alguns favores. Ninguém no *Times* lhe entregara o nome de Esma, mas ele arrancara o suficiente de alguém — provavelmente três ou quatro pessoas — para deduzir a resposta. Tive uma reação de litigante ao seu tom ríspido e não me mostrei disposto a admitir nada.

— Leia o artigo de novo — falei. — Eu não tenho a menor ideia do que está acontecendo na OTAN em Bruxelas. Vá acordar outra pessoa.

— Vai se foder. Não me venha com essa. Você sabe como isso funciona. Uma pessoa fala, e então outra cospe tudo para fazer as coisas se virarem ao seu favor. Mas a corrente começou com a Srta. Cigana Gostosa. Eu sei disso. E sei como ela trabalha. Estou certo de que toda a rede ativista está pronta para começar a gritar: a Human Rights Watch e a Anistia Internacional, junto com vários congressistas de esquerda que odeiam ter que fingir que respeitam os militares. Mas vou dizer uma coisa, Boom: isso não vai dar certo. Eu não achava que você fosse tão baixo.

Uma coisa a que advogados se acostumam é ter brigas sérias com os próprios amigos. Quando era procurador, eu havia observado incontáveis ex-colegas entrarem pela porta do meu gabinete, furiosos e indignados com as minhas decisões sobre seus clientes. Fazia parte do trabalho.

— Pare de bancar o nobre ofendido, Roger. Não fui eu. E não seria nada comparado ao que você fez comigo. Você me mandou para cá com um por cento da informação que possuía. Você realmente achou que eu não perceberia todas as evidências apontando para os soldados americanos?

Ele hesitou por um instante.

— E por que você acha isso?

— Rog, você não está me pedindo para quebrar as regras de confidencialidade da investigação, está?

— Ah, vai se foder!

— Eu quero perguntar uma coisa. Essa é a primeira vez que você ouve dizer que os *roma* de Barupra forneceram parte do equipamento usado por Kajevic quando ele matou aqueles quatro soldados?

Ele permaneceu em silêncio.

— Alguém contou a você, Rog, que os *roma* traíram os americanos?

— Você é um babaca — falou antes de desligar.

Liguei para Esma logo em seguida.

— Como você ousa? — perguntei assim que ouvi a sua voz. — Depois de tudo que me disse sobre escolher a mim, e não ao caso?

— Bill? — perguntou ela. Eu claramente a havia acordado.

— Você tirou vantagem da minha confiança e do que dividimos na cama.

Eu conseguia ouvir a respiração dela, analisando suas opções. Presumindo que estivera dormindo, ela ainda não havia lido o artigo e não podia saber quanto seu papel fora revelado.

— Eu fiz o que você queria, mas não podia fazer por si mesmo — declarou ela, por fim.

Desliguei o telefone sem dizer mais nada.

Fui para o trabalho pedalando com a sensação de que estava indo para a forca. A única coisa positiva foi descobrir que não queria perder aquele emprego, especialmente não em desgraça.

Eu estava no meu pequeno escritório havia não mais que dez minutos quando Goos entrou e fechou a porta. Ele apertou os lábios, tentando não sorrir. Estava feliz, mas parecia de ressaca. Concluí que quinta-feira era noite de farra em Haia.

— Eu diria que foi uma excelente ideia, Boom. Brilhante.

— Pode até ter sido, Goos. Mas não fui eu.

— É claro que não — disse ele prontamente.

— Estou falando sério. Pode ter sido minha culpa, mas não foi proposital.

Ele apoiou o peso do corpo num dos pés, depois no outro. Estava acostumado ao mundo do tribunal, no qual havia tão pouco poder formal que todos tiravam vantagem do que quer que obtivessem. No caso do Sudão que eu estivera revisando, o investigador havia atraído testemunhas com um falso vazamento, que os jornais engoliram, de que um informante cooperava conosco. Mas a tática tinha sido aprovada pelos chefes.

— Bom, eu acho que vai funcionar, a despeito disso — comentou Goos.

— Se eu não for mandado embora.

— Mandado embora? Parceiro, você não faz a menor ideia de como esse lugar funciona.

Uma hora depois, fui convocado para uma reunião com o comitê executivo do TPI. Sentamos ao redor da mesa de canto do escritório de Badu, em frente às amplas janelas. Enquanto nos cumprimentávamos, o velho lia o que parecia ser uma impressão da versão on-line do artigo. Ele o colocou sobre a mesa quando todos se sentaram.

— Sabemos como isso aconteceu? — perguntou ele.

Octavia Bonfurts, uma ex-diplomata que parecia a avó de alguém e representava a Seção de Complementaridade na reunião, falou antes que eu pudesse sequer pigarrear.

— Essa gracinha tem o DNA de Gautam — comentou ela. — Eu conferi os arquivos. Essa repórter traçou o perfil de Gautam quando ela foi nomeada. Olhe para o cenário pesado de evidências contra os americanos.

Badu assentiu. Conforme a discussão prosseguia, descobri que ele se sentira obrigado a informar a presidente do tribunal, que atuava como chefe-executiva do TPI, sobre a solicitação de documentos à OTAN. Ela, por sua vez, provavelmente havia informado os dois outros juízes do comitê administrativo, e uma delas era a juíza Gautam. Além disso, ao considerar a observação de Octavia, o breve resumo do depoimento de Ferko soava muito como Gautam. Como dissera Roger, os vazamentos tinham um efeito de adesão: uma vez que a história se tornava conhecida, todos queriam contar sua versão.

Akemi, com seu corte de cabelo assustador, que mais parecia uma peruca, e seus óculos pesados, estava inclinada sobre a página, quase tocando-a com o nariz. Como sempre, focava nos detalhes.

— Esses ciganos forneceram equipamento a Kajevic? Que tipo de equipamento?

Expliquei o que sabíamos sobre os caminhões e os motivos pelos quais tanto os americanos quanto Kajevic poderiam ter desejado se vingar após o ataque. Em torno da mesa, meus colegas fizeram gestos de aprovação, intrigados e até mesmo impressionados com o que tínhamos descoberto. Eu estava tão aliviado pela maneira como as coisas haviam transcorrido que queria abraçar todo mundo.

Discutimos possíveis respostas americanas ao artigo. Parecia não haver nenhuma boa alternativa, exceto empinarem o nariz e ignorarem todo mundo, o que provavelmente não valeria a pena, uma vez que, na perspectiva global, tratava-se de uma questão menor.

Badu colocou suas grandes mãos sobre o papel, dando sua característica risadinha abafada.

— Acho que isso funcionou muito bem.

Quando nos retiramos, suspeitei que uma votação secreta revelaria que ao menos metade das pessoas na sala acreditava que Badu era a fonte do vazamento.

Eu não tinha visto Narawanda desde o incidente com Esma, na madrugada de sábado, e percebi que sua ausência não era acidental. Quando cheguei do trabalho na sexta-feira, ela estava usando seu traje preto de lycra e uma touca de tricô para combater o feroz vento marinho que soprava aquela tarde. Eu a pegara novamente com uma das pernas esticada sobre o encosto do sofá. Todas as vezes que a via pronta para se exercitar, ela parecia outra pessoa. Hoje, com o cabelo completamente coberto, isolando o rosto redondo e ocre, parecia uma monja budista. Ela baixou os olhos assim que me viu.

De costas para mim, perguntou, com o tom artificial que adotava quando se sentia muito desconfortável, se deveria esperar por mim.

— Por favor — respondi.

Eu me troquei e voltei em um minuto. Ela havia colocado luvas nesse intervalo.

— Nara, eu preciso me desculpar novamente.

— Não, não. — Ela balançou a cabeça com força, mas ainda estava constrangida demais para me encarar. — Essa casa é sua também. Você deve agir como quiser aqui dentro. Se a minha cabeça não estivesse nas nuvens, eu teria ligado.

Poderíamos continuar nos culpando por muito tempo. Ergui as mãos para indicar o empate e comecei a me alongar.

— Ela é a advogada *roma*? — perguntou Nara. — Quando você disse o nome dela, eu o reconheci dos artigos sobre o caso que li on-line.

Eu me endireitei. Havia muita coisa resumida naquela frase. Em primeiro lugar, eu estava surpreso por Nara ter ficado suficientemente curiosa a meu respeito para fazer uma pesquisa. O mais importante, porém, era minha preocupação de que ela compreendesse o papel de Esma no caso.

— Você sente que deveria me reportar?

— Por transar? — perguntou ela, boquiaberta.

Sua escolha de palavras era frequentemente divertida, mas, dessa vez, não consegui conter o riso.

— Por transar com alguém envolvido no caso.

Nara balançou a cabeça para indicar que não entendia a pergunta.

— Não conheço bem as regras do tribunal, mas, no nosso, ela não teria nenhuma função oficial. Além disso, você não compreende como Haia funciona. Tantas pessoas longe de casa por tanto tempo. Sempre há romances e segredos. Você ficaria surpreso com o que é voluntariamente ignorado por aqui.

Eu não tinha certeza de que as infrações de outras pessoas poderiam minimizar a minha, mas achei a análise gentil. Também notei como era instintivo para ela se tornar advogada de defesa.

— Ela é muito bonita — continuou Nara. — Com um corpo impressionante. — Dessa vez, seu levíssimo sorriso irônico se esgueirou para fora das sombras por um momento. — Ela enfeitiçou você?

— Com certeza. Mas eu estou bastante irritado com ela... E comigo mesmo, por não ter me mantido afastado.

— O sexo exerce um grande poder sobre os homens — comentou ela. — Disposição também. Uma mulher que irradia experiência e confiança é muito sexy, não é?

— Sim.

A expressão de seu rosto se fechou um pouco.

— Eu era virgem quando me casei. Prometi à minha mãe e não consegui quebrar a promessa. Agora me arrependo disso. — Seus olhos estavam voltados para o chão outra vez. Então ela se recuperou e disse que deveríamos correr.

A observação sobre a sua virgindade não havia sido uma completa surpresa, uma vez que eu nunca sabia o que ela diria. Mesmo assim, quando começamos a correr, fiquei intrigado com a nota de arrependimento sobre sua vida sexual.

Fiquei feliz por ter seguido seu exemplo e estar usando touca e luvas. O vento do mar do Norte era como um furador de gelo. Mesmo assim, mantivemos um bom ritmo no parque por quase uma hora. Em seguida, por causa do tempo, encontramos um canto no interior de um café na Plein.

— Como foi em Londres? — perguntei.

— Claramente não foi bem, já que voltei um dia antes.

Eu não sabia se Nara estava irritada comigo por me fazer de desentendido ou simplesmente aborrecida com a lembrança, mas expliquei, arrependido, que não fazia ideia de por que ela voltara antes e achava que pudesse ter sido uma mudança nos planos de Lew. A observação causou um sorriso amargo.

— Os planos dele mudaram, de certa forma. Lewis me pediu para arrumar um emprego em Nova York.

— Ah — foi só o que eu disse.

— Nós falamos sobre isso antes de nos casarmos. Agora ele age como se todas aquelas discussões não contassem.

— Tenho certeza de que ele foi sincero quando vocês conversaram, mas é difícil ficar longe de casa. Eu gosto de Haia, mas precisaria pensar muito antes de me comprometer a ficar aqui para sempre.

— Ele também pensou muito. E como eu vou conseguir um emprego nos Estados Unidos? O mercado de trabalho para advogados não está muito bom. E eu adoro meu trabalho aqui. Quando Kajevic for capturado, e algum dia ele vai ser, vou fazer parte do time de defesa. O Sr. Bozic já me informou a respeito.

— Não acho que você deva contar com a captura de Kajevic, Nara. Faz o quê, quinze anos?

— Sim, eu sei. O que quero dizer é que tenho cada vez mais responsabilidades no tribunal, e gosto disso.

Tendo falhado no meu próprio casamento, eu não me via como um bom conselheiro, mas ela claramente buscava algum tipo de conforto.

— Algumas pessoas se casam e moram em cidades diferentes.

— Separadas por um oceano? Decidimos que não queríamos viver separados.

— Então vocês podem alternar: cinco anos em Nova York, cinco aqui. Também conheço casais que fazem isso.

Ela balançou a cabeça com um ar infeliz. Normalmente estoica, Nara estava quase chorando. A despeito da franqueza da nossa conversa, ainda havia assuntos que não podiam ser abordados e provavelmente eram dolorosos para ela, especialmente a questão dos filhos.

— Não é só uma questão de aqui ou lá — explicou ela. — É a ideia de que ele acha que pode simplesmente fazer um anúncio. Lewis sempre foi muito autossuficiente. Mas ele me ameaça com isso.

Nara descrevia o marido como "insular". Minha impressão era de que, na época do casamento, ela havia achado a distância entre os dois confortável para sua própria reticência, mas isso e o distanciamento emocional começavam a incomodá-la.

Eu sentia empatia pelo problema de ter um cônjuge que parecia inatingível. Em alguns momentos, Nara falava do casamento como eu poderia ter falado do meu próprio no mesmo estágio, presumindo que estivesse disposto a discuti-lo com a mesma abertura destituída de malícia dela. No longo prazo, o relacionamento dos dois provavelmente não era uma boa aposta. Mas eu teria ficado petrificado se alguém me dissesse isso e considerado o presságio ofensivo. Talvez, como eu e Ellen, Lew e Nara tivessem filhos e essa satisfação pudesse solucionar grande parte da distância entre eles.

— O casamento é algo difícil, Nara. É parecido com o comentário de Churchill sobre a democracia. É uma ideia terrível, mas melhor que suas alternativas. Pelo menos para a maioria das pessoas.

Ela havia bebido mais cerveja que o normal durante a conversa e, enquanto caminhávamos de volta para casa, me deu um tapinha camarada nas costas.

— Você é um bom amigo, Boom. Muito obrigada.

A cobertura do conflito entre o Departamento de Estado americano e a OTAN continuou durante a semana seguinte. Como a Bósnia era a primeira operação real de combate na qual a OTAN havia se envolvido, muitas questões que deveriam estar solucionadas havia muito tiveram que ser decididas pela primeira vez. A maior parte dos registros da SFOR — como a operação bósnia era conhecida na OTAN — ou de suas cópias digitais estava guardada nos arquivos da OTAN na Bélgica. Embora isso me parecesse uma das maneiras idiotas que a justiça encontra para resolver questões difíceis, a localização física dos arquivos era central na análise legal, porque a Lei de Proteção aos Membros do Serviço Militar só se aplicava em território americano.

A competição política também estava a toda. A Casa Branca e o Departamento de Estado assumiram um tom diferente do Departamento de Defesa, uma vez que a história não estava sendo favorável aos Estados Unidos. Surgiram referências on-line a "um novo My Lai", o massacre de quinhentos vietnamitas por forças americanas mais de quatro décadas antes, que Merriwell citara como um evento marcante dos seus primeiros dias como oficial. Num mundo de notícias superficiais, os relatos só mostravam os Estados Unidos ignorando perguntas para as quais nossos aliados queriam respostas. Os jornalistas, que por preconceito profissional desprezavam os segredos burocráticos, faziam a festa. Badu e Goos estavam corretos: a estratégia havia funcionado muito bem. A propaganda pareceu animar até mesmo os bósnios, que aprovaram nossa segunda viagem, agora dependendo apenas de quando fosse conveniente para a professora Tchitchikov.

Esma ligava várias vezes ao dia, mas eu me recusava a atender. Por fim, ela deve ter pegado emprestado o telefone de outra pessoa.

— A gente pode se encontrar para discutir isso? — perguntou ela.

A estratégia era risivelmente transparente. Entrar comigo num quarto e deixar a cabeça de baixo pensar pela de cima.

— Não acho uma boa ideia, Esma. Gato escaldado...

— Ah, por favor, Bill. Não seja tão melodramático. Foi um erro de cálculo da minha parte. Eu achei que você ia adorar.

— Esma, claramente eu me importo mais com princípios do que você.

— Bill, não seja condescendente. Não podemos resolver isso pelo telefone. Posso estar em Haia no próximo fim de semana.

— Não faça isso, Esma. Você vai perder o seu tempo.

Desliguei, embora com bastante pesar. Uma parte de mim não queria aceitar que tudo chegara ao fim, particularmente o elemento tônico que ela havia acrescentado na minha vida.

Na sexta-feira, uma semana após a nossa conversa na Plein, Nara avisou que tiraria alguns dias de folga e iria para Nova York.

— Parece uma boa ideia — comentei.

— Não tenho tanta certeza assim. Lewis é inteligentíssimo e sabe usar muitas palavras diferentes para dizer a mesma coisa. Ele raramente muda de ideia.

— Então você devia tentar mudar, ao menos um pouco. Você jamais vai se arrepender de dar o seu melhor pelo seu casamento.

Ela ficou na ponta dos pés e me deu um breve abraço antes de partir.

— Muito bem, seu babaca, é assim que as coisas vão ser. — Eu estava no meu escritório no tribunal, por volta das três da quarta-feira seguinte, quando meu celular pessoal tocou.

— Bom dia para você também, Rog.

— Eu quero que você saiba que, se dependesse de mim, eu mandaria tudo isso à merda. Ninguém mais vai se lembrar dessa história de registros na semana que vem.

Escolhi não fazer nenhum comentário.

— Os registros — continuou ele —, todos os registros, vão ser fornecidos para revisão do comandante supremo aliado da OTAN na época do suposto incidente.

Levei um instante para entender.

— Layton Merriwell?

Roger pigarreou.

— Acho que esse é o cara.

— Ok, então o comandante supremo, qualquer que seja seu nome, vai receber os registros. E aí?

— Se ele assim decidir, pode se encontrar com você em solo americano. E, se entregar quaisquer registros, isso vai ser decisão dele, embora seja uma clara violação da Lei de Proteção aos Membros do Serviço Militar.

Eu não conseguia entender.

— Eu e Merry vamos dividir uma cela na prisão?

— Não existem provisões criminais nessa lei, espertinho. E, como você sabe muito bem, Merriwell é a favor de liberar todos os documentos. Mas, se algum americano for acusado no futuro com base em qualquer um deles, essa pessoa vai poder alegar que os registros foram gerados em clara violação à lei e que não são evidências aceitáveis em nenhum tribunal.

Era um plano esperto, com o objetivo de reduzir o risco de que qualquer soldado americano pudesse ser acusado com base nos documentos. Eu disse a Roger que precisava vender a ideia aos mandachuvas do tribunal.

— É melhor você dizer sim agora mesmo. Porque não vai ser melhor que isso. Você tem vinte e quatro horas antes que a oferta seja retirada. Os generais vão convencer alguém do Congresso até lá. Se você aceitar, o Departamento de Estado, a OTAN e o tribunal vão publicar declarações dizendo que a questão foi resolvida e nem uma palavra a mais.

Badu e Akemi concordaram que era um acordo muito bom, partindo do pressuposto de que Merriwell revelaria todos os documentos. Mas, como tinha sido ele quem sugerira ir até a OTAN, isso parecia garantido.

Liguei para Roger para revisar algumas nuances e então concordei.

— Trato feito — falei.

— Que conste nos registros que eu discordo completamente dessa merda — declarou ele.

— Registrado.

Merriwell ligou no dia seguinte.

— Então nos encontraremos novamente — disse ele.

— Será um prazer. De volta à embaixada?

— Não, não. Precisamos nos encontrar em solo americano para preservar qualquer futura alegação de que a Lei de Proteção aos Membros do Serviço Militar foi violada. Mas a imprensa voltou a se interessar por mim de novo essa semana. Tem alguma chance de nos reunirmos na sua casa?

— No condado de Kindle?

Eu estava prestes a dizer que não tinha casa, mas percebi imediatamente quanto Ellen gostaria de disponibilizar a casa de hóspedes para solucionar uma questão que havia sido mencionada na primeira página do *New York Times*. E era pouco provável que até mesmo o mais intrépido repórter seguisse Merry até as Tri-Cities.

Como eu esperava, Ellen ficou animada ao ouvir o nome de Merriwell, embora eu tivesse que me desculpar por não poder explicar as razões do nosso encontro. Após comparar agendas, concordamos que eu e Merry nos reuniríamos na casa de Ellen e Howard na segunda-feira. Para complicar ainda mais a situação, a geóloga francesa avisou que estaria disponível na semana seguinte; sua agenda estava lotada nos próximos meses. Assim, fiz planos para um bate e volta entre os continentes, indo primeiro para os Estados Unidos e então para a Bósnia, a fim de me encontrar com Goos e a professora.

V.
Problemas

19.

Home Run — 30 de maio a 1º de junho

Cheguei ao condado de Kindle por volta das duas da tarde de sábado. Assim que liguei o celular depois do longo voo, recebi outra série de mensagens de Esma — várias ligações perdidas, um e-mail queixoso e duas mensagens. Eu havia me recusado a atendê-la novamente após a nossa breve conversa, e o silêncio parecia estar testando seus limites. A mensagem mais recente dizia: Bill, eu queria dizer isso pessoalmente, mas você deve saber que, por mais que eu tenha tentado evitar, estou apaixonada por você. Simplesmente não posso desistir. É tarde demais para isso. Eu preciso ver você e tentar consertar as coisas.

Isso lembrava o diálogo de um filme dos anos trinta, e o subtexto parecia ser todo sobre o ego de Esma. Ela estava "apaixonada" por mim simplesmente porque eu não estava apaixonado por ela, a despeito dos seus avisos. Algum dia, quando levasse justiça internacional ao mundo, eu tentaria descobrir a conexão entre autoimagem e amor.

Do aeroporto, fui para a casa de amigos próximos, onde passaria a noite. Sonny Klonsky, agora juíza federal, tinha começado no gabinete da procuradoria mais ou menos na mesma época que eu. Seu marido do segundo, e feliz, casamento era Michael Wiseman, colunista de vários jornais do país e um cara muito divertido que partilhava meu senso de humor. Eles fizeram um churrasco em minha homenagem na noite de sábado, para o qual convidaram vários antigos colegas, incluindo Sandy Stern, o advogado de defesa favorito de todo mundo, que vivia no universo alternativo da remissão do câncer, no qual, como admitiu, nunca tinha certeza de estar no momento presente.

No domingo, saí da casa de Sonny e Michael às cinco da manhã, a fim de pescar com Will e Pete. Os robalos-brancos eram abundantes no rio Kindle, e os barcos estavam ancorados tão próximos uns dos outros que era possível atravessar o rio sobre as suas proas. Mas eu e os meninos tínhamos um local secreto na margem, onde pescávamos usando roupas de neoprene. Ficava em um baixio no parque público, ao qual chegamos por meio de um pequeno ato de vandalismo envolvendo uma tesoura de jardim. A manhã de primavera estava clara e quente, e havia muitos peixes, atraídos por outro truque da nossa família: um pedaço de fio vermelho acima da isca.

Eu sentia orgulho dos meus filhos, que haviam se tornado homens decentes, amorosos e esforçados, embora sempre me retraísse um pouco ao notar falhas minhas ou da mãe que um ou ambos incorporaram — como a disposição de Ellen para criticar ou meu ocasional distanciamento. Um dos ditados mais verdadeiros sobre famílias é o que diz que os filhos ocupam todo o espaço fornecido. Will adquirira meu temperamento firme e crescia rapidamente no escritório local de uma empresa nova-iorquina, onde cuidava da engenharia legal de complexos câmbios de moeda nas bolsas do condado de Kindle. Aos 29 anos, ele havia encontrado um daqueles nichos confortáveis do direito que quase certamente lhe garantiriam estabilidade financeira por toda a vida.

Pete, em contraste, tinha sido o filho problemático, aquele com o qual mais havíamos nos preocupado. Houvera drogas no colégio e dificuldades acadêmicas na faculdade. Ele emergira daquele período com grande interesse por computadores e havia desenvolvido três aplicativos diferentes, que foram comprados por grandes empresas. Will sempre parecia meio afrontado com a magnitude do sucesso de Pete, embora frequentemente brincasse dizendo estar aliviado por não ser obrigado a sustentar o irmão mais novo.

Com ambos, houvera tempos difíceis quando eu deixara sua mãe. Eu sabia como era ficar surpreso e desapontado com os pais e entendia que os meus filhos haviam perdido a casa para onde sempre esperaram poder voltar se precisassem. Mas sua absoluta convicção de que só seus sentimentos importavam havia se tornado irritante. Após um ano, eu criara a regra de que, ao menos uma vez durante a conversa, eles tinham que perguntar "E você, pai, como vai?", mesmo que não se importassem com a resposta.

Mas tudo isso tinha ficado no passado. Minha mudança para Haia e o casamento iminente de Pete esfriaram toda a lava e a transformaram em rocha. De pé na água rasa, a alguns metros da margem, éramos três adultos independentes que aceitavam sua conexão mútua como indelével.

Depois da pescaria, almoçamos enquanto assistíamos ao jogo dos Trappers num bar e, em seguida, Will me levou até o lago Fowler, onde já havia concordado em ficar para o jantar. A casa de Ellen e Howard continuava maravilhosa, a vitrine de um decorador, com imensas janelas voltadas para o lago. Depois que Will retornou para a cidade, Ellen, Howard e eu tomamos mais uma taça de vinho na cozinha enquanto falávamos dos nossos filhos. Os artigos no *Times* haviam despertado a curiosidade dos meus anfitriões sobre meu trabalho no tribunal. Tentei dizer o mínimo possível, mas não neguei o óbvio, ou seja, que minha reunião com Merriwell estava relacionada à investigação.

— Posso conhecê-lo? — perguntou Ellen, encolhendo-se um pouco, quase como se tentasse escapar dos próprios impulsos adolescentes.

De um modo cavalheiresco, assegurei que o general sem dúvida gostaria de agradecer-lhe a hospitalidade. Eu sabia que ela ficaria fascinada por Merry, um gênio imperfeito a muitos olhos.

O fim do nosso casamento poderia ser descrito com o mesmo termo que os médicos-legistas usam atualmente para alguém que morre de idade avançada: falha multissistêmica. Mas, da minha perspectiva, o problema real tinha começado mais de quinze anos antes, quando Ellen se tornara diretora de eventos especiais em Easton. Eu via o emprego como uma escolha estranha para alguém que havia acabado de terminar um MBA, mas a posição permitia que ela conhecesse vencedores do prêmio Nobel e a vanguarda dos líderes intelectuais do mundo, os quais, como descobri, eram a companhia pela qual secretamente ansiava. Com os amigos, ela costumava falar dos prazeres da vida intelectual, algo que, aparentemente, não me envolvia.

Jamais pretendi ser tão inteligente quanto a minha ex. Quando ela foi eleita para a Phi Beta Kappa na faculdade, eu sequer sabia como pronunciar o nome da sociedade. Mas, quando assumiu sua posição na universidade, Ellen começou a exibir a premente necessidade de demonstrar sua superioridade intelectual em relação a mim. Eu sabia, por instinto, que estava fazendo algo para provocar isso (um ponto indubitavelmente comprovado quando ela se casou com Howard, que, embora fosse um verdadeiro mago da engenharia, jamais achou qualquer livro escrito mais interessante que a ESPN). Em vez de tentar descobrir por que estava alienando minha esposa, fui para a iniciativa privada, embora soubesse que a mudança só pioraria as coisas. Com idas ao tribunal, reuniões, deposições e julgamentos, de repente passei a ficar fora da cidade por pelo menos um terço do ano. Eu trabalhava demais, mas Ellen não entendia o motivo, uma vez que defender caras maus e ricos era uma causa pouquíssimo nobre. A única vantagem do meu novo emprego — ganhar toneladas de dinheiro — era degradante aos seus olhos. A verdade amarga era que eu a entediava demais e suportar o peso das suas críticas me deixava irritado sempre que entrava em casa. Achei que estava fazendo um grande favor a nós dois quando admiti que havia perdido o interesse por nossa vida em comum. O segredo da amizade que tínhamos forjado nos últimos anos era que Ellen agora estava pronta para admitir, com qualquer que fosse a ironia, que aquela havia sido a única ocasião na qual eu fora muito mais inteligente que ela.

Ellen estava do lado de fora, vestida para trabalhar, quando o carro de Merry chegou às sete da manhã. Ela usava vestido preto, pérolas, muita maquiagem e saltos altos, o tipo de traje que serviria tanto para o escritório quanto para o circuito de coquetéis que frequentemente percorria. Permanecia esbelta e sempre tivera aquela aparência organizada e loira, descrita como "vivaz". Eu jamais pensara a respeito, mas minha ex era fisicamente mais atraente que muitas das mulheres com quem eu saíra antes, até mesmo as bem mais jovens, embora jamais tenha sido — ou desejado ser — tão sensual quanto Esma.

— Boom — disse Merry quando saiu do carro.

Trocamos um aperto de mão e ele me deu um tapa no ombro, oferecendo um sorriso de boas-vindas. Na frente da casa, Ellen adotou uma postura meio deslumbrada, com as mãos no ar, como se tivesse medo de tocar em algo.

Merriwell pegou uma maleta caramelo do porta-malas e eu o conduzi até Ellen, a quem ele agradeceu diversas vezes. Ela tentou fofocar sobre um amigo em comum, um antigo colega de classe de Howard no MIT que agora ensinava lá, mas Merry tinha pouco a dizer a respeito, e ela percebeu, com visível desapontamento, que não tinha opção a não ser se despedir. Dei-lhe um abraço de despedida e agradeci profusamente. À noite, eu estaria a caminho da Bósnia, via JFK, para me encontrar com a professora Tchitchikov e Goos em Barupra.

Merriwell ficou observando Ellen enquanto ela caminhava até a garagem.

— Essa realmente é a sua ex?

— Sim.

Ele balançou a cabeça, espantado.

— Não dá para acreditar — disse Merry. — E você acha que ela vai ser discreta?

— Sem dúvida. — Como esposa de um promotor e depois advogado criminal de defesa, Ellen se orgulhava de sua habilidade de manter segredos e, mesmo após o divórcio, nunca falara de nenhum deles, nem mesmo dos mais suculentos, sobre pessoas proeminentes na cidade.

— E quanto a você? — perguntei. — As coisas melhoraram com a futura ex?

— Nenhum progresso — respondeu ele com ar cansado —, mas, apesar disso, eu estou me sentindo muito melhor.

Sua aparência também estava melhor. Ele estava bronzeado e parecia menos exausto. Com um gesto em direção à casa de hóspedes, Merry sugeriu que começássemos, porque tinha que voltar ao aeroporto em duas horas.

— Como sempre, o mundo está desmoronando — comentou ele.

A casa de hóspedes era compacta e de bom gosto, claramente obra do mesmo arquiteto que projetara a casa principal. No andar de cima, havia dois pequenos quartos, cada qual com um banheiro. O andar de baixo era um espaço amplo com uma cozinha agradável que dispunha de belos armários de alguma madeira sul-americana avermelhada e trabalhada à mão. As janelas eram grandes, para permitir a entrada da luz espetacular do lago, e cobertas por persianas escarlate erguidas com precisão cirúrgica até a metade. Uma pequena mesa separava a sala de estar da cozinha e foi lá que Merriwell e eu nos instalamos, em cadeiras Breuer de couro com braços cromados.

Servi café e coloquei sobre a mesa uma cesta de muffins que Ellen, a despeito dos meus protestos, havia pedido que fossem entregues pela manhã. Eu também havia tomado a precaução de comprar uma garrafa de uísque, posicionada inocentemente no canto do balcão, mas Merry sequer olhou para aquele lado. Ele colocou a maleta sobre uma cadeira. Era uma daquelas maravilhosas maletas antigas, parecidas com uma valise, que os advogados costumavam carregar no início da minha carreira, com uma abertura articulada de latão mais larga que o compartimento abaixo e uma tira de couro que se encaixava no fecho do outro lado.

Para começar, eu disse que não havia autorizado ou planejado o vazamento para o *Times*, mas ele dispensou meus comentários com um aceno. Merriwell era um veterano tanto das guerras políticas domésticas quanto daquelas em que nos envolvíamos em outros continentes, e parecia encarar tanto o vazamento quanto a negativa como parte do jogo.

Assim que começamos a falar de negócios, houve uma mudança notável em sua postura, que me pareceu não simplesmente pragmática mas também grave e solene. Ele retirou um maço de papéis de quase dez centímetros de espessura da maleta.

— Eu trouxe tudo o que recebi — avisou ele. — Tem mais a caminho, mas você vai ficar interessado no que está aqui. Como nosso tempo é limitado, vou fornecer a versão resumida do que você vai descobrir por si mesmo, a fim de que possa fazer suas perguntas. Não que eu não possa fazer outras depois.

— Algum comentário geral?

Merry franziu o cenho, com o lábio inferior se projetando sobre o superior, numa expressão que criou rugas profundas em seu rosto estreito.

— De modo geral, estou desapontado e surpreso — respondeu ele. — E ainda descrente.

A concessão era instigante, mas aguardei educadamente. Pelas bordas cintilantes no alto do maço, eu sabia que havia ali algumas fotos de vinte por vinte e cinco.

— Solicitar as fotos oficiais foi brilhante — comentou ele.

Expliquei que a ideia não tinha sido minha.

— Jamais deixe de receber o crédito pelas realizações da sua equipe — censurou Merry, sorrindo. — Muito bem. Na base Eagle, eles tiravam fotos de tudo, incluindo os toques de alvorada, revista de recolher e silêncio. Aqui está o toque de silêncio de 27 de abril de 2004.

Era uma foto com flash de um corneteiro na base de um mastro sem bandeira. A foto era colorida, mas, ao primeiro olhar, não parecia conter nada de notável.

— Aqui atrás — indicou Merriwell.

No alto da foto, havia uma linha de luzes se movendo sinuosamente à distância.

— Comboio?

— É o que parece.

Olhei com mais atenção. Era possível ver as lanternas traseiras de um ou dois veículos, e os faróis pareciam um feixe de luz à sua frente. Os veículos — eu diria caminhões — estavam partindo. Tentei contá-los, embora os últimos não fossem mais que um pequeno borrão.

— Uns vinte?

— Mais ou menos.

— E a que horas a foto foi tirada?

— O toque de silêncio ocorre às vinte e duas horas.

Ferko dissera que os primeiros homens chegaram a Barupra pouco antes da meia-noite. O tempo de viagem até o vilarejo não seria de mais de dez ou quinze minutos, mesmo com as péssimas condições das estradas da época.

— Alguma teoria sobre o que eles podem ter feito com uma hora e meia a mais? — perguntei.

— Ficarei feliz em explicar o que você vê, Boom, mas vou manter as especulações para mim mesmo.

— Bem, se eu dissesse que houve tempo suficiente para trocar de farda e planejar uma operação, haveria alguma razão óbvia para eu estar errado?

Merry balançou a cabeça rigidamente — indicando que eu estava certo ou que ele não faria nenhum comentário — e então esticou novamente a mão para o maço.

— Temo que aqui esteja o que realmente vai interessar a você.

Ele tirou várias fotos da pilha. Eram em preto e branco, claramente ampliadas muitas vezes. Para mim, era como olhar para um ultrassom, apenas linhas, borrões e pontos pretos, embora um pequeno retângulo parecesse mais claro que o restante.

— Isso é uma foto de satélite — explicou Merry.

— Uau! Dá para conseguir formas reconhecíveis a quase duzentos quilômetros de distância?

— É uma tecnologia impressionante.

— Bota impressionante nisso.

— Você pediu os registros dos transmissores de GPS. Como você sabe, eles são usados pelos nossos soldados e eram obrigatórios mesmo em equipamentos, como caminhões, tanques ou aeronaves. Sempre que os soldados saíam da base, o satélite seguia os transmissores e tirava fotos da localização. Tem várias outras fotos aqui, mas todas elas focam em um único caminhão.

— E não nos soldados?

— Correto.

— Então eles retiraram os transmissores?

— Ou não eram nossos soldados.

— Mas alguém esqueceu um caminhão?

— Não sei por que um dos transmissores continuou funcionando, mas, quando o satélite fez a órbita seguinte, noventa minutos depois, não houve nenhuma foto.

— Claramente uma negligência que foi corrigida.

Ele se recusou a fazer comentários.

Para além do caminhão que tinha sido automaticamente destacado, os outros surgiam na foto como quadrados cinzentos com círculos brancos à frente: a projeção dos faróis dianteiros. Quando aproximei os olhos da foto, também pude ver pontos distintos parecidos com formigas.

— São pessoas?

— É minha interpretação.

Havia centenas delas, quando entendi como reconhecer as formas. No topo da foto, havia uma faixa negra: o vale que levava até a caverna.

— Então esses são os residentes de Barupra sendo levados?

— Novamente, vou deixar as interpretações para você. — Mas Merry estava de cara fechada, com uma expressão sombria.

Ao ver a foto pela primeira vez, meu pulso havia acelerado consideravelmente. Meu lado cético, o profissional treinado, ansiara por provas sólidas que corroborassem o depoimento de Ferko. Eu teria ficado exultante se não tivesse reconhecido que aquele era o registro visual de quatrocentas pessoas a caminho da morte. Eu e Merry ficamos em silêncio por um momento, enquanto eu analisava sua atitude grave.

Embora o satélite tivesse coberto aquele trecho por apenas alguns minutos, havia pelo menos cem fotos. A última mostrava três caminhões, aparentemente lotados, dirigindo-se para a estrada de terra que descia até a caverna.

— O que revelam os registros dos caminhões?

— Você vai ter que pegar isso com a nossa amiga Attila. Mas a CoroDyn recebeu ordens para fornecê-los, e Attila ligou na sexta para assegurar que vão ser enviados em breve. Aparentemente, havia duas frotas, uma operacional e uma logística. Ela queria saber se precisávamos dos registros de ambas, e eu disse que sim.

— E você sabe se caminhões iugoslavos eram usados nas frotas?

— Eu estava pensando no que Ferko dissera no depoimento.

— Não sei ao certo. Mas a maioria do equipamento de frente, de fabricação americana, já tinha sido enviada para o Iraque. A OTAN tinha apreendido milhares de veículos das várias forças combatentes. Eu não ficaria surpreso se alguns tivessem sido aproveitados. Novamente, Attila vai ter a resposta.

— Ela foi muito solícita até agora. Agradeço por isso.

Merry balançou a cabeça resolutamente.

— Eu não fiz nada.

— Quando ela foi me buscar em Sarajevo, Attila disse que você tinha pedido para que ela nos ajudasse.

Merry se reclinou na cadeira com um breve sorriso cético.

— Você precisa ter em mente que ela adora improvisar. Attila me ligou na manhã seguinte à nossa reunião. Ela sabia que você estava a caminho e perguntou se eu tinha alguma ideia do que estava procurando. Falei bem de você, que era um cara decente, esse tipo de coisa, e posso ter dito que não havia razão para não ajudar você. Você a conheceu, então entende. Attila quer se envolver nos assuntos de todo mundo.

— Ela é muito leal a você — comentei com um sorriso.

— Sou grato por isso. E, no que me diz respeito, ela foi indispensável. Você conhece um ditado que diz que civis pensam em estratégia e generais, em logística?

Eu nunca tinha ouvido isso.

— Ele é profundamente verdadeiro — continuou Merriwell. — Attila é um verdadeiro gênio da logística. Não importava quantas partes móveis precisassem ser coordenadas, ela dava conta. Era mais capacitada que qualquer um dos meus oficiais. Pensei em mandá-la para a escola de oficiais, mas Attila não estava interessada, porque as mulheres não entravam em combate. E a verdade é que alguém tão incomum quanto ela chamaria bem menos atenção como não combatente. Mas eu fui um comandante muito melhor por poder contar com ela.

— Ela não acha que seus colegas teriam sido tão receptivos.

— Provavelmente, não. O estilo de vida dela não é típico do Exército, especialmente naquela época. Mas soldados podem ser muito pragmáticos quando suas vidas estão em jogo. E, no serviço, Attila era excepcional.

— Um excelente soldado?

— Eu diria que ela é muito boa. — Não fiquei surpreso por Merry falar de Attila com muito mais frieza do que ela havia falado dele. Para ela, Merriwell desempenhava o papel idealizado de mentor e salvador. Para ele, ela era uma engrenagem valiosa numa grande máquina. — Attila era excelente quando estava longe dos comandantes e podia agir com alguma independência. Em contrapartida, era uma bisbilhoteira que se recusava a aceitar limitações de acesso. E tinha muito menos talento para receber ordens. Aquelas das quais discordava recebiam uma interpretação muito idiossincrática. Francamente, fiquei aliviado quando ela se tornou civil. Recebi o benefício de todas as suas habilidades, mas nenhum dos telefonemas e telexes perguntando o que diabos ela estava fazendo. Mas ela vai ter os registros dos caminhões e ser capaz de responder às suas perguntas. Fiquei sabendo que você vai voltar para a Bósnia.

— As notícias correm rápido. — Goos havia pedido que Attila nos conseguisse trabalhadores. Obviamente, ela era a fonte de Merriwell.

Coloquei nossa carta para a OTAN sobre a pequena mesa de imbuia e conferi os demais itens.

— Folhas de serviço? Relatórios do refeitório? Enfermaria?

— Fique à vontade. — Merriwell empurrou umas duzentas páginas para mim.

— Isso tudo é de um dia?

— Dois, na verdade. Você solicitou 27 e 28 de abril.

Goos avaliara corretamente a natureza dos exércitos e seus registros. A primeira coisa que notei, quando comecei a ler os documentos, foi que o nome de cada soldado havia sido riscado. Tenho certeza de que o olhar que dirigi a Merry não foi nada amigável.

— Não me lembro de concordar com registros censurados — falei.

— Acredito que o acordo foi de que você receberia o que quer que o comandante supremo estivesse disposto a partilhar. E o comandante supremo não vai servir a cabeça de nenhum soldado numa bandeja de prata. Se houve um massacre...

— Olhando para essas fotos, Merry, não há muito espaço para "se".

— *Se* foi isso que aconteceu, e ainda tenho esperança de encontrar outra explicação, há uma cadeia de comando. E a responsabilidade está no topo dessa cadeia, não nos soldados rasos e de primeira classe que estavam seguindo ordens e provavelmente só perceberam o que estava acontecendo depois que aconteceu. Boom, isso é tudo que você vai receber.

— Vamos ter que discutir isso no tribunal.

— Nossa posição não vai mudar.

Eu não tinha dúvida de que riscar os nomes tinha sido exigência do Departamento de Defesa. E, a despeito da minha pose rígida, eu sabia que, após meses de buscas em Facebook, Twitter, LinkedIn e YouTube, Goos reunira uma boa lista do pessoal da Eagle. Folhas de serviço completas teriam sido muito melhores, mas a chave ainda era encontrar um soldado disposto a falar conosco.

As páginas nas minhas mãos eram um labirinto em preto e branco, com colunas de nomes e unidades, armas e treinamento em línguas, designações e datas em serviço. Havia páginas chamadas Folha de Serviço de Apoio ao Combate e planilhas assinadas no refeitório durante café da manhã, almoço e jantar. Havia também pilhas de planilhas que exibiam, ao lado dos nomes suprimidos, as unidades e as tarefas de oficiais e soldados. Foquei nessas informações.

Quando cheguei aos registros da 205ª Brigada de Inteligência Militar, 1º Batalhão, achei algo. Lendo os relatórios do capitão da Companhia Charlie, comparei a coluna de tarefas com a de folgas. Todo soldado identificado como parte do 2º Pelotão estivera de folga no segundo dia, 28 de abril.

Merriwell não ficou feliz quando percebi isso.

— Isso é normal? Um pelotão inteiro de licença?

— Pode ter havido razões.

— General, eu disse "normal". — Tentei soar irritadiço.

— Para um único dia, não. Eu não veria isso como normal.

Voltei ao relatório do capitão, contando os membros do pelotão com o botão de metal na ponta da caneta. Havia trinta e quatro linhas com nomes riscados. Ferko tinha dito que alguns "chetniks" entraram em Barupra a pé, e o restante, em caminhões. O número parecia correto.

— Quem eram o capitão da companhia e o tenente do pelotão?

Merriwell balançou a cabeça e manteve os lábios selados.

Fiz uma careta em resposta.

— Boom, não seja ganancioso — disse ele, exasperado. — Você tem muito mais agora do que tinha há uma hora.

Eu me levantei da mesa com um suspiro pesado, mas voltei com parte da comida que o serviço de bufê tinha deixado no refrigerador. Comemos salada de frango e tomamos uma lata de refrigerante cada. Enquanto isso, ele fechou a maleta com a tira de couro.

Perguntei se ele podia me dar uma carona até o aeroporto. Eu estava mais de cinco horas adiantado para meu voo, mas tinha que ir do LaGuardia até o JFK, em Nova York, e não me importava em sair cedo. No JFK, eu encontraria uma conexão de internet e trabalharia um pouco. Peguei minha mala e me juntei a Merry no banco traseiro de couro de um velho sedã Lincoln. No caminho, remarquei meu voo para o LaGuardia para as dez horas, e então conversamos sobre beisebol e as surpresas da estação: o jogo de A-Rod estava muito consistente. Ainda mais incrível, os Trappers estavam vencendo. Em função da longa experiência, eu tentava conter meu otimismo.

— Posso voltar a falar de negócios e perguntar mais uma coisa? — indaguei quando ainda estávamos a alguns minutos do aeroporto de Tri-Cities.

— Pode, sim.

— Diga por que eu não deveria acreditar que as pessoas de Barupra foram assassinadas como represália por enviar seus soldados para a emboscada armada por Kajevic.

— Porque não foi isso que aconteceu.

— Explique.

— Não vamos ter outra conversa sobre material secreto, vamos, Boom? — Ele me disse que ainda estava analisando os arquivos relacionados aos esforços para capturar Kajevic, mas que praticamente nenhum deles seria liberado, por medo de comprometer técnicas das forças especiais que ainda estavam em uso. — Mas vou dizer que, em minha análise, não vi nenhum relatório sugerindo que os ciganos teriam conspirado para atrair os nossos soldados para uma armadilha nem, falando francamente, tenho qualquer memória de já ter ouvido isso.

— Você não vai negar que foram os *roma* que informaram a inteligência do Exército sobre a localização de Kajevic, vai, general?

— Nem vou confirmar. — Ele se virou no assento para me olhar de frente. — Sinto muito, Boom, se isso soar racista, mas a inteligência do Exército e as nossas forças especiais sabiam que não podiam confiar nos ciganos ou depender completamente deles. Se os *roma* tivessem fornecido essa informação, ela teria sido corroborada por dias de vigilância. Eles não tiveram nenhuma participação na ação e não receberam nenhuma informação prévia sobre como ou quando iríamos atrás de Kajevic. Mesmo que quisessem nos trair, o que não faria sentido, dada a maneira como os tratávamos, não teriam informação suficiente para isso.

— E, mesmo assim, como já discutimos, general, tudo indica que Kajevic sabia que vocês estavam indo atrás dele.

— Concordo. Mas não por causa de qualquer coisa que os ciganos soubessem. Como expliquei, nossas forças não podiam fechar quatro quarteirões de Doboj sem informar as autoridades locais, todas de etnia sérvia. Sempre presumi que foi de lá que veio o vazamento.

Quando eu era procurador, havíamos planejado várias grandes prisões, com dezenas de agentes federais da SWAT capturando chefões do tráfico e líderes de gangues. Mas aprendemos, da maneira mais difícil, a sermos cautelosos com a força policial unificada do condado de Kindle. Era impossível saber quais policiais estavam nas mãos das gangues ou na folha de pagamento de um traficante. Assim, a chamada por reforços só era feita quando estávamos prestes a arrombar a porta. As forças especiais certamente foram ainda mais cautelosas. O que quer que tivessem dito ao Exército bósnio ou à polícia local teria sido dito tarde demais para permitir que Kajevic montasse a armadilha elaborada que esperava pelos soldados americanos.

— Ele teria que saber antes disso, general.

— Eu entendo seu argumento, Boom. Mas, se for verdade, jamais estabelecemos como aconteceu.

— Você está dizendo, Merry, que não conhece nenhuma razão para elementos do Exército estarem furiosos com os *roma*?

— E por que você acha que estariam?

— Por causa da pilha de fotos que você acabou de me mostrar, dessas pessoas sendo arrebanhadas e levadas para a morte.

Merriwell comprimiu os lábios finos, e seu rosto ficou vermelho de irritação. Era o mais próximo de estar irritado que eu já o vira, embora não soubesse dizer se isso se devia à minha persistência ou ao fato de ele não ter compreendido completamente as implicações das evidências que havia me entregado. Ele também poderia estar sendo assaltado por pensamentos que não podia partilhar. Após um momento, Merriwell inclinou a cabeça na minha direção com um gesto determinado.

— Boom, eu fiz tudo o que podia para permitir que você investigasse essa questão sem interferência. Como você mesmo disse, esse é o seu trabalho. Não pedi a ninguém que serviu sob as minhas ordens para explicar esse material. Mas jamais vou deixar de acreditar nos homens e nas mulheres que comandei.

Percebi que precisaríamos do depoimento de um dos seus soldados antes que Merriwell acreditasse que os americanos haviam desempenhado algum papel no massacre. Até lá, como acabara de reconhecer, ele presumiria sua inocência. De qualquer maneira, já havíamos chegado ao aeroporto.

Eu partiria de um terminal diferente, e o carro me deixou lá primeiro. O general desceu para me desejar boa viagem, fechando o botão do meio do terno ao ficar em pé na calçada. De maneira geral, eu estava impressionado com quão rejuvenescido ele parecia, mais em forma e até mesmo, se fosse possível, mais alto. A despeito de sua clara infelicidade com a revisão dos arquivos da OTAN, Merriwell parecia possuir agora uma autoconfiança que estivera ausente durante nosso primeiro encontro, embora eu não conseguisse decidir se ainda gostava tanto dele sem aquele triste ar contemplativo.

Repeti quão bem ele estava.

— Ah, sim — disse ele. — A vida está muito melhor, embora um pouco mais complicada, e acredito que devo agradecer a você. Seu conselho foi perfeito.

— Foi apenas oportuno. Eu não disse nenhuma novidade.

— E quanto a você? — perguntou ele. — Roger parece achar que você cedeu ao charme da encantadora Srta. Czarni.

Não havia por que negar.

— Bem, Merry, eu aprendi quanto um homem pode desejar fazer algo completamente estúpido. — Decidi que não havia uma maneira polida de contar quantas vezes pensara nela durante o processo. — Mas acabou.

Ele me analisou, semicerrando os olhos sob o sol de primavera.

— Eu acho, Boom, que, se foi algo de que você ainda possa se lembrar na velhice, pode não ter sido estúpido. — Então olhou para o relógio e avisou, antes de entrar novamente no carro: — Essa conversa ainda não acabou.

O último comentário de Merry permaneceu comigo ao entrar no terminal. Suas observações pessoais tinham muito mais poder para mim que nossas conversas oficiais. Após passar pela verificação de segurança, liguei para o celular nova-iorquino de Esma, e ela atendeu ao terceiro toque. Eu disse que estaria entre conexões e poderia me encontrar com ela para um café em Manhattan por volta de uma e meia da tarde.

— Eu estou no tribunal, mas posso pedir um recesso antecipado — disse ela. — Estamos na temporada de golfe, e o juiz vai ficar feliz em ter a tarde livre. — Ela disse que estava no Carlyle.

— Tem algum café por perto?

— Ah, Boom, não seja afetado. Você não vai me deixar chorando num Starbucks, vai?

Ela me disse para perguntar pelo "apartamento de Jahanbani" quando chegasse.

Nenhum lugar dos Estados Unidos jamais me pareceu tão rico quanto o Upper East Side, porque a fúria de grande parte de Manhattan é atenuada ali, quase como se houvesse guardas de fronteira postados nos limiares da região, conferindo impostos de renda antes que qualquer um fosse admitido. O porteiro do Carlyle me direcionou para uma entrada separada, na qual o recepcionista interfonou para anunciar a minha presença.

Esma abriu a porta e caiu nos meus braços. Virei o rosto, mas, mesmo assim, ela me segurou por bastante tempo. Vestia trajes de tribunal deliberadamente discretos: um macacão azul-royal não muito acinturado. A maquiagem era mínima, e o cabelo estava domado num coque, dando-lhe um ar professoral. Mas o ar modesto era atraente.

Previsivelmente, eu a encontrei vivendo em glamour num apartamento de dois quartos decorado com elegância francesa. Havia antiguidades no estilo Boulle com detalhes dourados sobre madeira nobre, um sofá cinza de veludo com braços arredondados e janelas ocupando quase toda a parede, cobertas por cortinas alaranjadas. As obras de arte eram águas-fortes e aquarelas do século XIX.

— Belo apartamento — observei.

— Ah, sim. Qual advogado não gosta de clientes ricos? A madame Jahanbani permitiu que eu ficasse aqui durante o julgamento.

Esma me ofereceu vinho, mas preferi um copo d'água. Ela se sentou a uma distância segura, do outro lado do sofá de veludo, e perguntou onde eu estivera. Expliquei somente que tinha visitado família e amigos em Kindle.

— Hospedado de novo com a ex-mulher? — Seu olhar era aguçado.

— E o marido.

— Ah, Bill. Você não vê...

Esma ajeitou um detalhe na roupa, apoiou as mãos recatadamente sobre o colo e comprimiu os lábios, preparando-se para o discurso.

— Por onde eu começo? — perguntou ela. — Cometi um erro, um erro terrível. Achei que você ficaria feliz. Foi um erro de cálculo ridículo da minha parte, admito. E prometo, do fundo do coração, que nada assim vai voltar a acontecer. Mas terminar o nosso relacionamento por causa disso é um erro ainda maior, Bill. Eu realmente sinto isso. Temos uma conexão excepcional.

— Esma, eu me sinto usado. Eu não poderia ter sido mais claro com você. Você estava agindo em nome da causa *roma*. Não em meu benefício.

— De jeito nenhum! — Seu corpo inteiro estremeceu em discordância. — De jeito nenhum.

— Esma, era exatamente isso que eu temia desde o começo. Que os papéis ficassem confusos.

Ela pareceu avaliar o que eu tinha dito.

— Então qual é a sua teoria, Bill? Eu estava usando você para obter informações que então poderia empregar a favor da causa *roma*, como você disse?

— Isso é um pouco mais ríspido do que eu teria dito.

— Mas ainda assim parcialmente verdadeiro?

— Parcialmente.

— E no que isso me transformaria, Bill, se eu estivesse dormindo com você por isso?

— Mata Hari?

— Uma puta, Bill. Eu sempre fui liberal, sem dúvida. Mas meu corpo jamais esteve disponível por um preço. É um insulto você achar que eu faria isso.

— Não tente inverter as coisas e se apresentar como a parte prejudicada. Você traiu a minha confiança.

— Sim, é claro. — Ela assentiu com a cabeça de forma enfática, praticamente se sacudindo no sofá. — Eu entendo por que você se sente assim. E já expliquei. Mas estamos ligados, Bill, de uma forma vital. De uma forma profunda. Você não precisa chamar de amor, embora eu acredite que seja essa a palavra que se aplica a mim. Mas, por favor, não termine tudo porque eu cometi um erro bobo.

Como ela esperava, na sua presença, senti toda a sua força, não apenas o profundo apelo sensual, mas também aquela imensa inteligência que era tão atraente para mim. Em sua companhia, eu sempre me sentia como se a vida estivesse acontecendo em ritmo acelerado.

— Esma, quando li o jornal, percebi outra vez o que eu sempre soube: que fui um idiota. Mesmo que eu aceite sua palavra de que não vai haver futuros "erros", que as palavras "Barupra" e "Ferko" jamais venham a ser ditas entre nós novamente, as aparências ainda são importantes. Elas me comprometem no tribunal. Eu me livrei por pouco dessa vez, mas não vou arriscar de novo. Precisamos terminar.

Ela parou, olhou para as mãos e comprimiu os lábios novamente. Então ergueu os olhos para mim, tentando ser corajosa.

— Você está decidido.

— Sim.

Esma se aproximou e pegou a minha mão.

— Então venha para a cama comigo, por favor. Pela última vez.

Hesitei por um instante.

— Para quê?

— Para termos mais uma lembrança memorável. Ou você está dizendo que não gostaria disso?

— Você sabe que não é isso.

— Então venha. — Ainda segurando minha mão, ela se levantou. — Uma última vez, só para a gente se despedir, Bill. Venha. E faça um bom trabalho, por favor.

Com os termos tão claramente estabelecidos, parecia não haver razão para negar. Era o preço que ela estava pedindo. Os quartos ficavam no fim de uma escada em espiral. O que ela ocupava continha uma cama elevada e, para minha surpresa, um espelho no teto. Mesmo quando estava por cima, eu me sentia observado e, como sempre no caso de Esma, achei uma maneira de aproveitar isso.

Se Esma achava que eu sentiria grande pesar ao reconhecer o que estava perdendo, estava certa. Mesmo que não tenha sido nosso melhor momento juntos, foi algo perto, e as lembranças das outras vezes ainda estavam tão claras que, no auge, pensei brevemente "Você está louco, isso é mais real que qualquer outra coisa, *é sim*". Mas essa se tornou mais uma das grandes verdades que se dissolvem após os momentos de clímax.

Depois, Esma adormeceu. Eu me levantei e me vesti. Na sala, bebi o restante da minha água. Na estante de pau-rosa da entrada, sob a intensidade das lâmpadas halógenas que brilhavam sobre as prateleiras de vidro, repousavam dezenas de *netsuke*, as pequenas figuras japonesas de marfim que ela colecionava. Admirei os detalhes intricados antes de encontrar meu bloco na maleta e escrever um bilhete.

Sinto muito por ir embora correndo, mas a hora do rush é uma confusão e provavelmente vai ser melhor assim. Sentirei saudades. De verdade. Bill.

Eu não podia precisar o início exato do meu relacionamento com Esma. A intensidade fora sem paralelos, mas a duração, não. Desde o meu divórcio, sempre que eu ficava com uma mulher por mais de dois meses, as forças do Triângulo das Bermudas pareciam se impor.

No elevador, pensei novamente na pessoa notável que ela era. Então meu coração parou quando minha mente tropeçou em certos detalhes. O espelho no teto parecia um pouco demais para uma senhora respeitável em meio a um divórcio, e, subitamente, eu me dei conta da coleção de peças de marfim. Quem, por mais excêntrico que fosse, transportaria milhares de dólares em antiguidades para uma residência temporária? Ainda mais se fosse ficar apenas um mês?

Aquela era a casa de Esma. Tinha que ser. Mas, quando as portas se abriram no lobby silencioso, eu já mudara de ideia. Minhas suspeitas não faziam sentido. Por que afirmar que estava na casa de outra pessoa? Percebi, em vez disso, que minha breve indisposição em aceitar sua palavra era sintomática do quão profundamente enraizada se tornara minha desconfiança em relação a ela. Era muito provável que a cliente, a madame Jahanbani, tivesse estimulado o interesse de Esma por sua própria coleção.

Permaneci um instante estudando os veios de mármore no piso e absorvendo minha resposta a tudo aquilo. Esma sempre seria uma pessoa enigmática. O que me atingiu naquele momento foi a convicção, no meu âmago, de que já não fazia mais questão de solucioná-los.

20.

Enterrados de novo — 2 de junho

Voei até Viena e fiz conexão para Tuzla, aterrissando no local do antigo campo Comanche. Estava esperando por Attila, mas ela enviara um dos motoristas, que me deixou em Barupra por volta das dez e meia da manhã. A primavera havia chegado desde a nossa última visita. Lá em cima, nas montanhas, ventava muito, mas o sol brilhava e a temperatura estava amena, por volta do que eu imaginava ser uns vinte graus Celsius. Goos me recebeu no topo, mas apontou para a velha mina lá embaixo, onde a geóloga francesa já trabalhava.

Considerando seu nome, eu esperava que a professora Sofia Tchitchikov tivesse a forma de uma geladeira e usasse um paletó de tweed sobre um busto considerável. Mas a mulher atlética que engatinhava no antigo local da caverna tinha uns 40 anos e cachos ruivos, vestida com um macacão azul-bebê com zíper. Ela acenou quando me viu descendo a estrada da mina ao lado de Goos.

— Oláää — cantou ela à tirolesa, enquanto pulava sobre a encosta de pedras soltas com a agilidade de uma criança.

Assim que troquei um aperto de mão com ela, a professora retirou várias pedrinhas do bolso da frente para me mostrar suas descobertas iniciais, com uma borda negra em cada uma das pedras marrons.

— Pólvora? — perguntei.

Seu inglês era muito melhor que meu francês, mas, com Goos lá para traduzir, ela permaneceu em sua língua natal.

— Talvez — disse Goos. — Certamente marcas de queimadura. Ela encontrou dezenas de pedras assim sem escavar muito, a maioria delas num raio de trezentos metros.

— O que sugere uma explosão?

Ela assentiu. Goos disse que os peritos de balística no Instituto Forense diriam com certeza e provavelmente também poderiam determinar se havia um agente explosivo presente nas pedras. Em caso positivo, talvez fossem capazes de identificar o dispositivo que havia sido detonado. Nenhum de nós sabia se a pólvora presente nas granadas americanas era diferente da pólvora nas granadas iugoslavas.

— O que Sofia pode dizer é que a explosão não é recente — continuou Goos. — A maioria dos fragmentos estava vários milímetros abaixo do material da superfície atual. Venta muito aqui. Nada fica no topo por muito tempo.

— Existe alguma maneira de dizer há quanto tempo ocorreu a explosão?

Goos e a professora tiveram uma longa conversa em francês. Rochas duram mais que seres humanos, e, por isso, o tempo geológico costuma ser medido em éons, não em anos. Ela podia dizer apenas que as marcas de queimadura nos detritos tinham menos de um século, embora a ausência de desgaste indicasse um período muito mais curto.

Ela se moveu para o lado a fim de me mostrar a linha descendente da colina. Goos traduziu, embora não parecesse estar entendendo muito mais que eu o significado do que estava repetindo.

— Lignito é o que ela chama de "rocha terciária", que, por causa de sua maciez, normalmente se deposita num ângulo entre cinco e dez graus numa inclinação. A caverna foi formada exatamente por isso, porque o carvão afundou embaixo da rocha cretácea que o cercava. Mas a inclinação aqui, composta principalmente de lignito explodido, está num ângulo de trinta graus, o que significa que o que estamos vendo não é uma formação natural.

Enquanto Goos falava, a professora Tchitchikov fazia uma pantomina, varrendo as mãos no ar para ilustrar a explosão e os vários ângulos de depósito, os quais, em sua demonstração, envolviam deitar a cabeça sobre as mãos, como uma criança dormindo. Seu entusiasmo era encantador.

Ela era assistida por dois alunos. Antes de visitar a cova, queria que eles a ajudassem com fotos e várias medidas, empregando instrumentos portáteis, um transferidor e um compasso. Enquanto faziam isso, Goos e eu caminhamos de volta ao topo.

No banco traseiro do carro alugado de Goos, mostrei a ele os documentos que Merry me entregara. As fotos, especialmente as aéreas, naturalmente chamaram sua atenção. No voo até ali, eu revisara os cartões de registro da enfermaria e descobrira que dois soldados procuraram ajuda médica no dia seguinte, um por causa de uma mordida humana e o outro em função de uma "fratura no maxilar causada pela coronha de um rifle". Seus nomes e números haviam sido riscados, mas não a sua unidade: ambos pertenciam à 205ª Brigada de Inteligência, Companhia Charlie, 2º Pelotão, a unidade que estava inteira de licença no dia 28 de abril de 2004.

— O que o general disse de tudo isso?

— Ele está basicamente em negação. Você já viu caras assim antes, Goos. Ele se diz agnóstico, para não parecer idiota, mas, quando chegar a hora, vai pedir a extrema-unção. Ele acredita nos seus soldados.

Goos pensou a respeito, coçando o queixo barbudo.

— Ele pode saber mais do que disse.

— Tenho certeza de que sabe. Mas ele pareceu atônito com as fotos.

— Estou bastante surpreso por ele ter entregado esse material. Eu achava que, quando dessem uma olhada nisso, simplesmente nos mandariam à merda.

— Acho que concordaram em entregar os registros sem saber o que havia neles. Não esqueça que grande parte disso estava em Bruxelas.

Após outra meia hora, a professora e seus estudantes estavam prontos para ir até a cova. Desde que Goos havia exumado os restos mortais no mês anterior, a polícia guardara o local, e havia um único oficial de serviço naquele dia. Goos havia colocado estacas de aço no chão para segurar pesados lençóis de plástico sobre a abertura, e a polícia cercara o conjunto todo com fita amarela. A primeira coisa que a professora pediu foi a remoção de toda aquela parafernália.

Quando isso foi feito, ela se deitou de bruços e enfiou a cabeça na trincheira. Após colocar luvas de plástico, recolheu um pouco de terra e deixou que corresse pelos seus dedos. Então cutucou a lateral da abertura no chão com a ponta de um lápis.

Ainda deitada lá, assentiu decididamente com a cabeça e disse a Goos:

— *Ce n'est pas authentique.*

Meu francês era suficiente para entender isso.

— Como assim? — perguntei a Goos, mas ele ergueu a mão e continuou ouvindo o que ela dizia. Assentiu com a cabeça por bastante tempo antes de voltar sua atenção para mim.

— Eis o que Sofia disse: normalmente, ao exumar uma cova com mais de uma década, espera-se a estratificação do solo. Mas o que encontramos aqui e enviamos para análise foi uma mistura de subsolo e solo superficial que a fez concluir que a cova foi escavada mais recentemente.

— Você já tinha dito isso, Goos.

Ele assentiu.

— Você lembra que mandei para Sofia parte dos restos mortais, para que ela pudesse examiná-los. Conforme os ossos se decompõem, certos elementos do solo em torno começam a se misturar a eles. E o que ela encontrou entranhado nesses ossos possui uma composição mineral completamente diferente do grés e do arenito dessa cova. Se os ossos tivessem permanecido aqui, teríamos encontrado magnésio e ferro em concentrações mais elevadas.

— E o que isso significa?

— Bem, eu acho que isso é o que chamamos de "cova secundária". Vimos muito disso no Tribunal Iugoslavo, quando os exércitos tentavam limpar as valas comuns antes que as encontrássemos. A mesma coisa aconteceu aqui, mas no sentido contrário. Aqueles ossos no laboratório, que eu retirei daqui, foram removidos de algum outro lugar. Você se lembra das balas estranhas e da contaminação de DNA? Eis a explicação: essa cova foi fabricada para nós.

Tentei entender e, sem conseguir, argumentei com ele.

— Os três homens partilham o cromossomo Y. Há buracos de bala nos ossos que são consistentes com Zastavas. E acabamos de ver evidências dessas pessoas sendo embarcadas em caminhões.

— Sim. Tudo verdade. Mas esses ossos não estavam enterrados aqui, Boom. Simples assim. Lembra que eu perguntei a Ferko como ele tinha arrastado os três corpos até aqui? Lá embaixo, tem muito lignito solto. Ele poderia ter coberto os corpos onde estavam para manter os animais afastados, se essa fosse realmente sua intenção.

— Então por que eles estão aqui?

— Acho que porque é mais perto da estrada. Quando recuperaram os restos mortais, não quiseram ter o trabalho de escavar a rocha. Mas esses esqueletos não ficaram aqui por muito tempo, porque os solos locais não lixiviaram os ossos.

— Ferko mentiu?

— Parceiro, de acordo com a história dele, Ferko era a única pessoa que sabia onde os corpos estavam enterrados. Então, a menos que ele os tenha enterrado, desenterrado, armazenado em outro local durante uma década e então enterrado os ossos aqui novamente nos últimos seis meses, sim, ele mentiu.

— Merda.

Eu já estava pesando as implicações para o caso. Isso era muito mais sério que não mencionar as ameaças de Kajevic para Esma. Eu havia perdido a conta do número de julgamentos nos quais estivera envolvido como promotor e a principal testemunha contara mentiras substanciais, mas com suficiente apoio das provas para vencermos. Os membros do júri raramente ficavam surpresos quando uma testemunha canalha agia como canalha. Mas eu havia sido avisado de que, no TPI, a atmosfera de pureza moral também prevalecia nas audiências. Perguntei a Goos quão danoso isso poderia ser.

— Muito — respondeu ele, e falou, num estado de amargura revisitada, de um caso do Tribunal Iugoslavo. Com enorme esforço, eles se aproximaram de uma testemunha que havia trabalhado como guarda num campo de concentração dirigido pelos croatas. Por alguma razão, o homem mantivera um diário, e o registro escrito tinha sido corroborado nos mínimos detalhes. — Mesmo quando o desgraçado tinha escrito que estava chovendo, os registros climáticos confirmavam. Mas, depois da guerra, ele se tornou traficante, e tivemos que apresentar relatórios que diziam que tinha usado a filha de 13 anos para entregar cocaína. Quando os juízes ouviram isso, eles sequer permitiram que ele terminasse o depoimento. Você se lembra da parte da Bíblia em que a Virgem Maria ajudou a cometer assassinato em massa? — Ele estava voltando para perto da professora e fez a última pergunta se virando para mim. Então respondeu com um resmungo: — Porque é assim que esses malditos juízes esperam que as nossas testemunhas sejam.

Fiquei sentado no carro alugado enquanto Goos ajudava Tchitchikov com o restante das amostras de solo em torno da cova. Quando ele voltou, meia hora depois, eu disse:

— Vamos encontrar Ferko. Precisamos saber o que ele acha que está fazendo.

Goos me olhou esfregando a mão no queixo. Não estava inclinado a concordar. Ferko era uma testemunha protegida, e, pelas regras do tribunal, os investigadores não podiam contatá-lo diretamente; isso cabia à Unidade de Vítimas e Testemunhas.

— Não vou passar três meses fazendo a dança dos sete véus com a Unidade de Vítimas e Testemunhas só para ver se Ferko vai atender quando eles ligarem— continuei. — Estamos aqui. Vamos encontrá-lo.

— E onde seria isso, Boom?

— Sabemos que ele vive a uma hora daqui, porque Esma só o chamou quando partimos de Tuzla. Lembra?

— Talvez fosse um local temporário.

Era possível, mas não tínhamos muito a perder, à exceção de tempo. No dia em que tínhamos ido a Lijce, Attila dissera que havia outra cidade *roma* na vizinhança. Eu não conseguia imaginar Ferko vivendo longe do seu povo. Um dos trabalhadores disse que a segunda cidade, Vo Selo, ficava uns quarenta quilômetros a leste, dentro do enclave sérvio, Republika Srpska, perto do rio Drina. A viagem levaria cerca de uma hora.

— Você é o advogado — disse Goos, dando de ombros.

Partimos no carro alugado, outro pequeno Ford, navegando com a ajuda do GPS do celular. Era uma da tarde. As estradas principais eram surpreendentemente trafegáveis, considerando-se que eu ouvira que dirigir no inverno às vezes era impossível, em virtude de buracos e deslizamentos. Com o sol da primavera iluminando as nuvens altas, ambos relaxamos. Para mim, burlar as regras rígidas do tribunal fazia com que a viagem parecesse uma aventura dos tempos de colégio.

Quando chegamos ao rio, viramos para o norte. Enquanto Goos tentava encontrar um retorno, uma estrutura imensa surgiu subitamente à nossa frente. Ela apareceu tão de repente que parecia um castelo mágico, com proporções correspondentes. Erigida sobre uma montanha de rocha cinzenta com talvez trezentos metros de altura, à primeira vista parecia um forte construído para vigiar o rio. Foi então que notei os domos bizantinos no telhado, encimados por cruzes ortodoxas.

— O que é isso?! — perguntei a Goos.

— Se tiver sinal no celular, procura na internet.

— É um monastério — anunciei alguns minutos depois —, construído com a permissão dos otomanos em 1566, sobre os escombros de uma velha igreja da família Hrabren.

Com suas gigantescas paredes de pedra, o monastério havia sido um mundo à parte durante séculos, com vinícolas, alojamentos para hóspedes, biblioteca e um seminário. Como tantos outros lugares, era também uma relíquia da deprimente história da região. Em 1942, os croatas invadiram o monastério, torturaram os monges e os jogaram num buraco onde morreram lentamente de infecção e fome, enquanto os ustase, a versão croata dos chetniks, queimavam a maior parte das construções. O monastério tinha sido reconstruído, somente para ser queimado novamente pelos croatas em 1992, enquanto a Iugoslávia desmoronava. Dessa vez, os croatas assaltaram os cofres e queimaram todos os livros, incluindo manuscritos insubstituíveis dos séculos XVI e XVII. O monastério havia se erguido novamente após a Guerra da Bósnia, como um teimoso testemunho da dedicação dos sérvios à sua fé.

— Vamos dar uma olhada? — perguntei a Goos. Era hora do almoço, de qualquer forma.

A cidade aos pés do monastério, Madovic, era pequena, com ruas de paralelepípedos construídas para cavalos, mas não tinha o ar empoeirado e pobre das outras cidadezinhas por onde havíamos passado. Os comerciantes pareciam ter prosperado fornecendo os muitos bens que os monges não produziam. Enquanto aguardávamos por uma mesa no restaurante mais movimentado, percebemos que Madovic também era um centro médico regional. Havia um hospital de três andares do outro lado da longa rua principal, e enfermeiras e médicos, com seus longos jalecos brancos, constituíam pelo menos metade da clientela do estabelecimento.

Pouco depois de nos sentarmos, três monges passaram em longos *rassas* marrons, como são chamadas as batinas ortodoxas. Barbas que pareciam ninhos de passarinho caíam sobre seus peitos, quase chegando às cruzes de madeira na ponta dos cordões de oração pendurados em seus pescoços. Cada monge carregava um longo cajado de pastor e usava o mesmo exótico chapéu cilíndrico, que parecia uma cartola sem abas. Eles se moviam em passos lentos e combinados, enquanto faziam a silenciosa peregrinação de volta do hospital, onde presumivelmente rezaram pelos doentes. Escondido, tirei algumas fotos e fiz um vídeo para enviar aos meninos, que insinuaram, no fim de semana anterior, que eu vivia num estado de degradação moral porque tinha ido a um lugar tão exótico quanto a Bósnia sem encher o Instagram e o Facebook com dezenas de imagens. Eu tentara explicar que investigadores criminais geralmente não fazem registros visuais do trabalho, por mais curtidas que eles possam atrair. Mas, para aquela cena, eu estava disposto a fazer uma breve exceção. Baixei o telefone quando pensei ter visto os olhos do monge mais próximo se voltarem para mim.

Quando terminamos de comer — eu ainda não fizera uma refeição ruim na Bósnia —, caminhamos pela rua principal para olhar as vitrines e tirar algumas fotos do monastério colossal. Eram quase duas e meia quando voltamos ao carro.

Ao chegarmos, um policial surgiu da esquina atrás de nós. Parecia estar à nossa espera. Ficou claro para mim, enquanto ele dava um sermão em Goos, que havíamos estacionado em um local proibido. Dei alguns passos, mas não vi nada parecido com uma placa. De acordo com Goos, a extorsão por infrações de trânsito cometidas por turistas era comum na Bósnia e, de costas, peguei uma nota de vinte marcos conversíveis — pouco mais de dez dólares —, que achei ser o valor adequado.

O policial era muito jovem, ainda com acne no rosto, e talvez fosse apenas um daqueles novatos ansiosos, presentes nas forças policiais do mundo inteiro. Usava farda de verão: calça azul, blusa branca com dragonas e um cinto branco que incluía coldre. Assim, a pistola também estava envolvida em couro branco, o que a deixava ainda mais proeminente. Goos parecia estar agindo com uma humildade adequada à situação, desculpando-se pelo nosso erro inocente, mas o policial mantinha um tom grave, submetendo-o a perguntas mal-humoradas. Por fim, Goos pegou a nossa carta de apresentação do governo bósnio, explicando que éramos emissários do tribunal. O policial a leu várias vezes, parecendo pouco convencido, e então instruiu Goos a mantê-la aberta, segurando-a com as duas mãos, enquanto ele pegava seu velho e enorme celular e tirava uma foto. Com isso, foi embora sem o nosso dinheiro.

— O que você acha que aconteceu? — perguntei a Goos quando estávamos novamente a caminho de Vo Selo, a cidade *roma*.

— Não faço ideia. Suspeito que ele vá ligar para alguém para se assegurar de que a carta é verdadeira.

— Eu achei que ele queria dinheiro.

— Eu também. Fiquei esperando que começasse com o papinho usual de que pagaria a multa para nós para não nos atrasarmos.

Vo Selo estava a menos de quinze minutos de distância. Quando chegamos aos limites da cidade, Goos baixou o vidro e perguntou a um cara moreno, de aparência *roma*, se ele conhecia Ferko Rincic.

O homem respondeu com uma risada. Ele apontou por sobre o ombro para uma colina e, de acordo com Goos, disse que seria impossível não encontrá-lo. Então gritou alguma coisa enquanto nos afastávamos.

— Cuidado com os cães — disse Goos quando pedi que traduzisse.

— Cães?

— Ele disse "cães".

Fazia sentido. Se Ferko temesse alguma retaliação das pessoas que massacraram todo mundo em Barupra, iria querer algum tipo de segurança.

Do outro lado da colina, ficava a cidade, que parecia ainda mais pobre que Lijce. A maior parte das habitações era como o barraco da velha mal-humorada com quem eu tinha falado: um ou dois cômodos com uma miscelânea de materiais servindo como paredes: metal corrugado ou estuque, porém, com mais frequência, lama com gravetos. Também vi pelo menos uma família na parte abandonada de um velho viaduto de concreto e várias vivendo sob lonas esticadas entre as árvores. A única exceção à pobreza predominante era uma casa que se erguia sobre Vo Selo com um efeito quase tão dramático quanto o monastério que havíamos acabado de ver. Lembrava um pouco um castelo, construída não apenas com grandiosidade palaciana mas também com monumental mau gosto. Havia nove torreões distintos, cada qual com seu balcão contendo roupa para secar. Mesmo a distância, era possível ver as cenas pintadas nas paredes de estuque e o telhado decorado com esculturas de animais — cães e sapos — sobre um gradil dourado.

— A casa do prefeito? — perguntou Goos.

— *Baro Rom* — respondi, repetindo as palavras que Esma havia usado para se referir a Tobar, o assim chamado Grande Homem que se estabelecera na liderança do clã.

Na rua estreita que atravessava Vo Selo, paramos novamente para perguntar sobre Ferko a uma senhora. Ela respondeu com movimentos enfáticos em direção à colina.

— Aquela lá — disse Goos depois de voltar para o volante — é a casa de Ferko. — Ele estava apontando para o palacete.

Processei a informação.

— Não pode ser o mesmo cara.

— Eu perguntei por Ferko Rincic. Você ouviu. Ela disse que a gente deve ser muito especial, porque ele trata todo mundo como se fosse imprestável, sem nem dar bom-dia.

Subimos o restante da colina e estacionamos na beira da estrada, em frente ao casarão. Agora que estava mais perto, conseguia ver que a construção ainda estava incompleta. Fios elétricos brotavam das paredes dos torreões. Ainda mais revelador, uma vala aberta perto da estrada mostrava uma canaleta sem conexões. Apesar de toda a sua grandeza, a casa parecia não ter esgoto.

O perímetro era guardado por um muro branco de estuque com cerca de dois metros e meio de altura, coberto com cacos de vidro cimentados no lugar. Havia um portão duplo de madeira da mesma altura no centro com uma tranca de ferro. Um pedaço de pau teria facilmente permitido a entrada, mas ninguém ousaria fazer isso por causa dos três cães que avançaram furiosamente, latindo e rosnando, atirando-se na fresta entre os portões e revelando gengivas rosadas e grandes dentes cobertos de saliva. Eram todos da mesma raça, malhados, mas com os rostos pontudos dos dobermanns.

Goos olhou ao redor por um tempo e então, de repente, ergueu um dedo e foi até o carro. Voltou com a quentinha na qual havia guardado parte do almoço para mais tarde e um pequeno galho que pegou na estrada. Então tirou da quentinha três *cevapis*, que segurou na altura do portão. Os cães subitamente se aquietaram, empurrando uns aos outros pela chance de sentir o cheiro.

— Prepare-se para correr — avisou ele.

Goos me empurrou para trás de si e ergueu a tranca com o galho de árvore. Então abriu o portão e jogou os *cevapis* a uns bons quinze metros na direção da estrada. Quando os cães saíram correndo atrás da comida, Goos me empurrou para dentro e trancou o portão.

Estávamos no pátio. Vimos uma fogueira, cercada por alguns potes de granito manchados, e vários tapetes e um colchão em frente à porta, o que me levou a pensar que alguns dos residentes dormiam ali. Havia um sino com uma cordinha pendendo dele perto da porta, e Goos deu um puxão. Em resposta, ouvimos vozes e movimento do outro lado.

Em alguns sentidos, a pessoa que abriu a porta era Ferko. Sem dúvida era o mesmo homem, com o mesmo nariz quebrado e os dentes estragados visíveis na boca aberta de surpresa. Mas ele usava roupas reluzentes, como se estivesse arrumado para sair com alguém nos anos noventa. Vestia uma camisa quadriculada verde-limão e turquesa de colarinho largo, aberta até quase a cintura, revelando uma corrente de ouro pesada com um relógio do tamanho de uma bandeja pendurado nela. Quando ergueu a mão, vi que todos os dedos tinham anéis de ouro grossos.

Com a porta aberta, uma mulher corpulenta, que imediatamente reconheci como a esposa que tinha visto na foto amassada que Ferko levara ao tribunal, espiou por trás dele. Agarrado à sua saia havia um menininho de uns 4 anos. Ao fundo do corredor, vislumbrei uma caravana desenhada no estuque, no decadente estilo das pinturas em veludo negro.

Ferko nos encarou por um instante, disse algo a Goos em servo-croata e bateu a porta.

— Ele disse que não devíamos estar aqui — traduziu Goos.

Tocamos o sino diversas vezes. Goos gritou em servo-croata, dizendo que Ferko tinha a obrigação de falar conosco e, como última cartada, declarou que, se não nos recebesse, não receberia sua parte nas indenizações que o tribunal poderia pagar. Depois de tudo isso, Ferko respondeu com uma frase do outro lado da porta, que Goos traduziu.

— Ele disse que ligou para um vizinho e pediu que trouxesse os cães. Vai atiçá-los contra nós se não formos embora agora.

Descobrimos quase imediatamente que não havia sido uma ameaça vazia. Um sujeito brutamontes, com a barba por fazer, de cabelo preto e oleoso e ar hostil, chegou com os cães, puxando as guias que prendera às suas coleiras. Vestia uma jaqueta de couro preta, um traje estranho para o clima, e concluí que poderia estar escondendo uma arma.

Mas estávamos em melhor posição com os cães. Eles pareciam ainda não ter se esquecido dos *cevapis*, e só um rosnou um pouco enquanto recuávamos.

21.

De volta à mina de sal

— Então Ferko é o cara mais rico da cidade? — perguntei a Goos na viagem de volta no nosso pequeno Ford. Estávamos ambos incomodados e ansiosos por voltar a Tuzla e esquecer aquele dia.

Durante a viagem, especulamos sobre Ferko, embora a maior parte dos comentários partisse de mim. As respostas de Goos se resumiam a monossílabos e resmungos, e ele expressava seu humor na veemência com que trocava de marcha.

Considerando que Ferko estava em posição de chamar alguém para nos ameaçar, claramente ele era alguém importante em alguma organização. Drogas pareciam o negócio mais provável, e dizia-se que havia muita metanfetamina, que costumavam chamar de *ice*, na Bósnia. Incorrendo em estereótipos étnicos, também era possível que ele fosse o chefe de uma gangue de crianças ladras ou pedintes ou então de batedores de carteiras adultos. Uma coisa era certa: o camarada que viera nos expulsar não tinha o ar de alguém ligado a um empresário respeitável.

Partindo do princípio de que Ferko era algum tipo de criminoso, pesei as implicações para nossa investigação. Para proteger sua identidade, ele não havia respondido a perguntas de rotina para praticamente qualquer testemunha, como "Onde você mora?" e "Qual é a sua profissão?". Assim, não tinha mentido sobre essas questões. Mas, entre forjar a cova e afirmar sob juramento que a esposa estava morta — presumindo que eu não tivesse um problema de visão e ela continuasse viva —, seu depoimento era inútil, mesmo pelos padrões mais tolerantes.

O que aumentava meu desânimo era saber que teria que ligar para Esma. Eu imaginava que as revelações sobre Ferko seriam novidade para ela, porque qualquer advogado coloca sua carreira em risco ao permitir que um cliente minta sob juramento. E ela era a única pessoa que talvez pudesse convencê-lo a se encontrar conosco novamente e fornecer alguma explicação que nos ajudasse a salvar a investigação. Estávamos enfrentando a versão legal de uma verdadeira tragédia: o assassinato de quatrocentas pessoas poderia continuar impune porque uma única testemunha inventara algumas mentiras excêntricas.

Assim que saímos da cidade, paramos num local com sinal de celular a fim de nos orientarmos. Estávamos numa estrada esburacada, larga o bastante para ser classificada como de mão dupla pelos pouco exigentes padrões bósnios. O mato era alto, e havia alguns pinheiros do outro lado. Eu tinha acabado de programar o aplicativo de navegação para Tuzla quando um carro parou bem atrás de nós, um veículo branco com a palavra POLICIJA escrita sobre uma faixa azul. Pelo retrovisor, vi dois policiais, um gordo, outro magro.

Presumi que haviam parado para nos oferecer ajuda, mas Goos teve outra impressão.

— Ah, meu Deus — disse ele. — De novo, não.

Ele baixou o vidro e tentou conversar com o policial gordo que tinha ficado do lado do motorista. Enquanto isso, o magro se aproximou do meu vidro, apoiando-se na porta para manter os olhos em mim e se assegurar de que eu não fugiria. Goos exibiu nossas credenciais outra vez, mas o policial agitou a mão, como se os documentos o deixassem ainda mais irritado.

— Ele disse que a gente precisa sair do carro — traduziu Goos.

Foi o que fizemos, e eles nos obrigaram a ficar inclinados sobre o capô, nos revistaram e pegaram nossos celulares, nossos passaportes e nossas carteiras.

Eu achei que eles iam verificar os documentos, mas o policial gordo simplesmente guardou tudo no bolso de trás da calça. Ele voltou à viatura enquanto seu parceiro nos observava, com a mão sobre a pistola, ainda no coldre, mas com a tira branca já solta.

— O que ele disse? — perguntei.

— Ele quer saber o que estamos fazendo aqui. Expliquei que viemos conversar com uma testemunha, mas ele disse que não podemos operar na Republika Srpska sem a permissão da polícia local. Foi bastante enfático.

Quando o policial voltou, apontou para a viatura e disse que teríamos que ir com ele.

Goos objetou várias vezes e até mesmo se ofereceu para segui-los no carro alugado, mas o policial se limitou a balançar a cabeça. Era tão gordo que a simples caminhada de ida e volta até o carro tinha feito com que uma linha de suor escorresse pela borda do quepe.

— Não se mova — disse Goos.

Minha mala no bagageiro me deixava particularmente relutante em abandonar o Ford. Goos protestava com calma, enquanto o oficial gordo continuava apontando para a viatura e gesticulando, como se estivesse orientando o tráfego. Por fim, o policial mais magro sacou a arma do coldre e a apontou, por cima do teto do carro, para Goos.

Quando estávamos ambos no banco de trás da viatura, Goos disse:

— Parceiro, isso não parece certo.

— É gente de Ferko?

— Como eu vou saber? Não posso dizer que fiz muitos amigos nessa parte da Bósnia. Pode ser alguém que reconheceu o meu nome e quer me cumprimentar. — Ele estava sendo sarcástico. — Mas parece que os dois estão seguindo ordens. Vi o cara grandão no rádio antes de eles decidirem nos levar.

— Estamos presos?

Goos riu da ideia.

— Boom, você não se parece em nada com um advogado. O que é um elogio. Mas que diferença faz? Estamos numa viatura indo para um lugar desconhecido com policiais que não se importam com as nossas credenciais. Para mim, isso parece um problema, qualquer que seja a desculpa deles.

Quanto mais a viatura avançava, mais preocupados ficávamos. Após uns vinte minutos, Goos perguntou novamente para onde estávamos indo, e o policial mandou que calasse a boca. Alguns minutos depois, Goos apontou para uma placa dizendo que estávamos a vinte quilômetros de Tuzla, o que claramente o deixou aliviado. Acho que ele temia que estivessem nos levando para a Sérvia, onde, em muitos lugares, os tribunais internacionais eram odiados.

Já passava das cinco, mas, nessa estação, o sol ainda estava a dois terços do caminho para a linha do horizonte. A percepção de que ainda tínhamos várias horas de luz me reconfortou, uma vez que a ideia de viajar com aqueles dois no escuro era petrificante. Enquanto continuávamos percorrendo as montanhas, Goos tentou mais uma vez descobrir para onde estávamos indo. Com isso, o policial magro se virou para trás, mais uma vez exibindo a pistola, apontando o cano para nós. Ficamos em silêncio. Dava para perceber, pelo rosto pálido de Goos, que ele não estava mais preocupado e sim amedrontado, que era como eu me sentia desde que o magrelo havia sacado a arma pela primeira vez.

Continuamos por mais uma hora, até que de repente paramos no acostamento. Era um mirante, com vista para as colinas densamente arborizadas. Em meio às árvores, minúsculos trechos de neve ainda reluziam. Achei que um dos policiais precisava mijar, como eu, mas, em vez disso, eles nos mandaram sair do carro.

— Fique aí — disse Goos.

Ele disse alguma coisa em servo-croata. Parecia estar exigindo ser levado imediatamente à delegacia. O policial gordo se afastou de Goos, enquanto o magro retornava com a pistola empunhada e abria a porta traseira do lado de Goos. Ele tinha uns 30 anos, com olhos azuis indiferentes e cicatrizes no rosto, resultado de alguma doença de pele que havia ficado sem tratamento durante anos. Por minha longa experiência, percebi que era um daqueles policiais que gostavam do emprego porque vinha com a licença para agir com violência. Goos, provavelmente tendo chegado à mesma conclusão, estava irritado e falava sem parar. O policial pareceu ouvir com atenção e então, sem aviso, deu uma pancada na têmpora dele com o cano da pistola e o arrastou para fora do carro. Imediatamente, o gordo abriu a porta do meu lado e me empurrou para o lado do motorista, enquanto Goos permanecia de quatro no acostamento. Escorria sangue de um pequeno corte na têmpora dele, as gotas constantes colorindo sua mão e o solo.

Eu comecei a gritar quando o vi ferido.

— Pelo amor de Deus, o que tem de errado com vocês? Nós somos investigadores, operando com plena autoridade do seu governo. E vocês batem nesse homem? Vocês acabam de criar um incidente diplomático. Vão ser demitidos. Será que não entendem isso?

O cara magro respondeu com movimentos da pistola na minha direção, instruindo-me a me ajoelhar ao lado de Goos. O policial parecia entender um pouco de inglês e estava sorrindo, revelando dentes amarelos e irregulares. Ele poderia muito bem estar dizendo: "Seu babaca, você não tem a menor ideia do que está acontecendo aqui." Então agarrou meu ombro e me empurrou para baixo, até que fiquei de quatro. Em seguida, apontou a arma outra vez, me mandando olhar para o chão, como Goos.

— Como você está? — sussurrei para Goos.

— Meio tonto. Daqui a uns trinta segundos, vou cair no chão e fingir que ele me machucou muito. Talvez a gente seja levado para um hospital.

Logo depois de dizer isso, Goos se ergueu brevemente, colocou a mão na lateral da cabeça, deu um gemido profundo e se atirou de cara no cascalho. O policial magro se aproximou e sentiu a pulsação em seu pescoço. Quando o encarei, ele me deu um tapa na nuca e apontou para baixo, afastando-se com um passo casual. Comparado à pancada que dera em Goos, havia sido um golpe fraco, mas meus dentes da frente se chocaram com força uns nos outros e começaram a doer.

Fiquei assim por meia hora mais ou menos até que ouvi passos. Vislumbrei diante de mim um par de botas pesadas. Lancei um olhar tímido para cima e vi jeans e o cano de um rifle com mira telescópica. Erguendo completamente a cabeça, passei a encarar um homem de colete à prova de balas e balaclava preta. Ele segurava uma Zastava e exibia um sorriso zombeteiro através da abertura da máscara de esqui.

Ele me chamou com um dedo, indicando que eu devia ficar em pé, e então se aproximou de Goos, que continuava deitado, fingindo estar inconsciente. O chetnik que havia surgido na minha frente de repente deu um chute nas costelas de Goos, com a rapidez de um jogador de futebol lançando a bola para o outro lado do campo. A bota provavelmente tinha ponteira de aço. Goos gritou, e seu corpo foi erguido do chão, aterrissando de lado. Ele ficou em posição fetal até que dois outros homens, também mascarados e com Zastavas, o ergueram pelos cotovelos com as mãos livres.

O primeiro olhou para um ponto atrás de mim e disse alguma coisa. Quando me virei, vi um quarto homem mascarado com uma AK apontada para nós. Os policiais e sua viatura haviam partido. Deviam ter descido a colina em ponto morto, porque eu não tinha ouvido o motor.

O homem cujo gesto havia feito com que eu me levantasse falou em servo-croata. Balancei a cabeça para mostrar que não entendia. Ele repetiu o que dissera para Goos, que, mesmo de pé, estava curvado para a frente por causa da dor.

— Ele mandou você colocar as mãos para trás — traduziu ele. Sua voz estava rouca, e era óbvio que sentia dor ao falar.

— E devo obedecer?

— Faça o que quiser, Boom. Eles vão bater em você até que obedeça. Você acha que nós temos chance contra quatro caras com rifles de assalto?

Goos colocou as mãos para trás, e fiquei observando enquanto o quarto homem colocava um lacre de plástico branco em seus pulsos.

Por um momento, pensei em resistir, apenas como exercício intelectual. Seria minha derradeira chance, mas eu havia conhecido, nas últimas horas, o puro terror que emanava do cano de uma arma. Ninguém nunca tinha apontado uma para mim, e o medo que enfiava estacas no meu coração era completamente diferente da cooperação relutante e das observações espirituosas com que as pessoas reagiam nos filmes.

Tendo nos prendido, os quatro homens mascarados nos conduziram pela parte mais elevada da estrada, por quase cem metros, até dois pequenos carros quadrados com placas sérvias. Eles nos empurraram para o banco de trás de um dos veículos enquanto o aparente líder caminhava até o outro.

Tentei evitar entrar em pânico, o que me deixaria paralisado. Matar dois investigadores credenciados do Tribunal Penal Internacional tinha que ser má sorte. Os registros das torres de celular forneceriam nossa localização aproximada no momento do sequestro e, lidando com um Estado dependente como a Bósnia, as potências ocidentais por trás do tribunal exigiriam respostas. A menos que tivessem autorizado o sequestro. Talvez por isso Merry havia entregado os documentos, como disfarce. Não, isso era ridículo. Mas eu não conseguia entender por que expor um bandidinho como Ferko parecia merecer uma sentença de morte. Nós sequer sabíamos o que tínhamos descoberto.

— Eu acho que eles não vão nos matar — eu disse para Goos.

O sangue que escorria de sua têmpora ainda não havia estancado por completo, acumulando-se na frente da camisa e encharcando o colarinho. Sentado, ele não parecia sentir menos dor no lado em que tinha levado o chute. Por isso, em resposta, Goos se limitou a assentir, não porque concordasse, mas apenas para indicar que tinha ouvido.

Depois de alguns minutos na estrada, sussurrei:

— Onde estamos?

— Perto de Tuzla — respondeu ele movendo os lábios, sem produzir som.

Eu não conseguia entender por que nos levaram de volta, a menos que fosse para nos conduzir até o hotel, embora a lógica me dissesse que isso era improvável. Será que queriam que parecesse que havíamos desaparecido no caminho de volta para o hotel? Continuei tendo pensamentos dessa natureza, acrescentando detalhes que significariam que estávamos a salvo apenas para, logo em seguida, concluir que estávamos com problemas muito sérios.

Depois de mais meia hora, vi pela janela do carro os mesmos detalhes do cenário que havia notado quando Goos dissera que estávamos perto de Tuzla. Eu me perguntei por que estávamos andando em círculos, algo que, pensando em retrospecto, os policiais também haviam feito. A resposta, quando me ocorreu, provocou outro calafrio de pânico: eles estavam esperando anoitecer.

O sol já começava a se esconder atrás das montanhas, com os primeiros traços de rosa colorindo o céu. Tentei não ser sentimental nem mórbido, mas me perguntei se aquele seria meu último pôr do sol. Provavelmente isso era uma ilusão, mas me parecia muito pior morrer por motivos desconhecidos.

Quando o horizonte ficou púrpura, seguimos em uma nova direção. O terreno parecia familiar, e, por um momento, tive esperança de estar retornando ao Blue Lamp. Então fizemos uma curva fechada e nos dirigimos para as colinas, onde eu sabia que nada de bom nos aguardava.

Cerca de dez minutos depois, deixamos a estrada pavimentada e seguimos por um trecho de terra onde a poeira subia como névoa, refletindo a luz dos faróis. Atravessamos um portão. A propriedade, qualquer que fosse, parecia coberta de árvores, à exceção dos dutos verdes e amarelos que acompanhavam a estrada, subindo e descendo com o terreno.

— Ah, meu Deus — disse Goos.

— O que foi?

— É uma mina de sal.

As palavras — ou o tom agonizante de Goos — aumentaram meu pânico.

— Estamos indo para um poço de mina?

— Pouco provável — respondeu Goos. — Hoje em dia, a mineração é feita com água.

Goos descreveu brevemente o processo. Sondas eram empregadas como se estivessem procurando petróleo. Os densos depósitos de sal criavam uma câmara selada debaixo da terra, e água doce era bombeada pelo duto verde, forçando a água salgada para o duto amarelo. A água salinizada era armazenada nos grandes tanques brancos que eu vira antes, com Attila. Então era enviada para as fábricas, nas quais a evaporação produzia os famosos sais de Tuzla.

Fiquei surpreso quando os dois chetniks na frente não mandaram Goos calar a boca enquanto ele grunhia essa explicação. No início, achei que era um sinal de que a nossa situação era completamente desesperançada — eles não se importavam com o que dizíamos porque não sairíamos dali vivos. Então percebi que deviam ter outro motivo para nos deixar falar.

— Inglês — articulei para Goos, indicando a frente do carro com a cabeça.

Um dos dois provavelmente era fluente em inglês e estava obtendo informações. Goos deu um sorriso amargo em resposta. Eu sabia que Goos fazia alguma ideia do que estava por vir e que devia lhe perguntar o que esperar, mas eu estava tentando encontrar alguma paz de espírito.

Pouco depois, os carros pararam. Os quatro homens armados e mascarados desceram e abriram as portas do banco de trás. Havíamos estacionado ao lado de três enormes tanques brancos de pelo menos trinta metros de altura. Com as AKs apontadas para nós, os homens nos instruíram a caminhar para a torre mais próxima. Eu ainda não tinha ideia de por que nos fizeram ir até ali, então notei que havia uma escada estreita que ia até o topo. Goos deu uma olhada na escada e se jogou no chão. Fiz o mesmo.

O homem que dera um chute em Goos o atingiu de novo. Com as mãos presas, ele não tinha como se proteger. O cara deu dois chutes e, no segundo, tomou impulso. Goos deu um grito e foi deixado gemendo. Enquanto isso, o líder fez um gesto para um dos homens com quem tínhamos viajado. Como eu suspeitava, o inglês dele era bom, soava como um americano. Cheguei a pensar que poderia ter passado algum tempo no condado de Kindle, onde havia uma grande comunidade sérvia. Eu me diverti por um momento com a ideia de perguntar se ele conhecia Rusty Sabich, um juiz, também sérvio, que poderia se passar por meu amigo.

— Se quiserem — disse o homem mascarado —, podemos espancá-los tanto que vocês vão ficar felizes em morrer. Ou podem subir a escada e morrer como homens.

Goos estava deitado de costas, tentando superar a dor. Quando conseguiu, disse em voz baixa:

— Eu já tive o suficiente, Boom. Mas faça o que quiser. Não vou culpá-lo, de um jeito ou de outro.

Ele rolou de lado e se levantou com dificuldade, com a ajuda de um dos chetniks. Pensei a respeito e fiz o mesmo, mas disse ao cara que falava inglês, enquanto seguravam meus cotovelos:

— Ferko não tem motivo para nos tratar assim. E ele jamais vai sair impune. O tribunal sabe que estivemos em Vo Selo e sabe o que descobrimos. Se desaparecermos, a Interpol vai transformar a vida de Ferko num inferno. Isso é inútil. — Acrescentei outras três palavras à mensagem para Ferko; elas não foram das mais educadas.

Ao pé da escada, um dos chetniks segurava uma corda de nylon, com a qual formou uma forca. Ele a colocou em torno do pescoço de Goos e então, deixando um espaço de dois metros, em torno do meu, de modo que basicamente podíamos ser garroteados ao mesmo tempo. Depois cortou as amarras dos nossos pulsos com um estilete. Os dois que vieram no carro com a gente, incluindo o que falava inglês, foram na frente, com os rifles pendurados no ombro. A outra dupla mexeu as AKs, sinalizando que eu e Goos deveríamos subir em seguida.

— Pronto? — perguntou Goos.

Fiz que sim com a cabeça. Não tinha certeza se seríamos fuzilados ou enforcados quando jogassem nossos corpos lá de cima. No momento, as forcas asseguravam que não faríamos nenhuma tentativa de fuga pulando da escada enquanto subíamos. Mesmo que conseguíssemos uma sincronia perfeita e saltássemos ao mesmo tempo, o impacto no solo poderia enforcar ao menos um de nós, se não ambos.

Por isso, subimos lentamente. A corda se esticava o bastante para me engasgar sempre que Goos dava um passo, e eu tentava segui-lo com precisão enquanto ele me dava instruções: pé direito primeiro, pé esquerdo depois. Parávamos em cada degrau. Dada a minha aversão por altura, fiz questão de não olhar para baixo. Meu coração batia tão forte que eu conseguia sentir a vibração nas têmporas. Nosso agradável almoço à sombra do monastério parecia prestes a voltar por onde tinha entrado, o que seria letal se isso fizesse com que eu ou Goos nos movêssemos de algum jeito que nos enforcasse.

Quando Goos chegou ao topo, o cara que falava inglês apontou o rifle para ele. De pé no último degrau, ele tropeçou. A corda queimou meu pescoço e, por um momento, vi tudo preto, enquanto minha testa atingia a escada com força. O outro chetnik no alto segurou a corda para evitar que eu caísse e então me ergueu como se puxasse um peixe. Quando meus pés estavam no alto do tanque, vi que a forca de Goos tinha sido removida, mas suas mãos estavam presas novamente. Fizeram a mesma coisa comigo. Nesse meio-tempo, o líder e o outro chetnik haviam chegado.

A lua crescente era uma boa fonte de luz. O domo do tanque era inclinado, provavelmente para evitar que a água da chuva se acumulasse, e cercado por uma borda de aço de aproximadamente quinze centímetros de altura. A superfície era coberta por pequenos apoios de metal para os pés, que seguiam em fileiras até o topo. O líder do grupo os usou para chegar até uma porta, e a abriu.

Goos havia caído sobre um dos joelhos. A têmpora que tinha sido atingida pela pistola estava virada para mim, a pequena laceração ainda sangrando. Aquele lado do rosto estava raiado por três linhas de sangue coagulado, mas dava para notar que a lateral do corpo era o que lhe causava dor.

— Costelas quebradas?

Ele assentiu com a cabeça em vez de responder falando. Eu passara por isso numa ocasião, após um acidente de carro. Para um ferimento que não apresenta risco de morte, era incrivelmente doloroso e fazia com que se hesitasse em respirar.

— Esse é o tanque de sal — explicou ele. — Está cheio de água supersalinizada. Basicamente ácido hidroclorídrico. Daqui a algumas semanas, não vai restar muito de nós. — Ele disse isso quase num tom casual.

Então esse era o plano. Nos jogar no tanque com as mãos amarradas. Deixar que nos afogássemos enquanto éramos corroídos. Talvez fosse melhor morrer espancado. O que eu realmente queria era que atirassem em mim de uma vez.

O líder voltou e apontou a AK. Eu me sentei ao lado de Goos, fazendo com que o cara com a Zastava grunhisse algo em servo-croata. Ele estava me mandando levantar, e sacudi a cabeça, respondendo que não. Vi o cano do rifle baixando para me acertar e desviei, mas não tive como evitar o cano quando ele voltou, levando uma pancada forte que pegou a orelha e a têmpora. O ângulo provavelmente não tinha sido muito bom para o chetnik, porque a dor não foi insuportável.

Alguns homens rosnaram ao nosso redor, e o cara que falava inglês voltou.

— Se vocês forem até lá, vamos atirar em vocês, na cabeça, antes de entrarem no tanque. Se não subirem, vamos arrastá-los e jogá-los vivos lá dentro.

— E por que deveríamos acreditar nisso? — perguntei, ainda no chão.

Aqueles caras não eram humanitários. Se subíssemos, eu tinha certeza de que nos jogariam de qualquer jeito, enquanto ainda estivéssemos respirando. Talvez ficassem lá por algum tempo, rindo enquanto gritávamos.

Levei um tempo para entender por que eles pareciam tão decididos a nos fazer subir até o topo do tanque e percebi que por fim tínhamos alguma vantagem. Arrastar um homem lutando pela vida naquela superfície inclinada seria perigoso. Mesmo que nos espancassem como fizeram com Goos, isso poderia fazer o agressor cair, caso perdesse o equilíbrio. Eles tampouco poderiam atirar, temendo perfurar o tanque, com sabe-se lá que consequências. Em alguns minutos, encontrariam uma solução para esses problemas, mas, naquele exato momento, nossa situação estava um pouco melhor do que estivera lá embaixo. O cara que falava inglês se afastou para conversar com o líder.

— Não se mexa — eu disse a Goos.

— Eu estava prestes a sair correndo para pegar o bonde, parceiro.

Ri um pouco, com um som de estranha doçura.

O impasse com nossos captores continuou por alguns minutos. Então, enquanto permanecia deitado na borda de aço do tanque, vi luzes varrendo a estrada. Ouvi o barulho de rodas no cascalho e, pouco depois, a batida da porta de um carro. No escuro, uma voz ecoou. Aparentemente, eles haviam pedido ajuda.

— Nikolai — chamou uma voz lá embaixo.

O homem repetiu o nome várias vezes antes que o líder caminhasse até a escada e olhasse para baixo. O homem no chão disse mais alguma coisa. Nikolai reclamou, mas começou a descer. Eu conseguia ouvir os dois discutindo enquanto ele descia. O volume das vozes diminuiu quando o líder chegou ao chão.

Quando Nikolai voltou para cima, alguns minutos depois, sussurrou algo para os outros. Havia um novo plano. Os quatro vieram até mim primeiro. Levei uma coronhada na boca, e eles me empurraram até eu ficar de joelhos. Meu lábio sangrava e parecia estar do tamanho de uma uva. Um deles me segurou, enquanto outro colocava uma máscara de esqui no meu rosto. Senti o cano da AK na têmpora, ao mesmo tempo que me dava conta de que haviam colocado a máscara de trás para a frente, a fim de que eu não pudesse ver nada. Ela fedia a suor e fumaça de cigarro, e eu me senti sufocar. Estava usando um capuz, exatamente como nas familiares imagens de homens em seus instantes finais, antes da execução. Mesmo agora, havia algo a aprender: cegar o condenado não era algo feito em benefício da vítima. A escuridão súbita levou meu medo a um nível absoluto, no qual o terror era fisicamente agonizante. A máscara servia para poupar o carrasco do olhar suplicante do condenado, evitando que seus sentimentos interferissem na tarefa.

Pelo som da respiração, percebi Goos ao meu lado. Estávamos ambos ajoelhados, com os pés na borda do tanque, de frente para o domo. Eles haviam percebido que teriam que atirar em nós ali embaixo e então nos arrastar até a porta do tanque. Pensei em deitar de bruços novamente, mas estava satisfeito com o fato de que morrer ali era o melhor que podia nos acontecer.

Enquanto isso, eu ouvia passos na escada e, ocasionalmente, o estalido da coronha de um rifle no ferro. Dois ou três dos nossos captores estavam descendo. Eles deixariam apenas um homem ali em cima para terminar o serviço. Senti a Zastava ser pressionada com mais força na minha têmpora quando o executor, provavelmente o que falava inglês, se preparou para atirar.

— Meu Deus, por favor, não... — comecei, mas parei subitamente, porque fiquei chocado ao sentir o calor úmido da minha própria urina encharcando minha virilha.

Minha preocupação naquele momento não era com meu respeito próprio, mas comigo mesmo. Eu havia chegado longe demais nos últimos anos para morrer sem realmente me compreender, e mergulhei nas profundezas de mim mesmo. Tive pensamentos solenes sobre meus filhos, que surgiram no meu coração como um feixe prateado, e, em seguida, enquanto estava lá ajoelhado esperando a bala, inesperadamente pensei no meu pai. "O que você tem a dizer agora, pai?", perguntei. Ele havia abandonado quem era para estar a salvo dos monstros da história, mas ali estava eu, prestes a morrer nas mãos do mesmo tipo de monstro. Nesta vida, não há nenhum lugar fora do alcance do mal.

O tempo passou. Eu me maravilhava com cada segundo. Outro, pensava, mais um. Ouvi algo ao lado do tanque que parecia uma das AKs batendo na escada. Então ouvi o barulho do cascalho lá embaixo, e um dos carros foi embora, rapidamente seguido pelo segundo e talvez até um terceiro, a julgar pelo som dos motores.

O vento noturno passou por nós, e, abruptamente, fiquei consciente de que minhas mãos estavam dormentes. A urina na minha virilha e perna esquerda estava fria agora.

— Você está aí, Goos?

— Sim, parceiro.

— Eles foram embora?

Goos falou alto, ousado, gritando algo em servo-croata para a noite. O silêncio se prolongou.

— Foram. Eu acabei de dizer: "A boceta da sua mãe é mais larga que um rio por causa de todos os homens que a foderam." Se ainda estivessem aqui, teríamos sido espancados.

— Você entendeu alguma coisa do que aquele cara que chegou disse ao tal do Nikolai?

— Não muito. Ele mandou descer. Quando Nikolai recusou, o outro disse que era uma ordem. Mas não consegui entender nada do que eles disseram lá embaixo, exceto que estavam putos um com o outro.

— Então não vão nos matar?

— Não faço ideia, Boom. Pelo visto, não agora. Mas eu ainda não começaria a comemorar. Estamos a quarenta metros do chão, com as mãos amarradas e vendados. É melhor sermos cuidadosos ou vamos fazer o trabalho por eles.

Conversamos sobre a hipótese de eles terem deixado alguma armadilha para trás. Decidimos nos deitar de novo, com os pés apoiados na borda do tanque para não tropeçarmos. Os apoios de aço eram altos o bastante para formarem uma cama dolorosa. Goos teve que se deitar sobre o outro lado do corpo, o que o fez se afastar alguns metros. Eu sabia que ele estava ferido e mandei que ficasse parado enquanto eu me arrastava até ele, sempre mantendo os pés na borda. Os apoios se afundavam na minha barriga quando eu passava sobre eles, mas, depois de algum tempo, senti o pé de Goos no meu.

Tentei me livrar da máscara esfregando-a nos apoios, mas essa parecia uma ótima maneira de perder alguns dentes.

— Você consegue se inclinar para cá? — perguntei a Goos.

— Bem devagar — respondeu ele.

— Temos todo o tempo do mundo.

Eu me recostei, e Goos se inclinou; então, rolei cuidadosamente para o outro lado, uma tarefa assustadora, uma vez que tive que tirar um dos pés da borda do tanque, sem ter ideia de para onde estava indo. Mas, quando terminamos, minhas mãos estavam de frente para ele. Eu me inclinei até conseguir senti-lo, encaixei o pé em um dos apoios e dei impulso para cima até sentir minhas mãos, amarrados nas minhas costas, tocarem o rosto de Goos. Agarrei a máscara, subi mais um apoio e então mais um.

— Estou conseguindo ver — grunhiu ele.

Nos esforçamos para erguer a máscara mais um pouco, a fim de que ela não escorregasse sobre seus olhos outra vez. Então, lentamente, Goos se endireitou e me guiou centímetro a centímetro enquanto eu retornava à segurança da borda. Quando cheguei, eu me inclinei lentamente na direção de Goos, até que ele conseguiu segurar a ponta da minha máscara com os dentes. Tentei me afastar para ajudá-lo a puxar. Ele conseguiu erguê-la até o meio de minha cabeça, mas ela parecia presa ali. Finalmente, conseguiu colocar todo o tecido na boca. Eu havia encontrado um dos apoios com as mãos, o que significava que tinha mais firmeza, e, após contar até três, baixei a cabeça. Meu queixo bateu em outro apoio, mas a máscara subiu até o alto da minha cabeça e então caiu no chão. Respirei fundo. O ar era doce, mas meus dentes da frente doíam muito.

Ficamos lá deitados. Era uma bela noite, com o céu claro, uma lua brilhante e, afastadas de sua luz, uma enorme quantidade de estrelas. Vida, pensei. Vida. Do nada, me lembrei de estar na cama com Esma, maravilhado com a minha própria vitalidade.

22.

Por quê? — 3 e 4 de junho

Conversando no alto do tanque, eu e Goos concordamos que a melhor ideia era descer a escada e sair correndo. Mas havia um motivo para captores do mundo inteiro usarem lacres plásticos. Depois de esfregá-las nas bordas irregulares dos apoios por pelo menos trinta minutos, não conseguimos nada além de cortar os pulsos. A corda que estivera em torno dos nossos pescoços tinha sido deixada para trás, e eu rastejei até ela — Goos estava ferido demais para se mexer. Se pudéssemos prender uma ponta ali em cima e a outra em torno da cintura, conseguiríamos descer, mas a corda se mostrou curta demais para chegar ao chão. Sem isso, descer a escada com as mãos amarradas nas costas seria suicídio. Mesmo assim, após mais de uma hora trabalhando com as costas voltadas um para o outro, ficamos surpreendentemente bons nisso e conseguimos passar a corda por um dos degraus. Amarramos as pontas nos passadores de cinto das nossas calças, transformando a corda numa espécie de arnês. Isso permitiu que eu explorasse o topo do domo, embora não conseguisse encontrar nada para cortar os lacres. Pensamos em usar a dobradiça da porta no topo, o lugar onde deveríamos ter morrido, como se fosse um cortador de arame, mas decidimos que o mais provável era que acabássemos arrancando um pedaço da mão ou caindo lá dentro. Por fim, nos sentamos ao lado da escada para esperar o amanhecer, na esperança de que os trabalhadores, que chegariam em breve, não atirassem em nós, achando que éramos intrusos.

Com o descanso, a adrenalina começou a baixar, o que nos deixou ainda mais conscientes do desconforto. Goos estava muito pior que eu. Minha boca ainda não havia parado de sangrar, e meus ombros queimavam por tanto usar as mãos com os braços nas costas. Outros lugares também doíam, mas não o suficiente para merecer atenção. De modo geral, estávamos ambos exaustos. Goos se deitou para tentar dormir e conseguiu cochilar por algum tempo.

Durante nosso sequestro, eu havia pensado ocasionalmente na razão de tudo aquilo e, mesmo agora, não conseguia compreender. Ainda não fazia a menor ideia de em que tipo de atividade Ferko estava envolvido. Sempre houvera uma máfia na Bósnia — os mafiosos lutaram ferozmente durante a guerra e foram os primeiros a cometer atrocidades contra os sérvios —, mas eu não conseguia imaginar qual seria o benefício, para o crime organizado, de promover a história de um massacre em Barupra. Talvez os mafiosos fossem os assassinos e Ferko os estivesse encobrindo ao culpar os "chetniks"?

Logo após o nascer do sol, dois sujeitos em macacões brancos entraram na área de cascalho abaixo do tanque, num caminhão com a logomarca da mina de sal nas laterais. Estacionaram a cerca de um quarteirão, perto de onde agora conseguíamos ver um pequeno escritório de madeira. Comecei a gritar. Goos acordou e se uniu a mim em servo-croata. Eles nos ouviram relativamente rápido, mas não conseguiam descobrir de onde vinham as vozes, mesmo com Goos gritando repetidamente "*Ovamo*", ou seja, "Aqui em cima".

Quando um deles nos viu, imediatamente mandou que descêssemos. Foram necessários alguns minutos para convencê-lo de que estávamos amarrados. Em vez de nos resgatar, os dois foram chamar alguém, mas o homem que trouxeram, chamado Walter, avaliou as coisas rapidamente e estava no topo da escada com um cortador de metal em questão de minutos. Ele ordenou que os dois homens no chão trouxessem cinturões de segurança, e, quando eles foram passados por nossas cinturas, descemos a escada, prendendo e soltando o mosquetão a cada degrau. Eu estava muito mais fraco do que havia imaginado e fiquei feliz por estar preso a algo.

Walter era um cara sincero e decente e, assim que ouviu a nossa história, insistiu em chamar a polícia. Goos e eu dissemos polidamente que essa não era uma boa ideia, o que ele aceitou no mesmo instante. Em vez disso, permitiu que usássemos o telefone do escritório para ligar para Attila.

— Porra, eu devo ter ligado para vocês umas dez vezes — disse ela assim que atendeu. Attila queria saber se não precisávamos de mais trabalhadores. Expliquei rapidamente o que tinha acontecido na noite passada. — Você está brincando, não está? — questionou ela, e, em seguida, prometeu vir nos buscar imediatamente.

Walter fez café enquanto esperávamos no pequeno escritório, que tinha as dimensões de um trailer. Mais pessoas chegavam para trabalhar e se alternavam à porta para dar uma boa olhada em nós dois. Estávamos com uma aparência péssima. Grande parte da camisa de Goos estava escura por causa do sangue coagulado, e a dor que ele sentia no lado esquerdo do corpo o fazia ficar ligeiramente torto na cadeira. Meu lábio inferior estava do tamanho de uma bola de squash, e um fio marrom-avermelhado escorria do canto da minha boca até o queixo. A companhia tinha uma enfermeira de plantão. Ela levou Goos até o pequeno banheiro, lavou a ferida em sua têmpora, fez um curativo com gaze e o prendeu com uma faixa de esparadrapo que dava a volta em sua cabeça. Também enfaixou as costelas dele. Em seguida, disse que eu me encontrava em muito melhor estado. Meu queixo estava ferido e havia um calombo na lateral da minha cabeça, cortesia da coronhada. O único dano permanente era que um pedaço de um dos meus dentes da frente havia desaparecido e o do lado estava quebrado. Nossos pulsos ainda sangravam, e ela os tratou com iodo e gaze. Minha calça havia secado, mas não a minha cueca, um problema que guardei para mim mesmo.

Por meio de Goos, Walter explicou que era o vice-engenheiro-chefe e morava na propriedade, porém a mais de dois quilômetros dali, perto de onde as enormes bombas operavam. Como a pressão da água tinha que ser constante, o maquinário estava sempre fazendo barulho, e Walter não ouvia nada do que acontecia do lado de fora. Como resultado, a mina lidava com constante vandalismo desde que tinha sido aberta, havia uma década. Um segurança deveria fazer a ronda toda noite, mas não havia aparecido na noite passada. Na nossa frente, Walter ligou para o segurança, que alegou que a esposa ficara subitamente doente. Walter o demitiu na mesma hora, dizendo: "Se você trabalha para criminosos, eles que paguem o seu salário."

— Ele é ortodoxo — explicou Walter depois de desligar —, e me disseram para não contratá-lo, mas não somos assim em Tuzla e, espero, jamais vamos ser.

Attila chegou meia hora depois.

— Meu Deus do céu — disse ela, parando de supetão ao nos ver. — Vocês precisam começar a beber em lugares melhores.

Nossa primeira parada a caminho do Blue Lamp foi uma pequena clínica, equivalente a um centro rural de emergências, para que tirassem uma radiografia de Goos. Como sempre, todo mundo parecia conhecer Attila, e o médico, um jovem que usava um jaleco branco sobre calças jeans, atendeu Goos na frente dos quatro ou cinco pacientes que aguardavam.

Recebemos boas notícias. Goos não tinha nenhuma fratura no crânio nem exibia sinais de hemorragia cerebral em decorrência do golpe com a pistola. Três das suas costelas estavam trincadas, mas nenhuma apresentava fratura, o que exigiria repouso total para que não perfurasse um pulmão. Uma enfermeira na clínica fez um curativo em sua têmpora, enfaixou novamente as costelas e nos liberou.

No carro, Attila pediu a versão integral da história, desde o momento em que havíamos saído de Barupra. Sua primeira suspeita havia sido de que os homens que nos sequestraram eram remanescentes de uma das *milicija* sérvias, as milícias civis, que odiavam Goos e provavelmente passaram o dia nos seguindo. Para mim, não fazia sentido. Nossos sequestradores jamais pareceram fazer distinção entre nós dois.

E tiveram muitas oportunidades para nos capturar antes que chegássemos a Vo Selo. As coisas se transformaram num inferno depois de tocarmos o sino na casa de Ferko.

Para explicar, contei a Attila sobre nosso encontro com o homem a quem eu me referira como "nossa principal testemunha". Eu tinha acabado de descrever a casa e os cães quando Attila afundou o pé no freio. Goos gritou no banco de trás quando o cinto de segurança apertou seu peito, e Attila estacionou no acostamento para ver se ele estava bem. Então se virou para mim no banco do carona.

— *Ferko*? Ferko é a sua grande testemunha?!

Olhei para Goos. Ele parecia estar descansando com uma das pernas estendida no banco, mas seus olhos estavam fechados, e o rosto, contraído. Tive a sensação de que sua careta expressava mais que apenas costelas trincadas.

— Como você conhece Ferko? — perguntei.

— Aquele filho da puta vagabundo trabalhava para mim.

— Fazendo o quê?

— Eu te disse. Lembra que contei como contratei ciganos? Ferko era motorista. Até que ele começou a roubar os caminhões. Aquele desgraçado ingrato. O babaca basicamente desapareceu, mas eu o vi se esgueirando por Tuzla há alguns anos, e ele correu como se estivesse nas Olimpíadas. Aquele merdinha sabe o que vai acontecer se eu o pegar.

— Mas por que ele tem uma casa enorme?

— Ferko? Porque é uma merda de um ladrão de carros. Pode-se dizer que eu o ajudei a começar a carreira, com o roubo dos meus caminhões. Agora ele rouba carros por toda a Bósnia, Croácia, Sérvia, Montenegro, a maioria por encomenda. Ele consegue arrombar um carro em dez segundos.

— Ele trabalha para as gangues? — Eu permanecia focado na razão pela qual ele tinha sido capaz de mobilizar os capangas que nos capturaram.

Attila deu uma risada.

— Ferko vende carros principalmente para a máfia russa. Todo mundo na Rússia quer um carro. Você já viu o trânsito em Moscou?

Eles podem ter sete famílias dividindo um apartamento, mas cada um deles precisa de um Buick. É por isso que sabem que Putin é melhor que Stalin. Mas Ferko é apenas um mordomo para esses caras. Ele é um zé-ninguém. Pode pagar os policiais locais, mas ninguém aceita ordens dele. Nem sequestraria alguém porque ele mandou.

— Ele realmente morava em Barupra? — perguntou Goos do banco de trás do carro.

— Quando o contratei, sim.

— Existe alguma razão para um homem com dinheiro inventar uma história sobre um massacre?

— Como eu vou saber? — respondeu Attila. — Para alguns ciganos, a trapaça é um modo de vida. Tudo o que sei é que, se Ferko me dissesse que era dia, eu correria até a janela para conferir.

Goos ficou em silêncio. Achei que estava pensando no assunto, mas a medicação para dor começava a fazer efeito, e, quando olhei para trás, ele estava adormecido, com a boca tão aberta que eu podia ver as escuras evidências de várias obturações.

— Ferko... — continuou Attila, ainda tentando acreditar. — Você não vai me dizer que toda essa merda é por causa de Ferko, vai?

Eu não dormia havia dois dias, considerando meus cochilos esporádicos no voo transatlântico, e me sentia incapaz de me mover. Na minha memória, certas sensações, como o vento e a visão do alto do tanque, estavam em alta definição, mas já havia trechos vagos e alguma confusão sobre a ordem dos acontecimentos. Enquanto isso, Goos começou a roncar.

— Aliás, você me deve alguns documentos — lembrei a Attila.

— Eu vou dar os documentos para você, mas, francamente, não sei por quê. Se Ferko é sua grande testemunha, meu amigo, seu caso está encerrado.

Eu estava cansado demais para me importar com isso. Após me desculpar, baixei o banco do A8 e segui Goos até um sono sem sonhos.

Quando chegamos ao Blue Lamp, Attila me acordou para ajudá-la com Goos. Agora que seus músculos haviam se enrijecido, a dor piorara, e ele se sentia tonto por causa dos medicamentos. Nós o seguramos pela calçada, um de cada lado, com os braços sobre nossos ombros como um jogador machucado deixando o campo. Depois de deixá-lo na cama, desci para me registrar. Com minha bagagem perdida, pensei em comprar alguns itens de higiene, mas não tinha energia para isso. Attila prometeu voltar no dia seguinte. Quando o recepcionista me entregou a chave do quarto, sorri. Era o mesmo quarto onde eu tinha ficado com Esma. Isso já parecia longe no passado.

No andar de cima, descobri que o breve cochilo no carro havia me reanimado um pouco. Sentei na cama, ao mesmo tempo reconfortado e aterrorizado por estar sozinho. Olhei para minhas mãos por alguma razão, ergui-as diante do rosto e analisei os dedos e as palmas. Estar vivo parecia um mistério muito profundo.

Eu também me sentia um pouco perdido, não apenas sobre o que acontecera mas também sobre o que viria em seguida. Grande parte de mim queria comprar uma passagem de volta para os Estados Unidos e ficar por lá, uma sensação a que resisti, parcialmente porque percebi, mais uma vez, que sequer tinha uma casa para onde voltar. As coisas mais domésticas que havia feito recentemente foram pescar com meus filhos e comer arenque num café de Haia com Narawanda.

Decidi verificar meu e-mail em algum computador do hotel. Isso parecia ridiculamente mundano, mas é aí que está grande parte do conforto da vida, na rotina. Pensei em escrever para os meninos, mas sabia que os deixaria alarmados se fizesse mesmo que uma referência passageira a estar em segurança. Em vez disso, desci para o bar, bebi a maior parte de uma dose dupla de uísque às duas da tarde e mal consegui subir de volta as escadas. Finalmente tirei minha cueca e dormi até o meio-dia do dia seguinte.

Quando acordei, fiquei surpreso em encontrar Goos já no andar de baixo. Ele havia feito café para si mesmo na máquina do lobby e estava sentado a uma das mesinhas na área de café da manhã, segurando a xícara com a mão esquerda. O efeito da segunda dose de hidrocodona já passara, e ele tinha decidido descer para comer alguma coisa.

Trocamos um longo olhar por sobre a mesinha branca.

— Foi uma noite e tanto — comentei.

— Foi uma noite e tanto — concordou ele. — Achei que estávamos acabados, parceiro.

Goos me contou sobre o mais próximo que havia chegado da morte antes. Quando era policial em treinamento em Bruxelas, ele respondeu a uma ocorrência doméstica — o agressor era russo, o que não o surpreendeu, uma vez que eles tinham um histórico de erguer a mão contra suas mulheres —, mas, quando a esposa o deixou entrar, o cara o agarrou por trás e colocou uma faca no seu pescoço. O cômodo inteiro fedia a álcool. Felizmente, a mulher começou a atacar o homem novamente, e ele largou Goos para poder revidar. Goos o derrubou com o cassetete.

— Eu me mijei quando nos obrigaram a ficar de joelhos — contei a Goos. Eu sabia que ele havia notado, então não era uma grande confissão. — Mas acabou sendo uma coisa boa, porque recuperei a consciência.

— No que você pensou? — perguntou ele.

Expliquei sobre o meu pai. A parte mais surpreendente para mim foi quanto eu estava furioso com ele.

Perguntei no que Goos tinha pensado.

— Ah, na minha mulher — respondeu ele. — Um pouco nos meus filhos. Na maior parte do tempo, eu não conseguia acreditar que tinha sido idiota o bastante para voltar à Bósnia.

— Você vai pedir demissão? — Vinda de outra pessoa, a pergunta poderia ter sugerido covardia, mas nós dois sabíamos que se tratava apenas de uma questão de lógica.

— Ainda não sei — respondeu ele. — Preciso voltar e pensar com cuidado. Mas uma coisa é certa, parceiro: não podemos andar por aqui sem proteção de verdade. Vamos precisar do Exército se voltarmos. Badu vai ter que ficar pendurado no telefone e fazer isso acontecer.

— Vamos voltar?

— Bom, precisamos escavar a caverna, não precisamos? A palavra de Ferko não vale nada. E saiu na primeira página do *New York Times* que suspeitamos de um massacre. A única maneira de saber se isso é verdade é procurar os corpos.

Ele estava certo.

Ainda estávamos na mesma mesa por volta de uma e meia, quando Attila entrou arrastando a minha mala. Ela havia mandado dois funcionários a Vo Selo, onde recolheram o carro alugado, que agora estava estacionado do lado de fora. Nenhum de nós tinha pensado no veículo, e agradecemos profusamente. Ela pegou o envelope que estava carregando debaixo do braço e o atirou sobre a mesa antes de buscar um café. Usava o costumeiro jeans amarrotado e a velha camisa listrada de mangas curtas. Sua aparência melhoraria consideravelmente se ela fosse a uma das lojas do Exército de Salvação.

— Qual o relatório médico? — perguntou Attila.

Com exceção de precisar de um dentista e ter que beber café apenas do lado esquerdo, por causa dos dentes, eu estava bem. Goos precisaria de alguns dias para se recuperar.

Attila havia nos dito no dia anterior que tinha uma amiga na força policial, uma tenente em quem confiava, e, com a nossa permissão, tinha ido até a delegacia conversar com ela. Dalija fizera algumas ligações na presença dela. Numa cidade próxima a Vo Selo, dois oficiais relataram que seu carro e seus uniformes tinham sido roubados um dia antes.

— Aqueles filhos da puta — disse Goos. — Roubar uma viatura da polícia numa cidade pequena, onde todo mundo sabe de tudo? É um ótimo jeito de ser espancado com o cano de uma arma. Sem chance de isso ter acontecido.

— Na noite passada, você disse que achava que Ferko tinha algum arranjo financeiro com os policiais locais, não achou? — perguntei.

Attila sorriu da ideia.

— Tenho certeza de que eles o depenam. Mas ninguém aceitaria ordens de Ferko. Você teria que conhecer esses idiotas para entender.

— Ele foi esperto o bastante para roubar os seus caminhões, não foi? — questionou Goos.

— Ele estava imitando o chefe. Outro cigano de Barupra, uma espécie de prefeito por lá, Boldo Mirga. Ele era o único com colhões para fazer isso.

Olhei para Goos, que se fez de desentendido e evitou meu olhar.

— Ok — concedi. — Me conte como foi o roubo. Nenhum de nós conhece a história inteira.

Attila hesitou.

— Cara, eu preciso tomar cuidado.

— Attila, eram veículos da OTAN. Se você quiser, posso mandar outra carta para Bruxelas amanhã pedindo os registros e as anotações do seu depoimento. Isso tudo foi antes do incidente com Kajevic. Não pode ser informação privilegiada.

Ela ponderou mais um pouco.

— Não tem muito para contar. Os Estados Unidos estavam dando o fora, e Merry queria mandar um pouco mais do equipamento militar que a OTAN tinha coletado para o Iraque. Então enviei caminhões e motoristas para Mostar para recolher algumas coisas.

— Quando foi isso, exatamente?

Ela ergueu o queixo para pensar.

— Fim de março de 2004? — Isso seria umas duas semanas antes do incidente com Kajevic em Doboj e um mês antes de os habitantes de Barupra desaparecerem. — Naquela época, as estradas ainda eram uma merda. Você estava dirigindo, chegava numa cratera de bomba e precisava construir sua própria ponte com dormentes de estrada de ferro que carregava na carreta. Era uma longa viagem, que devia durar o dia inteiro, e, com aquelas estradas, não fiquei surpresa por eles não quererem voltar à noite. Mas não houve sinal deles até o meio-dia seguinte. No fim da tarde, Boldo, Ferko e o os outros chegaram, dizendo que, enquanto estavam acampados, alguma gangue tinha feito ligação direta em seis caminhões e fugido com eles. Os motoristas eram todos ciganos e sequer combinaram direito a história. Eu os demiti na mesma hora.

— E o que aconteceu quando Kajevic usou alguns desses caminhões para fugir, os que Boldo e Ferko roubaram?

— Bom, no começo, ninguém tinha certeza disso. Os caminhões foram encontrados quase uma semana depois em Doboj.

— E o que os caras argumentaram para se defender?

— Boldo? Ele tinha colhões de titânio. Apenas repetiu sua história: a gangue devia ter vendido os caminhões para Kajevic.

— E para quem eles contaram essa historinha? Para a polícia bósnia? Para a OTAN?

— Policiais militares da OTAN e bósnios.

— E eles acreditaram?

— Boom, eu vivo dizendo para você: ninguém acredita nos ciganos. Mas a única maneira de desmentir completamente o que eles estavam dizendo seria interrogar Kajevic. Ninguém pode dizer que Boldo era idiota.

— E existe alguma chance de a história de Boldo ser verdadeira? De alguém ter roubado os caminhões e os vendido para Kajevic e seus Tigres?

— Uma chance? Claro. A parte que nunca fez sentido foi Boldo negociar com Kajevic. Você ouviu Tobar em Lijce. Eles são como um mangusto e uma serpente. Os ciganos odeiam Kajevic, e Kajevic iria preferir jantar com uma cobra e um rato a negociar com os *roma*.

— E quando você viu Boldo e Ferko de novo? — perguntei.

Goos olhou para mim de relance. Ele aprovava minha maneira de testar se Attila estava dizendo a verdade.

— Nunca mais. Eu preferia cagar tijolos a falar com eles outra vez, e os dois sabiam bem disso. Roubar a merda dos meus caminhões? Eu já disse: foi só em agosto ou setembro que ouvi essa merda sobre todos os *roma* terem desaparecido.

Havia muita informação nessa história, e a maioria era confusa. Mas uma coisa estava clara: se pudéssemos extrair a verdade de Ferko, estaríamos numa posição muito melhor, embora eu fosse precisar de um veículo blindado e de pílulas contra incontinência para o interrogatório.

— Você acha que conseguiria o telefone de Ferko? — perguntei a Attila.

— Não se ele souber que sou eu que estou pedindo — respondeu ela. — Mas posso tentar.

Por fim, peguei o envelope que ela havia jogado sobre a mesa e perguntei sobre o conteúdo.

— Registros dos caminhões entre 26 e 28 de abril de 2004.

— E o que eles revelam?

— Nada. Nenhum comboio em nenhuma das duas frotas.

Eu estava prestes a dizer que ela estava errada, que seus caminhões apareciam nas fotos, mas os olhos azuis de Goos se estreitaram em advertência. Estava claro que Merriwell não tinha dito nada sobre o material da OTAN para Attila. Como havia prometido, ele estava se mantendo distante e permitindo que fizéssemos o nosso trabalho.

— Quem fazia os registros dos veículos? — perguntou Goos.

— O meu pessoal.

Goos fez que sim com a cabeça e pareceu refletir. Ele não disse nada, mas Attila leu algo em sua resposta.

— Ninguém pegava meus caminhões sem a minha autorização — reforçou ela.

— Eu achei que Boldo os tivesse roubado — retruquei.

— É por isso que eu tenho tanta certeza. Depois do roubo, coloquei três caras em cada depósito. Nós praticamente colocávamos cada veículo na cama e os cobríamos para dormir. E isso foi antes mesmo de percebermos que Kajevic tinha ficado com os nossos caminhões.

Algo em sua última observação a fez parar de súbito. Ela inclinou o rosto redondo, e pude ver em seus olhos que havia pensado em algo.

— Você disse que tirou fotos em Madovic — disse ela. — Posso ver?

Lembrei a ela que o Clube da Amizade bósnio havia roubado os nossos celulares.

— E quanto à nuvem?

Peguei o tablet da minha pasta, que ainda estava na mala ao nosso lado no lobby. Até então, nem eu nem Goos havíamos pensado em usar um aplicativo para localizar os nossos telefones. Tentamos, mas não havia sinal registrado, o que significava que estavam desligados ou, o que era mais provável, destruídos. Mas as fotos e o vídeo curto que eu tinha feito em Madovic foram transferidos com sucesso.

Attila olhou para as fotos durante bastante tempo e repassou o vídeo três vezes, finalmente fazendo um movimento de pinça com os dedos — com unhas bastante roídas — para ampliar a foto dos três monges. Eu não havia percebido no momento, mas o monge no centro tinha voltado seus intensos olhos pretos em nossa direção por um momento, enquanto os observávamos da nossa mesa. Na verdade, ele nos encarara por mais tempo que o monge mais próximo, cujos olhos eu vira de relance mais tarde.

— Foi por isso que eles foram atrás de vocês — avisou Attila.

Fiquei atônito.

— Eu não fazia a menor ideia de que era proibido tirar fotos dos monges.

Attila riu e se virou para nós parecendo muito uma lanterna de Halloween, com o mesmo sorriso diabólico e alguma espécie de luz interior.

— Está vendo esse cara aqui? — Ela colocou o dedo na tela, indicando o monge do meio. — Eu tenho quase certeza de que vocês acabaram de encontrar Laza Kajevic.

VI.

Kajevic

23.

Quem está aí? — 4 a 9 de junho

Goos imediatamente quis informar aos seus antigos colegas no Tribunal Iugoslavo que poderíamos ter localizado o mais procurado criminoso de guerra desde Nuremberg, mas Attila nos convenceu de que seria melhor contatar a sede da OTAN em Sarajevo. Eles estavam autorizados a prender Kajevic — de fato, caçá-lo era provavelmente sua tarefa remanescente mais significativa na Bósnia — e tinham a estrutura mais segura para preservar o segredo. Attila, que demonstrava uma empolgação quase juvenil sobre prender um bandido tão famoso, fez a ligação introdutória, seguida de várias comunicações em código, a maioria por texto, entre mim e Goos e vários oficiais da OTAN. Goos estava com um humor sombrio, que atribuí à dor. Eu, em contraste, estava simplesmente confuso. Minha capacidade de me ajustar a notícias dramáticas parecia uma transmissão quebrada, na qual a engrenagem gira sem torque.

Nos intervalos, ficávamos na sala de café, sussurrando enquanto relembrávamos o que tinha acontecido na noite anterior. Algumas conclusões pareciam bastante óbvias. Quando o policial em Madovic havia descoberto que os caipiras tirando fotos dos monges e do monastério eram do Tribunal Penal Internacional de Haia, a notícia já tinha chegado aos protetores de Kajevic, que soaram o alarme. O plano provavelmente era nos capturar assim que possível, antes que pudéssemos relatar nossas descobertas. Seguindo-nos desde Madovic, era quase certo que testemunharam a visita a Ferko antes de nos sequestrarem na saída de Vo Selo. Enquanto esperavam o anoitecer antes de nos jogar no tanque, alguém deve ter descoberto que o TPI e o Tribunal Iugoslavo, pelo qual Kajevic era procurado, não eram a mesma instituição. Análises locais teriam confirmado que eu e Goos estávamos investigando Barupra, e não tentando capturar o antigo presidente. Coincidentemente, minha promessa de que Ferko não ficaria impune pelo nosso assassinato deve ter demonstrado que não sabíamos o que tínhamos descoberto. No último minuto, algum antigo comandante dos Tigres havia corrido para a mina de sal, interrompendo Nikolai e evitando a intensa caçada que se seguiria à nossa morte.

Dadas essas considerações, contudo, parecia provável que os Tigres de Arkan nos manteriam sob vigilância para se certificar de que não desconfiávamos da verdadeira razão para o sequestro. Attila ligou para sua amiga policial, que passou pelo hotel algumas vezes em seu carro particular e confirmou a presença de dois homens, cada um num veículo. A notícia me deixou aterrorizado, e Goos não pareceu muito feliz, porém concordamos em esperar por orientações da OTAN antes de fazermos qualquer coisa que demonstrasse que sabíamos que estávamos sendo vigiados.

Nas nossas comunicações anteriores com os caçadores de fugitivos da OTAN, havíamos combinado de nos encontrar na sede da empresa de Attila, no subúrbio de Tuzla, onde fingiríamos estar comparecendo a uma reunião relacionada ao nosso trabalho no TPI. Saímos do Blue Lamp às seis da tarde. Dalija, a amiga policial de Attila, ligou para informar que estávamos sendo seguidos — e por uma equipe bastante desajeitada, em apenas dois veículos muito próximos do nosso, quase como se estivéssemos num cortejo fúnebre. Ela disse que manteria um olho neles, só por garantia.

A sede da empresa de Attila ocupava uma construção térrea do tamanho de um pequeno centro comercial, decorada com o que parecia um esforço intencional de ser medíocre. O escritório tinha carpete cor de terra e venezianas verticais. Sobre a mesa, havia várias fotos da esposa que Attila dizia ter conhecido ali, uma beldade de cabelos pretos e olhos azuis. As fotos mostravam as duas juntas, ao lado de cavalos e cães em sua fazenda no norte do Kentucky. A vida pessoal de Attila, que ela raramente mencionava, parecia de algum modo incongruente, mas ela ficou satisfeita com os elogios sobre a beleza de tudo — casa, propriedade e esposa.

— É espantoso quão rápido uma garota pobre se acostuma a gastar dinheiro.

Logo após o anoitecer, a delegação da OTAN chegou em duas caminhonetes com a logomarca de uma construtora internacional. Attila já havia feito dezenas de ligações com o intuito de espalhar a notícia de que estávamos nos preparando para analisar a caverna. Os soldados da OTAN usavam jeans, parcas e capacetes e carregavam pranchetas. A comandante era uma general norueguesa chamada Ragnhild Moen, acompanhada por três oficiais sêniores, um holandês, um alemão e um americano. Era magra e alta, com quase um metro e oitenta, e mãos muito longas e finas. Ela se mostrou surpreendentemente sociável, embora dotada de uma autoridade silenciosa. Tinha parentes em Minnesota, onde havia passado um ano no ensino médio, e guardava agradáveis lembranças do condado de Kindle, que visitara várias vezes. Seu grupo de estudantes de intercâmbio tinha sido apresentado à juíza federal de lá, Moria Winchell, que eu conhecia bem.

Os oficiais da OTAN se agruparam em torno do meu tablet e examinaram as fotos várias vezes. Ninguém duvidou da identificação de Attila, especialmente depois de comparar as fotos com imagens de Kajevic obtidas vários anos antes. Os quatro falavam inglês entre si, e, finalmente, pude acompanhar a conversa.

O questionamento mais persistente era se nossa presença em Madovic — ou a errônea resposta inicial dos capangas de Kajevic — havia sido suficiente para assustá-lo e forçá-lo a se mover. O monastério oferecia vantagens incomparáveis como esconderijo, especialmente nos Bálcãs, onde provavelmente já não havia mais muitos refúgios seguros.

A localização impedia que qualquer grande grupo de policiais ou militares entrasse em Madovic sem ser detectado. Um único acesso levava ao complexo nas montanhas; mesmo que soldados o bloqueassem e cercassem o lugar, era quase certo, dada a história de perseguição dos monges, que a reconstrução tivesse incluído rotas de fuga subterrâneas, provavelmente atravessando as adegas. Por fim, entrar no monastério para prender Kajevic, embora não fosse exatamente proibido, do ponto de vista legal, com certeza causaria muita agitação, especialmente na Sérvia, onde a Igreja ortodoxa retrataria a invasão como uma grave violação de um lugar sagrado.

A general achou que a melhor opção seria manter uma presença discreta em Madovic e obter mais informações.

— Posso pedir que vocês permaneçam na área? Provavelmente teremos mais perguntas se o Sr. Kajevic não tiver partido.

Vi que Goos não gostou do pedido. Ele já estava cansado de Kajevic e seus Tigres, mas a general prometeu nos designar uma escolta enquanto estivéssemos na Bósnia — soldados da OTAN em trajes civis, uma vez que a simples visão de fardas militares seria suficiente para que Kajevic fugisse. Em contrapartida, ninguém se perguntaria por que havíamos contratado guarda-costas particulares após a outra noite. Em troca da nossa permanência, pedi sua ajuda para substituir nossos passaportes e celulares.

Ao fim da reunião, Attila se despediu de todos à porta. A despeito de sua empolgação inicial com a identificação de Kajevic, ela decidira que não queria desempenhar um papel público na operação.

— Eu ainda tenho que fazer negócios nesse país — argumentou ela. — Se precisarem de algo, é só dizer.

Quando voltamos ao Blue Lamp, dois soldados de jeans e coletes à prova de balas, com pistolas visíveis nos quadris, esperavam por nós. Achei que o pessoal do hotel poderia objetar, mas, para eles, aquela era apenas mais uma indicação de que estavam hospedando dignitários. Quanto às armas, a Bósnia lembrava o Velho Oeste dos Estados Unidos, onde qualquer um podia carregar uma com pouquíssima burocracia.

Goos ainda não estava feliz.

— Parceiro — disse ele, quando entramos no lounge —, esse assunto não é nosso. Não quero parecer covarde, mas Attila está certa. Temos que pensar com cuidado antes de passar o resto da vida como os caras que capturaram Laza Kajevic. Algum fanático pode colocar as nossas fotos no seu quadro de avisos de pessoas a eliminar.

Eu entendia o que ele queria dizer, mas enfrentávamos certas questões limitantes. Os sacolejos durante o curto trajeto até o escritório de Attila foram agonizantes para Goos. Uma viagem de oito horas até Haia, envolvendo dois voos e arrastando um saco de pedras de Barupra, só seria possível na semana seguinte, a menos que conseguíssemos uma evacuação médica, uma ideia que ele prontamente dispensou por ser grandiosa e humilhante demais.

Passamos o dia seguinte, sexta-feira, tentando voltar ao trabalho e analisar as informações que havíamos obtido ao longo da semana. Muitas peças não se encaixavam. Mas as prioridades continuavam praticamente as mesmas: a) fazer planos para a escavação da caverna; b) falar com Ferko; e c) ver se buscas na internet poderiam ajudar a identificar os soldados designados para a unidade de inteligência militar em abril de 2004 e descobrir se haviam postado algo que pudesse lançar alguma luz sobre o que havia ocorrido em Barupra.

Goos voltou ao Facebook e ao YouTube. Minha tarefa, que não me agradava, era criar algum tipo de relatório para os nossos chefes em Haia. A ideia era atualizar os supervisores do tribunal sem revelar muito sobre o sequestro ou sobre quem tínhamos encontrado, pois, sem dúvida, ambas as notícias gerariam respostas que sairiam do nosso controle.

No fim do dia, não muito depois de recebermos os nossos celulares substitutos, recebi uma ligação de Attila. Ela encarregara uma das suas funcionárias *roma*, que, segundo ela, vivia "como uma pessoa normal", de conseguir informações sobre Ferko. A funcionária se dera ao trabalho de visitar Vo Selo.

— Ferko su-miu — avisou Attila.

Segundo os moradores locais, algumas horas após a nossa visita, quatro policiais apareceram na casa e causaram uma bela impressão ao atirar em todos os cães. De acordo com um dos vizinhos, que conversara com Ferko, os policiais o espancaram até ele confessar que era testemunha num caso no qual éramos advogados. Ferko havia jurado ter nos dito que não queria mais nada conosco, o que corroborara novamente a versão de que eu e Goos não estávamos atrás de Kajevic. Presumivelmente tinha sido isso que levara o comandante de Nikolai a correr até o tanque de água salgada para impedir nosso assassinato. Em Vo Selo, logo depois da partida dos policiais, Ferko e a família encheram seus quatro carros com tudo o que podiam carregar. O vizinho acreditava que não voltariam.

— Alguma ideia de para onde foram? — perguntei.

— Nenhuma — respondeu Attila. — Aparentemente, ele pegou um martelo e destruiu o celular na mesma hora, para que ninguém pudesse rastreá-lo. Eu tenho o número, caso você queira tentar, mesmo assim.

Desci para relatar tudo isso a Goos, que trabalhava no salão onde o café da manhã era servido. Sentado diante dele, à mesinha branca, liguei para o número que Attila tinha me dado, recebendo como resposta uma longa mensagem no dialeto bósnio do servo-croata. Entreguei o aparelho a Goos.

— Fora de serviço? — perguntei quando ele desligou.

— Desconectado.

— Merda.

O fato de Ferko ter fugido para salvar a própria vida depois de encontrar o chefe de Nikolai e outros membros da gangue de Arkan não exigia explicação, especialmente para nós. Mas Goos permanecia confuso.

— O que eu não entendo é: por que Ferko resolveu contar essa história, sem mencionar o fato de ter movido os ossos e plantado balas para que acreditássemos nela? — disse ele.

Não consegui decidir se era uma pergunta retórica.

— Você acha que Esma o convenceu a fazer tudo isso?

— Por que ele faria isso, parceiro, mesmo que Esma ou qualquer outra pessoa tivesse pedido? É isso que eu quero saber.

— Talvez porque tenha acontecido de fato? Talvez ele tenha perdido alguém que amava e queira justiça?

— Aquele homem, com seus cães e seus anéis de ouro, parecia um bom cidadão para você? Ele está contando essa história, verdadeira ou não, porque pretende ganhar alguma coisa com isso, mas não consigo imaginar o quê.

Nossa conversa e os enigmas a respeito de Ferko me levaram novamente a uma posição na qual eu não queria estar: a de precisar ligar para Esma. Ela era a única pessoa que conhecíamos que tinha algum tipo de conexão com Ferko, e também éramos obrigados a confrontá-la, em termos de investigação, sobre quem seu momentâneo cliente provara ser. Eu queria ouvi-la dizer que tudo aquilo era uma surpresa, somente para sentir se realmente era verdade.

As complicações de abordar Esma mostravam mais uma vez por que devíamos ter mantido nossas partes privadas realmente privadas. Minha falta de sucesso em manter relacionamentos me fornecera prática em terminá-los, e eu havia aprendido que o afastamento total era a única solução confiável. "Ser amigos" apenas prolongava a dor da parte mais ferida, que via nisso um sinal para manter as esperanças.

Assim, era injusto ligar para Esma. E seria compreensível se ela não atendesse. Eu me senti obrigado a explicar tudo isso a Goos e pedir desculpa. Ele fez um gesto de desprezo com a mão.

— Não vou passar um sermão por causa disso, parceiro. Eu não conheço muitos caras solteiros que não teriam corrido atrás dela.

Ou seja: eu havia me comportado de forma previsível para qualquer ser do sexo masculino com um pênis sem posse registrada.

Para agir de maneira totalmente ética, Goos deveria ligar para Esma. Mas ambos sabíamos que era muito mais provável que eu conseguisse a verdade, se ela estivesse disposta a falar.

Comecei com a abordagem mais antisséptica: uma mensagem de texto. Preciso falar com você rapidamente. Questão profissional. Sinto muito por incomodá-la com isso.

Ela não respondeu. No sábado, tentei um e-mail. No domingo, finalmente liguei duas vezes, deixando a mesma mensagem em ambas as ocasiões. Depois disso, Goos assumiu, mas não fiquei surpreso quando ela não respondeu. Eu mesmo tinha feito essa bagunça.

Goos e eu passamos a maior parte do fim de semana dormindo. Respondi a mais alguns e-mails, li mais Fowles — *A mulher do tenente francês*, dessa vez — e dei algumas voltas por Tuzla. Por educação, enviei um e-mail para Narawanda falando do meu cronograma, que provavelmente nos faria voltar para Haia no início da semana seguinte. Após refletir um pouco, acrescentei: "Espero que sua viagem a Nova York tenha sido boa e que você se sinta melhor." Recebi uma resposta monossilábica: "Não."

No domingo, decidi arriscar uma corrida. De modo geral, eu parecia pior do que me sentia. Com exceção da sensibilidade à temperatura dos dentes da frente, que lançavam inesperadas faíscas de dor para o nariz e para a testa, eu não sentia muito desconforto. Ainda havia um calombo no meu lábio, com a linha negra de uma cicatriz bem no meio, e um hematoma colorido tinha surgido na minha mandíbula, no ponto onde havia levado uma coronhada. Além disso, havia um vergão na minha testa, de quando colidira com o degrau superior da escada de ferro. O dente quebrado fazia com que eu parecesse um adolescente que gostava de uma briga. Mas, como acontece quando se acostuma a correr, eu sentia necessidade física de endorfina. Um dos policiais militares da OTAN concordou em me acompanhar.

Tuzla era bonitinha, com o centro antigo formado principalmente por edifícios baixos de estuque reluzente e detalhes arquitetônicos brancos, como medalhões de gesso. A população não era maior que a de Peoria, mas a cidade tinha um ar mais urbano, com arranha-céus e minaretes visíveis ao sul.

A praça central, que atravessei correndo, era marcada por um arranjo geométrico de azulejos multicoloridos e um poço otomano de vários séculos de onde água fresca ainda jorrava através de uma bica de cobre. Fui em direção ao lago Pannonica, a praia artificial no centro da cidade, circulando-o diversas vezes.

Como a tenente da polícia local, o pessoal da OTAN também acreditava que estávamos sendo vigiados. Um cara tinha passado doze horas no restaurante de *cevapi* do outro lado da rua, fingindo ler o jornal a uma mesa na varanda, apenas para ser substituído, no sábado e no domingo, por outro mais jovem fazendo a mesma coisa num pequeno café na esquina, onde bebia incontáveis xícaras enquanto mantinha a porta do hotel em seu campo de visão. Meus guarda-costas foram instruídos a procurar por um Yugo vermelho, e, olhando para trás ao correr, eu conseguia vê-lo ocasionalmente. Enquanto continuássemos dando a impressão de que acreditávamos ter sido Ferko, e não Kajevic, a ordenar a vigilância, os Tigres de Arkan não teriam razões para serem discretos. Uma presença ameaçadora poderia apressar nossa partida.

De toda forma, consegui aproveitar o momento. O sol brilhava forte, e parecia que todos os habitantes de Tuzla estavam na praia em suas minúsculas roupas de banho europeias, com criancinhas de chapéu correndo de um lado para o outro enquanto carregavam água em baldes. Peguei um folheto informativo sobre o lago e fiquei chocado ao descobrir que a água do mar artificial na rede de lagos era bombeada dos mesmos tanques onde Goos e eu deveríamos ter morrido, apesar de muitas vezes diluída. Lutei para não pensar que, caso as coisas tivessem acontecido de forma diferente, aquelas pessoas poderiam estar se divertindo em meio a moléculas indistinguíveis dos nossos restos mortais, mas era quase como dirigir pensando em ser atingido por um carro vindo da pista contrária: era melhor não se apegar a essa ideia.

Meu terror começava a retroceder, deixando para trás alguns pesadelos sufocantes. Correndo, era agradável me sentir no controle outra vez, menos dominado pela sombra do trauma e do medo. Percebi, entretanto, que dessa vez visitara a verdadeira Bósnia, partilhando um pouquinho da duradoura experiência nacional.

Na manhã de segunda-feira, Goos disse:

— Se você não se importar, gostaria de começar a viagem de volta a Haia amanhã. Vai ser difícil, mas acho que aguento. Vou saber com certeza pela manhã. Talvez você possa conversar com a general e informar que o dever nos chama.

Quando voltei ao hotel no fim da tarde, depois de outra corrida, havia uma mensagem da general Moen no meu celular. Falei com seu ajudante de campo, que perguntou se poderíamos encontrar a general em Sarajevo às duas da tarde do dia seguinte. Os guarda-costas seriam nossos motoristas.

Assim que repassei a mensagem para Goos, pude ver que estava prestes a recusar. Ele queria ir para casa.

— Alguma ideia do assunto? — perguntou ele.

— O ajudante disse apenas que a general achava importante falar conosco mais uma vez.

— Importante? Deus do céu, eu não quero ser importante. — Ele pareceu pensar por um momento nessa afirmação. — Muito bem, vamos lá.

— Vamos nos encontrar com ela?

Ele fez que sim com a cabeça.

Na aparência, Sarajevo, que tinha ido de cidade olímpica a local de um cerco penoso, parecia ter retornado, como grande parte da Bósnia, à sua antiga essência. Nosso motorista militar, um jovem norueguês chamado Andersen, desenvolvera profunda afeição pela cidade durante sua estada por lá e parou num mirante de onde podíamos ver, como num cartão-postal, Sarajevo repousando ao lado do reluzente rio Miljacka, com os Alpes sulinos surgindo majestosamente a distância. Observei os minaretes, os arranha-céus, os telhados e, mais impressionante, as fileiras de lápides brancas que ocupavam mais espaço que em qualquer outro centro urbano que eu já visitara. Andersen apontou para uma grande construção no centro da cidade, um velho palácio que havia sido destelhado pelos bombardeios, mas que, segundo ele, era muito bonito quando visto do chão. Ele não era o tipo de jovem capaz de dizer que a situação do palácio era uma metáfora, mas acho que era por isso que considerava o edifício tão significativo.

Ele nos levou para a parte antiga da cidade, Bascarsija, onde velhas trilhas e muros de pedra cercavam os locais reconstruídos com o familiar estuque branco e telhados de terracota marrom. O hotel para onde nos dirigíamos ficava a algumas centenas de metros do memorial nacional de guerra, dedicado aos mortos da Segunda Guerra Mundial. Caminhando pela passagem para pedestres, eu e Goos paramos para observar as guirlandas de sempre-vivas com laços de fita, empilhadas ao lado da flama eterna. Naquele país, o massacre ainda não havia acabado. Ali, onde a população fora acossada por sua fé, havia mais mulheres usando *hijab* do que eu notara em Tuzla.

Enquanto os soldados se posicionavam ao lado da porta, eu e Goos fomos até o balcão da recepção. Nosso disfarce era uma reunião de negócios com a mesma construtora cuja logomarca o pessoal da OTAN exibira nas caminhonetes na semana anterior. O recepcionista, um jovem discreto que falava inglês fluentemente, entregou nossas chaves e recitou as regras do hotel, que incluíam não servir álcool. Ao ouvir isso, senti Goos se retesar instintivamente, embora não tivéssemos planos de passar a noite.

No terceiro andar, as chaves abriram as portas de uma sala de reuniões onde a general e seis outros soldados nos esperavam, todos em roupas civis. Um mapa havia sido pendurado num mural. Eles se levantaram quando entramos, numa demonstração de respeito que imediatamente registrei como ameaçadora.

— Você parece melhor — comentou a general com Goos.

Ele falou que estava bem, o que obviamente não era verdade. Ainda mancava para proteger o lado direito, e a viagem tinha sido dolorosa.

— Me deixe mostrar o que descobrimos — disse a general Moen. — A boa notícia é que o alvo não parece ter ido embora.

Ela passou a palavra a um oficial da inteligência, um húngaro intenso, alto e de cabelo à escovinha, que era capitão e se chamava Ferenc. Ele se referia repetidamente aos seus "ativos", o que me fez pensar que grande parte do aparato aliado de inteligência havia sido colocado em funcionamento, embora algumas das informações tivessem sido obtidas por meio de dois oficiais que foram para Madovic se passando por turistas alemães.

Há aproximadamente um ano e meio, disse Ferenc, os três monges chegaram à cidade ao meio-dia, caminhando em lenta procissão em direção ao hospital, onde rezavam pelos enfermos. Durante séculos, havia sido raríssimo encontrar monges fora do monastério, e a mudança inicialmente dera origem a muito falatório local. O abade, em suas negociações casuais com o povo da cidade, havia explicado que os três foram deslocados pela guerra e chegaram a Madovic procurando abrigo e a oportunidade de ajudar os doentes. Embora tivessem uma vocação diferente do regime recluso de oração e contemplação do mosteiro, o abade lhes dera refúgio indefinidamente.

— Eu sei que Kajevic não está indo à cidade para rezar — disse Goos.

Ferenc assentiu com a cabeça. O objetivo real das visitas era se comunicar com um radiologista sérvio. Ele entregava mensagens de e para Kajevic, que ainda se via como líder de uma nação e permanecia no controle de uma vasta rede de apoiadores. Para a OTAN, as visitas ao hospital forneciam a oportunidade ideal para capturá-lo fora dos muros do monastério.

— Eis o problema tático — acrescentou o capitão Ferenc. Sua gramática era perfeita, mas seu sotaque era muito forte. Ele explicou que os dois homens que acompanhavam Kajevic todos os dias tampouco eram monges, mas guarda-costas com armas automáticas escondidas sob o hábito. Fiquei intrigado com a tecnologia que permitia que a OTAN identificasse armas ocultas a distância, mas, mesmo nos meus tempos como procurador federal, já existiam escâneres de infravermelho que detectavam metal, embora usá-los em solo americano para buscas aleatórias entre a população fosse proibido pela Quarta Emenda. — Sabemos que no hospital há um homem, talvez mais, que lutaria pela liberdade do nosso alvo.

Um silêncio de expectativa recaiu sobre a sala, o que parecia um sinal para a general falar novamente.

— Para evitar que o que aconteceu em Doboj onze anos atrás se repita, precisamos de uma força substancial no hospital. Continuamos a acreditar que o motivo pelo qual o alvo permanece no monastério são as vantagens que o local oferece, possibilitando a detecção de qualquer movimento em larga escala na cidade. Podemos infiltrar alguns soldados disfarçados de turistas, com mochilas e guias de viagem, mas Madovic recebe apenas alguns visitantes por semana e uma grande presença, como um ônibus, algo que pensamos originalmente, chamaria a atenção. Além disso, soldados disfarçados só podem carregar pistolas. Para levar uma força pronta para combate até a cidade, precisamos da sua ajuda.

— *Merde* — disse Goos.

Com a má notícia dada, o capitão assumiu outra vez.

— Fomos capazes de monitorar as comunicações. Eles estão vigiando vocês. Isso é muito útil.

— Para nós ou para vocês? — perguntou Goos sem sorrir. Ele estava irritado.

A general, de qualquer forma, sorriu educadamente.

— Para ambos, na verdade. Como esperávamos, as pessoas que vigiamos não estão surpresas por vocês agora terem proteção, o que veem como uma consequência infeliz da reação exagerada na terça. Mas ainda temem que, mais cedo ou mais tarde, vocês descubram sua verdadeira motivação. Concluímos, a partir dessas conversas, que eles tiveram sucesso em encorajar o cavalheiro que vocês visitaram em Vo Selo a deixar a área.

— Foi o que ouvimos também — falei.

— E esperam que vocês partam quando souberem que ele foi embora.

— O desejo deles é uma ordem — disse Goos.

A general sorriu de novo ante essa demonstração de mau humor.

— Nós gostaríamos de usar a situação que eles criaram na terça para atraí-los — continuou ela. — Levando em consideração o que aconteceu depois da sua última visita a Vo Selo e da resposta da testemunha, seria compreensível, especialmente para aqueles que sabem pouco sobre o tribunal, se vocês retornassem a Vo Selo acompanhados por um esquadrão completo em traje de combate, como forma de expressar sua repugnância pela tentativa de intimidação.

— E por que Kajevic não sairia correndo ao primeiro sinal de soldados da OTAN? — questionou Goos.

A general Moen assentiu com a cabeça.

— Temos acesso às fardas do Exército bósnio. Eu descreveria isso como um acordo de ajuda mútua. De qualquer modo, esses soldados "bósnios" estariam lá para ajudá-los a entrar na propriedade e garantir que a testemunha relutante não use as mesmas medidas da última vez.

— Mas ele foi embora — interrompi.

— Exatamente — disse a general. — Vocês vão encontrar a casa vazia. Quando estiverem prontos para ir embora, um de vocês vai ficar seriamente ferido.

— Que tipo de ferimento? — perguntou Goos.

— Encenado, é claro. Embora deva parecer convincente. Por causa desse infortúnio, vocês e sua escolta militar vão ter que correr para o hospital mais próximo... em Madovic.

Compreendi as intenções dela, naturalmente.

— Esse ferimento em Vo Selo — continuou a general — vai ocorrer no momento em que os três monges saírem do hospital, por volta de uma e meia da tarde. Viajando em alta velocidade, vocês vão chegar a Madovic em uns dez minutos. A procissão de volta ao monastério geralmente leva meia hora, embora fosse melhor pegá-los nos primeiros quinze minutos, quando ainda estão longe e existe menos probabilidade de receberem ajuda do alto da montanha. Quatro "turistas" vão bloquear a retirada. Se tudo correr bem, o alvo poderá ser extraído em questão de segundos.

"Ele vai ser levado a Haia, mas presumo que vocês gostariam de viajar de forma independente, o que podem fazer sozinhos ou com uma escolta, como preferirem."

O rosto de Goos estava impassível.

— Por que um dos soldados não pode ser ferido?

— Ele iria para o hospital militar — argumentou o oficial de inteligência.

Goos ainda tinha um olhar feroz.

— Eles vão saber. Os homens de Kajevic. Eles vão saber que não foi coincidência o fato de estarmos lá quando ele foi capturado.

— Se quiser — disse a general Moen —, você pode ir até o hospital e solicitar atendimento médico. Vamos ter alguém esperando. Ou podemos fazer com que um médico o enfaixe no local, como cortina de fumaça.

Goos ainda estava negando com a cabeça quando interrompi.

— General, precisamos pensar a respeito disso. Tenho certeza de que vocês entendem. E, mesmo que optássemos participar, provavelmente precisaríamos informar aos nossos superiores.

— Por favor, me informem quando decidirem. Podemos ajudar com seus superiores.

— E quando tudo isso ocorreria?

— Dadas as circunstâncias, quanto mais cedo, melhor. Estamos nos preparando para uma operação amanhã.

Novamente, ninguém disse nada por alguns segundos.

— Vocês precisam entender quanto ficamos relutantes em pedir a assistência de civis em questões dessa natureza, especialmente considerando suas experiências recentes. Infelizmente, vocês são essenciais.

Goos saiu da sala sem dizer uma palavra. Andersen e um soldado chamado Greer estavam à porta e nos escoltaram até o carro.

— Olhe, Goos — eu disse em voz baixa quando estávamos novamente no banco de trás do veículo —, existe apenas uma pergunta que vou fazer a mim mesmo: eles realmente precisam de nós?

Ele respondeu com um rosnado baixo:

— Você não precisa me convencer disso, parceiro.

— Não estou tentando. — Inclinei a cabeça para os dois soldados na frente, mas Goos não parecia preocupado em falar ali. — Só quero pensar a respeito.

— Eles já pensaram a respeito — retrucou Goos. — É como ela disse: eles não querem usar civis numa operação militar mais do que queremos ser usados. Mas precisam de gente suficiente para fazer isso de forma rápida e sem que ninguém seja morto.

Como sempre, ele havia me surpreendido.

— Ainda preciso pensar — concluí.

— Precisa mesmo, parceiro. Porque um monte de coisas pode dar errado. — Após outro minuto em silêncio, ele disse: — Você pode escapar dessa, Boom. Eles só precisam de um de nós, e eu me candidatei a esse tipo de coisa há muito tempo.

Para ser preciso, nenhum de nós realmente havia se candidatado. Mas ele queria dizer que, ao fazer seu juramento na polícia, sabia que estava aceitando certos riscos. Para advogados, isso não estava na descrição do cargo. No início da minha carreira como procurador, por causa da empolgação da coisa toda, eu acompanhara o DEA durante a prisão de Gaucho Hinjosa, um chefão local das drogas. Meu chefe, Stan Sennett, me dera uma bronca depois da operação: "Se você quer um distintivo e uma arma, deve entrar para a polícia. Você deixaria um agente encarregado das considerações finais? Cada um de nós tem um trabalho a fazer e a obrigação de não interferir no trabalho do outro."

Talvez, se Goos estivesse melhor, eu o tivesse deixado ir sozinho. Mas ele não parecia estar em condições de se atirar no chão ou fazer o que quer que fosse necessário para fingir estar seriamente ferido.

Eu disse novamente que precisava de tempo para pensar.

— E, o que quer que aconteça — disse ele —, eu não contaria nada ao pessoal de casa. Você sabe o que dizem: é melhor pedir perdão que permissão. Se precisar cobrir as bases, envie um e-mail a Badu dizendo que precisa consultá-lo sobre um problema urgente.

Eu ri. Badu era famoso por jamais responder a e-mails. De modo geral, respondia apenas aos de Akemi.

De volta ao Blue Lamp, fui para meu quarto e me sentei sozinho na cama para discutir comigo mesmo, mas percebi rapidamente que minha decisão havia sido tomada em janeiro. Meus dois filhos estavam criados. Eu não tinha uma companheira com a qual me preocupar. Ainda mais importante, como descobrira com uma Zastava pressionada na minha têmpora no alto daquele tanque, eu tinha ido para Haia com a obrigação familiar de conter os predadores tóxicos que eram o câncer da civilização. Eu estava morrendo de medo. Mas minha vida não teria o significado desejado se eu não ajudasse a levar justiça para os milhões, em várias nações, que foram assassinados, torturados, estuprados, privados de comida e selvagemente enganados por Laza Kajevic.

24.

Agora pessoalmente — 10 de junho

Acordei na quarta-feira após ter dormido melhor do que havia previsto. Meu estado de espírito era um pouco como a primeira manhã de um julgamento, quando eu empregava um esforço meditativo para evitar a ansiedade explosiva a respeito de coisas que não podia controlar. Enquanto me vestia, a importância do que estava prestes a acontecer pareceu aprimorar minha visão, como se eu visse uma versão mais definida de mim mesmo ao olhar no espelho. Se tiver sorte, você vai experimentar ocasiões como essa, em que aquilo que faz é importante para milhares de pessoas, e não apenas para você, e das quais, por isso, vai se lembrar para sempre.

Goos havia recuperado a compostura e exibia seu usual sorriso sutil quando o cumprimentei à mesa do café. Comemos rapidamente e, por falta de outro assunto, falamos da notícia de que Obama enviaria quinhentos soldados das forças especiais de volta ao Iraque, para combater o Estado Islâmico.

Às dez, Andersen e outro policial militar nos levaram até Barupra. A quadra de basquete vazia, ao lado da antiga base, seria a área de atuação para uma sessão de treinamento amplamente ficcional, bem à vista da estrada e de quaisquer veículos de vigilância que os Tigres de Arkan pudessem enviar. Quatorze soldados, todos membros da força de resposta da OTAN, uma unidade de operações especiais, usavam fardas de combate camufladas das forças armadas da Bósnia e Herzegovina. Sete eram alemães, e sete, dinamarqueses, doze homens e duas mulheres.

O comandante era um coronel alemão, Lothar Ruehl. Ele era atarracado e enérgico, com um bigode ruivo que parecia uma escova, e nos saudou com o breve agradecimento enviado pela general Moen. O ombro de sua farda falsa trazia uma faixa bege com uma estrela e uma linha, a insígnia de segundo-tenente.

Goos e eu, ambos de jeans e tênis, colocamos capacetes e traje completo à prova de balas, o que incluía, além do colete, protetor escrotal, mangas e gola. O traje era pesado, mas as correias de velcro permitiam mais mobilidade do que eu esperava.

Com Ruehl no comando, iniciamos o treinamento para a operação forjada. Fingi bater à porta de Ferko enquanto o esquadrão se espalhava pelo perímetro e então invadia a casa. Como previsto, os dois policiais locais que vigiavam a cova se aproximaram para ver o que estávamos fazendo, mas mantiveram uma distância educada. Em seu benefício, um sargento — que era na verdade um primeiro-tenente dinamarquês — começou a repetir as ordens do coronel Ruehl em bósnio.

Depois disso, fizemos uma pausa para o almoço. A ração de campo da OTAN era francesa e, surpreendentemente, incluía uma lata de patê de galinha e uma pequena fatia de queijo brie, mas eu não estava em condições de comer. Ruehl se sentou conosco e explicou em voz baixa o plano real, o qual, naturalmente, não podíamos praticar à vista de todos. Ele repetiu os detalhes várias vezes, até entendermos as diferenças em relação às manobras que havíamos fingido ensaiar.

Precisamente ao meio-dia, partimos para Vo Selo. Os veículos militares eram todos da OTAN, o que, aparentemente, não era algo incomum na Bósnia e Herzegovina. O comboio incluía um SUV Mercedes blindado no qual eu e Goos viajamos com o coronel Ruehl, um caminhão quatro por quatro com caçamba coberta para transporte de tropas e um veículo blindado de transporte que Goos, orgulhosamente, disse ser um modelo belga chamado BDX. Ele se parecia um pouco com um tanque em miniatura, com quatro rodas, pintura camuflada e torre de artilharia.

A esperança, como sugerira a general Moen, era que os capangas de Kajevic vissem o tamanho da escolta como sinal de quanto haviam nos aterrorizado na noite de terça, o que provavelmente encarariam com maldoso deleite. Com sorte, ainda estariam rindo quando chegássemos a Madovic.

Goos e eu viajamos com os capacetes no colo, praticamente sem conversar por causa do alto tráfego radiofônico, enquanto o general Ruehl trocava mensagens codificadas com os soldados e os agentes disfarçados que passaram a noite em Madovic. O motorista, que falava servo-croata, frequentemente dava ordens em perfeito bósnio através do canal normal do Exército.

Durante um dos poucos momentos de silêncio, eu me virei para Goos:

— Tudo bem?

Ele assentiu com convicção.

— Operação de primeira classe — comentou ele.

— Estou usando uma cueca nova, só para garantir.

Seu sorriso foi menor do que eu esperava.

Depois de uma viagem de cinquenta minutos, entramos em Vo Selo, onde muitos *roma* emergiram de suas tristes e minúsculas casas para nos ver passar. No alto da colina, o pequeno palácio de Ferko dava todos os sinais de ter sido abandonado. Não havia nenhum movimento no local. As roupas já não estavam estendidas em cordas nos balcões, e as venezianas, assim como o portão, estavam abertas. O sangue dos cães formava círculos amarronzados no cascalho do pátio.

Mesmo assim, encenamos o ato completo. O tenente dinamarquês entregou um megafone a Goos, que pediu em servo-croata para que Ferko saísse da casa. Após um minuto sem resposta, era a minha vez. Eu havia memorizado duas palavras em romani, *Gavva na*, que me disseram que significava "Não se esconda", e as gritei repetidas vezes enquanto Goos dava voltas, dizendo mais ou menos o mesmo que dissera da última vez, quando Ferko realmente estivera lá.

Ao nosso sinal, o caminhão, sem parar, atravessou os portões duplos de Ferko, que cederam como peças de Lego. Atrás dele, os soldados do quatro por quatro se espalharam imediatamente.

Enquanto eu e Goos nos espremíamos nas paredes de estuque ao lado da porta, quatro soldados com farda de combate completa, incluindo capacetes e a mesma proteção que usávamos, correram para dar cobertura nos fundos. Outros quatro se espalharam atrás de nós com as armas apontadas, enquanto mais quatro corriam pela casa, gritando em bósnio depois de verificar cada cômodo.

Após cerca de dez minutos, o coronel Ruehl, ainda no SUV, fez um círculo com a mão, o sinal de que os monges haviam acabado de sair pela porta do hospital em Madovic, prontos para ir embora.

Havia chegado minha cena. Nos fundos da casa, os membros da força de resposta discretamente plantaram uma espécie de bombinha, que soaria como um pneu do blindado estourando. Ao ouvir esse som, um dos soldados protegendo o pátio fingiria entrar em pânico e dispararia o rifle contra a porta. Uma das balas supostamente ricochetearia e atingiria o meu braço. A parte desconfortável era que os soldados não usavam festim. O coronel Ruehl tinha me assegurado de que o atirador tinha uma mira excepcional, mas, mesmo assim, balas de verdade eram disparadas a poucos metros e, quando três delas penetraram no estuque, não precisei de nenhuma aula de atuação para gritar o mais alto que pude e me jogar no chão.

O tenente correu até mim e esvaziou na minha mão o frasco de sangue que carregava na manga, e então a enrolou com seu lenço. Os soldados do perímetro correram até os fundos da casa para descobrir que a explosão tinha sido um pneu estourando, e não uma arma, com a reposição pelo sobressalente sendo feita com a precisão e a rapidez de um pit stop. O soldado que supostamente havia atirado em mim correu até nós, tentando explicar ao tenente o que tinha acontecido. Em seu papel de sargento, o tenente gritou ordens em bósnio, enquanto Ruehl, Goos e meu algoz acidental me agarravam pelos cotovelos e me arrastavam até o SUV.

O comboio saiu em disparada no mesmo instante, mas se passaram apenas dois minutos antes que uma viatura da polícia surgisse bem atrás de nós. O policial obviamente estivera nos observando de algum ponto lá embaixo. O sargento que falava bósnio se inclinou para fora da janela para explicar que eu tinha sido baleado por acidente, sofrendo um ferimento arterial, e logo estaria morto se não fosse levado a um hospital. Deitado no banco de trás do SUV, com as costas apoiadas na porta traseira do banco do passageiro e a mão no ar, cumpri meu papel, choramingando e gemendo: "Meu Deus, meu Deus, meu Deus."

Não sei quais eram as ordens do policial — ele provavelmente não sabia de nada e estava apenas se reportando a um oficial superior —, mas o homem acreditou naquela cena diante de seus olhos. Ele saiu correndo de volta para a viatura, ligou a sirene e as luzes e nos conduziu em velocidade máxima enquanto atravessávamos Vo Selo e chegávamos à estrada da montanha. O quatro por quatro seguia logo atrás dele, acompanhado pelo nosso SUV. O veículo blindado, que havia demorado por causa da troca de pneus, chegou à retaguarda do comboio apressado. Ele apresentava uma agilidade impressionante e nos seguia de perto, mesmo quando passávamos de cem quilômetros por hora nas retas.

No SUV, eu e Goos falamos muito pouco. O rádio gritava de tempos em tempos, com ao menos seis vozes diferentes. Dois ou três soldados em algum lugar narravam continuamente os eventos em bósnio, mas Ruehl de vez em quando mudava para a frequência da OTAN e tinha breves conversas em inglês. Entendi que Kajevic, codinome Abutre, e seus guarda-costas ainda não suspeitavam de nada e caminhavam em lenta procissão até o monastério.

Estávamos a menos de um minuto de Madovic quando uma chamada de emergência soou pelo rádio.

— Alguém lá em cima nos viu chegar e não gostou — explicou Ruehl.

A OTAN monitorava todas as transmissões de rádio que vinham do monastério. Quem quer que estivesse de guarda para Kajevic ordenara que a polícia local fizesse o possível para nos deter.

Quando fizemos a última curva na encosta, vimos que o policial que liderava o comboio havia parado subitamente, com as luzes do giroscópio ainda ligadas. Ele estava fora do carro, com a mão enluvada erguida, nos pedindo para parar. Pelo rádio, Ruehl ordenou que o comboio prosseguisse a toda a velocidade. O caminhão de tropas continuou a toda na direção do policial, e ele saiu do caminho no último segundo, literalmente pulando para fora da estrada, enquanto o caminhão passava por cima de seu quepe, que fora levado pelo vento. Quando passamos, pude vê-lo sobre um arbusto a uns dois metros do acostamento, com a mão sobre a cabeça para se proteger da poeira e do cascalho.

Estávamos num declive e devemos ter chegado à entrada de Madovic a quase cem por hora, derrapando na curva. Uma das vantagens do plano de capturar Kajevic a caminho do monastério era que, como a general Moen tinha explicado, ele não conseguiria nenhum auxílio visual do alto da montanha. A vigilância com infravermelho dos guarda-costas, que havia detectado as AKS sob os *rassas*, não mostrara nenhum rádio, mas eles se esqueceram do óbvio.

Quando entramos voando na praça central de Madovic, vimos os três monges. Eles pararam a quase cem metros de nós, na rua estreita que cruzava a cidade. Um deles falava ao celular. Olhando para trás, vi um sedã preto deixando uma nuvem de poeira para trás enquanto descia do monastério correndo, com sirenes policiais ecoando subitamente de pelo menos duas direções.

Nosso SUV parou a meio caminho dos monges. O quatro por quatro freou vinte metros à frente, e o blindado continuou a avançar, aproximando-se de Kajevic. Goos e eu deveríamos nos deitar no chão, mas decidimos ficar ajoelhados, com os olhos ainda altos o bastante para ver através da janela do lado de Goos. O SUV tinha parado de lado, bloqueando a estrada, e Ruehl e o motorista desceram e assumiram posição atrás do veículo, com o jovem motorista apoiando o rifle de assalto no teto. Agachado ao lado dele, Ruehl ergueu o megafone. À nossa frente, os soldados saíram da traseira do quatro por quatro com grande precisão, rolando ao tocar o solo e rapidamente assumindo posição de combate, de bruços, com os rifles apontados para Kajevic e seus guarda-costas, a apenas alguns metros de distância. Os quatro supostos turistas, com as pistolas escondidas agora engatilhadas, haviam se aproximado dos monges por trás.

Pelo megafone, o coronel Ruehl falou em servo-croata, lendo um papel que tinha na mão. Goos sussurrou a tradução:

— Laza Kajevic, renda-se imediatamente. Você está preso, de acordo com o mandato emitido pela Organização das Nações Unidas e pelo Tribunal Penal Internacional para a Antiga Iugoslávia, em Haia.

As palavras ecoaram pelos pequenos edifícios em torno da praça principal. Alguns moradores, no começo atraídos pela comoção, fugiram ao ver os rifles automáticos, recuando para dentro de casa. Pude ouvir alguns deles gritando.

O monge com o celular perdeu o chapéu alto e redondo. Ele mexeu embaixo do *rassa* e tirou uma AK. A arma não estava a mais de um quarto do caminho para ficar em posição de tiro quando dois disparos simultâneos o atingiram. O monge voou para trás, como se tivesse sido atingido por uma granada, espirrando sangue em Kajevic. O outro guarda-costas ergueu as mãos e caiu de joelhos.

No processo de se proteger dos tiros, Kajevic também havia perdido o chapéu clerical. Agora fingia incompreensão, como se não entendesse a língua ou tivesse sido confundido com outra pessoa. Mas não havia dúvida de que era ele. O infame cabelo agora tinha um comprimento moderado e havia ficado branco ou fora descolorido. A barba desgrenhada era real e cobria o rosto inteiro, incluindo partes das bochechas. Ele usava óculos pretos e pesados e estava muito mais gordo que em seus dias de crueldade. Mas era Kajevic, com os mesmos olhos desvairados, e era esperto o suficiente para saber que estava sendo procurado vivo. O Abutre começou a correr.

Ele se afastou do BDX blindado e ziguezagueou entre os soldados deitados, que, como previsto, hesitaram em atirar. Ninguém conseguiu agarrá-lo, a despeito das tentativas de dois soldados. Enquanto corria, ele colocou a mão no bolso esquerdo do *rassa* e sacou uma Glock, que segurou perto da orelha, correndo para o SUV. Ruehl se levantou e ordenou que ele parasse, mas Kajevic respondeu com um único tiro, e o coronel gritou. O motorista instintivamente se ajoelhou para ajudá-lo. Tive a ideia insana de que Kajevic também atiraria em Goos e em mim, mas ele sabia que essa era sua única chance de escapar e estava a toda a velocidade, claramente se dirigindo para o carro preto que descia derrapando do monastério.

Enquanto Kajevic corria na nossa direção, eu me agachei no chão, atrás do banco traseiro. Senti Goos se retesar ao meu lado. Morto de medo, achei que ele também estava tentando se proteger, mas ele queria impulso. Quando Kajevic se aproximou, correndo por sua vida, Goos abriu a porta com um chute. Ela atingiu Kajevic com toda a força. O rosto de Kajevic bateu no vidro, e ele caiu para trás.

A porta recuou, mas Goos a segurou e saiu do SUV.

— Goos! — gritei, mas o segui para fora.

Ele havia se jogado em cima de Kajevic. Com a mão direita, agarrava seu cabelo, batendo sua cabeça no chão, enquanto a esquerda estava em seu pulso, contendo a Glock que Kajevic segurava pelo cabo, aparentemente pretendendo usá-la como porrete. Assustado com a arma, não tive escolha senão pisar com força na mão de Kajevic e então segurar a pistola pelo cano, forçando seu pulso para trás até que ele a largasse. Assim que ela se soltou, vários soldados caíram sobre nós e nos tiraram do caminho. Os homens do Exército forçaram os braços de Kajevic para trás, prenderam seus pulsos com um lacre plástico e seguraram o ex-presidente pelos braços e pelas pernas, como se fosse um boi sendo levado para o abate. Sempre o mantendo erguido, subiram no caminhão. Então contaram até três em alemão e jogaram Laza Kajevic na caçamba, como se ele fosse uma bolsa de lona. Vários outros soldados subiram atrás dele.

Quase ao mesmo tempo, o policial que tinha nos levado até Vo Selo chegou com a sirene ligada e parou perto do SUV. Era um homem corajoso, agora claramente furioso, e desceu do carro. No meio da rua, ficou em posição de tiro com ambas as mãos na pistola, gritando instruções enquanto confrontava um esquadrão inteiro de soldados em fardas de combate. O veículo blindado já havia feito a volta para perseguir Kajevic. Ele avançou mais uns trinta metros, até ficar entre o oficial e o SUV, e então a torre de artilharia subitamente abriu fogo, atingindo a viatura com munição de alto calibre. O veículo pulou como um inseto. Seus pneus se esvaziaram, e o para-brisa desapareceu numa chuva de vidro estilhaçado. O policial se atirou de cara no chão mais uma vez.

Uns vinte metros atrás dele, o sedã preto, que eu perdera de vista, ficou subitamente de frente para a arma do BDX. O sedã freara com um guincho no pé da colina que levava ao monastério, mas, depois que a viatura da polícia foi destruída pelos tiros, o motorista engatou ré e subiu a montanha a toda a velocidade, sem nem mesmo fazer a volta.

Houve um momento de silêncio durante o qual me arrastei até Goos, porém, do outro lado da praça, mais um carro de polícia se aproximou, com as luzes e a sirene ligadas. O veículo chegou levantando poeira e parou entre o quatro por quatro e o SUV. O policial gordo e o policial magro que havíamos conhecido oito dias antes começaram a gritar, ambos com espingardas na mão. O gordo estava vermelho, cuspindo enquanto gritava.

Depois de Kajevic ter sido capturado, Goos e eu havíamos acompanhado a agitação sentados no chão ao lado do SUV, como se estivéssemos num estádio. Naquele momento, eu me levantei para que os soldados pudessem me ver, gritando enquanto apontava:

— Foram eles que nos sequestraram!

Goos imediatamente agarrou meu cinto e me abaixou antes que os policiais pudessem localizar onde estávamos, embora o magro parecesse ter reconhecido a minha voz.

Ele se virou para o SUV com a espingarda erguida, mas encontrou o blindado avançando em sua direção, com a torre de artilharia já ajustando a mira. O gordo gritou algo, e os dois voltaram correndo para a viatura, cantando os pneus enquanto se afastavam da praça, com a sirene ainda ligada. Um dos supostos mochileiros correu atrás dela, tirando fotos da placa com o celular.

Quando por fim olhei para baixo, fiquei atônito ao encontrar a Glock de Kajevic ainda na minha mão esquerda. Eu a deixei no chão ao lado de Goos, que agora se deitava de costas. Ele estava vermelho de dor e gemia a cada respiração. Claramente havia machucado as costelas novamente.

— Você é a merda de um herói.

— Foi puro instinto — explicou ele. — Você se saiu bem com a arma, Boom.

— Foi meu longo treinamento assistindo a séries criminais na TV. Mas você tinha tudo sob controle. — Era verdade. Quando eu havia empurrado a pistola para trás, Kajevic parecia já tê-la largado. Ela se soltara como uma uva do cacho.

Enquanto isso, apareceu um médico, um dos falsos mochileiros. Ele atendeu o coronel, que recebera um ferimento parecido com o que eu tinha fingido antes, uma bala que atravessara seu antebraço. Ele não parecia estar sangrando muito, embora, pela maneira como apoiava o braço com a mão boa, a bala devesse ter fraturado algo.

Fiquei sentado na rua ao lado de Goos até que o médico se aproximou. Ele conferiu os sinais vitais de Goos e lhe deu uma injeção para dor. Depois disso, teve a presença de espírito de se lembrar do plano inicial e fingiu examinar e enfaixar a minha mão. Quase objetei, tendo esquecido por completo por que ele estava fazendo isso. Não havia motivo para continuar, de qualquer modo. O pessoal de Kajevic para sempre se lembraria de Goos como o cara que havia derrubado seu presidente e atrapalhado sua última chance de fuga.

O médico voltou para perto de Ruehl e o levou até o banco de trás do SUV. Enquanto o motorista o ajudava a se sentar, o coronel nos lançou um sorriso cortês.

Foi quando notei um helicóptero de combate voando baixo, parecendo tocar as montanhas ao passar sobre o monastério. Ele tinha um nariz afilado que o fazia parecer uma libélula, e, nas laterais, havia listras tigradas e dois lançadores de mísseis brancos. A aeronave pairou sobre a praça antes de pousar, para que os moradores, que haviam começado a sair de casa novamente, pudessem recuar.

Depois que o helicóptero pousou, o veículo blindado avançou para cobrir o lado mais distante da praça, enquanto os soldados que guardavam Kajevic e o quatro por quatro se espalhavam com as armas apontadas, a fim de estabelecer um perímetro. O caminhão avançou até estar no limite das pás do helicóptero. Ouvi o tenente gritar "Caminho livre!", e oito soldados pularam da traseira, movendo-se rapidamente e carregando Laza Kajevic. Ele estava com pés e mãos amarrados, amordaçado e ainda se debatendo, com uma bandagem ensanguentada no rosto — Goos tinha quebrado o nariz dele. Seu *rassa* de tecido marrom rústico estava erguido até a cintura, revelando o jeans por baixo. Os soldados o enfiaram pela porta aberta do helicóptero com tão pouca cerimônia quanto o jogaram no caminhão. Quatro deles entraram junto com o prisioneiro.

O coronel Ruehl havia permanecido no SUV para controlar os passos finais da operação, mas o tenente assumiu o comando e se sentou no banco da frente do helicóptero. Com isso, a aeronave decolou novamente, desaparecendo além das montanhas.

Uma senhora idosa se aproximou e jogou os dois sapatos na direção do helicóptero, mas eu não sabia se seu desprezo era por Kajevic ou por nós.

25.

De volta a Haia — 10 a 13 de junho

A despeito dos seus protestos, Goos foi colocado numa maca e levado no quatro por quatro até o hospital. O verdadeiro Exército bósnio estava presente, protegendo a pequena área de emergência para que Ruehl e Goos pudessem ser atendidos. Os dois pacientes ficaram lado a lado em camas de aço inoxidável, enquanto Ruehl recebia uma transfusão de sangue. Bósnios entravam e saíam da área, incluindo um crescente número de oficiais civis, e houve uma confusão de vozes altas com muita gente tensa correndo de um lado para o outro. Fiquei aliviado quando a general Moen chegou e imediatamente assumiu o controle da situação. Ela expulsou todo mundo da área, à exceção de alguns soldados da OTAN e da equipe médica de emergência. Então explicou que o único radiologista do hospital tinha sido detido para interrogatório e isso causara certo atraso, pois estavam tentando encontrar um médico para analisar as radiografias de Ruehl e Goos. Após ser enfaixado e tomar uma dose de Demerol, Goos insistiu em ir embora.

Uma ambulância particular foi chamada para que ele pudesse ir de maca até o aeroporto de Tuzla. Andersen, agora fardado, me levou de volta ao Blue Lamp, onde peguei minha bagagem e a de Goos. Quando cheguei ao aeroporto, encontrei um avião da OTAN na pista de decolagem. Goos já estava a bordo, numa maca dos paramédicos e com excelente humor, especialmente quando não tentava se mexer.

Voamos por algumas horas até a base aérea da OTAN em Geilenkirchen, na Alemanha, perto da fronteira holandesa. A general Moen havia providenciado para que uma ambulância nos levasse pelas duas horas finais de viagem até Haia.

Quando chegamos do lado de fora do pequeno apartamento que Goos tinha comprado anos antes, ele insistiu, com considerável esforço, em ficar de pé. Entendi que queria fazer isso para não assustar a esposa e a filha mais velha, que chegaram às pressas de Bruxelas. A esposa, uma mulher gordinha de cabelo loiro e ondulado, e a filha, cheia de tatuagens, o ajudaram a entrar lentamente no edifício. Ele dava um passo de cada vez, descansando alguns segundos entre eles. A esposa não parou de falar um minuto, metralhando algo em flamengo.

Já era meia-noite quando entrei em casa. Fiquei atônito ao encontrar Nara, com sua roupa preta de corrida, ainda acordada. Ela estava encolhida numa poltrona da sala, lendo sob o abajur que fornecia a única luz no apartamento. Quando me viu, ela se aproximou instintivamente e colocou a mão delicada no meu rosto, sobre os hematomas no queixo e na mandíbula, que tinham ficado verde e amarelo.

— Meu Deus! — exclamou ela.

— Não é tão ruim quanto parece.

Deixei a mala num canto e me joguei no sofá. Agora que estava de volta, de repente passei a me sentir tão exausto que parecia que os meus ossos poderiam se desfazer.

— Uma questão do trabalho que acabou ficando um pouco violenta — expliquei. — Goos estava comigo. Ele está bem pior. Mas está se recuperando.

Por muitas razões, incluindo nossa segurança, Goos e eu havíamos concordado em manter em segredo nossa participação na captura de Kajevic. Dirigi o foco da conversa para Nara.

— A viagem para Nova York não foi boa?

— Fiquei três dias na cidade e vi Lewis por uma hora. A gente teve uma discussão acalorada no lobby do hotel e não nos falamos mais enquanto estive lá. — Seu tom ao narrar isso, como sempre, soava meio estranho: ela falava com surpreendente leveza, como se toda a viagem tivesse sido apenas um aborrecimento passageiro. De modo geral, Nara parecia animada, e rapidamente compreendi por quê. — Laza Kajevic foi preso hoje — anunciou ela. — Deve ter sido uma grande notícia na Bósnia.

— Não se falava em outra coisa.

— Ele tem um advogado particular de Belgrado, Bojan Bozic. Trabalhei com Bozic no caso do general Lojpur, e ele prometeu que eu seria sua principal assistente se Laza fosse capturado. Ele vai apresentar a papelada amanhã, solicitando a nomeação conjunta. — Seu rosto estava tomado pela adorável luz infantil do orgulho declarado. Ambos sabíamos, como advogados, que aquele caso renderia frutos para o resto de sua vida.

— Meus parabéns! — Ergui a mão para um *high five*, mas me peguei analisando-a em seguida. Havia muita coisa sobre aquela mulher que eu não entendia, porque tendíamos a não falar muito de trabalho, dados nossos papéis em lados opostos. Mas, por causa de suas frequentes respostas sem nenhum tipo de filtro, eu sabia que podia falar abertamente com Nara. — E você não fica incomodada em defender um monstro como ele? Os campos, as execuções, os estupros sistemáticos?

De certa forma, vinda de mim, a pergunta era absurda, considerando os grandes imbecis que com frequência foram meus clientes. Com o passar dos anos, parecia que eu tinha me especializado em CEOS ególatras, sempre homens, que hesitavam tanto em roubar de suas empresas quanto em pegar dinheiro trocado numa gaveta de casa e frequentemente exibiam comportamentos desagradáveis em relação às mulheres. Eu acreditava no mantra de que todo mundo merece ser defendido, mas decidira havia muito que ela não precisava necessariamente ser fornecida por mim. Clientes da máfia, por exemplo, sempre estiveram na minha lista de pessoas a serem evitadas. A violência gratuita e impensada sobre a qual seus negócios eram erigidos era demais para mim.

— Não quero parecer um chato — continuei —, perguntando como você consegue defender gente tão horrível. Mas Laza Kajevic provavelmente é o vencedor do título de pior ser humano vivo.

Nara sorriu por um momento, antes que seus olhos negros ficassem mais sérios.

— Porque eu não sei — disse ela.

— Não sabe o quê?

— O que eu faria em tempos de guerra, quando o mundo está do lado avesso e nada é certo. É fácil ser o promotor, Boom, e dizer depois do fato que "é isso que você deveria ter feito". Falar que é importante restaurar a ordem. Mas, para mim, isso também é, em grande parte, suposição. Não tenho certeza de que as regras seriam tão claras para mim se fosse uma questão de matar ou morrer.

Eu poderia ter seguido meus instintos legais e argumentado, especialmente no caso de Kajevic, que ele próprio havia criado a atmosfera que ela achava capaz de mitigar seus crimes. Mas a resposta de Nara tinha sido séria, de uma pessoa cuidadosa. E suas razões eram mais nobres que as minhas ao aceitar muitos casos, algo que, em geral, eu fazia porque crimes me intrigavam muito mais que execuções de aluguel, o dinheiro era excelente e era comum que os casos me permitissem encontrar amigos do gabinete da procuradoria federal, que muitas vezes representavam os corréus.

— Então o caso é seu?

Ela levantou o imenso fichário que estivera estudando.

— Eu estava correndo quando Bozic me ligou. Voltei ao escritório para buscar a acusação e alguns materiais de apoio, e não levanto dessa cadeira há cinco horas.

— E como Lew vai reagir quando você disser que não vai se mudar para Nova York?

Seu rosto pareceu tenso.

— Não estou ansiosa para ter essa conversa. Faz uma semana que a gente não se fala. Ele espera que cada discussão termine comigo pedindo desculpa e eu não vou fazer isso dessa vez.

Comecei a quinta-feira no dentista de Nara, que colocou uma restauração provisória no meu dente, antes de ir para o tribunal. Eu e Goos tínhamos concordado em fazer um relatório conjunto para nossos chefes sobre a semana e meia que havíamos passado na Bósnia. Comecei o primeiro rascunho.

No meio da tarde, o telefone tocou.

— Parabéns, Boom! — Levei um tempo para reconhecer a voz de Merry. — Eu queria lhe agradecer pessoalmente. Só queria ter estado lá para ver. O mundo é um lugar muito melhor agora.

Falei que não merecia agradecimentos, mas assegurei que os soldados da OTAN que ele um dia havia comandado se saíram excepcionalmente bem.

— Os boatos dizem que você e seu colega foram muito corajosos.

Conforme havíamos pedido, eu e Goos fomos omitidos do relatório oficial da prisão fornecido às agências de notícias. Mas obviamente havia uma versão confidencial circulando.

— Goos o derrubou — contei. — Mesmo com Kajevic segurando a arma com a qual tinha atirado no coronel Lothar. Meu ato de heroísmo consistiu em deitar no chão de um veículo blindado, usando traje completo à prova de balas.

— Disseram que foi você que o desarmou.

— Ele estava praticamente inconsciente, e seu dedo não estava nem perto do gatilho. E eu estava morrendo de medo, o tempo todo. — O fato era que, quanto mais pensava no momento em que havia pegado a Glock, menos claro parecia. Eu ainda estava atônito por ter me encontrado naquela posição.

— Isso prova que você é um homem razoável — comentou Merry. — Ele é um ser humano aterrorizante. Coragem não é ausência de medo, Boom. É continuar em frente a despeito dele. Tiro o meu chapéu para você. A versão que ouvi é que Kajevic estava fugindo quando vocês o interceptaram.

Depois da prisão, os soldados nos cobriram de elogios. Eles temiam que Kajevic chegasse ao sedã preto que esperava para voltar correndo ao monastério. Era verdade que, se Kajevic tivesse entrado no carro com o monge que estava dirigindo, a situação poderia ter ficado complicada. No entanto, por mais que eu admirasse a reação rápida de Goos e sua coragem ao derrubar um homem que tinha acabado de usar a arma, nenhum de nós acreditava ter havido muita chance de Kajevic correr mais que vários homens e mulheres quarenta anos mais jovens. Como dissera Goos nas horas que havíamos passado no avião, rememorando incansavelmente eventos que provavelmente duraram menos de um minuto, a única vida que ele havia salvado provavelmente fora a de Kajevic, que teria sido abatido se tentasse abrir fogo contra os soldados que o perseguiam.

Após mais alguns minutos de conversa amena, decidi tirar vantagem da situação e comentei que, agora que Kajevic estava preso, havia menos razão para reter os relatórios de inteligência sobre as tentativas de capturá-lo em 2004.

Merry riu e disse que eu ainda não entendia o Departamento de Defesa, desligando logo em seguida.

Quando cheguei na noite de quinta-feira, Narawanda estava vestida com roupa de corrida, mas me recebeu com as mãos nos quadris.

— Por que você não me contou?

— Não contei o quê?

— Que vocês fizeram parte da captura de Laza.

Expliquei que Goos e eu merecíamos pouco crédito e não queríamos atrair a atenção malevolente dos seguidores de Kajevic.

— Pelo que ouvi, vocês estiveram no centro de toda a operação.

Não gostei de saber que nossa participação já vazara para os círculos civis. No TPI, o segredo se mantivera naquele dia, porque Badu e Akemi sentiam que era fundamental estabelecer certa separação em relação ao Tribunal Iugoslavo. Mesmo assim, havia pessoas demais na cadeia de informações para evitar que eu recebesse alguns olhares significativos e acenos de reconhecimento, mesmo que nada tivesse sido dito em voz alta. Eu estava prestes a perguntar a Nara, com alguma irritação, como ela soubera quando compreendi quem havia sido sua fonte.

— Você soube disso pelo seu cliente? Ele já chegou a Haia?

Ela deu de ombros para mostrar que não podia violar a regra de confidencialidade.

— Como está o nariz dele? — perguntei. Sequer tentei evitar o sorriso.

— Muito inchado. Ele parece mais aborrecido com isso que pelo fato de estar na prisão. É um homem muito vaidoso.

— Eu jamais teria adivinhado.

— Mas seu papel em tudo isso fez com que o interrogatório inicial fosse muito estranho. Tive que confessar que conheço bem vocês dois. Queria ter tido a chance de alertar Bozic antes de o seu nome surgir.

Eu não tinha pensado nisso. Da perspectiva dela, eu a submetera a uma espécie de conflito de interesses ao manter segredo. Pedi desculpa e perguntei como Kajevic reagira à informação. Temia que isso pudesse custar a Nara seu papel no caso, mas ela disse que ele não havia ficado preocupado.

— Ele acha que todo mundo conhece todo mundo em Haia. Bozic sugeriu uma renúncia formal com base em conflito de interesses, mas Kajevic não deu a mínima e escreveu algumas linhas de próprio punho. Mas enviou seus cumprimentos e disse que gostaria de encontrar você e Goos pessoalmente algum dia.

Nara, previsivelmente, não parecia perceber a assustadora importância dessa mensagem. Em contrapartida, o fato de Kajevic ter aumentado nosso papel se adequava às minhas impressões sobre sua mania de grandeza. Ele presumira que poderia vencer a OTAN para sempre, e certamente preferia pensar que havia sido apanhado por acidente por dois pobres-diabos.

Mas, com isso, minha conversa com Merriwell e a pequena probabilidade de algum dia conseguirmos o arquivo da inteligência sobre a tentativa anterior de prender Kajevic me deram uma nova ideia.

— Se o Sr. Kajevic realmente quer nos ver, podemos interrogá-lo para o nosso caso. Existem muitas perguntas que ele poderia responder para nós.

Nara riu na minha cara, embora de uma maneira inofensiva, sem escárnio. Eu teria feito a mesma coisa se os papéis estivessem invertidos.

— Bozic jamais vai permitir isso. Laza já tem problemas demais sem abrir a boca. Mas vou fazer a requisição aos dois para que você possa receber uma recusa formal.

Saímos para correr, mas o céu desabou de repente, como era comum em Haia, e acabamos no Mauritshuis, o baú de joias que a cidade chama de museu de arte. A grandiosa casa do século XVII, construída no estilo clássico holandês, com teto inclinado e uma fachada ornamentada amarela sobre paredes de tijolos, abrigava algumas das mais famosas pinturas do mundo, incluindo *Garota com brinco de pérola*, de Vermeer, e *O pintassilgo*, de Carel Fabritius, que coincidentemente estavam expostos na mesma sala. Costumávamos passar correndo pelo museu, e Nara sempre me censurava por ainda não tê-lo visitado. Com a chuva, decidimos que aquele era o momento, já que o museu abria nas noites de quinta.

Eu havia me esquecido do histórico de Nara com design e fiquei impressionado com seus comentários incisivos sobre muitas das peças em exibição. Algumas pinturas — o retrato de um velho feito por Rembrandt e a cidade à beira de um rio de Vermeer — me comoveram imensamente por sua vitalidade. Os cômodos minúsculos da casa original foram preservados como salas de exposição, o que dava uma sensação de segredo e intimidade àquela experiência enquanto eu e Nara sussurrávamos, com os corpos pressionados um no outro por causa da multidão.

Depois de percorrermos a exposição duas vezes, retornando para ver os nossos favoritos, fomos até o café esperar a chuva passar, conversando sobre as pinturas. Nara tinha muito a dizer sobre o gênio de Rembrandt, que esteve séculos à frente de seu tempo no entendimento do que realmente vemos.

Fomos embora quando o museu fechou, caminhando lentamente em meio à névoa fraca.

Nara suspirou e disse:

— Isso foi adorável. — Ela olhou para mim, minúscula e sempre sincera, com a chuva brilhando em suas bochechas. — Não foi?

— Foi, sim — respondi.

Voltamos para casa sem dizer mais nada.

Na manhã de sexta, encontrei-a chorando na frente da cafeteira. Fiquei atônito, porque Nara normalmente lidava com seus problemas de maneira contida e estivera bastante animada desde o meu retorno. Ela não estava histérica, mas não havia como não ver as lágrimas.

— Lew? — perguntei.

— Tudo — respondeu ela. — Minha mãe está a caminho. Vai chegar a Schiphol amanhã de manhã. — A mãe tinha um problema sanguíneo que estava bem controlado, mas exigia visitas periódicas a um especialista em Amsterdã. Ela iria ao médico na segunda-feira. — Tenho que contar a ela sobre Lewis, mas não sei o que dizer. Deixei mensagens para ele ontem e hoje, mas ele não respondeu. É assim que os casamentos acabam? Com ligações não atendidas?

Tentei confortá-la. Lew provavelmente estava apenas dando um tempo. Muitos casamentos são retomados após um breve intervalo.

Ela fez que não decididamente com a cabeça.

— Isso não tem muita chance de acontecer. O caso de Kajevic vai me manter aqui durante anos, e eu estou muito feliz com isso. Lewis jamais vai aceitar.

Eu poderia ter observado que fora ela, tanto quanto Lew, quem havia tomado a decisão derradeira, mas Nara provavelmente não veria as coisas dessa maneira. Certamente não há nenhum relacionamento humano mais complicado que o casamento, e eu era sensato o bastante para não interferir no dela.

Em vez disso, perguntei onde sua mãe ficaria. Eu podia ver que, em sua angústia por ter que confessar a situação com Lew, ela não tinha pensado no assunto. Sendo Nara, ela disse a verdade, sem desculpas.

— Normalmente ela fica aqui. Mas suponho que isso não vá dar certo dessa vez. — Ela se virou com um sorriso travesso e uma ideia qualquer subitamente melhorando seu humor enquanto, como uma criança, usava as costas da mão para enxugar as lágrimas. — Seria muito aconchegante com minha mãe, você e sua amiga na mesma cama.

Fiz o que o cavalheirismo exigia e disse que passaria o fim de semana num hotel.

— Não, você não pode fazer isso. Aqui é a sua casa. Minha mãe vai ficar bem no Des Indes.

— Sem chance — retruquei. Prometi arrumar o quarto à noite e deixar tudo pronto para quando elas voltassem do aeroporto. Após mais algumas cenas de Alphonse e Gaston, ela aceitou.

— Isso é muito gentil da sua parte, Boom. Eu me sinto horrível por expulsá-lo. Que tal se eu pagar a conta do hotel?

— De jeito nenhum.

— Então venha jantar amanhã à noite. Isso seria um grande favor. Minha mãe é demais para mim sozinha.

Eu sabia que ela estava sendo sincera — Narawanda jamais usava subterfúgios —, e aceitei. Fiz uma pausa quando estava saindo da cozinha com o meu café.

— E já não estou mais saindo com a minha amiga, como você a chama. Acabou no dia em que falei que estava aborrecido com ela.

Nara refletiu por um momento.

— Sinto muito, de verdade. Você parecia bastante apaixonado. Espero que aquela cena constrangedora aqui em casa não tenha tido nada a ver com isso.

— É claro que não.

Aliviada, ela sorriu de seu modo malicioso.

— Jamais vou me esquecer de vê-la daquele jeito, como veio ao mundo, com aquele penteado chamativo.

O penteado! Sempre me surpreendia como as mulheres se viam umas às outras.

— Nunca houve muito futuro. E o presente, como eu já devia saber, era complicado demais.

Ela pareceu prestes a dizer algo, mas permaneceu em silêncio, e eu fui para o meu quarto.

No trabalho na sexta, suportei uma série de reuniões sobre como prosseguiríamos com o caso. A questão principal era se deveríamos continuar, uma vez que não podíamos conceder nenhum valor ao potencial depoimento de Ferko, mesmo na improvável hipótese de ele ser encontrado. As conversas no escritório foram ansiosas e marcadas por várias perguntas importantes, mas eu ficava irritado com o fato de elas terem que acontecer em camadas: primeiro com a divisão de supervisores, depois com a presença de Akemi, e então, finalmente, com a de Badu. Em todas as vezes, concordamos que, apesar de Ferko, os registros da OTAN, especialmente a vigilância aérea, nos deixavam sem alternativa além de escavar a caverna. Os corpos eram a única fonte provável de evidências adicionais. E, como Goos reconhecera, tendo constrangido os Estados Unidos na primeira página do *Times*, éramos obrigados a confirmar o crime. Em relação a esse último ponto, Badu balançou a cabeça com pesar e disse, meio carrancudo, que o vazamento tinha sido uma ideia muito infeliz.

As deliberações sobre o futuro da nossa investigação trouxeram de volta um fato que eu estivera evitando: precisava procurar Esma novamente, no caso de ela possuir uma maneira alternativa de entrar em contato com Ferko. Ele provavelmente teria informações valiosas, embora nada do que dissesse pudesse ser aceito por completo. Dada a sua verdadeira vocação, por exemplo, ele devia saber como os caminhões roubados haviam parado nas mãos de Kajevic.

Após falhar em todas as tentativas de comunicação eletrônica, voltei ao método antigo e escrevi uma carta muito profissional no papel timbrado do tribunal, dizendo que havíamos visitado Ferko em sua casa, com resultados tão surpreendentes que eu me sentia obrigado a discutir com ela. A carta seria entregue em vinte e quatro horas, tanto em seu escritório em Londres quanto em sua residência temporária em Nova York.

Quando eu estava na faculdade de direito em Easton e levava amigos para casa, como fizera com Roger, era normal ficar dividido pelas reações deles aos meus pais, que eles inevitavelmente achavam cultos e inteligentes. Eu não me importava que meus amigos admirassem meus pais — eu também os admirava —, mas ficava frustrado por serem incapazes de reconhecer a avareza emocional que fazia com que fossem tão desafiadores para Marla e para mim.

Naturalmente, vi o mesmo processo ocorrer do outro lado quando Will e Pete levavam seus amigos para casa, situações em que percebia que Ellen e eu parecíamos bem menos excêntricos e irritantes do que os amigos haviam sido precavidos a esperar. Era outro truísmo que eu adotara na meia-idade: pais e filhos sempre têm um relacionamento único cujos efeitos integrais permanecem inevitavelmente ocultos de todos os outros.

Mesmo assim, considerando a agitação de Nara, caminhei do Des Indes até o apartamento no sábado esperando momentos desconfortáveis. Era uma noite chuvosa, com fortes pancadas ocasionais. Eu usava capa de chuva e chapéu, ao passo que os holandeses, como sempre, continuavam a desafiar o clima. Enquanto caminhava pela Plein, vi centenas de moradores locais sentados às mesas de piquenique, bebendo cerveja sob os guarda-sóis dos cafés. Percebi quanto tinha passado a admirá-los, com seu feliz ar comunal e sua educada determinação em ignorar os pequenos obstáculos para fazer o que gostavam.

A uma quadra do apartamento, parei numa adega e comprei uma garrafa do borgonha favorito de Nara. Só quando a ofereci a Nara, já na porta, lembrei que álcool não era exatamente a melhor maneira de causar boa impressão numa mulher muçulmana.

— Ah, meu Deus — eu disse quando percebi a mancada, e perguntei se deveria esconder a garrafa.

— Deixe-a no closet com o casaco. Não vou beber na frente dela, mas prometo tomar várias taças depois que ela dormir. — Nara revirou os grandes olhos antes de me pegar pelo cotovelo e me levar para conhecer sua mãe.

Annisa Darmadi se mostrou uma mulher inteligente, encantadora e de riso fácil. Apesar das tonturas que a fizeram visitar o médico, parecia cheia de vitalidade e saúde e, mesmo aos 70 anos, era muito parecida com a filha, com a mesma figura esguia e o belo rosto redondo. O *hijab*, que, segundo Nara, ela usava com cada vez mais frequência, estava ausente, talvez em deferência à filha.

A Sra. Darmadi insistiu em cozinhar, como Nara me disse que faria, e ficou ocupada ao fogão preparando vários pratos tradicionais. Os ingredientes eram facilmente encontrados na Holanda, com sua grande população indonésia, e a mãe não conseguia entender por que a filha não aproveitava isso. Tendo insistido nesse ponto, mandava Nara se afastar sempre que ela chegava perto das panelas.

Sentamos para comer pouco depois de eu chegar. A Sra. Darmadi era uma *chef* fabulosa. Ela preparou uma sopa com leite de coco chamada *soto*, uma salada com molho de amendoim — *gado-gado* —, e uma bola de arroz adocicado cercada por fatias de carne grelhada cujo nome não entendi. Durante o jantar, falamos principalmente sobre Jacarta, sobre a qual eu não sabia praticamente nada, e ela atualizou a filha sobre os eventos locais. A coisa mais interessante a emergir da conversa foi que a Sra. Darmadi, embora fosse consideravelmente mais jovem, era prima distante de Lolo Soetoro, o padrasto de Barack Obama. Ela falou de Lolo com mais aprovação que da mãe de Obama, a quem se referiu, sem maiores rodeios, como "uma hippie".

Durante a noite, Nara muitas vezes havia explicado as observações da mãe. Claramente o fazia para compensar o inglês fraco da mulher mais velha. Os comentários de Nara sobre a cultura indonésia foram úteis, embora muitas vezes ela tentasse amenizar o que a mãe dissera, claramente uma mulher de opiniões fortes.

— Com "hippie" ela quer dizer pouco convencional — acrescentou Nara.

Sorri para ela e para a Sra. Darmadi e falei:

— Nara, eu e sua mãe nos entendemos perfeitamente.

Como resposta, a Sra. Darmadi tocou na bochecha, o mesmo gesto delicado que eu vira a filha repetir centenas de vezes. Nara sempre se descrevia como "protegida". Mas sua mãe era muito mais cosmopolita que a mulher muçulmana presa ao lar que ela havia retratado, e percebi que foram seus afiados julgamentos que a fizeram se sentir confinada.

Parti pouco antes das dez. Quando abri a porta do prédio, estava chovendo outra vez, e lembrei que tinha deixado a capa no closet. Voltei, bati várias vezes e, por fim, usei minha chave para entrar, gritando:

— Voltei.

Elas não pareceram me ouvir, com a torneira ligada e o barulho da louça na pia.

Quando abri o closet, ouvi alguns trechos da conversa. Durante a noite, a Sra. Darmadi ocasionalmente havia se dirigido em javanês a Nara, que respondera em inglês, para que eu pudesse entender, ou em holandês, quando não aprovava o que a mãe estava dizendo. Mas agora a mãe sucumbira, e as duas discutiam um pouco em holandês. Em seis meses, eu tinha passado a entender mais da metade do que ouvia, embora um longo tempo fosse se passar antes que ousasse falar, já que ficava confuso com a gramática. Mesmo assim, a Sra. Darmadi, que não era nativa, falava muito mais lentamente que Nara e era mais fácil de acompanhar.

A água foi desligada por um momento, permitindo que eu ouvisse claramente: "Agradável." *Aardig* foi a palavra que ela usou, um elogio ameno.

— Não é isso que me preocupa. É muito inapropriado viver com um homem que não é seu marido, ainda mais um homem por quem você está tão obviamente fascinada. Você se vira para ele como uma flor para o sol. Não me surpreende que você esteja com dificuldades no casamento.

— Mãe! — exclamou Narawanda. — O Sr. ten Boom não tem nada a ver com os problemas entre mim e Lewis. Nós estamos afastados há anos.

A mãe respondeu como as mães fazem — *Ja, ja* —, concordando sem concordar.

Saí de fininho como um ladrão, tentando fingir que não tinha ouvido nada. Quando já estava na porta do edifício, percebi que havia esquecido a capa novamente. Ergui o colarinho e saí na chuva.

26.

Nova testemunha — 15 e 16 de junho

Na segunda-feira, começamos as preliminares para a exumação da caverna, um processo durante o qual novamente achei diplomatas e burocratas enlouquecedores. Eles alegavam que precisavam do consentimento não apenas de vários departamentos do fragmentado governo da Bósnia como também dos proprietários da mina, a companhia Rejka, que abandonara o local havia mais de duas décadas e jamais tinha sido mencionada nos meses em que havíamos nos arrastado por lá. Como resultado, tive que me submeter ao equivalente a uma busca no Registro Geral de Imóveis na Bósnia. Além disso, o gabinete da presidência estava compreensivelmente preocupado com as despesas da operação, que, afinal, fora o que havia nos detido desde o início. Liguei para Attila para ver se ela poderia nos ajudar a encontrar um especialista local em direito imobiliário e lidar com os equipamentos para a escavação.

— Eu queria mesmo falar com você — disse ela. — Você deve estar se sentindo muito especial.

No meio de toda a confusão, eu não tinha pensado muito no fato de que não havíamos tido notícias da pessoa mais enxerida do mundo, que, nesse caso, podia alegar ter participado de eventos dignos dos jornais. Ela queria saber todos os detalhes.

Como todo mundo, Attila ficou impressionada com a coragem de Goos ao interromper a fuga de Kajevic.

— Goos fica repetindo que ele foi idiota — contei —, porque um homem de 60 anos usando um vestido jamais conseguiria fugir de um bando de jovens de 20 e tantos. Mas ele foi realmente corajoso, Attila. Eu estava tão apavorado que teria deixado Kajevic ir embora.

— Durante os meus vinte anos no serviço — comentou Attila —, saber que eu não podia entrar em combate me doeu mais que uma hemorroida. Se os idiotas daquele palácio de cinco lados — ela estava se referindo ao Pentágono — parassem de agir como se ter uma boceta fosse como não ter um braço, eu teria deixado Merry me mandar para a escola de oficiais, porque sempre achei que seria uma excelente comandante de batalha. Mas às vezes me pergunto se isso é verdade. Quando os tiros começam, tudo foge do controle. O cérebro simplesmente para de funcionar. Goos está de parabéns.

Quanto mais a viagem para a Bósnia ficava para trás e eu me concentrava no que havia passado a considerar minha vida cotidiana, mais estranhos o sequestro e a captura de Kajevic me pareciam e menos conectados com a minha realidade ficavam. Ainda havia momentos, especialmente sentado sozinho à mesa no meu escritório, em que parecia que meu coração estava fibrilando, então eu percebia que a lembrança do cano da AK na minha têmpora voltava à minha memória. Mas, de modo geral, conforme os eventos ficavam no passado, era como ter estado num avião que havia feito um pouso terrível — um pneu estoura e o avião derrapa para fora da pista enquanto o filme da sua vida passa diante dos seus olhos no triplo da velocidade. Por algum tempo, é difícil até mesmo olhar para um avião no céu. Você reconhece quanto confia em todo mundo, nos mecânicos, nos pilotos e mesmo em Bernoulli, que descobriu o princípio que mantém as aeronaves no ar. Pensa constantemente em quão perto esteve da morte. E então, lentamente, aceita o óbvio: você não morreu. Está aqui. Continuou em frente. Então vai para o aeroporto e pega o próximo voo.

Por fim, perguntei a Attila sobre o advogado e sobre escavadeiras e pás mecânicas.

— Para quê? — perguntou ela.

Expliquei que escavaríamos a caverna.

— Que merda é essa? Eu achei que vocês só estavam fingindo para dar cobertura aos caras da OTAN. Como vão continuar no caso sem Ferko?

Não respondi diretamente. Attila ainda não fazia ideia do que os registros da OTAN mostravam, mas parecia sentir que havia algo importante que não sabia. Ela fez várias perguntas incisivas sobre outras evidências que havíamos reunido, e eu desconversei, dizendo que as regras de confidencialidade da investigação me impediam de falar, do mesmo modo que ela se mantivera em silêncio para respeitar a classificação militar das informações. Attila pareceu descontente com a resposta.

Quanto ao equipamento de escavação, quando os soldados partiram da Bósnia, Attila havia comprado tudo que a CoroDyn levara até lá para construir campos e reparar estradas. Como muitas das suas iniciativas comerciais, tinha funcionado muito bem. Ela pagara apenas pouco mais do que custaria à CoroDyn para deslocar o maquinário para outro lugar e, em suas próprias palavras, havia ganhado "dinheiro pra caralho" alugando os equipamentos para os constantes projetos civis de reconstrução. Ela prometeu um "preço camarada" no orçamento que enviaria por e-mail até a noite.

Depois do nosso retorno da Bósnia, eu finalmente havia tido a oportunidade de analisar cuidadosamente os registros que ela nos entregara, relativos à movimentação dos caminhões onze anos antes, na noite em que os chetniks apareceram em Barupra. Era como ela afirmara: não havia grandes contingentes de veículos retirados da frota operacional ou da logística para além dos designados para recolher lixo e outras atividades de rotina em torno da base. Mas os documentos estavam incompletos.

— Não tem nada do depósito de combustível, Attila. Nada dos mecânicos nem do estoque de peças.

— Sério? Merda, eu não olhei com cuidado. Vou ligar para a Virgínia e dar um chute na bunda daqueles idiotas. A cada dia que passa, os Estados Unidos ficam mais parecidos com a Itália. — Ela prometeu estar com os registros quando chegássemos à Bósnia para a escavação da caverna.

Fiquei pensando em Attila depois da ligação. Ela era a alegria da festa, por assim dizer, aonde quer que fosse, e o gênio logístico que descobrira como atender às necessidades de todo mundo. Mas devia ter uma bela coleção de ressentimentos justificados quando estava sozinha. Como muita gente abastada, sem dúvida havia aprendido que o dinheiro, por melhor que fosse, não curava as feridas fundamentais da vida, muitas das quais ela havia sofrido. A despeito de pessoas como Merriwell e seu pai, que tentaram convencê-la a se unir ao corpo de oficiais, ela recusara porque, como me disse, realmente não havia lugar entre os oficiais para alguém que era, em sua expressão preconceituosa e poderosamente adequada, "sapatão". Ela não tinha nenhum problema em ser homossexual mas também se ressentia do fato, uma vez que isso lhe negava, em situações como aquela, seu destino. Attila jamais havia pedido a ninguém que sentisse pena dela. Mas foi o que senti naquele momento, experimentando algumas das sensações de alienamento que deviam invadi-la com tanta frequência, especialmente quando ficava sozinha.

Quando voltei ao apartamento depois do expediente, Nara estava com sua roupa de corrida. A Sra. Darmadi havia recebido notícias tranquilizadoras do médico em Amsterdã.

— Mas eu preciso falar com você sobre algo muito importante — declarou ela. Sua expressão era severa.

Eu me preparei, achando que sua mãe a convencera de que eu precisava me mudar. Eu já havia começado a olhar anúncios e a parar nas vitrines das imobiliárias para ver as opções de imóveis para alugar, mas esperava poder ficar até escavarmos a caverna, quando teria uma ideia mais clara do meu futuro em Haia. Mesmo assim, resolvi aceitar sua decisão com elegância.

Em vez disso, ela disse:

— Laza quer falar com você.

Levei um instante para compreender.

— Kajevic?

— Eu preciso dizer a verdade. Bozic o aconselhou várias vezes a não fazer isso. E eu reforcei os avisos e pedi que explicasse por que falar com você seria benéfico para ele. E vou continuar tentando dissuadi-lo. Mas Laza continua insistindo. Ele é um homem bastante determinado.

— Imagino.

— Mesmo assim, Bozic quer total imunidade do TPI e um acordo blindado de confidencialidade, para que nada que ele diga possa ser usado em nenhum tribunal. Bozic vai estar aqui amanhã para uma audiência e quer discutir o acordo com você.

Os termos — exatamente os que eu teria exigido como advogado de defesa — não pareciam desafiadores, especialmente porque Bozic detinha todo o poder de negociação. Eu precisaria da permissão de Badu e Akemi, mas era muito provável que eles concordassem.

Eu queria ser o primeiro a contar a novidade para Goos. Ele estava passando a semana em casa, ainda se recuperando, e fui até seu apartamento na manhã de terça. A esposa ainda estava lá. Fien era naturalmente calorosa e animada, e me deu um beijo em cada bochecha quando cheguei, o que tomei como sinal de que Goos tinha falado bem de mim. Mas não pudemos conversar muito, porque seu inglês era tão ruim quanto meu flamengo. O apartamento era mais escuro do que eu imaginava e apinhado, cheio de fotos de família, estatuetas e uma mobília pesada de imbuia. É normal ser um choque conhecer a casa de alguém com quem se trabalha, pois o lar representa atitudes que as pessoas jamais exibiriam no escritório. Meu palpite era de que Goos se sentia confortável porque a decoração do apartamento era parecida com a que Fien fizera na casa deles em Bruxelas, e dava para perceber que sua mão também estivera presente ali. Mas isso implicava um nível de dependência que ele raramente reconhecia com uma cerveja na mão.

Goos continuava de cama, mas estava bem corado. Ele insistiu em se sentar na cadeira durante a nossa conversa, aceitando a minha ajuda para chegar até lá.

— Talvez você devesse permanecer deitado para ouvir o que tenho a dizer — comecei. — Temos uma chance de interrogar Laza Kajevic. — Narrei os poucos detalhes de que dispunha.

— Macacos me mordam — foi a reação dele. — Macacos me mordam. O que Kajevic ganha com isso, Boom?

Eu mal tinha começado a pensar a respeito.

— A verdade, Goos, é que ele vai ficar na prisão pelo resto da vida. Então pode fazer o que quiser. — Isso, é claro, incluía nos encher de mentiras quando falássemos com ele, por qualquer diversão maliciosa que pudesse obter com isso. Tínhamos que ser cautelosos.

Mesmo assim, Goos exibia um sorriso largo que eu raramente via longe de um bar.

— Estamos tendo algumas surpresas nesse caso, não estamos?

No fim da tarde de terça, atravessei a cidade para me encontrar com Bojan Bozic, que tinha ido de Belgrado até Haia para uma breve audiência do caso Kajevic. Concordamos que Nara faria as apresentações, mas não participaria das negociações sobre as regras para o interrogatório.

O Tribunal Iugoslavo tinha uma sede muito mais modesta que a do TPI, perto do Fórum Mundial, onde a bandeira da Organização das Nações Unidas tremulava no pátio. O interior do edifício parecia uma antiga escola, e os escritórios dos advogados de defesa, dos quais Nara ocasionalmente reclamava, eram pouco convidativos: duas salas com piso de linóleo, algumas mesas, murais e três ou quatro computadores antigos, o tipo de espaço onde você esperaria encontrar os monitores almoçando.

Quando cheguei, descobri que Nara e Bozic ainda estavam numa audiência, terminando a inquirição de uma testemunha que chegaria ao fim de seu termo de prisão em breve e poderia não estar disponível mais tarde. O depoimento do sujeito estava ligado a um ponto de jurisdição do caso Kajevic, embora estivesse relacionado a apenas algumas das centenas de acusações que foram apresentadas contra ele. Outro advogado da equipe de defesa mostrou minhas credenciais do

TPI para o segurança na porta da sala de audiências, e obtive permissão para me sentar na seção de espectadores, atrás de uma parede de vidro, enquanto esperava o fim dos procedimentos.

Embora o Tribunal Iugoslavo fosse praticamente a mãe do TPI, fora estabelecido como tribunal temporário, e, mesmo vinte anos depois, sua sala de audiências era muito menor e menos grandiosa que a nossa. O plano térreo, com as bancadas dos advogados e as mesas de juízes e escrivães, era idêntico, com os mesmos monitores pretos à frente de cada lugar, mas o espaço, que parecia uma sala de aula convertida em sala de audiências, era muito mais apertado. No Tribunal Iugoslavo, as mangas dos juízes tinham barras escarlate, mas Nara, que inquiria a testemunha, vestia a mesma beca preta com o mesmo peitilho de renda branca que usávamos do outro lado da cidade. Bozic e Kajevic, ambos de terno, estavam sentados à mesa da defesa, de costas para mim, enquanto três promotores faziam anotações em outra mesa curva, a alguns metros de distância.

Eu não havia pensado muito no fato de que Narawanda tinha sido elevada ao papel de conselheira associada num grande caso e, portanto, devia ser razoavelmente boa no tribunal. A mulher que eu conhecia, excêntrica e ligeiramente tímida, não se parecia com o estereótipo de um advogado de litígios, mas eu tampouco me encaixava no padrão, sendo com frequência acusado de ter uma atitude taciturna demais durante os julgamentos. A verdade é que cada advogado realmente efetivo desenvolve um estilo próprio, assim como bons pintores, vocalistas e jogadores de beisebol, um estilo que com frequência envolve capitalizar suas próprias idiossincrasias. A tática de Nara era confrontar a testemunha abertamente e com avidez, como o detetive Columbo, e fazer pergunta após pergunta não porque a testemunha estivesse mentindo, mas porque ela mesma era estrangeira e meio lenta. Era revelador vê-la dessa maneira, porque o foco de uma habilidade que ela normalmente mantinha para si mesma brilhava com muita clareza na sala de audiências.

A questão, pelo que pude perceber, era que Kajevic não estivera na antiga Iugoslávia nas datas em que supostamente havia cometido os crimes que constam em quatro das acusações. Nos Estados Unidos, isso se chamava álibi e se tornava matéria de fato durante o julgamento, mas, no Tribunal Iugoslavo, era uma questão preliminar sobre o poder do tribunal de julgá-lo por aquelas acusações específicas. Aparentemente, Nara e Bozic apresentaram recibos de hotéis e outros registros comprovando que ele estava em Paris na época do suposto crime, mas a promotoria havia escolhido apresentar a testemunha em vez de desistir das acusações. Ficou imediatamente aparente para mim que os promotores estavam tão enfurecidos com as atrocidades cometidas por Kajevic e seus anos em fuga que não concederiam nada a ele nem a seus advogados. Eu conhecia essa mentalidade e descobrira, da maneira mais difícil, que era tóxica. Uma boa equipe de defesa apenas aumentaria a frustração dos promotores durante o julgamento, levando-os a cometer erros causados pela raiva.

O homem à mesa das testemunhas era um ex-coronel do Exército sérvio-bósnio que aparentemente suavizara a própria punição ao acusar Kajevic por tudo. Ele tinha a aparência amarfanhada que muitos ex-soldados pareciam tentar exibir, vestindo um terno com um corte desajeitado num estranho tom de azul-claro, com a barba por fazer e a gravata torta. Sua atitude — desconfortavelmente parecida com a de Ferko — era a de um homem simplório demais para fazer algo além de seguir ordens.

— O senhor disse que foi até Banja Luka para se encontrar com meu cliente? — Nara piscou repetidamente em frente ao coronel, sem nenhuma expressão no rosto.

— Sim, é verdade.

— O senhor alguma vez saiu da antiga Iugoslávia em 1992 ou 1993?

— Eu era oficial, e estávamos em combate.

— O senhor está dizendo que não?

— Não.

— O senhor alguma vez foi a Paris durante esses dois anos?

— Estávamos em guerra. Ninguém tirava férias em Paris.

— E o senhor se lembra, coronel, de onde partiu quando viajou para ver meu cliente?

— Não, não com clareza.

— O senhor foi de carro até lá?

— Sim, é claro.

— E quantas horas levou a viagem?

— Não sei dizer com certeza.

— Duas? Dez?

— Duas, talvez três.

— E, nessa data, coronel, o senhor lembra onde o regimento que comandava estava estacionado?

— Não de imediato.

— O senhor disse que estavam em combate. O senhor se lembra do último combate em que seus soldados estiveram envolvidos?

— Lutamos contra os bosniaks. Deve ter sido perto de Sarajevo.

— Então o senhor foi de Sarajevo a Banja Luka, em tempos de guerra, em duas ou três horas? Isso seria impossível, não acha?

— Eu não disse que levei apenas duas ou três horas.

— Sinto muito, achei que o senhor tivesse dito isso.

— Você disse isso.

— Peço desculpas. Mas, de Sarajevo a Banja Luka, durante os combates, a jornada levaria praticamente um dia inteiro, não levaria?

— Sim, poderia levar.

— Então, a fim de falar com o presidente Kajevic, o senhor permaneceu afastado das suas tropas durante dois dias inteiros?

— Talvez eu não estivesse em Sarajevo.

— Entendo. E não sei se já perguntei, mas o senhor se lembra de onde estava quando partiu?

— Não, não lembro. Isso aconteceu há mais de vinte anos. Como posso lembrar tudo?

Tudo isso ocorreu, como no nosso tribunal, com o elaborado processo de tradução fazendo com que parecesse que todos tentavam correr com os sapatos colados no lugar. Mas, a despeito disso, com apenas algumas perguntas, Nara havia acabado com o coronel. A única coisa que ele realmente sabia é que, culpando Kajevic, se livraria da prisão.

A audiência foi encerrada rapidamente. Nara me apresentou a Bozic em frente à sala de becas, e eu os parabenizei. O tribunal se pronunciaria sobre a questão, mas estava claro que eles venceriam. Nara riu como uma adolescente quando a elogiei pela inquirição cruzada.

— Sim, sim — disse Bozic —, foi uma inquirição brilhante. — Ele era gorducho e não tinha mais de um metro e sessenta de altura. A despeito disso e de ter mais de 70 anos, era muito bonito, com aparência saudável, de cabelos brancos e cheios e maneiras atraentemente enérgicas. Ele havia se tornado o advogado mais procurado pelos sérvios de alta patente que foram presos e conseguira a absolvição de três deles. Nascido em Milwaukee, seu inglês não tinha sotaque nenhum. — Quatro acusações derrubadas. Faltam só trezentas e trinta e duas.

Como a audiência havia demorado mais que o esperado, Bozic estava atrasado para seu voo e pediu que eu caminhasse com ele até a porta. Nara, como combinado, nos deixou a sós.

— Ouça — disse Bozic —, meu cliente acha que é um super-herói. Ele não sabe avaliar riscos. No fim de tudo isso, espera colocar sua capa e sair voando da prisão. O caso claramente exige uma defesa por insanidade, mas não preciso dizer que ele me demitiria imediatamente se eu sugerisse isso.

Assenti com a cabeça. Já havia passado por situações como essa. Conversamos sobre os termos do depoimento.

Dado seu caráter, era extremamente improvável que Laza Kajevic admitisse ter autorizado o massacre dos quatrocentos *roma* de Barupra. Mas mesmo essa possibilidade remota provocara algumas conversas ansiosas no TPI nas últimas horas: valia a pena, num caso no qual não tínhamos uma testemunha confiável, fazer promessas de imunidade a um arquicriminoso para obter evidências que nos levariam aos outros responsáveis? Era uma pergunta que todo promotor enfrentava de tempos em tempos e, usualmente, era uma decisão muito difícil. Contudo, como a condenação de Kajevic no Tribunal Iugoslavo e sua prisão perpétua eram uma certeza, eu havia sido a favor.

O debate acabou se provando puramente teórico. Bozic era o tipo de advogado que os colegas adoram, ocupado e confiante demais para se preocupar com enrolação. Embora não tivesse nenhuma obrigação de responder, deu uma risada e balançou a cabeça com descrença quando perguntei se Kajevic assumiria a responsabilidade por Barupra. Depois disso, nossa negociação levou apenas alguns minutos. O estatuto do TPI prometia a todas as testemunhas, e não apenas a Kajevic, imunidade contra o uso de quaisquer declarações pessoais contra elas. As outras preocupações de Bozic seriam dirimidas caso concordássemos que o interrogatório seria considerado um assunto pertinente à investigação, coberto pelas regras de absoluta confidencialidade do tribunal, o que significava que nossa reunião permaneceria em segredo para sempre. Tendo conseguido tudo o que queria, Bozic ficou feliz em aceitar o acordo.

— Coloque tudo isso por escrito e mande para mim — pediu ele.

Bozic voltaria a Haia na semana seguinte para conversar com o coronel Lojpur, cujo caso aguardava decisão. Se conseguíssemos completar a papelada a tempo, o interrogatório com Kajevic ocorreria na mesma data.

27.

Emira — 17 a 19 de junho

Na quarta-feira, quando cheguei ao tribunal, o envelope que tinha enviado ao escritório londrino de Esma estava em cima da minha mesa, com um aviso dizendo que o remetente era desconhecido. Peguei o envelope, conferi a ortografia e o nome da rua e me perguntei se haveria alguma chance de Esma não ter respondido às outras mensagens porque também não as havia recebido.

Acessei o elegante site do escritório de Esma na Bank Street e não encontrei o nome dela. Fiquei surpreso por um momento e então concluí que ela devia ter mudado seu acordo comercial, como muitos advogados americanos bem-sucedidos que às vezes se declaram agentes livres, parecidos com atletas que oferecem seus serviços a quem pagar melhor. Se ela havia mudado de escritório, seu celular e seu e-mail também poderiam ter mudado, o que explicava seu silêncio.

Liguei para a recepcionista do escritório da Bank Street, e ela foi educada ao me dizer que não tinha "nenhuma informação" sobre Esma Czarni, basicamente a tática que os americanos usam para impedir que os clientes sigam seu advogado até o novo escritório. Por isso, liguei para George Landruff, o advogado que eu e Esma conhecíamos e que também trabalhava na Bank Street, sobre o qual havíamos falado brevemente quando tínhamos nos conhecido.

George parecia incapaz de falar baixo. A voz dele soava sempre retumbante, num tom adequado à acústica secular das salas de audiência de Londres. Desde o primeiro grito de "Alôôô", mantive o telefone a três centímetros da orelha.

— George!

Quando falava com ele, eu inevitavelmente gritava também. Eu me apresentei outra vez, mas George se lembrou de imediato. Havíamos jantado juntos duas vezes, uma em Londres, outra em Nova York, durante reuniões de uma sociedade internacional de advogados da qual ambos fazíamos parte. George tinha aquela espirituosidade sutil que exalava, como um perfume agradável, da ventilação de seus modos muito elegantes da classe alta britânica, o que garantia que ele não era nem arrogante nem um palhaço.

— George, estou tentando encontrar uma colega sua, talvez ex-colega, que tinha um escritório aí na Bank Street.

— E quem seria?

Quando falei, o telefone estalou com estática, e ele pediu que eu repetisse.

— Homem ou mulher? — perguntou George. Ele pensou mais um pouco e disse: — Sinto muito, Boom, mas não me lembro dela.

— George, ela conhece você. A gente conversou a seu respeito.

— Conversaram, é? — Ele repetiu o nome e então perguntou: — Você não está falando de Emira Zandi?

Soletrei o nome.

— Ela é *roma*.

— Você pode descrevê-la?

— Quarenta e poucos anos. Muito bonita. Com o que as pessoas poderiam chamar de um penteado chamativo.

— Meu amigo, acho que você está falando de Emira Zandi. Ela fez direito na Caius College?

— Sim.

— É Emira! E o que você falou das origens dela?

— Ela é *roma*.

— Cigana? Não, não. Essa senhora é persa.

— Persa?

— Família iraniana exilada. Mas ela não trabalha aqui tem mais de uma década. Ela se casou com um bilionário iraniano trinta anos mais velho e se mudou para Manhattan. Era uma boa advogada, mas não vou fingir, Boom, houve certo alívio quando ela foi embora. Parecia que sempre havia vários homens atrás dela e bastante confusão como resultado. Na verdade, a primeira briga de que tenho lembrança aqui nesses corredores foi entre dois sujeitos que acreditavam ser seu único amor.

— E qual é o nome do homem com quem ela se casou?

— Ah, quantas perguntas difíceis! Não sei se eu me lembro. É por causa daquela placa de metal que parecem ter colocado na minha cabeça quando envelheci, Boom. Mas posso perguntar. Espera! — gritou ele. — O primeiro nome era parecido com... Como é mesmo? Hoosmeth? Algo assim. Hoos-alguma-coisa Jalanbani. Ele é dono de alguns arranha-céus em Manhattan.

Pedi que ele tentasse soletrar. Algo me incomodava enquanto eu olhava para o que havia escrito no bloco de papel. Após mais algumas palavras e a promessa de jantarmos juntos quando eu estivesse em Londres, desliguei e continuei olhando para o papel. Então lembrei. Eu visitara Esma no apartamento no Carlyle de uma mulher que ela havia chamado de "madame Jahanbani".

Quando havia conhecido Esma, eu não encontrara nenhuma foto dela na internet, embora houvesse um longo artigo na Wikipédia, focando em seu papel na Aliança Roma Europeia. Eu presumira que ela era como muitas pessoas que não gostam de câmeras. Afinal, as fotos nunca captam o que veem no espelho. Attila quisera tirar uma foto de nós três enquanto almoçávamos no restaurante ao lado do riacho depois da visita a Lijce, mas Esma tinha se recusado, dizendo que levaria muito tempo para arrumar o cabelo.

Mas Emira Zandi Jahanbani era muito menos reticente. Havia dezenas de fotos dela, frequentemente em vestidos longos e decotados, comparecendo a eventos de caridade e parecendo levar uma vida de glamour. Poderia haver um estilista envolvido: maquiagem esfumada nos olhos, um cabelo que parecia uma cascata descendo pelas suas costas, o rosto inclinado para exibir o melhor ângulo. E, ainda assim, era Esma, sorrindo para a câmera, muitas vezes com aquele sorriso de lábios fechados que emanava uma atração mística.

Havia corrido sem Nara na segunda e na terça — os dias estavam começando a ficar bonitos —, mas na quarta ela chegou quando eu estava prestes a sair. Parecia completamente distraída, embora, ao perguntar se ela queria "dar uma corridinha", tenha concordado que o ar fresco lhe faria bem. Ela se trocou rapidamente, mas não disse nada durante quase uma hora. Eu ainda me via longe de estar à sua altura como corredor e com frequência a encorajava a me deixar para trás e dobrar o ritmo nos últimos dois quilômetros, o que era muito conveniente, porque assim Nara conseguia uma mesa para nós no restaurante de frutos do mar.

Naquele dia, contudo, ela recusou a sugestão quando eu disse que devia se sentir liberada para disparar na minha frente. Mais cedo, eu havia achado que foram nossos papéis como advogados em lados opostos que a silenciaram, mas agora estava confuso. Ao sairmos do apartamento, Nara tinha dito algo sobre voltar ao escritório mais tarde, pois não havia feito nada durante o dia. Mas agora ela disse que não tinha disposição para isso. Paramos para um jantar rápido no restaurante de sempre, e ela tomou duas cervejas antes de a comida chegar.

Perguntei se sua mãe estava bem. Estava, sã e salva em Jacarta.

— Lewis me ligou — disse ela finalmente. — Enquanto eu estava no trabalho. Acho que ele não esperava que eu atendesse.

— E...?

Ela brincou com os talheres sobre a mesa de aço inox por um momento.

— Eu perguntei se ele estava saindo com alguém. Não sei onde arrumei coragem. Mas venho pensando nisso há algum tempo.

Eu estivera pensando na mesma coisa, mas havia guardado para mim.

— Ele não respondeu, disse que queria falar do nosso futuro. Eu perguntei: "Você não acha que seria relevante para o nosso futuro se você estivesse envolvido com outra pessoa?" Lewis disse que não estava "envolvido" com ninguém, mas eu sabia que isso era mera semântica. Quando pedi novamente que respondesse se sim ou não, ele *me* acusou de estar evitando o assunto. Não aguentei. Lewis sempre tenta encontrar um jeito de se sentir superior. Finalmente falei de Kajevic, disse que não poderia abrir mão de um caso tão importante e pedi a ele que voltasse para casa. E Lewis respondeu: "Bom, isso resolve tudo, não é?" E desligou! — Nara riu, tentando se divertir com a situação enquanto continuava brincando com o garfo. — Eu devia estar chorando?

— Mesmo quando é o melhor a ser feito, o fim de um casamento não é nada para ser comemorado — comentei.

— Estive pensando em contratar um detetive em Nova York.

Fiz uma careta. Eu não sabia nada sobre as leis holandesas de divórcio, mas estava bastante certo de que isso não seria necessário.

— Não — continuou ela. — Não porque eu ache que ele está envolvido com alguém. Eu estou curiosa sobre *ela*.

— Com que objetivo? — perguntei.

Os olhos de Nara, que sempre pareciam maiores e mais profundos sem os óculos, encontraram os meus por um momento.

— Eu quero saber se ela é parecida comigo. — Essa frase foi o suficiente para fazê-la chorar. Observei em silêncio e então toquei sua mão levemente.

— Eu sabia — declarou ela.

Fiz que sim com a cabeça.

— Mas, mesmo assim, é humilhante.

— As saídas dos casamentos estão sempre cheias de corpos. Acho que é o que torna tudo real.

— E é *tão* irritante. Ele está aprontando por aí, e eu tenho feito de *tudo* para agir do jeito certo.

Nara bebia sua terceira cerveja. Seus olhos negros encontraram os meus mais uma vez, e de repente se arregalaram para, em seguida, se afastar, obviamente confusos. Ela se levantou e se afastou da mesa, ficando de costas para mim. Fiz sinal para que o garçom não retirasse os nossos pratos e me aproximei. Toquei seu ombro, ainda suado por causa da corrida, mas ela afastou minha mão, exasperada.

— Estou agindo feito uma idiota — disse Nara. Ela estava chorando e tentando se controlar. Olhou para mim, tentou sorrir e tapou o rosto com a mão. — Você se importa se eu voltar sozinha?

Eu devia ter passado a quinta-feira organizando o interrogatório com Kajevic e falando com o advogado que Attila havia recomendado em Tuzla, mas só tinha uma coisa na minha mente: Esma. Vinte e quatro horas apenas aumentaram minha incredulidade.

Procurei "Jahanbani Nova York" no Google, o que gerou vários resultados. O mais recente era uma breve notícia sobre o divórcio de Hooshman Jahanbani da esposa Emira. Com essa informação, usei os registros on-line da Suprema Corte de Nova York — que, para confundir, é como o tribunal de primeira instância é chamado naquele estado — para ler a resma de petições e ementas do caso, agora com oito anos.

O Sr. Jahanbani, que havia fugido de Teerã após a queda dos xás, tinha propriedades comerciais em toda Manhattan. Ele era casado havia quase quinze anos com a segunda esposa, trinta e dois anos mais nova, que conhecera por ser amigo próximo do pai dela, outro expatriado persa, que estava no ramo do petróleo.

De acordo com o processo de divórcio, o Sr. Jahanbani alegava abandono, dizendo que Emira estava propositalmente ausente do lar conjugal havia uma década. Ela, talvez de um modo não muito inteligente, respondera com acusações de infidelidade, alegando que o marido só buscava o divórcio para poder se casar com uma mulher do escritório dele que ainda não completara 30 anos. Em resposta, ele havia apresentado evidências dos frequentes casos da esposa, envolvendo vários nova-iorquinos e nova-iorquinas proeminentes — às vezes, os casos pareciam se sobrepor. As muitas audiências pareciam ter tido seus momentos dramáticos. Emira fora acusada de injúria moral, alguns anos antes, por responder a insultos do marido — em farsi — dando uma pancada em sua cabeça careca com um guarda-chuva, fazendo-o sangrar. Pelo que pude apreender nas minhas pesquisas, o caso ainda estava longe de ser concluído.

Tudo isso era chocante mas, de certa forma, cômico, ainda que parte da piada se desse à minha custa. Mesmo assim, eu estava disposto a pensar que Emira podia ter adotado um pseudônimo como passo lógico, devido aos problemas que cercavam seu casamento. E, todavia, meu sexto sentido ficou mais aguçado depois que passei a pesquisar sobre a Aliança Roma Europeia. Havia organizações com nomes similares, mas essa entidade parecia simplesmente não existir. Os poucos resultados on-line estavam todos conectados a Esma, que sempre era citada como fundadora do grupo. Por fim, liguei para o que as fontes on-line descreviam como principal organização de defesa dos *roma*, baseada em Paris. Passei por várias pessoas, mas absolutamente nenhuma delas tinha ouvido falar da organização de Esma. A Aliança Roma Europeia claramente era outra peça de sua identidade fictícia.

Andei de um lado para o outro no meu escritório. Eu havia cortado minha conexão emocional com Esma bem rápido. Mesmo reconhecendo que nosso relacionamento físico sempre lhe garantiria um lugar especial na minha memória, eu havia aceitado que ela não era confiável. Mas essa situação era outra história. Toda a minha vida profissional como advogado me proporcionara treinamento prático na detecção de mentiras. Mas o poder sexual de Esma tinha dado um curto-circuito nos meus sistemas de detecção.

Eu tinha aprendido, havia mais de uma década, que levar duas vidas não era nem tão incomum nem tão difícil de ser colocado em prática quanto se imaginava. Eu representara um proeminente advogado corporativo, Bill Ross, que, durante anos, tinha saído de reuniões com clientes para negociar ações das companhias cuja fusão estava negociando. Sua conta na corretora estava em seu nome de nascença, Boleslaw Rozwadowski, e utilizava o número do seguro social de Boleslaw, antes de se tornar Bill. Bem informado e inteligente, meu cliente havia sido esperto o bastante para negociar apenas pequenos lotes de ações, de modo a não atrair a atenção da CVM. Por mais que o crime fosse enfurecedor, eu ficara mais intrigado com o uso que ele havia feito dos lucros, que foram rastreados pelos promotores. O dinheiro que ganhava com as ações não ia para prostitutas, drogas ou jogos, os motivos-padrão para muitos crimes do colarinho-branco. Em vez disso, Bill enviava o dinheiro para sua família na Polônia, que visitava uma vez por ano. A esposa polonesa, uma garota que ele havia engravidado quando ambos estavam no ensino médio, ainda achava que Bill era um pintor de casas nos Estados Unidos. A despeito disso, e de sua mulher e dois filhos no condado de Kindle, ela não teve problemas em recebê-lo de volta após a sentença de prisão de três anos que eu conseguira para ele.

Observando Bill, eu havia percebido que os principais requerimentos para manter duas identidades eram audácia e capacidade de organizar as próprias mentiras. Foi chocante para todos que o conheciam, mas não porque seu método se mostrasse particularmente intrincado. A surpresa tinha sido gerada porque manter duas vidas vai de encontro às dificuldades que a maioria de nós enfrenta para descobrir seu verdadeiro eu.

E, de qualquer forma, não levei mais de vinte minutos de pesquisa para descobrir como Esma tinha conseguido armar tudo. Seu passado — a caravana, o pai abusivo, Boris e seu pau duro — parecia ter sido inteiramente retirado da autobiografia de Aishe Shopati, *Garota cigana*, que fora publicada havia cerca de dez anos, com boas críticas em ambos os lados do Atlântico. Havia um curso on-line da língua, Romaninet, no qual ela poderia ter aprendido noções básicas de romani — e, de qualquer maneira, alguém com tanto dinheiro poderia facilmente ter contratado um professor. Mudar o nome no passaporte inglês não havia exigido mais preparação que preencher um formulário Deed Poll e pagar trinta e seis libras ao Tribunal Real de Justiça, o que lhe permitiria conseguir cartões de crédito, abrir contas bancárias e obter uma identidade nacional no nome de Esma. Com algum cuidado para não ser fotografada, havia pouco risco de que o mundo dos bilionários de Manhattan colidisse com o mundo de uma ativista *roma* europeia.

Os mecanismos da mentira não eram nem de longe tão complicados quanto tentar descobrir quão longe ela iria. Refletindo sobre suas mentiras descaradas aliadas às de Ferko, tive que confrontar uma suspeita nauseante: a de que o massacre em Barupra havia sido simplesmente outra invenção para dar glamour à vida de "Esma Czarni".

Na noite de sexta, Goos e sua mulher me convidaram para jantar. Quando ele havia ligado fazendo o convite, dissera ter sido ideia de Fien, embora tivesse tentado convencê-la de que eu não tinha direito a mais uma refeição grátis.

Seu estado físico tinha melhorado muito. Ele disse que estava pronto para voltar ao trabalho na segunda.

Tínhamos muito a discutir. A Seção de Complementaridade me informara que várias entidades bósnias consentiram com a exumação da caverna, mas a presidente e a secretária ainda queriam saber se havia alguma maneira de reduzir os custos.

— Eles nem esboçaram um sorriso quando eu disse que o orçamento era osso duro de roer.

Eu soube que a piada tinha dado certo pela velocidade com que Goos colocou as mãos nas costelas.

Passamos algum tempo tentando descobrir se havia custos que poderíamos reduzir. Não havia praticamente nenhuma base de dados de DNA das pessoas que viveram em Barupra, então concordamos em dispensar a equipe de técnicos que faria a amostragem de DNA no local. Em vez disso, podíamos preservar os restos mortais até descobrirmos como identificar os ossos. Isso, contudo, não seria uma tarefa simples, uma vez que os esqueletos não valeriam muito no tribunal, a menos que pudéssemos provar que pertenciam aos residentes *roma* de Barupra.

Eu havia passado muito tempo revisando na memória cada conversa que já tivera com Esma e lembrei que ela tinha dito, quando havíamos nos conhecido, no Des Indes, que Ferko concordara com o primeiro interrogatório quando ela estava prestes a ir para Kosovo procurar as famílias das pessoas que fugiram para Barupra.

— E quanto a parentes? — perguntei a Goos. — Se pudermos encontrar parentes das pessoas que foram para Barupra, não poderíamos traçar seu perfil de DNA? E combinar esses perfis com os ossos que recolhemos? Se conseguirmos alelos em comum numa amostra ampla o bastante, isso seria bem convincente, não seria?

Goos gostou da ideia. Assim, seria sua tarefa, quando voltasse a trabalhar na semana seguinte, ver se poderia usar as redes sociais e outros meios para encontrar pessoas — provavelmente em Kosovo — que afirmassem ser parentes dos *roma* de Barupra.

Fien colocou sua cabeça de cabelos encaracolados na sala para anunciar que o jantar estava pronto, mas, antes de nos sentarmos para socializar, eu precisava contar a Goos sobre Esma.

— Meu Deus, parceiro! Você deve estar querendo morrer.

Admiti que tinha ficado aborrecido.

— Você acha que Ferko e Esma inventaram tudo isso juntos? — perguntei a ele. — Ou estavam mentindo um para o outro?

— Parceiro, como eu vou saber? Não vou dizer "Macacos me mordam" para mais nada nessa investigação. Temos quatrocentas pessoas desaparecidas da noite para o dia e fotos delas sendo colocadas em caminhões quando a caverna ainda era um buraco no chão. Não vamos saber em que acreditar até escavarmos tudo. E, se a caverna estiver cheia de barras de ouro ou de confete velho, também não vou ficar surpreso.

28.

Kajevic — 23 de junho

Às dez horas da terça seguinte, eu e Goos nos apresentamos no Centro de Detenção do TPI. Ele estava situado num velho castelo de pedras convertido em prisão pelos holandeses havia muitos anos, em Scheveningen, a cidade vizinha a Haia que fica, por mais irônico que pareça, na praia.

Eu havia lido muito sobre Kajevic nos últimos dias e assistira a alguns vídeos, mas ainda não sabia o que esperar. Durante meus anos como promotor-assistente, eu interrogara alguns assassinos, incluindo um assassino de aluguel que emanava algo — uma aura, feromônios — que havia gelado meu sangue. Mas Kajevic estava numa categoria própria, um líder político cujo carisma e raiva foram suficientes para tornar desalmada uma nação inteira. Como alguém cuja vida profissional durante os últimos trinta anos envolvera uma espécie de estudo profissional de malfeitores, percebi que aquele dia representaria um marco pessoal. Com sorte, Laza Kajevic receberia o troféu de maior criminoso que eu já havia conhecido.

O centro de detenção parecia a área de isolamento de muitas prisões americanas, onde eram abrigados aqueles que não podiam viver junto da população carcerária, fosse para sua proteção ou para a proteção dos outros prisioneiros. Ao longo do corredor branco pelo qual caminhamos, havia uma fileira de portas de aço verde-abacate com trancas pesadas e janelinhas minúsculas, pequenas demais para alimentar qualquer ideia de fuga. Telefones públicos de aparência formidável, duas vezes maiores que o último que eu tinha visto nos Estados Unidos, que só podiam ser usados com cartão de crédito, estavam pendurados ao lado das portas.

Mas, do lado de dentro, a cela de Kajevic me surpreendeu, pois era muito mais agradável que as celas dos prisioneiros de segurança mínima nos Estados Unidos, que normalmente ficavam aquartelados. Mesmo como promotor, eu nunca tinha sido da escola dos que comparam prisões federais a uma "vida mole". A pior coisa a respeito da prisão é o fato de ser uma prisão: você não pode sair, fica isolado das pessoas que ama e está sujeito, vinte e quatro horas por dia, a um regime de regras que jamais escolheria por si mesmo. Os incidentes adicionais da vida carcerária americana em algumas instituições — as apertadas celas duplas, o ar fétido, as ansiedades justificadas sobre espancamentos e abusos sexuais — eram punições muito maiores que as previstas pela lei. Eu sempre quisera que aqueles que reclamavam dos "criminosos mimados" passassem um dia atrás das grades.

Isso posto, os prisioneiros do TPI e do Tribunal Iugoslavo que ficavam no centro de detenção viviam em condições muito mais favoráveis que uma ampla porção da população mundial. A cela onde fomos admitidos tinha uns três metros de comprimento, mas exibia uma decoração agradável com armários laminados, uma cama de verdade — e não a prateleira de metal na qual os prisioneiros americanos costumavam dormir —, uma mesa, uma cadeira e uma pequena TV. Para dizer a verdade, quando estivera na estrada, eu já havia dormido em quartos de hotel menos convidativos. O centro de detenção também oferecia uma biblioteca minúscula e muito organizada; um espaço espiritual, repleto de ícones ortodoxos e mesmo de flores; uma sala educacional, onde eram dadas aulas e os prisioneiros podiam usar computadores; e uma sala de ginástica grande o bastante para conter uma quadra de basquete ou tênis.

Kajevic e Bozic decidiram que o interrogatório seria conduzido na cela, e não no centro de visitantes, onde os prisioneiros recebiam suas famílias e outras pessoas. Eles queriam minimizar a chance de que algum prisioneiro espalhasse o boato de que Kajevic havia se transformado num informante. Ir até a cela também significava que eles poderiam nos mandar embora quando quisessem, dando a Kajevic a pequena vantagem psicológica de nos receber em seu domínio.

Ainda mais alto do que eu lembrava, ele se levantou com formalidade para nos dar um aperto de mão quando fomos admitidos. A grandiosidade com que estendeu a mão para as cadeiras separadas para nós me deu uma impressão bastante clara sobre o tipo de anfitrião expansivo que tinha sido em sua residência presidencial.

Kajevic se sentou à mesa, ao lado de Bozic e de um jovem assistente que faria anotações. Goos e eu recebemos cadeiras de metal em frente à porta, a alguns metros da pia e do vaso sanitário. O guarda fardado que nos escoltara até ali se posicionou discretamente num canto e manteve uma imperturbável expressão de abjeta indiferença por qualquer comentário que viéssemos a fazer.

Bozic fez uma breve declaração preliminar, repetindo o acordo e enfatizando que poderia encerrar o interrogatório ou se recusar a responder sempre que ele ou seu cliente quisessem. Também acrescentou:

— Como cortesia, gostaria que os senhores se dirigissem ao meu cliente como presidente Kajevic.

Respondi com meu próprio preâmbulo, declarando que promessas foram feitas somente em nome do nosso tribunal, para assegurar que o interrogatório não produziria impacto sobre as acusações apresentadas ao Tribunal Iugoslavo. Então olhei para o bloco amarelo no meu colo, onde esboçara os assuntos que precisavam ser explorados. Eu sabia o que as boas maneiras sugeriam, mas não consegui me forçar a proferir nenhum agradecimento, embora Kajevic estivesse lá voluntariamente.

— Gostaríamos de fazer algumas perguntas, Sr. Kajevic... presidente Kajevic, sobre eventos ocorridos na segunda metade de 2004, especialmente o que o senhor sabe sobre o desaparecimento de quatrocentas pessoas de um campo de refugiados num local da Bósnia comumente conhecido como Barupra. Também gostaríamos de explorar o possível relacionamento entre esses eventos e a troca de tiros entre suas forças e soldados da OTAN em abril daquele ano. O senhor compreende?

— Sim, eu compreendo. — Seu inglês era excelente. Eu já esperava por isso, pois o fato ficara evidente em suas aparições na Organização das Nações Unidas e em Dayton. Ele supostamente era fluente em sete idiomas, mas, em se tratando de Kajevic, nunca se podia saber se isso era verdade ou exagero da mídia. — Concordei em responder às suas perguntas porque estava curioso para conhecê-los, Sr. ten Boom, e porque sou inocente de qualquer papel nesse suposto massacre. Que isso fique bem claro. E, quando digo isso, não desejo implicar que sou culpado de qualquer outro crime, especialmente não dos supostos crimes de guerra de que sou acusado.

— Entendo sua posição — falei.

— Duvido muito — retrucou ele, dando um sorriso breve que ia do agrado ao orgulho. — Pode-se muito bem dizer que a guerra em si é um crime.

Kajevic parecia bem, calmo e até mesmo satisfeito, embora talvez estivesse assim por ser a estrela do show, um papel que sempre apreciara. Já parecia menos barrigudo do que quando correra com seu hábito pelas ruas de Madovic. Nara tinha me dito que ele não estava comendo, não como protesto pelo confinamento, mas porque achava a comida holandesa repugnante quando comparada à excelente cozinha bósnia. No macacão azul-marinho de mangas curtas da prisão, parecia bastante em forma para um homem de 60 e poucos anos, com ombros largos e peito forte. A barba sob a qual havia se escondido fora raspada, dando ao seu rosto uma palidez de barriga de peixe, mas Kajevic estava a caminho de restabelecer o penteado que tinha sacrificado para permanecer no anonimato. Raízes negras cresceram sob a tintura branca, e, à primeira vista, parecia que ele usava uma faixa na cabeça. Seu nariz ainda estava um pouco inchado e exibia um calombo avermelhado, do tamanho do nó de um dedo, perto da ponte.

— De muitas formas, presidente Kajevic, guerras de fato são crimes.

— Pelo contrário. O combate violento faz parte da natureza humana e, francamente, Sr. ten Boom, da evolução. Praticamente toda página do Antigo Testamento tem uma tribo destruindo outra. É natural que as pessoas queiram a proteção e a sobrevivência de sua gente. Diga uma época durante a qual não houve guerra. Ela faz parte da condição humana, porque fortalece os homens e é um instrumento da natureza.

Sua arrogância parecia muito maior que a costumeira satisfação que muitos homens de meia-idade sentiam consigo mesmos. Ele acreditava ser o *Übermensch* de Nietzsche, ao qual as regras comuns não se aplicavam. Kajevic havia estudado direito e tinha escrito livros de poesia, dos quais eu lera alguns trechos: poemas ridiculamente piegas dos quais qualquer adolescente teria vergonha. Exaltara a esposa e transara com cada garota que tinha conseguido convencer a abrir as pernas. Emocionara-se em público ao falar da amada família, mas era famoso por açoitar publicamente os filhos homens. Em seus vorazes olhos pretos, havia um brilho rasputiniano, porém, mesmo depois de apenas alguns minutos na sua presença, era preciso concordar com o que Kajevic pensava de si mesmo: ele era um sujeito extraordinário. Ouvindo-o falar sobre a guerra, imediatamente pensei em como Layton Merriwell responderia.

— A noção de crime de guerra é absurda, Sr. ten Boom. Quatrocentos ciganos são massacrados e isso é um crime de guerra? Com quanta frequência quatrocentos sérvios foram mortos? Minha esposa e meus filhos viveram sob vigilância constante durante vinte anos. Eles foram seguidos, observados através de binóculos e miras laser em todos os momentos, com seus telefones grampeados. Até os esgotos foram inspecionados em certo momento, em busca de DNA. Acreditando que eu estava dentro de uma casa, os nazistas da OTAN explodiram a porta e mataram duas crianças, mutilando uma terceira. Mas nada disso foi considerado crime de guerra.

Eu tinha decidido antecipadamente que não discutiria com ele. Mas era impossível tolerar em silêncio suas justificativas para os seus atos.

— E Srebrenica? — questionei. — Em alguns dias, mais de oito mil meninos e homens muçulmanos desarmados foram fuzilados um por um, presidente Kajevic.

Bozic ergueu uma mão para impedir a resposta, mas seu cliente retrucou mesmo assim.

— Eu não estava lá, Sr. ten Boom. E sua versão do que aconteceu não é nada parecida com a que ouvi. Mas, mesmo considerando que o que senhor está dizendo seja a verdade, como esses bosniaks estavam desarmados? A maioria foi capturada como parte de uma coluna militar. E, se fossem soltos, no dia seguinte teriam pegado em armas e voltado a massacrar cristãos. O senhor conhece o ditado que diz que a história é feita pelos vitoriosos? Conhece, Sr. ten Boom?

— Sim — respondi por fim.

— A justiça também. Quantos dos criminosos que seu tribunal julgou eram os vencedores das guerras em que lutaram? O Ocidente protestante, os americanos, me chamam de criminoso, então eu sou criminoso. É uma questão de poder, não de justiça. O único verdadeiro crime de guerra é perder.

— Vamos julgar os americanos também, se é isso que quer dizer, Sr. Kajevic.

— Não, não vão julgar. E, se realmente acredita nisso, o senhor é um tolo.

Kajevic era esperto, tinham me avisado a respeito disso, e não estava completamente errado.

— Vamos falar de Barupra, presidente Kajevic.

Ao lado de seu cliente, Bozic assentiu sabiamente.

Kajevic negou novamente que ele ou seus comandados tivessem desempenhado qualquer papel no assassinato do povo de Barupra, acrescentando, com seu inevitável ar de superioridade:

— Eu não estaria aqui se houvesse qualquer base para se acreditar nisso.

A resposta clamava por uma pergunta muito discutida nos conselhos de acusação do tribunal na semana anterior. Por que ele estava se submetendo às perguntas? Deixando de lado a curiosidade sobre os homens que inadvertidamente foram os principais responsáveis pela sua prisão, parecia inevitável que Kajevic quisesse culpar os americanos, a quem desprezava por interferirem numa guerra que tinha certeza de que venceria.

— E o senhor tem alguma informação, direta ou indireta, sobre o que pode ter acontecido às pessoas de Barupra?

— Ouvi rumores.

— Quando o senhor os ouviu?

— Várias semanas depois do ocorrido. Em maio ou junho de 2004.

— Que rumores?

— Que os americanos foram até lá na calada da noite, detonaram explosivos, e os *roma* desapareceram.

— O senhor já conversou com alguém que afirmou ter estado presente ou perto da área quando isso aconteceu?

Ele balançou a cabeça várias vezes, negando.

— Não, creio que não. Eu estava bem longe de lá no fim de abril.

— E onde o senhor estava?

Bozic imediatamente fez um sinal com a mão. Kajevic respondeu novamente, a despeito da interferência de seu advogado.

— Eu estava bem distante de Tuzla, Sr. ten Boom, onde os americanos procuravam por mim em cada sótão e porão, cada esgoto e fossa.

— E o que o senhor concluiu sobre esses rumores a respeito dos *roma*? Para o senhor, eles pareceram críveis?

— É claro. Os americanos acreditam ser invencíveis. Por isso, ficaram furiosos quando um suposto criminoso de guerra conseguiu matar e ferir tantos deles.

— Mas por que culpar os *roma* de Barupra?

— Porque eles forneceram as armas que nós usamos na nossa defesa. — Kajevic inclinou o rosto para nos encarar com seu olhar calmo e elevado. — Certamente, depois de todas as suas investigações, o senhor sabia disso, não é?

Como não falei nada, ele abriu um sorriso largo. Tinha dentes perfeitos, retos e brancos, para um homem que tinha sido criado com a odontologia da era Tito. Ao meu lado, Goos havia parado de digitar no laptop. Tínhamos recebido a informação que queríamos: os *roma* haviam fornecido as armas que Kajevic usara para atirar nos americanos.

— Não, é claro que o senhor não sabia disso — continuou ele. — Porque os americanos querem esconder o fato de que foram mortos e feridos por armas roubadas debaixo do nariz deles. Isso os faz parecer patéticos e ineptos.

Kajevic deu uma profunda risada teatral, então deu um toquezinho em Bozic com as costas da mão e fez uma observação em servo-croata. Olhei discretamente para o bloco de anotações de Goos, onde ele escrevera a tradução, como eu sabia que faria: "Eu te disse."

— O senhor sabe que os americanos e a OTAN confiscavam as nossas armas sempre que podiam durante a ocupação, não é? — prosseguiu Kajevic. — Velhos eram espancados e privados de suas espingardas ou das armas que usaram durante a Segunda Guerra Mundial. A força da OTAN nos deixou sem presas, enquanto os bosniaks montavam enormes arsenais para a próxima guerra. No total, nos anos pós-Dayton, a OTAN recolheu oitocentas e cinquenta mil armas leves. O senhor sabia disso?

Assenti com a cabeça.

— Então talvez o senhor saiba o que aconteceu com essas armas.

— Eu tenho certeza de que o senhor pode me dizer.

— Não, não posso — declarou ele. — Só sei o que aconteceu com uma pequena parte. No fim do inverno de 2004, o general americano, Layton Merriwell, o supremo comandante da OTAN, decidiu que poderia atingir dois objetivos ao mesmo tempo transportando a maioria dessas armas para fora da Bósnia. Cerca de quinhentas mil armas leves e munição. O senhor sabe para onde ele as enviou?

— Não — respondi.

— Para o Iraque? — perguntou Goos.

— É claro, para o Iraque — disse Kajevic. — Para equipar a polícia e as forças de defesa, todos os sunitas que os americanos desarmaram um ano antes. Todo mundo que havia servido no Exército iraquiano só estava familiarizado com armas soviéticas como aquelas. Então o general Merriwell recolheu armas em toda a Bósnia para enviar ao Iraque. Brilhante, não?

Ele estava sendo sarcástico. Mas o plano na verdade era bom: tirar as armas da Bósnia, onde mais cedo ou mais tarde se perderiam e seriam empregadas para acabar com a paz, ao mesmo tempo economizando aos contribuintes a despesa de armar e treinar as forças iraquianas com equipamento americano. Soava como a combinação entre gênio político e tático que fazia parte da lenda de Merriwell.

— E qual foi o resultado desse plano?

— O senhor deveria perguntar aos seus compatriotas. Me disseram que eles ficam muito silenciosos quando fazem essa pergunta. Certamente eu não sei a resposta. Exceto, é claro, em relação a seis caminhões cheios de armas leves. Essas foram roubadas pelos ciganos.

Attila e eu tínhamos conversado várias vezes sobre o fato de os ciganos terem roubado seu comboio. O que ela deixara de mencionar, todas as vezes, era que os caminhões estavam cheios de armas. Esse, aparentemente, era o grande segredo, embora o objetivo, ao menos na versão de Kajevic, parecesse ser evitar constrangimento, e não promover a segurança nacional.

Meu primeiro impulso era culpar Attila por me levar a acreditar que os caminhões eram o único equipamento que os *roma* haviam vendido para Kajevic. Merriwell também me deixara com essa impressão. Eu teria que rever minhas anotações cuidadosamente mais tarde, no entanto, após um momento de reflexão, suspeitei que, se tivesse uma fita gravada, descobriria que tanto Merry quanto Attila simplesmente se eximiram de corrigir minhas deduções equivocadas.

— E por "ciganos" o senhor quer dizer os *roma* de Barupra?

— Quem mais? É característico da arrogância moral dos americanos ignorar todos os avisos sobre empregar ciganos. E eles sofreram a perda dos seus veículos e das suas armas como resultado disso.

— E o senhor comprou ambos? Caminhões e armas?

— Dois caminhões. Munição. Cem rifles de assalto e outras armas leves.

— Lançadores de granadas?

— Sim, sim. Lançadores. O armamento que se mostrou tão letal para os americanos quando atiramos dos prédios vizinhos. — Kajevic estava tentando ser factual e impassível, mas um sorriso malicioso se insinuava em seus lábios.

— O senhor já não tinha armas?

— Infelizmente, havíamos partido às pressas do nosso último refúgio, o que impossibilitou viajarmos armados. Quando nos estabelecemos em Doboj, começamos a nos reabastecer.

— E como o senhor contatou os *roma* para comprar esse material?

— Meu sobrinho estava encarregado do esforço de reabastecimento. O senhor tem sobrinhos, Sr. ten Boom?

— Sim, tenho.

— E que tipo de homens eles são?

— Muito bons. Muito diferentes um do outro. Um é estudante de medicina, o outro trabalha como malabarista e professor. Mas ambos são jovens excelentes. Filhos da minha irmã.

— Meu sobrinho não é um jovem excelente. Ele também é filho da minha irmã. Mas é um idiota. Contudo, é meu sobrinho. — Kajevic deu de ombros, o mesmo gesto resignado que a maior parte das pessoas do mundo já empregou ao se referir a certos membros da família. — E é muito leal. Um viciado que afirma estar curado, a despeito das recaídas semanais. Mas se mistura bem entre os membros da ralé. Ele comprou as armas. E se sentiu muito orgulhoso de si mesmo.

— Ele negociou com os *roma*?

— Ah, sim. Aparentemente, cara a cara. Eu não sabia de nada. Não tive escolha a não ser dar uma surra nele quando ouvi a história. — Kajevic acrescentou esse fato com absoluta serenidade. A violência, como dissera ele, era parte da natureza.

— E por que o senhor ficou insatisfeito?

— Porque ele tinha negociado com ciganos. Ciganos só se importam com ciganos. Não é verdade que eles não têm honra. Mas ela se limita aos ciganos.

— Ele disse aos ciganos para que as armas seriam usadas?

— Ele alega que não. Mas eu sou tudo o que o meu sobrinho tem para se gabar. Com garotas em bares, com quem quer que seja. Ele recebeu dezenas de advertências, mas é incorrigível. E mesmo o que ele admitiu ter falado era demais: como seu importante tio gostaria do fato de as armas terem sido roubadas dos americanos. A quem mais, em Tuzla ou Doboj, isso se aplicaria? Os ciganos são muito espertos. E o meu sobrinho praticamente deu o nosso endereço para entregar as armas. Eles teriam sido idiotas se não o seguissem por alguns quarteirões. E, como eram ciganos, não se importariam em nos vender as armas com uma das mãos e, com a outra, vender para os americanos informações sobre a nossa localização.

— Então foi assim que o senhor soube que os americanos iam até lá? Por suposição?

— Mais que suposição. Dedução. Com base nas minhas certezas sobre os ciganos, Sr. ten Boom. Nós sabíamos que eles iriam nos trair e que a OTAN viria atrás de nós. Só não estava claro quando isso aconteceria. Se mudássemos de lugar, poderíamos cair nas armadilhas dos americanos. Então nos preparamos. E ficamos escondidos. Eu tinha gente em toda a Bósnia vigiando para mim. Isso o senhor já sabe. — Desviando os olhos, Kajevic novamente assumiu um ar de superioridade e de considerável satisfação. — Eles estavam em alerta, e eu descobri que a OTAN estava a caminho com uma ou duas horas de antecedência.

Eu havia perguntado dezenas de vezes como Kajevic estivera tão preparado para os americanos, mas nenhum palpite, meu ou de qualquer pessoa, tinha sido inteiramente certeiro. Como promotor e advogado de defesa, eu sempre adorara o momento em que o réu finalmente se abria. Mesmo a mais precisa reconstrução dos eventos deixava algo de fora.

— E como os americanos sabiam que seus soldados foram atingidos por armas roubadas deles mesmos?

— Infelizmente, os americanos não foram os únicos que morreram no incidente. Deixamos os nossos mortos e suas armas para trás quando fugimos e só pudemos nos lembrar dos nossos camaradas em orações. Os americanos sempre registravam o número de série das armas que confiscavam e costumavam gravar os componentes a laser. — Kajevic outra vez deu aquele sorriso perturbador. — Estou me divertindo bastante com as suas perguntas, com tudo que os americanos esconderam do senhor.

Como eu imaginava, Kajevic era um gênio em descobrir a vulnerabilidade das outras pessoas. A despeito de supostamente lamentar seus mortos, ele devia ter ficado muito satisfeito em deixar alguns rifles de assalto para trás para completar a desgraça do Exército dos Estados Unidos. Não era difícil imaginar a combinação de indignação, pesar e raiva que os soldados americanos sentiram ao avaliar a magnitude do triunfo de Kajevic.

Sua soberba e sua poderosa habilidade de moldar a realidade de acordo com suas preferências me deixaram ansioso para colocá-lo em seu devido lugar.

— E, ainda assim, foi o senhor, presidente Kajevic, de acordo com o que ouvimos repetidas vezes, quem enviou um emissário para ameaçar a população de Barupra.

Os belos olhos azuis de Bozic se ergueram do bloco. Ele tinha sido surpreendido pela pergunta e ficara alarmado. Então colocou a mão imensa no antebraço de Kajevic.

— Uma palavra com o presidente, por favor — pediu ele. Mas o homem tinha um cliente temperamental, que não aceitava ser controlado.

— Como eu disse, Sr. ten Boom, eu estava a centenas de quilômetros de distância. Não ameacei ninguém.

— O senhor sabe de alguma ameaça feita em seu nome contra as pessoas de Barupra?

Bozic ergueu a mão para solicitar uma interrupção. Kajevic, cujos olhos jamais se desviaram dos meus, mais uma vez o ignorou.

— O que quer que tenha sido dito era conversa fiada. Nenhuma ação foi iniciada por ordem minha.

— Mas o senhor sabe se os *roma* de Barupra foram informados de que o senhor se vingaria deles?

— A guerra não é um jogo de cartas, Sr. ten Boom.

— Isso significa que, pelo que o senhor é capaz de dizer, tais ameaças foram feitas?

— Eu diria que sim. Eu certamente não queria encorajar outras pessoas a fazerem o que os ciganos fizeram.

Tinha sido isso que Attila explicara na noite em que eu chegara à Bósnia. Parte essencial do sucesso de Kajevic em permanecer escondido era aterrorizar qualquer um que pudesse se voltar contra ele. Ameaçar os ciganos por traí-lo teria sido essencial.

— E o que precisamente foi comunicado, presidente Kajevic?

— Eu não teria como saber. Eu provavelmente não fazia ideia na época e não tenho nenhuma lembrança agora. O suficiente para instilar medo: vingança contra qualquer pessoa envolvida e contra seus entes queridos. — Ele fez essa observação casualmente, como se não houvesse nada especial em ameaçar inocentes.

— Mas, dado o seu objetivo, presidente Kajevic, que era evitar que qualquer um ajudasse a OTAN, não me parece que o que o senhor chamou de "conversa fiada" seria suficiente. — ponderei.

— Talvez. Jamais vamos saber. Os americanos mataram os *roma*.

— Antes que o senhor tivesse a oportunidade?

Ele me ofereceu um minúsculo sorriso perspicaz. Afinal, Kajevic era advogado e sabia onde estavam os limites. Para considerável alívio de Bozic, ele fez um gesto com a mão, indicando que não falaria mais do assunto.

— O senhor já considerou a possibilidade de a informação sobre a sua localização não ter sido repassada pelos *roma*, mas por outra pessoa?

— Não foi outra pessoa, Sr. ten Boom. Nós dois sabemos disso. Quase nunca nos envolvemos com pessoas de fora justamente por isso. Só os *roma* sabiam onde estávamos e, por sua própria natureza, obteriam o maior valor possível por esse segredo.

Eu me virei para Goos, a fim de ver se ele tinha alguma pergunta. Ele estivera digitando como um louco no laptop e apertou o botão de "voltar".

— Seu sobrinho disse ao senhor o nome do cigano de quem comprou as armas? — perguntou Goos.

— Provavelmente. Mas quem se lembraria depois de uma década?

— Ferko Rincic?

Kajevic jogou as longas e elegantes mãos para cima, demonstrando a inutilidade de tentar lembrar.

— E quanto a Boldo Mirga? — Goos claramente começava a desenvolver uma nova teoria sobre por que Boldo e seus familiares foram mortos. Kajevic pareceu mais impressionado com esse nome. Ele colocou a mão no queixo.

— Ele me parece mais familiar. Mas quem pode saber, de memória?

Olhei novamente para Goos, querendo saber se ele tinha mais perguntas. Ele fez que não com a cabeça.

— Está claro que o senhor está surpreso com o que eu disse — comentou Kajevic.

— Um pouco.

— Presumo que os americanos me culpem pela morte desses *roma*.

Inclinei a cabeça para indicar que não saberia dizer.

— Não, eu sei. Os americanos são assim. Adoram parecer inocentes como colegiais, mas são profundamente desonestos. Depois da nossa fuga, fomos obrigados a fazer as ameaças que acabamos de discutir. Quando os americanos descobriram isso, souberam que poderiam massacrar os *roma* impunemente. E foi o que fizeram. E então negaram, é claro. — Kajevic balançou a cabeça, sinceramente surpreso com a depravação dos americanos. Como qualquer hipócrita, era muito bom em aplicar padrões inflexíveis aos outros.

Bozic havia se empertigado outra vez, a fim de pedir certa dose de cautela.

— Novamente — disse ele —, lembro que o presidente Kajevic descreveu as ameaças como "conversa fiada". Nenhuma ação, de nenhum tipo, jamais foi iniciada por ele ou por qualquer um que ele tivesse o poder de dar ordens.

— Correto — concordou Kajevic.

— O senhor sabe quem, entre os *roma*, recebeu essas falsas ameaças?

Kajevic olhou para cima por um momento.

— Acredito que tenha sido o sujeito que nos vendeu as armas. Baldo? Algo assim. Ouvi dizer que ele jurou pela vida dos filhos que não havia contado nada para os americanos. Como se fôssemos acreditar nisso. Não entendemos os ciganos, Sr. ten Boom. Mas, infelizmente, eles também não nos entendem.

Ficamos todos em silêncio por um instante. A serena disposição de Kajevic de ser tanto juiz quanto executor causou uma estranha perturbação no cômodo silencioso.

Eu e Goos demos uma última olhada nas nossas anotações e então eu me levantei. Goos, Kajevic e Bozic fizeram o mesmo.

— Posso fazer uma pergunta aos senhores? — pediu Kajevic quando estávamos de frente um para o outro.

— O senhor pode perguntar, é claro — falei. — Vamos responder, se pudermos.

— Quando os senhores estiveram pela primeira vez em Madovic, por que foram até lá?

— Para almoçar — respondi.

Kajevic ficou me analisando intensamente. Ele queria saber se tinha sido traído, se nossa suposta busca por Ferko era um disfarce. Atualmente, era provável que não confiasse na lealdade de ninguém por completo. Percebi que a pergunta — e seu desejo de executar uma futura vingança — possivelmente era o motivo real para nos receber.

— Não tínhamos ideia de que o senhor estava lá. E não recebemos nenhuma ordem para procurá-lo.

— Entendo.

— E, se os seus capangas não tivessem nos sequestrado, não teríamos nenhuma razão para reexaminar cada minuto daquele dia para descobrir o que tinha acontecido.

Ele assumiu um olhar filosófico.

— A resposta daqueles homens foi compreensível. Eles me serviram bem. Não reconheceram a diferença entre os tribunais de Haia. Eu, naturalmente, reconheci. Já tinha lido sobre a sua investigação. — Ainda me encarando fixamente, Kajevic acrescentou um sorriso mais generoso a sua expressão. — Os senhores deveriam me agradecer por ainda estarem vivos. Mas, como acontece com tanta frequência, a misericórdia foi um erro. Eu não estaria aqui se aqueles homens tivessem feito o que pretendiam fazer.

Havia muito espaço para debate. Na ocasião, Kajevic tinha apostado que continuaríamos pensando que os sequestradores trabalhavam para Ferko. Nos matar, em contrapartida, teria atraído a Europol e o Exército bósnio, forçando-o a fugir do monastério. Assim como a general Moen, eu suspeitava que ele não tinha para onde ir. E também me perguntava se assassinar investigadores que não estavam procurando por ele teria lhe custado algumas alianças, especialmente entre a polícia local. A misericórdia, portanto, não havia desempenhado nenhum papel em sua decisão. O autoengrandecimento, em contrapartida, era sua segunda natureza.

— Tenho certeza de que os senhores estão muito satisfeitos consigo mesmos — comentou Kajevic.

— Foi tudo um acidente, presidente Kajevic. Nós dois sabemos disso.

— Não acredito na sua modéstia. Foi seu grande momento. Os senhores vão se vangloriar sobre minha captura pelo resto da vida. Eu estava bastante curioso para conhecê-los. E estou grato por tê-lo feito. — Ele olhou para mim e para Goos, mais alto que nós dois. Novamente, deu um sorriso débil. — Porque pude ver que não há nada grandioso a respeito de nenhum dos dois. — Ele estendeu a mão para Goos. — O senhor é um bêbado — falou, antes de se virar para mim. — E o senhor é um homem muito medíocre, que molha as calças diante da perspectiva da morte.

Previsível. Kajevic não nos deixaria partir sem infligir algum dano. Qualquer que fosse a causa que Laza Kajevic defendesse, a bandeira sob a qual realmente navegava era e sempre seria a do sadismo.

— E o senhor é a própria face do mal, presidente Kajevic — retruquei. — E vai ser punido pelo resto da sua vida.

Ele riu.

— Daqui a quinhentos anos, um povo inteiro ainda cantará meu nome. Vão ler poemas de amor e gratidão para mim todos os dias. O senhor, em contrapartida, Sr. ten Boom, terá sido esquecido há tanto tempo que será como se o seu nome jamais tivesse sido pronunciado. — Ele ergueu o queixo em direção ao guarda. — Tire-os daqui.

Assim que voltamos a ficar ao ar livre, Goos disse que precisava de uma bebida. Ele tirava o atraso durante a noite, mas não bebia uma única gota em horário comercial, por isso compreendi seu pedido como um sinal de nervosismo. Eu estava disposto a me juntar a ele.

Pegamos nossas bicicletas e caminhamos ao lado delas por alguns quarteirões, até um lugar com mesas na calçada e guarda-sóis. Goos continuou com um humor taciturno, imerso em si mesmo, até beber metade da cerveja trazida pela garçonete.

— E então? — perguntou Goos. — Nós acreditamos nele?

Parte essencial da *persona* persuasiva de Kajevic era o fato de, em sua presença, tender-se a acreditar em cada palavra que ele dizia. Na verdade, ele poderia estar exercendo sua própria retaliação ao culpar os americanos por ações que, no fim das contas, não apenas havia ameaçado iniciar como de fato tinha executado. Mas sua revelação sobre as armas fizera com que seu relato parecesse convincente, e eu disse isso a Goos. Sua opinião foi a mesma.

— Mas ainda tem algo errado aí, parceiro. Os americanos passaram os últimos onze anos escondendo a verdade sobre essas armas. É bastante constrangedor perder soldados por disparos feitos por armas que foram tiradas das suas próprias mãos, mas manter algo assim em segredo por tanto tempo exige muita energia.

— Você acha que tem mais coisa nessa história?

— Algo mais, sim.

— Um massacre realizado por soldados que estavam agindo por conta própria?

— Poderia ser.

Especulamos mais um pouco. Naquele estágio, havia apenas uma certeza: quase ninguém com quem havíamos conversado tinha sido completamente transparente.

— Vamos escavar aquela maldita caverna — declarou Goos. Ele puxou o nó da gravata em sinal de determinação. — Os ossos não vão mentir.

Concordei. Ele pediu outra cerveja.

— E quanto a ele? — perguntou Goos pouco depois. — O que você achou?

Uma das coisas que não valia a pena negar sobre o impacto do caráter de Kajevic era o fato de ser desnecessário usar seu nome. Eu havia notado já no início da minha vida, especialmente após ter contato com pessoas conhecidas como "lendas", que isso que se chama de carisma, esse imenso poder de atração, geralmente tem raízes na loucura. Sentimos que essas pessoas são extraordinárias porque profundas perturbações psíquicas as impedem de ver os limites que o restante de nós aprendeu a respeitar.

Não fiquei surpreso, portanto, que, mesmo meia hora depois e bem longe da prisão, Goos e eu ainda nos mostrássemos hesitantes em relação à conversa. Nas nossas vidas profissionais, como policial, promotor e advogado de defesa, havíamos nos deparado com centenas de criminosos. E, contudo, naquele dia, não tínhamos ouvido a ladainha padrão: "Não foi bem assim que aconteceu", "A culpa foi do outro cara" ou mesmo "Eu estava apenas seguindo ordens". Em vez disso, Kajevic essencialmente rejeitara toda a nossa ordem moral em favor de sua religião de poder.

— Sempre vai existir gente como ele, não é? — perguntou Goos.

— Claro — assenti. — Um maluco brilhante e carismático que consegue pôr as mãos nas manivelas do poder e exulta com o caos? Sempre vai existir gente como ele.

— Então de que vale tudo isso? — perguntou Goos. Ele se inclinou para perto de mim, colocando todo o corpo sobre o copo. Para seus padrões relaxados, Goos estava sendo bastante intenso. — Desde que cheguei a Haia, as pessoas nos tribunais sempre falam sobre dissuasão: vamos colocar gente como Kajevic na prisão e isso vai servir para dissuadir o próximo maluco. Isso faz algum sentido para você, Boom? De verdade?

Finalmente, compreendi seu humor. Havíamos passado por semanas difíceis que levaram a uma conclusão desanimadora. Não tínhamos respostas, e, de qualquer modo, não importava, porque havia alguma falha no DNA humano que sempre geraria malfeitores que sairiam rastejando do esterco.

— Dissuasão? Talvez eu acredite nisso marginalmente. Mas não acho que algum cara no Sudão do Sul com um machete, decepando braços e pernas a fim de forçar dezenas de pessoas a pularem de um edifício de dez andares, vá parar de repente, pensando: "Espera, eu posso acabar na detenção do TPI." Sabe, depois dos anos que passei acusando e defendendo pessoas, concluí que os crimes, sejam genocídio ou um simples furto, são cometidos pela mesma razão.

— Que razão?

— O babaca acha que vai se safar. Todos eles se convencem de que jamais vão ser pegos, não importa quão ridículo isso seja.

Goos deu uma risada rouca, o que alguns segundos atrás parecia totalmente fora do seu alcance, enquanto uma mão se estendia inconscientemente para massagear as costelas. Eu dissera uma das verdades fundamentais das trincheiras.

— Então por que você está aqui, Boom? Por que fazer isso?

A despeito de todo o tempo que passávamos juntos, tínhamos nos comportado como típicos homens e nunca tivéramos uma conversa como essa.

— Era o momento certo — respondi. — Eu estava questionando tudo na minha vida. Precisava de uma mudança.

Tudo isso era verdade, mas, ouvindo minhas próprias palavras, eu me arrependi de imediato, porque eu estava me esforçando demais para não parecer sentimental.

— Que tal isso, Goos? Eu sei de uma coisa: a justiça é boa. Aceito o valor do testemunho, de permitir que as vítimas sejam ouvidas. Mas as consequências são essenciais. As pessoas não vão acreditar na civilização sem estarem certas de que uma sociedade vai se organizar e fazer o possível para consertar o que está errado. Permitir que o massacre de quatrocentas pessoas inocentes permaneça impune degrada a vida de cada um de nós. Simples assim.

Seus olhos azuis, lacrimejantes por causa da bebida, repousaram nos meus, e Goos assentiu com seriedade. Depois ergueu seu copo e o bateu suavemente no meu.

VII.

Na caverna

29.

Guerra e verdade — 26 e 27 de junho

Na sexta-feira, a presidente e a secretária nos informaram que nosso orçamento para a escavação da caverna havia sido aprovado. Goos se sentia bem o bastante para planejar o retorno à Bósnia para a segunda seguinte, e concordamos que, quando a escavação inicial estivesse em andamento, eu o seguiria. Isso provavelmente seria na quarta-feira. Enquanto isso, dividimos as responsabilidades dos preparativos.

Um item que Fien, a esposa de Goos, considerava indispensável era pedir que a OTAN fornecesse proteção contínua. Falei com o ajudante de campo da general Moen, que prometeu fazer os acertos. Eu sabia que as tropas da OTAN estavam sobrecarregadas, mas pedi que nosso destacamento viesse da organização, e não do Exército bósnio, e o ajudante de campo, depois de relutar um pouco, concordou.

Também liguei para Attila algumas vezes, mas não consegui falar com ela diretamente. Em vez disso, o gabinete da secretária retornou uma cópia assinada da proposta para os equipamentos de escavação, e eu enviei um e-mail pedindo a ela que separasse algum tempo para mim e Goos na semana seguinte. Com o passar do tempo, eu havia percebido que com frequência as ações de Attila eram mais calculadas do que suas torrentes de palavras levavam a crer, mas estava inclinado a acreditar no que ela sempre insinuava — ou seja, que havia gente de cima que continuava aferrado à necessidade de manter em segredo os detalhes da prisão de Kajevic, incluindo o conteúdo do comboio que os *roma* haviam roubado. Ainda assim, tínhamos uma vantagem agora, porque, em algum momento, teríamos que protocolar um relatório público no tribunal, nem que fosse meramente para encerrar a investigação. Se os americanos quisessem evitar que mencionássemos as armas, teriam que explicar seus motivos, inclusive nos contando muito mais da história do que se mostraram dispostos até então.

Em casa, Narawanda continuava me evitando. Ela saía antes de eu acordar e voltava pouco antes de eu ir para a cama, quando a ouvia correndo até o quarto. Deixei um bilhete na terça-feira para dizer que havíamos nos encontrado com Kajevic e agradecer pela sua participação. Ao lado da cafeteira, encontrei uma resposta breve: "Sem problemas. Correndo como louca com as petições."

Eu entendia que ela havia ficado bastante constrangida no nosso último jantar, com sua declaração sobre seus esforços para fazer a coisa certa. Mas eu aceitara que era melhor nos mantermos distantes. Quando voltasse da Bósnia, eu começaria a procurar um novo lugar para morar. Quaisquer fantasias sobre nós dois que ela pudesse estar alimentando — ao menos naquela noite, depois de três cervejas — precisavam ser ignoradas em benefício mútuo. Eu tinha feito algo incrivelmente idiota com Esma e escapara com menos danos emocionais — e profissionais — do que tinha o direito de esperar. Me envolver com alguém novamente, tão pouco tempo depois, e com uma mulher que ainda nem havia se separado do marido, seria ainda mais idiota. Nada disso negava os muitos desejos que Nara estimulava em mim. Sua discrição inata era uma cortina atrás da qual ela gostava de se esconder. Tinha uma mente maravilhosamente ativa e um senso de humor irônico que com frequência superava sua pose de garota estrangeira de rosto inexpressivo. E seu apelo físico havia aumentado constantemente com os meses. Mas o que mais me atraía era sua franqueza. Nara tinha um talento raro entre os seres humanos: era capaz de dizer como realmente se sentia, mesmo que fosse "Estou confusa".

A despeito disso, sempre que tentava considerar cuidadosamente a situação, eu me via como a parte em risco. Para ela, eu poderia ser um local conveniente para um pouso de emergência no caminho de saída do relacionamento com Lewis, mas era provável que eu fosse a primeira parada dessa jornada, e não a última. Eu estimava ser dezessete anos mais velho que ela, o que pareceria pouco atraente quando Nara pensasse no longo prazo. Eu, ao contrário, especialmente depois de sentir o círculo frio do cano de um rifle, estava cada vez mais pronto para criar raízes. Eu podia me apaixonar perdidamente por Nara e, alguns meses depois, acabar com o coração partido — e sem um lugar para morar.

Isso tudo poderia ser explicado quando tomássemos uma bebida dali a alguns anos, após ela se ajeitar com seu novo namorado — ou marido. Por enquanto, o assunto permanecia no abismo das coisas não ditas que existem na maior parte dos relacionamentos incipientes entre meninos e meninas.

Esses pensamentos sobre Nara, intermitentes e gentis, contrastavam com a raiva que eu sentia sempre que pensava em Esma. Por algum motivo que não conseguia compreender, parecia haver um insulto fundamental na maneira como eu tinha sido enganado. Essa raiva caminhava ao lado da importância, aguçada pelo iminente retorno à Bósnia, de descobrir o que diabos havia acontecido com Ferko e se qualquer fragmento do que ele dissera era verdade.

Uma coisa impressionante sobre Esma — Emira — era sua profunda dedicação à mentira sobre as raízes *roma*, o que havia exigido a criação de todos aqueles sites falsos na internet sobre ela mesma e sua organização fictícia e o enorme esforço envolvido para aprender romani. Na manhã de quarta-feira, percebi que poderia haver uma maneira de forçá-la a abandonar seu esconderijo.

Enviei a seguinte mensagem de texto: **Tentei falar com você na Bank Street e fiquei confuso. Não tem nenhuma Esma Czarni!!!! Vou retornar à Bósnia e ainda preciso falar com Ferko desesperadamente.**

Mesmo assim, fiquei surpreso, na tarde de sexta, quando meu celular se iluminou com a breve resposta: **Vou ficar afastada da Bank Street enquanto o caso estiver se arrastando em Nova York. Meus esforços para falar com Ferko foram inúteis. Sinto muito. Desejo sorte. E.**

A arte — e a mentira — dessa simples resposta após semanas de silêncio me levaram a outra espiral de raiva. Fui correr sozinho e comprei algo para jantar, bebendo mais vinho do que deveria enquanto me esforçava para compreender Esma. Eu entendia que a causa *roma* era muito mais íntegra e atraente que o legado de uma expatriada persa cuja história familiar estava inevitavelmente ligada ao trabalho sujo dos xás. Mas como era possível acordar toda manhã recapitulando a longa lista de mentiras que seria preciso contar novamente naquele dia?

Eu ainda estava furioso, lavando meu prato, quando a represa cedeu e pensei no meu pai. Eu me afundei no velho banquinho da cozinha, devastado demais para sequer fechar a torneira. É claro. Era exatamente como naqueles sonhos em que alguém se vira e tem o rosto de outra pessoa. Meu pai. Aquela fúria incessante que fervilhava no meu coração esfriou e se transformou numa massa de tristeza. Desde aquele momento no alto do tanque, ocasionalmente eu me perguntava por que estava mais irritado com ele que com a minha mãe. Mas, conhecendo a natureza antiquada do relacionamento dos dois, tinha certeza de que ele havia tomado todas as grandes decisões. De fato, minha mãe contara a Marla que meu pai tinha ignorado seu desejo de voltar a Roterdã.

Ao compará-los a Esma, naturalmente havia diferenças, distinções. Advogados adoram distinções. Meus pais mentiram para sobreviver. No início. Mas, no fim, assim como Esma, eles escolheram o que parecia ser uma vida melhor.

Depois de algum tempo, fui para o andar de cima. Todos os dias, desde que tinha voltado de Leiden, eu havia pensado brevemente numa pergunta que, num jogo de fuga inconsciente, jamais tentara responder. A família ten Boom ainda tinha negócios em Leiden. E quanto à família real do meu pai, os Bergman?

Buscando na internet no meu tablet, não encontrei nenhuma loja com esse nome, mas havia algumas ocorrências para Bergman em Roterdã. Navegando pelo Google, encontrei um artigo, basicamente um anúncio de joalheiros locais, que se referia a um "*Meester Horlogemaker*" — mestre relojoeiro — na loja de Roterdã de uma elegante rede internacional de joalherias. A loja abria aos sábados e ficava a menos de quarenta e cinco minutos de trem. Senti todo o peso do destino sobre os ombros ao decidir que iria até lá no dia seguinte.

Acordei tarde e estava pronto para sair quando Narawanda entrou pela porta, carregando uma pequena sacola em cada mão. Nós nos entreolhamos na sala.

— Eu achei que você estivesse no trabalho — eu disse. Era o tipo de observação obviamente idiota que se faz quando não se consegue pensar em mais nada.

— Eu estava. Tinha que terminar uma petição. Mas, quando mandei o esboço para Bozic, ele ligou e me mandou vir para casa. Ele disse que vou ficar com estafa se continuar trabalhando nesse ritmo.

— Ele tem razão.

— Verdade.

Nenhum de nós deu o passo seguinte.

— Você está saindo? — perguntou ela por fim.

— Tem uma exposição num museu em Roterdã com um nome que eu não consigo pronunciar. — Eu tentei falar ainda assim. Não era exatamente uma mentira, porque eu tinha pensado em passar lá para obter qualquer refúgio que precisasse depois de procurar pelos parentes do meu pai.

— Boijmans Van Beuningen. A exposição Bosch? Eu *adoraria* visitá-la. — Nara ficou subitamente animada, mas isso refletia sua vulnerabilidade ao impulso, que, naquele caso, surgira do seu amor pela arte. Também imaginei que, após vários dias, seu constrangimento começava a arrefecer. — Tudo bem se eu for com você?

— É claro. — Não parecia haver mais nada a dizer.

Caminhamos até a estação de trem. No dia em que cheguei, pensei que estava alucinando quando vi o imenso bicicletário ao lado da Den Haag Centraal, uma malha de aço de dois andares que se estendia por quase um quarteirão e abrigava milhares de bicicletas. A visão agora era familiar.

O dia estava maravilhoso, claro, cálido e com uma brisa mais leve que o normal, parte da breve temporada durante a qual Haia realmente se tornava uma cidade de praia. Nara disse que a gente devia caminhar até a beira-mar se houvesse tempo na volta. Goos e eu pretendíamos ir até lá depois do interrogatório de Kajevic, mas havíamos pegado o caminho errado. Concordei com Nara, tentando não pensar nas pressuposições dela.

A bordo do Intercity, eu me virei para ela.

— Eu preciso dizer algo.

— Claro. — Seus olhos se acenderam de antecipação.

— É sobre o motivo da minha ida a Roterdã.

— Ah.

Mas Nara apoiou o queixo na mão enquanto me ouvia, com os grandes olhos repletos de compreensão.

— Isso é bem complicado — comentou ela depois de ouvir toda a história. — Deve estar sendo extremamente difícil para você. — Essa era uma verdade profunda que eu jamais havia estado disposto a admitir para mim mesmo.

— Tem sido difícil de processar, muito pior do que eu havia imaginado. É difícil descobrir, aos 40 anos, quando você acha que finalmente se encontrou na vida, que tudo abaixo de você, sua fundação como pessoa, não está realmente lá nem nunca esteve. Fiquei chocado ao descobrir quão furioso estou com os meus pais. Não pela escolha deles, que não me cabe julgar. Mas por não dizerem a verdade aos filhos e nos darem a chance de crescer com ela.

Nara estendeu o braço e segurou minha mão por um momento.

Quando chegamos a Roterdã, eu estava nervoso, tomado pelo pior tipo de ansiedade, que sempre parece maior do que se pode imaginar. Saímos da estação, um triunfo de ângulos elegantes, e nos deparamos com o movimentado centro da cidade, que era uma verdadeira exposição de arquitetura. Ainda havia alguns edifícios antigos, mas os arranha-céus dominavam o ambiente, e muitos deles pareciam ter sido construídos com um espírito experimental. Admirei a coragem de uma comunidade comercial disposta a apoiar esse tipo de inovação, embora vários dos resultados convidassem ao riso. Havia um prédio com uma fachada de folhas de metal unidas por enormes rebites, como se o arquiteto tivesse se inspirado num duto de aquecimento.

Eu estava com o endereço da joalheira onde Bergman trabalhava na mão. Me sentindo como um recém-chegado ao país, segui o aplicativo de navegação e conduzi Nara até uma rua antiga e elegante, repleta de árvores verdejantes e edifícios seculares com fachadas de calcário. Era fácil localizar a loja, porque havia um Rolex redondo com borda dourada pendurado sobre a porta.

Atrás do balcão, estava um jovem de camisa de manga curta de raiom e gravata. Pedi para falar com Meneer Johannes Bergman.

O rapaz refletiu sobre isso, olhou para cima e estendeu a palma da mão. Levei alguns segundos até perceber que ele estava pedindo meu relógio. Em vez de explicar, retirei-o do pulso. Era um Patek Philippe que meu pai tinha me dado no meu aniversário de 21 anos, um modelo vintage chamado Calatrava. Na época, eu gostava dele por causa da aparência sem afetação, com caixa redonda e pulseira de couro preto. Anos depois, quando havia mandado limpá-lo, descobrira que era bastante valioso, um modelo de 1932. Para mim, contudo, seu significado residia inteiramente no fato de que tinha visto meu pai usá-lo quase diariamente durante a minha infância. Ele me dissera um milhão de vezes que Patek Philippe havia sido o primeiro fabricante de relógios do mundo. Por isso, quando ele abriu a pulseira e prendeu o relógio no meu pulso, parecia que estava passando adiante algo essencial.

Alguns segundos depois de o jovem ir até os fundos com meu relógio, um homem de pelo menos 80 anos abriu as cortinas que separavam a oficina da loja. Minha primeira impressão foi de que era alto demais para ser membro da minha família. Ele devia ter um metro e oitenta, com a careca emoldurada por um musgo macio de longos cabelos brancos. Não havia removido seus acessórios de relojoeiro. As lentes monoculares com múltiplos anéis estavam encaixadas num tapa-olho de couro que ficava preso em torno da cabeça por uma tira arranhada, o que indicava gerações de uso. Meu pai usara um instrumento similar, o que, quando eu era muito jovem, o tornava tão assustador quanto um ciclope. O relógio estava na mão do homem, e parecia haver incredulidade tanto em sua expressão quanto na maneira apressada como saiu da oficina.

— Esse relógio é seu, senhor? — Ele falava inglês com um sotaque holandês pesado.

Mesmo com metade do rosto oculto, subitamente pude ver a semelhança: o nariz longo e o queixo comprido do meu pai, além do mesmo azul-claro no único olho visível, embora o homem fosse muito mais bonito do que meu pai jamais havia sido.

— Esse número de referência é muito raro — comentou ele, referindo-se ao modelo. — Mas parece que está funcionando muito bem. Tem algum problema?

— O relógio pertenceu ao meu pai. Acredito que ele era seu irmão mais velho. Daan Bergmann? — Quando eu havia acordado naquela manhã, sequer conseguia me lembrar do nome de nascimento do meu pai e tivera que enviar uma mensagem para minha irmã.

— Daan Bergmann?

— Sim.

O homem repetiu as palavras, olhou para trás e se jogou numa cadeira alta atrás do balcão. Então removeu o aparelho da cabeça. Estava boquiaberto e olhou para o vazio por algum tempo, sem parecer focar em nada. Ainda segurava o relógio delicadamente numa das mãos. Ele acordou do devaneio e olhou para baixo, a fim de se assegurar de que ainda estava lá. Então falou comigo outra vez, começando em holandês, antes de se repetir em inglês.

— *Seu* pai? — perguntou ele.

— *Ja* — respondi. Depois disso, ele falou apenas holandês, com Nara uma ou duas vezes sussurrando a tradução ao meu lado. — E qual é o seu nome?

Eu respondi.

— Sim, ten Boom — concordou ele. Anos se passaram pelos seus olhos. — Eles convidaram o meu pai primeiro. Para ir a Leiden. Mas ele não quis abandonar a família. Então enviou o seu pai no lugar. Ele desapareceu sem dizer uma palavra a ninguém. E os nazistas nos pegaram. Todo mundo da família.

Ele pensou por um momento sobre o que mais dizer e então transferiu o relógio para os dedos da mão esquerda. Com a direita, retirou a abotoadura do punho esquerdo e dobrou a manga. Eu sabia o que ele estava prestes a me mostrar, mas meu coração ainda ficou partido quando vi os números que os nazistas tatuavam no antebraço dos prisioneiros de Auschwitz.

Assenti para indicar que havia compreendido.

— Minha mãe sobreviveu, e eu sobrevivi — disse ele. — Mais ninguém. Ninguém. Eu me lembro deles todos os dias. Vinte e duas pessoas, cinco crianças. Mas tento não pensar no seu pai.

Ele tinha conseguido reunir a força da convicção. Levantou-se e se empertigou antes de estender o braço sobre o balcão e me entregar o relógio.

— Foi bom conhecê-lo — continuou. — Mas, por favor, nunca mais volte aqui.

Fomos para o museu, conforme o planejado, mas eu não estava em condições de olhar para nada. Nara e eu nos sentamos num banco estofado ao lado da entrada, logo depois do quiosque de venda de ingressos, ao pé de uma escadaria contemporânea que levava à exposição. Apoiei a cabeça na parede, e Narawanda segurou a minha mão.

Como eu tinha contado a ela havia apenas algumas horas, eu sempre me esforçara para não julgar meus pais pelo que eles fizeram. No entanto, como os filhos costumam fazer, eu tinha visto tudo apenas da minha perspectiva, ávido por compreender qual havia sido a deles. Eu havia sofrido imaginando como devia ser para meu pai e para minha mãe quando alguma coisa — uma nota musical, um sabor proustiano, uma pintura, um fragmento de conversa em holandês — trazia a pungente lembrança de Roterdã. Isso devia acontecer vez ou outra, por mais que eles se esforçassem. Será que sentiam pesar por não poderem partilhar comigo e com Marla o que em alguns momentos do passado haviam valorizado? Ou vergonha por esconderem suas verdadeiras identidades? Eu tinha certeza de que eles afastavam essa angústia momentânea sempre com o mesmo mantra: foi o melhor a fazer.

Mas minha compaixão não havia se estendido a mais ninguém. Eu jamais me perguntara o que essa escolha havia significado para os parentes deles. Assim, havia aprendido algo excruciante naquele dia. Meus pais se agarraram com tanta força à sua identidade como ten Boom não apenas pelas razões que eu tinha entendido havia muito — para que a imigração americana não descobrisse que entraram no país com um nome falso ou para se assegurar de que seriam vistos como gentios quando a próxima inquisição começasse — mas também porque era a final e incontrita renúncia a suas famílias, uma forma de dizerem a si mesmos que aprenderam a lição com a mulher de Ló e não olhariam para trás. Eles já não eram Bergman e não aceitariam nenhuma culpa. Finalmente, compreendi por que rejeitaram tudo que fosse holandês.

Eu estava grato pelo meu tempo na Terra, embora a vida, como a morte, fosse tão elementar que era difícil ponderar sobre o estado alternativo. Mas jamais me ocorrera que havia toda uma comunidade fragmentada na Holanda que via meu pai e minha mãe com desdém.

— Por isso eles não queriam que soubéssemos — falei a Nara.

— Como?

— Meus pais. Não era o fato de serem judeus, não era isso que eles queriam esconder de nós.

— E o que era?

— Eles não queriam que soubéssemos que haviam abandonado suas famílias. — Olhei para Narawanda ao dizer isso. — Eu nunca pensei neles como covardes.

— Nem deveria — retrucou ela, sem hesitação.

— Ele pensa. Johannes.

— Ele está amargurado. Porque ele sofreu, porque aqueles que ele amava sofreram e porque seus pais, não. Mas, se Johannes conversasse com você mais um pouco, suspeito que você também descobriria que parte da raiva dele, quer ele perceba ou não, é do próprio pai por ter feito a escolha que infligiu tanta dor a ele e ao restante da família. E os seus pais compreendiam isso. De que adiantaria seus pais terem recusado aquela chance, Boom? Teria ajudado em alguma coisa se os nazistas tivessem feito mais duas vítimas?

O que ela dizia fazia sentido. Mas também havia razão na indignação de Johannes. Não há regras, não há ordem, não há civilização se for cada um por si. Eu disse isso a Nara.

— Essa é a mesma conversa que tivemos há algumas semanas — comentou ela.

Tenho certeza de que reagi com uma expressão completamente vazia.

— Quando eu disse que não sabia o que faria em tempos de guerra? — perguntou ela. — As pessoas fazem coisas horríveis, mas frequentemente porque enfrentam escolhas terríveis. Podemos admirar os heróis que colocam os princípios acima do perigo para si mesmos. Mas esse tipo de comportamento não é o normal. Ele, Johannes, pode desejar acreditar que, se seus pais tivessem ficado, poderiam ter ajudado a evitar o que aconteceu, mas nós dois sabemos que isso é como desejar um milagre. A vontade de milhões não foi suficiente para impedir os nazistas. Para mim, salvar duas vidas foi o melhor que seus pais puderam fazer. E muitas pessoas, a começar pelos seus filhos e até mesmo eu, são gratas por eles terem tomado essa decisão e por você estar vivo.

Ela olhou para mim sem medo ao fazer essa última observação, com o queixo erguido e os olhos claros. Não havia flerte em suas palavras, apenas fatos.

Caminhamos de volta à estação, sem falar muito. Quando embarcamos no Intercity, estendi o braço e segurei a mão de Nara durante a mais de meia hora que levamos para voltar a Haia. A bordo do trem, concordamos em pegar o bonde para Scheveningen e para o mar, uma viagem de não mais de dez minutos. A praia me parecia um bom lugar para refletir.

Durante o inverno, a vida em Haia transcorre como se Scheveningen estivesse muito longe, mas, com a chegada do verão, a imensa praia fica lotada, com mesas do lado de fora dos cafés e famílias brincando à beira da água gelada. O mar do Norte, normalmente de um verde plúmbeo, fica azul sob o sol e se encrespa ligeiramente sob a brisa suave.

Nós nos sentamos na areia. Nara usava um vestido longo e enrolou a saia, estendendo as belas pernas morenas na areia. Em algum momento, tiramos os sapatos e andamos pela orla, novamente de mãos dadas.

O que está acontecendo? O que você está fazendo? Eu não sabia. Mas estava preso nos desdobramentos do tempo. Dada a experiência que tinha vivido em Roterdã e o conforto sem hesitação oferecido por Nara, eu me sentia impelido por um impulso que não queria controlar.

Ainda descalços, caminhamos até as mesas amarelas de um dos cafés para uma refeição simples. Tomamos vinho, o que aumentou minha apreciação pela luz emanada do mar e pelo puro prazer de estar respirando.

Por volta das quatro, quando começou a esfriar, pegamos o bonde de volta para a Fred e caminhamos até em casa, nos comunicando com palavras isoladas. Entrei na claridade débil do apartamento sentindo o peso de tudo que acontecera desde que havíamos partido, algumas horas antes. Desabei no sofá, e Nara se sentou numa das mesinhas quadradas de centro, ficando diretamente na minha frente, com os joelhos encostados nos meus. Ela estendeu as mãos e segurou as minhas, me observando com imensos olhos negros.

— Por favor, será que podemos acabar logo com isso? — perguntou ela.

Ri pela primeira vez em horas. Eu não tinha certeza absoluta se Nara havia segurado minha mão apenas para oferecer consolo, como uma boa amiga. Mas estava grato e me sentia muito mais próximo dela do que quando havíamos saído pela porta, sete horas antes. Mesmo assim, na minha imaginação, voltaríamos para casa e nos afastaríamos. Para ficarmos juntos, se isso chegasse a acontecer, seria necessário haver mais reflexão e tempo. Mas Nara era Nara, docemente sujeita aos seus impulsos e completamente direta, e fiquei feliz por ela desejar tornar tudo mais fácil para nós dois.

Então nosso momento chegou, e, outra vez, como em Tuzla, experimentei o drama e a definição que era o primeiro beijo. Mais da metade do que quer que vá acontecer entre um homem e uma mulher é determinado pelo primeiro toque ávido dos seus lábios. O muro que nos separa de todos os outros se dissolve, e, desse momento em diante, os dois entram num terreno diferente. E foi o que fizemos.

Por volta das dez da noite, acordei com Nara aconchegada ao meu lado na minha cama. Cansados, havíamos dormido por uma hora. A cortina estava aberta, e eu via o céu negro salpicado de estrelas, uma visão rara em Haia, onde a noite frequentemente era nublada. Pelo ritmo de sua respiração em meu pescoço, eu sabia que ela também estava acordada.

— Nós só estamos solitários? — perguntou ela com uma voz bem baixa.

Refleti por um momento.

— Não. Não parece ser o caso para mim. Parece para você?

— Esse foi um passo tão grande que ainda estou em choque, especialmente comigo mesma. Eu não tenho certeza de nada, exceto que, depois dessa noite, minha vida jamais vai voltar a ser a mesma. Mas, nas últimas semanas, quando ousava ser honesta, eu achava que estava me apaixonando por você.

— Mas agora não tem mais certeza? Esse é um grande elogio às minhas habilidades como amante.

Ela me deu uma cotovelada nas costelas como represália. Contra as minhas expectativas, nós dois tínhamos nos divertido. Apesar de sua ocasional timidez, essa era uma área na qual Nara havia provado não ter problemas para se soltar.

— Você está mudando de assunto — disse ela. — Você me ama, Boom? Pelo menos um pouquinho?

— Nesse momento, sim. Bem mais que um pouquinho.

Eu temia que a minha resposta soasse evasiva, mas ela deu uma risadinha.

— Uma amiga minha, uma mulher mais velha, disse uma vez que todo homem permanece apaixonado por uma hora antes e depois de cada orgasmo.

Eu também ri.

— Isso significa mais que apenas orgasmos, Nara. Para nós dois. Disso eu tenho certeza.

Ela ficou de lado, apoiada num cotovelo, e me encarou com sua habitual sinceridade no olhar.

— E o que vai acontecer? Com a gente. — Ela confiava em mim, como pessoa mais velha e mais sábia, para fornecer a resposta. — Você sabe?

— Não. Ainda não. Mas não estou preparado para me preocupar com isso agora. Vamos respirar. Vamos viver.

— Mas eu não sei nem mesmo o que vai acontecer em seguida. — Ela queria dizer na segunda ou na terça-feira, quando retomássemos o bom senso.

Assumi a mesma posição sobre o cotovelo para poder olhá-la de frente.

— Isso eu sei — respondi.

— Mesmo?

— Eu vou mostrar o que acontece em seguida — declarei, e gentilmente a fiz se deitar de novo.

30.

A caverna — 29 de junho a 2 de julho

Goos ligou da Bósnia por volta do meio-dia de segunda-feira, no que, para ele, era um estado de bastante agitação.

— Alguma notícia de Attila?

— Você quer dizer hoje?

— Hoje, ontem. Estou com a equipe toda aqui, pronta para começar a analisar a caverna, e não temos nenhum dos equipamentos que ele prometeu.

— Ela.

— Ela, ele, tanto faz. Não tem nada aqui. E nenhum dos sujeitos que contratamos.

— Você ligou para ela?

— Um milhão de vezes, parceiro. Até que eu finalmente consegui falar com o escritório. Disseram que ela está nos Estados Unidos.

— Talvez tenha havido alguma emergência.

— Eu acho que não, parceiro. Me disseram que ela estava planejando férias desde a semana passada.

Como se tornara comum nos últimos tempos, eu tinha dificuldade para discernir os motivos. Talvez Attila tivesse sido instruída a parar de nos ajudar pelas pessoas das quais dependia para seus negócios no Departamento de Defesa. Ou talvez a orientação tivesse vindo de Merriwell.

— Parece que ela não está mais do nosso lado, hein — comentei.

— Acho que ela nunca esteve, parceiro.

Eu entendia por que Goos estava dizendo isso, mas a pessoa que havia nos buscado na mina de sal parecia, dadas as limitações do nosso contato recente, uma amiga. O enorme amor de Attila pela vida parecia vir de sua sensação de estar sendo útil. Era difícil acomodar isso à noção de que tinha sido falsa conosco durante todo aquele tempo.

Goos e eu desligamos e voltamos a conversar por volta das cinco da tarde. Ele contatara uma construtora que o havia ajudado, durante seu tempo no Tribunal Iugoslavo, a exumar algumas das centenas de covas coletivas perto de Srebrenica, dezoito anos antes. A empresa ainda estava operando e poderia entregar o equipamento na tarde do dia seguinte. Seu preço era inferior ao de Attila. Quanto aos trabalhadores, com o desemprego na Bósnia chegando a vinte e cinco por cento da população, Goos não estava preocupado. Ele havia ligado para uma das recepcionistas do Blue Lamp, que dissera que teria um grupo organizado à noite. A escavação começaria tarde na terça-feira. A menos que ele ligasse antes, concordamos que eu viajaria na quarta, como originalmente planejado.

Eu havia contado a Nara que voltaria à Bósnia, mas ela ficou infeliz ao ouvir a confirmação quando estávamos nos vestindo para nossa corrida, na noite de terça.

Nossa nova vida juntos, agora no quarto dia, não parecia tão diferente da antiga. Íamos para o trabalho. Voltávamos para casa. Corríamos. Comíamos frutos do mar, tomávamos vinho e conversávamos, com a exceção de que fazíamos isso entre os momentos na cama. Qualquer cautela que eu tivesse pretendido manter tinha evaporado no calor do quarto e na crescente intimidade. Eu confiava em Nara Logan. Sabia que ela jamais me machucaria intencionalmente. Tão importante quanto, ela vira demais de mim nos meses em que havíamos dividido o mesmo espaço para que eu tentasse esconder os pontos fracos da minha personalidade, num comportamento típico do início de um novo relacionamento, quando as pessoas ainda estão esperando para ver o quanto o amor pode mudá-las. A honestidade sem malícia de Nara às vezes ultrapassava os limites da sensibilidade — como quando ela me comparou a Lewis na cama, naturalmente me concedendo o prêmio, embora, pelo visto, eu não tivesse proporções tão generosas quanto as dele —, mas, de modo geral, eu me sentia satisfeito por estar com uma pessoa tão isenta de premeditação. Com Nara, eu era tão eu mesmo quanto jamais seria com qualquer pessoa.

Com o tempo, veríamos se isso duraria e quão longe nos levaria, mas, na terça-feira, encarei o fato de que estava absolutamente louco por ela. De um modo um pouco perverso, eu estava feliz por sair da cidade para descobrir quanto da minha ânsia permaneceria quando estivéssemos separados.

No aeroporto de Sarajevo, aonde cheguei por volta de uma da tarde depois de uma parada em Munique, não tive problemas para encontrar meus dois acompanhantes da OTAN. Logo após a área de segurança, eles me esperavam na farda de combate completa do Exército dinamarquês, incluindo coletes à prova de bala, capacetes e carabinas M10. A visão de armas de assalto no aeroporto atraiu bastante atenção, mas a general Moen claramente estava fazendo uma declaração enfática a quem quer que pudesse querer se vingar pela captura de Kajevic.

Havia um SUV no meio-fio com a bandeira azul da OTAN, a estrela de quatro pontas sobre cada farol dianteiro. Avançamos pelas colinas da Bósnia que eu vira antes cobertas de neve e que agora exibiam o verde animador do verão. No meio da jornada, tive um breve acesso de terror quando algo nas montanhas, uma forma ou mesmo o ângulo da luz, reacendeu a memória da minha última viagem pelo país. Durante a maior parte do tempo, contudo, permaneci calmo e estranhamente satisfeito por estar de volta.

Pedi ao motorista que me levasse diretamente para Barupra, pois queria chegar lá antes que o trabalho fosse interrompido. Chegamos pouco antes das quatro da tarde.

Da beirada do antigo campo de refugiados, olhando para baixo, vi que a mina Rejka agora parecia uma colmeia. O maquinário pesado tinha se aproximado, arriscando-se pela estreita rua de terra. Duas escavadeiras amarelas haviam escalado a face da caverna com suas esteiras e abriam buracos na terra. Goos me dissera na noite anterior que a professora Tchitchikov estava confiante de que o vão original na formação rochosa, resultado da exploração do veio de carvão, não desabaria enquanto os detritos eram retirados. Depois de remover a pilha de pedras, as escavadeiras esvaziavam as pás nas caçambas de dois caminhões basculantes vermelhos, que então desciam até o vale, depositando seu conteúdo sobre grandes lonas verdes. Lá, uma equipe de trabalhadores em trajes de segurança alaranjados separava cada pedra individualmente. Muito mais distante, eu conseguia ver os objetos enegrecidos — ossos, pelo que imaginei — que foram separados sobre lonas azuis menores. Outros trabalhadores de uniforme laranja tiravam fotos do material.

Como sempre, evitei focar nos restos mortais. Não era fácil enxergar tão longe, de qualquer forma. A poeira erguida pela escavação era uma fumaça amarronzada de odor acre e gosto amargo. Todo mundo usava máscaras brancas, incluindo os soldados da OTAN, que estavam posicionados nos cantos, com rifles atravessados sobre o peito.

Meu motorista da OTAN teve uma conversa complicada pelo rádio. Aparentemente, a estrada da mina estava bloqueada por uma grande grua cujo operador ninguém conseguia localizar. Assegurei a todos que não havia problema em caminhar até lá. Eu usava jeans e botas de escalada e fui cambaleando até o local da escavação, enquanto meus dois guarda-costas observavam de cima. Mais da metade da caverna parecia já ter sido escavada, deixando visível a borda da saliência original, de um marrom mais escuro que as rochas ao redor.

A motorista de um dos caminhões se inclinou para fora da cabine quando me aproximei.

— Beel? — perguntou ela.

Ela fez um gesto para o banco do passageiro e me levou até o vale, onde Goos me esperava com sua máscara branca. Ele a levantou até a testa e tomou um gole d'água da garrafa que segurava. A parte do seu rosto que a máscara cobria estava muito mais clara que o restante.

Perguntei como ele se sentia, mas Goos dispensou a pergunta como se espantasse uma mosca.

— E a escavação?

— Eu diria que já percorremos uns dois terços do caminho. Venha dar uma olhada.

Fui com ele até as lonas azuis, uma caminhada de vários metros. Lutei contra a fobia, mas, quando finalmente tive coragem de olhar, vi que o que havia lá não eram ossos.

Parei de súbito e agarrei o braço de Goos.

— Armas? — questionei.

— Sim, armas. E pedaços de caminhão.

Sobre cada lona estavam depositadas lado a lado umas duzentas armas leves, num arsenal que cobria uma área pouco menor que um campo de futebol. Lá estavam os tubos verdes das armas antitanques, mísseis portáteis e seus lançadores, granadas, carabinas, rifles de precisão, metralhadoras e pistolas, morteiros com tripés e, mais frequentemente, Zastavas. Aqui e ali os trabalhadores também alinharam capacetes e trajes blindados. As lonas mais distantes continham caixas de munição e tiras de projéteis de metralhadora.

— Eu diria que são umas cinco mil armas — comentou Goos. — Hoje, conforme nos aproximávamos do fundo da caverna, encontramos partes de caminhões, de para-lamas a blocos de motor. Parece que eles tinham um pequeno armazém por aqui.

— E quantos corpos?

— Até agora, nenhum — respondeu Goos. Seus olhos azuis se estreitaram por causa da poeira, mas permaneceram fixos em mim, aguardando a minha reação. — Ontem à noite, encontramos alguns ossos e ficamos meio animados, não que encontrá-los fosse algo a ser celebrado. Mas eles pertenciam a uma raposa. Até agora, esses foram os únicos vestígios biológicos.

— Você tem certeza?

— Temos dois caras analisando cada partícula de poeira. É o mesmo protocolo que usamos perto de Srebrenica, Boom. Encontramos o lixo normal de crianças: embalagens, garrafas, uma bola de praia furada. Mas nenhuma roupa e nenhum osso. Borrifamos Luminol aqui e ali mas também não encontramos sangue. A única descoberta decente está ali.

Goos me conduziu até outra lona azul, na qual fragmentos de equipamentos eletrônicos haviam sido isolados. Eles estavam cobertos de poeira e, no geral, não eram mais que pedacinhos de arame, semicondutores e metal, mas, no canto, foram separados cerca de dez celulares quadrados, de modelo antigo, cada um deles do tamanho de um brioche e praticamente intacto.

— É um trabalho infernal tentar acessar uma dessas coisas, mas, no laboratório, eles podem conseguir. Pode haver fotos, mensagens, algo que ajude a identificar as pessoas que estiveram aqui. A tarefa mais difícil vai ser encontrar carregadores.

— E isso é o melhor que temos?

— Pelo que posso dizer, Boom, a caverna era algum tipo de depósito de armas. Elas são na maioria iugoslavas, com alguns velhos itens soviéticos aqui e ali. Há marcas entalhadas nos componentes. Vamos precisar conferir com os militares, mas acho que isso significa que essas coisas estiveram sob a custódia da OTAN em algum momento.

— E você acha que a OTAN as enterrou aqui?

— Para dizer a verdade, Boom, eu nem comecei a pensar por que essas armas estão aqui. Ainda estou lidando com o fato de não haver restos mortais.

— Os corpos ainda podem aparecer?

Goos inclinou o rosto para cima, na minha direção.

— Como eu disse, ainda temos um terço do caminho a percorrer, mas, se quatrocentas pessoas tivessem sido obrigadas a entrar num espaço desse tamanho, já teríamos visto alguma coisa. Na minha opinião, a chance de ainda encontrarmos algo é nula.

Como Goos, olhei para a caverna, onde o poderoso motor de uma escavadeira tinha acabado de ser ligado, peidando fumaça preta. A poeira amarga no ar já se acumulava no fundo da minha garganta, e havia alguma irritação nos meus pulmões. Mas minha principal reação foi emocional, uma espécie de tontura por aquele ser o resultado de tantos meses de trabalho.

— Então Ferko era um completo mentiroso? — perguntei. — Era *tudo* invenção?

Mesmo agora, eu esperava descobrir alguns elementos de verdade no depoimento dele, mas Goos assentiu solenemente.

— Tudo um monte de merda — falou ele.

A general Moen e o coronel Ruehl jantaram em Tuzla naquela noite. O braço de Ruehl permanecia no gesso que ele ainda usaria por várias semanas, de modo que um assistente intervinha sempre que ele precisava cortar algo no prato.

O jantar deveria ser uma celebração. Goos e eu não estávamos realmente no clima e, como descobrimos, nem o pessoal da OTAN. Era bom para o mundo que Laza Kajevic tivesse sido capturado e uma realização para os soldados que o caçaram, mas mesmo a ideia de Kajevic e seus crimes era suficiente para arrefecer a animação.

Goos trouxe várias das armas que havíamos recuperado numa sacola de lona, e tanto Ruehl quanto a general Moen as examinaram, sendo discretos o bastante para que apenas alguns dos presentes notassem. Nenhum dos dois reconhecia as marcas, mas o assistente de Moen havia estado lá em 2004 e confirmou que as gravações a laser se pareciam com as que a OTAN, especialmente as forças americanas, fazia na época em que apreendia armas na Bósnia.

Enquanto comíamos a sobremesa, a general Moen perguntou se tínhamos ouvido algum relato, em Haia, sobre como Kajevic estava se adaptando ao confinamento. Falei apenas que tinha ouvido dizer que ele não gostava da comida holandesa.

Na manhã de quinta, tomei o café da manhã com Goos antes de voltar para Haia. Ele ficaria na Bósnia até que a escavação terminasse e todas as armas e peças de caminhão fossem fotografadas. Ele preferiria transportar tudo que havia descoberto de volta para Haia, mas transportar armas exigiria permissão. Planejava ir para Bruxelas no domingo, a fim de ajudar Fien a fazer as malas. Com o neto mais jovem agora em idade escolar, ela decidira ficar em Haia pelo menos até o fim do verão, mas talvez permanentemente.

— Eu disse a ela que tentaria o programa mais uma vez — comentou Goos. Ele evitou meus olhos ao dizer isso.

Eu havia notado que ele não bebera durante o jantar da noite anterior e temera que não se sentisse bem, talvez em função de toda a poeira causada pela escavação. Fiz que sim com a cabeça, apenas para demonstrar que ouvira. Havia muita informação naquela frase.

— Se der certo — continuou ele —, vou ter que dar crédito a Kajevic.

Eu não tinha certeza se Goos se referia ao insulto de que parecia um bêbado ou ao momento de reflexão que os Tigres nos forneceram no alto do tanque. De qualquer modo, não fazia muita diferença.

Trocamos um aperto de mão, o que não era costumeiro nos nossos encontros, antes que eu me levantasse para ir embora do Blue Lamp. Tínhamos vivido eventos memoráveis naquele lugar.

31.

Falácias — 3 a 6 de julho

Voltei para Haia na quinta-feira. Na sexta de manhã, ao me aproximar da entrada do tribunal, fiquei pasmo ao ver Roger, em seu terno de vinte anos e um chapéu de aba estreita para protegê-lo do sol. Fui abraçá-lo.

— O que diabos trouxe você até aqui? — perguntei.

— Você, na verdade. Passei a noite inteira num avião. Podemos tomar um café?

Era mais fácil percorrer a passagem de concreto entre a Sprinter e a Voorburg que tentar fazer Roger entrar no tribunal, onde a segurança exigia pelo menos um dia de antecedência para aprovar visitantes. Enquanto caminhávamos, trocamos informações sobre as famílias. Rog reuniria todo mundo em Eastern Shore para o 4 de Julho. Sorri ao imaginá-lo num traje totalmente WASP: pernas magrelas em shorts esverdeados, camisa de manga comprida branca e sapatos sem meias.

Quando estávamos em velhas cadeiras de madeira dobráveis do lado de fora de um café, Roger passou aos negócios.

— Você interrompeu os meus planos para o feriado — disse ele. Lembrei que era feriado nacional nos Estados Unidos.

— Eu?

O vento agitou a pena vermelha de seu chapéu, e ele teve que manter os dedos na aba para evitar que fosse soprado para longe.

— Tem uma história circulando por aí, dizendo que você não encontrou nenhum corpo na Bósnia.

Eu o encarei por um momento.

— Rog, vocês não ficam constrangidos de me seguir? Vão proteger a embaixada de Bengasi ou algo assim. Eu não mereço tanto trabalho.

— Existem pessoas no Pentágono que acham que você dá muito trabalho. Aquele artigo do *Times* sobre o massacre ainda faz com que cuspam toda vez que ouvem seu nome.

— Eu disse a você...

— Certo, não foi você. Me poupe. De qualquer modo, muita gente acha que seria justo retribuir. Querem vazar para o *Times* que você não encontrou nenhum corpo.

Dei de ombros.

— Eles merecem que o caso seja atualizado. A escavação foi um evento público.

— Mas eles querem apagar o artigo original. Desmenti-lo. A narrativa que estão montando é a de um promotor ávido para retornar aos holofotes que começa a dormir com a advogada de uma testemunha, deixa o bom senso na porta e faz todas as suas vontades, em vez de usar o senso crítico. Eu queria que você ouvisse essa história.

As pontas dos meus dedos estavam congeladas. Não havia por que perguntar de onde o pessoal do Pentágono havia tirado essa história. Eu tinha acabado de censurar Roger pela maneira como seus espiões mantinham o olho em mim. Fora ele quem começara a se referir a Esma como minha namorada alguns meses antes.

— Quando trepadas entram num artigo, Boom, não sobra muito espaço para nuances. Você sabe disso. Imagino que eles vão deixar você pagar o pato aqui no tribunal. E mandá-lo embora. Sei que fui eu que o meti nessa. E você queria fazer a coisa certa. Em vez disso, vai voltar para casa em desgraça. Realmente sinto muito, Boom. De verdade.

Esma tinha feito o papel da serpente, e eu mordera a maçã. Ficaria pior quando os repórteres descobrissem que ela estava inventando tudo. Eles me dariam o troféu de Maior Idiota do Mundo.

Você sempre acha que não se importa com o que as pessoas dizem ao seu respeito, até que algo assim acontece. Attila tinha me dito isso sobre Merriwell. Por fim, dei um suspiro profundo.

— Não parece que existe muito que eu possa fazer, exceto avisar ao pessoal de imprensa do tribunal e então entregar minha demissão a Badu.

Roger deixou os dedos se soltarem do chapéu.

— Espera. Só espera. Quais as chances de eu procurar esses caras e dizer "Vocês não precisam fazer nada. O tribunal vai anunciar, ainda essa semana, que a investigação foi encerrada e não houve massacre"? Quais as chances de isso acontecer?

Pensei por um momento.

— Não podemos dizer que não houve massacre.

Ele fez uma careta.

— Você sabe que não houve massacre. Eu disse a você, desde o início, que não houve massacre.

— Ainda não sei com certeza se não houve massacre. Tudo o que sei é que a alegação de que quatrocentas pessoas foram enterradas naquela mina de carvão é completamente infundada.

— E não existe evidência de massacre.

Avaliei essa afirmação. O desaparecimento de quatrocentas pessoas da noite para o dia que foram vistas pela última vez em caminhões do Exército americano na minha cabeça não se qualificava como "não existir evidência".

— Vamos ter que recriar um pouquinho essa história.

— Bem, a gente pode até colocar uns duendes, uma princesinha indefesa, um dragão e fazer com que ela tenha um lindo final feliz. Eu preciso voltar para casa com algo convincente. Ou eles vão deixar você pelado em público, Boom, e rir do seu pinto.

Fiz uma careta, mas consegui rir. Roger era sempre exuberante em suas descrições. Tentei evocar meu kit de ferramentas de advogado para pensar em como poderíamos usar nosso bisturi nas palavras. Roger esperou de lábios comprimidos. Olhando para ele, não muito mudado, apesar dos anos, me lembrei da nossa última conversa, durante a qual ele estivera furioso comigo e eu havia reconhecido que nossa amizade, por mais durável que fosse, ficaria estacionada em terreno neutro enquanto ambos fazíamos nosso trabalho.

Mas, com essa lembrança, tive uma espécie de epifania, acompanhada por um súbito aumento da minha pressão sanguínea, como se a revelação tivesse passado por algum tipo de parto para chegar a uma forma sólida. E então percebi, como quando se vê um vulto no escuro: Roger não estava ali para me proteger, não importando quão esperta fosse a encenação ou quão direto fosse o apelo aos meus próprios interesses. Ele estava ali para acabar com o caso.

Mas o que isso significava? Os *roma* estariam num buraco em algum lugar, com balas americanas na cabeça? Ou havia outro segredo que meu governo queria manter? Segui meus instintos.

— Então nosso comunicado à imprensa não vai dizer nada sobre as armas que encontramos?

Ainda não tínhamos dito uma palavra sobre as armas. Eu queria ver se ele se daria ao trabalho de fingir surpresa.

— Não sei exatamente o que você encontrou, mas não importa, importa? O fato é que não havia corpos.

— Sem corpos — concordei. — Mas quem quer que esteja nos vigiando, Rog — e percebi que sua fonte quase certamente era da OTAN —, deve ter dito que encontramos um grande esconderijo de armas.

— Que diferença isso faz, Boom?

— Bem, Rog, todas as armas encontradas tinham identificação da OTAN. Isso foi uma surpresa para você? O fato de termos encontrado armas na caverna?

— Foi uma grande surpresa.

— E você não tem nenhuma ideia de por que elas estavam lá?

— Nada definitivo. E, a essa altura, não dou a mínima. Só quero o Departamento de Defesa fora do meu pé.

Compreendi por fim. Era como Kajevic tinha dito. De todas as pessoas do mundo, havíamos conseguido a verdade de um filho da puta como Laza Kajevic.

— O problema é esse, Rog: eu estou com a impressão de que aquelas armas representam uma grande preocupação para você. E, se não é como elas chegaram lá que o incomoda, então tem que ser de onde vieram. Fico imaginando... Na verdade, eu tenho certeza: elas faziam parte das quinhentas mil armas que deveriam ter sido enviadas da Bósnia para o Iraque em abril de 2004.

Meu amigo Roger sempre havia tido pavio curto. Suas narinas se dilataram, e sua cor mudou.

— Onde você ouviu isso? Foi Attila, aquela fofoqueira? Porque eu vou dizer uma coisa: no fim do dia de hoje, ela não vai ter mais nenhuma habilitação de segurança. — Ele disse uma palavra feia a respeito dela.

— Não foi Attila — avisei. — Eu não consegui obter nada dela além do discurso oficial.

— Então quem?

— Então por quê? Qual é o grande problema a respeito das quinhentas mil armas, Rog, para que elas tenham permanecido como um assunto confidencial mesmo onze anos depois? Para que você tenha se disposto a passar a noite voando para me impedir de descobrir?

Roger me encarou com aquela expressão intensa e toda retorcida que Merry havia imitado no dia em que tínhamos nos conhecido.

— Você está cutucando a onça com uma vara muito curta — comentou ele.

— Qualquer comunicado de imprensa sobre o que não encontramos na caverna que também inclua o que encontramos, aquelas armas leves, vai ser um desastre para você, não vai? Porque algum intrépido repórter vai perguntar como aquelas armas caíram nas mãos dos *roma* e então, e essa é a grande questão, vai querer saber o que aconteceu com as quinhentas mil enviadas para o Iraque. A investigação que você não quer que façamos vai ser feita pelo *New York Times*. E estou bastante curioso para saber as respostas. — Encarei-o do outro lado da mesa. — Você está blefando, Rog.

— Porra nenhuma.

— Você está blefando. E está muito perto de mentir. Deixe-me pensar. — E fiz exatamente isso, bem na frente dele, enquanto outra lufada de vento derrubava uma colherinha de inox da mesa. Eu me abaixei para pegá-la. — Foi sempre a respeito das armas, não foi? Vocês sempre souberam que Kajevic matou aqueles soldados americanos com armas roubadas que os *roma* venderam para ele. Mas era sobre as armas que não foram roubadas que vocês *realmente* não queriam falar. Certo? Foi por isso que você, Merry, Attila e o Exército ficaram tentando me vencer pelo cansaço: queriam que eu os acusasse de um crime que não cometeram, o massacre de quatrocentos *roma* na caverna em Barupra. Talvez até mesmo tenham me dado algumas evidências que pudessem apoiar essa acusação. Porque isso ajudou a esconder o verdadeiro crime.

— Um crime? — Roger se recostou na cadeira outra vez. Estava tentando parecer ultrajado, mas claramente havia ficado alarmado. — Que crime?

— Ainda não sei dizer, Rog. Mas, generalizando, as pessoas não toleram ser acusadas de atrocidades na frente do mundo inteiro a menos que estejam escondendo alguma coisa. E o segredo que estão mantendo não deve ser algo como não ter boas maneiras à mesa. É algo que poderia arrumar grandes problemas para todos vocês.

— Ninguém cometeu nenhum crime — declarou Roger. — E, a menos que você tenha sido renomeado procurador federal dos Estados Unidos, isso não é da sua conta.

— Ok, diga isso ao *Times*. Mas é uma enrascada, não é, Rog? As armas realmente chegaram ao Iraque? Você fez parte disso tudo, não fez? Você foi a ligação de inteligência da transação, qualquer que tenha sido. Você está por um fio. E Merry também. Acho que vocês dois são os caras que vão ficar pelados em público, vocês e seus pintos, quando as pessoas começarem a fazer perguntas sobre as armas.

Ele não falou nada, apenas me encarou. Roger precisava cortar o cabelo. O vento bagunçava os tufos grisalhos que haviam crescido acima das suas orelhas.

— Você usou a abordagem errada, Rog. Devia ter dito que precisava de um grande favor.

Seus olhos claros assumiram um ar calculista agora que ele tinha sido exposto.

— Eu preciso de um grande favor — disse ele.

— Tarde demais — falei. — Não importa quem se incomode, lembra? Você pode me queimar, se quiser. Mas eu vou contar aos repórteres toda a história se você fizer isso. Sua melhor opção é deixar que terminemos a investigação sobre o que aconteceu com aquelas pessoas, dizer o que quer que precisemos dizer em público e deixarmos o restante dos detalhes arquivados. Se eu tiver qualquer poder de decisão, Rog, vou usá-lo como você tinha certeza de que eu usaria quando me recrutou para essa tarefa. Você sabia que, se tivesse opção, eu protegeria você. E, acredite ou não, ainda vou fazer isso. Porque um dia você foi realmente um bom amigo.

Eu me afastei da mesa, mas me virei para ele de novo com uma última observação:

— Aproveite o feriado.

Enquanto eu estava na Bósnia, Nara tinha ido para Belgrado se encontrar com Bozic. Ela só voltou na sexta à noite. Eu me acendi como um foguete quando a vi, e estávamos na cama segundos depois de ela fechar a porta. Choveu no sábado, mas ficamos felizes em casa.

Frequentemente, enquanto Nara cochilava ao meu lado durante o fim de semana, eu pensava sobre o caso. Eu tinha ficado surpreso muitas vezes nos últimos meses, mas, se terminássemos por encerrar a investigação, tinha que decidir o que viria em seguida, em termos profissionais. Meu cargo no tribunal era nominalmente permanente, mas a atitude elegante a se tomar seria oferecer minha demissão, uma vez que eu não imaginava que alguém fosse querer minha permanência caso a situação em Barupra não culminasse em acusações. Eu achava ter causado boa impressão no tribunal e provavelmente poderia participar de uma das comissões de julgamento, se realmente quisesse. Por outro lado, eu poderia retornar aos Estados Unidos, o que não parecia certo no momento, ou iniciar minhas férias de verão infinitas. Mas, depois de avaliar meus sentimentos, nenhuma dessas ideias parecia atraente por uma única razão: Narawanda não poderia ir comigo, dado seu envolvimento no caso Kajevic. Isso significava que eu permaneceria em Haia, no tribunal ou em outra organização.

Se eu tivesse listado, quatro ou cinco anos antes, as qualidades da pessoa com quem achava que ficaria, Nara jamais seria uma combinação. Eu me via, por exemplo, com alguém mais socialmente gracioso e com mais calor humano do que eu era capaz de transmitir, alguém que pudesse suplementar as falhas que eu lamentava em mim mesmo. Mas eu havia aceitado a glória do futuro, que é o fato de ele ser desconhecido, e jamais me preocupara em fazer uma lista. A verdade era que, por razões que escapavam ao meu entendimento, eu me sentia à vontade com Nara; não apenas apaixonado mas também em paz. Só Deus sabia se isso iria durar. Mas eu não podia partir até descobrir a resposta.

No domingo, o tempo estava bom outra vez, e passamos o dia à beira-mar. Voltando ao apartamento no fim da tarde, estávamos cheios de ardor do verão, a sensação de que o sol havia deixado todos os nossos nervos à flor da pele e o desejo se tornava mais urgente após os demorados toques do vento leve. Terminamos na cama de Nara pela primeira vez, uma localização que parecia de certo modo simbólica.

Depois de fazermos amor, enquanto a luz deixava o quarto, fiz uma pergunta que esperava havia muito para ser feita.

— Você quer ter filhos? — Meu tom era neutro e curioso, como se fosse apenas mais uma coisa que eu precisava saber para conhecê-la melhor.

— Lewis é contra. Ele diz que o mundo anda sombrio demais para crianças.

— E de onde vai vir a luz?

— Eu sei que é uma desculpa. Ele não quer perder o foco na carreira e no que é importante para ele.

Notei que Lew ainda ocupava o tempo presente.

— E você está disposta a aceitar isso?

— Não sei. Ainda não cheguei ao momento de não aceitar. Mas nunca concordei. Foi algo, como tantas outras coisas, que deixamos de lado. Minha mãe, naturalmente, não para de fazer insinuações.

Por fim, perguntei sua idade, e ela se tornou adoravelmente evasiva.

— Adivinha — disse ela.

— Cuidado, *chérie* — falei, uma frase dita várias vezes por semana nas transmissões de rádio dos Trappers quando eu era menino, em momentos nos quais o time adversário ameaçava marcar.

Ela deu uma risadinha.

— Pela sua aparência? Você poderia passar por 23.

— Brilhante — comentou ela, embora eu estivesse dizendo a verdade.

— Mas, fazendo a conta da sua formação profissional e carreira, eu acho que você tem uns 38.

— Trinta e sete. Entrei mais cedo no colégio.

Repeti o número.

— Talvez seja a hora de pensar no assunto.

— Sobre ter filhos?

— Sim.

— Sempre achei que queria, quando era mais jovem. A maior parte de mim provavelmente ainda se sente assim. O que você acha?

— Sobre você ter filhos ou não? Acho que não devo opinar. Mas, se você me perguntasse sobre minha própria vida, ela seria inimaginável sem meus filhos. Ser pai transformou completamente minha noção sobre o que significa caminhar pelo mundo. A maioria das pessoas vai dizer a mesma coisa. É como se o mundo passasse de plano para 3-D.

— Então você diria que devo ter filhos.

— O que você *deve* é decidir o que é melhor para você. Mas, como alguém que se importa profundamente com você, eu desejaria que conhecesse a mesma profunda conexão que meus filhos trouxeram para minha vida. Eu nem mesmo percebi que meu casamento ia mal até os dois saírem de casa, porque estava feliz demais com a presença deles.

— E você teria mais filhos? — Ela fez a pergunta com tanta leveza quanto eu tinha indagado sobre seu desejo de ter filhos.

Eu nunca havia pensado profundamente a esse respeito. Em vez disso, meio que respondera através das minhas ações. Não me sentira atraído por mulheres com filhos pequenos ou por aquelas cujo relógio biológico começara a soar.

Ali, na cama dela, com Nara colada ao meu corpo por causa do nosso suor, lancei luz sobre mim mesmo: eu poderia ser pai novamente, aos 54 anos? Não parecia tarde demais para astros do cinema e CEOS. Eu conhecia ao menos um homem no condado de Kindle, o promotor-geral, Tommy Molto, que havia se casado aos 52 anos e iniciara uma família, e ele parecia uma tulipa florescendo numa estufa no meio do inverno, embora uma vez tivesse me dito que, com a sua aparência, era frequentemente confundido como avô dos próprios filhos.

Mas Tommy não tinha filhos anteriores que ficariam desorientados com essa decisão, especialmente Pete, que não estava muito longe de iniciar a própria família. E Tommy tampouco havia passado por tudo isso. De imediato, a ideia de ter filhos na minha idade parecia um daqueles atos como o de Ícaro voando perto demais do sol. Eu me sentiria como se estivesse tentando viver duas vezes.

— Preciso pensar a respeito — respondi. — Nós dois precisamos.

— Precisamos mesmo — concordou Nara, se aproximando ainda mais de mim.

Na manhã de segunda-feira, Goos e eu trabalhamos juntos num relatório sobre a escavação. Na Bósnia, havíamos ficado confusos, porque ainda não tínhamos ideia de para onde haviam ido as pessoas que viviam em Barupra. Mas, ali, tínhamos que enfrentar nossas responsabilidades institucionais. O fato era que havíamos consumido um monte de recursos do tribunal por causa de alegações infundadas. Naquele estágio, era uma bênção que o depoimento de Ferko tivesse sido apresentado em público e que três juízes tivessem autorizado a investigação. Mas e agora? Nossa conclusão, após discutirmos por algum tempo, foi de que, como ainda não sabíamos se um crime de guerra tinha sido perpetrado, éramos obrigados a dar algum limitado seguimento, mesmo que continuar significasse conduzir o que se reduzia a uma investigação sobre o desaparecimento de quatrocentas pessoas.

Algumas horas depois, no fim da tarde, Goos entrou no meu escritório e fechou a porta, o sinal-padrão de que havia acontecido alguma coisa. Seu ar normalmente alegre, e que estivera muito mais evidente durante a manhã, após trazer Fien de volta a Haia, tinha desaparecido. Ele parecia aborrecido.

Meu primeiro pensamento foi que Roger cumprira sua ameaça.

— Meu nome está nos jornais? — Eu ainda não tinha contado sobre o encontro com Roger, que me parecera constrangedor por muitas razões, particularmente porque Goos sabia que ele era meu amigo.

— Como assim?

— Eu não contei a você que quase pedi demissão na sexta.

Enquanto eu relatava os eventos, Goos inclinou a cabeça para o lado como o cão da RCA olhando para o gramofone. Ele não estava entendendo.

— Eu provavelmente preciso pensar sobre a demissão, de qualquer maneira. Mais cedo ou mais tarde, a história sobre Esma vai chegar até aqui. E as pessoas vão dizer que foi por isso que acreditamos em Ferko e iniciamos a investigação. Eu vou ser o bode expiatório.

— Não, não vai ser. O Juízo de Instrução aprovou a investigação. E a história sobre Esma? Ninguém vai se interessar.

Ele se sentou na cadeira diante da minha mesa e contemplou as paredes nuas como se houvesse algo lá. Seus lábios estavam comprimidos, e ele mexeu a boca algumas vezes, parecendo prestes a falar.

— Diz logo, Goos.

— Bom, se acreditarmos nas fofocas, você não foi a primeira pessoa do tribunal a ser fisgado por ela.

Àquela altura, em se tratando de Esma, nada mais me surpreendia.

— E quem me antecedeu?

— Akemi. No outono passado. A suspeita é que a investigação foi aprovada por causa disso, mesmo com os americanos reclamando.

— Akemi?

— É o que dizem. Não tenho provas fotográficas. É só um rumor, mas nunca se sabe. Isso nunca me incomodou. A investigação deveria ter sido aprovada há muito tempo.

Mesmo que Esma negasse, eu podia apostar que tinha sido um de muitos — e o fato de que mulheres também faziam parte desse grupo fora relatado quando li sobre seu divórcio. O que me incomodava era compreender com ainda mais clareza que eu — assim como a pobre Akemi — havia sido apenas usado.

— E o que houve com o feliz casal? — quis saber.

— Dizem que Esma terminou tudo e deixou Akemi arrasada. Suspeito que seja seu *modus operandi*.

Isso explicaria por que Esma tinha ficado tão angustiada quando eu terminara tudo. Ela via como seu direito imperial a opção de sair primeiro do palco.

Goos ainda estava encolhido na cadeira, me observando com evidente desconforto. Meu instinto era perguntar por que ele não tinha me dito algo, mas reconheci que isso seria idiotice. Metade das pessoas do mundo provavelmente já havia dito "Esse relacionamento não é bom para você" a alguém com quem se importava, e o número de vezes em que o aviso não se voltara contra elas era muito, muito menor.

— E seu amigo não disse nada sobre o que aconteceu com aquelas quinhentas mil armas? — perguntou Goos, referindo-se a Roger.

— Nem uma palavra. Eu adoraria descobrir.

— Mas não é nosso papel investigar, é?

— Não. Nosso papel é investigar o massacre de quatrocentas pessoas que supostamente foram enterradas na caverna e agora estão desaparecidas.

— Verdade. Mas eu tenho algumas boas notícias. Foi sobre isso que vim conversar.

Ele colocou várias capturas de tela do Facebook sobre a minha mesa.

— Você quer que eu leia isso? — perguntei.

— Sei que não é muito divertido.

— Goos, isso aqui está em servo-croata.

— Ah, certo. Certo, certo — disse ele, batendo na testa com a mão espalmada. — Quer que eu traduza?

— Faça um resumo.

— Você se lembra da nossa base improvisada de DNA?

— Aquela para identificar os parentes de todas as pessoas que achávamos que encontraríamos na caverna?

— Essa mesmo. Eu fiz um post no Facebook dizendo que estava procurando familiares consanguíneos das pessoas que viveram em Barupra de 1999 a 2004. Encontrei duas meninas, ambas novas no Facebook, que afirmam ter nascido em Barupra.

— Nascido lá? E onde moram agora?

— Mitrovica, Kosovo. Foi de onde veio todo o pessoal de Barupra, parceiro. Uma delas, a de 15 anos, respondeu a duas mensagens minhas hoje. Ela disse que os seus pais e os pais dos seus amigos sequer dizem a palavra "Barupra" em voz alta. Ninguém, em todo o campo onde estão, fala esse nome. Muitos dos amigos dela sequer sabem que nasceram lá. Boom, eu já procurei "Barupra" na internet. YouTube. Facebook. Crime Stoppers. E muitos outros sites. E nunca ouvi uma palavra de alguém dizendo que viveu lá.

— E o que mudou?

— É melhor eu ir até lá e descobrir, não acha?

— Mas as meninas estão dizendo que os pais também viveram em Barupra? E as outras pessoas que estão no acampamento agora também? É isso, não é? É isso que estão insinuando?

— É isso que estão insinuando. Parece que, no fim das contas, os *roma* simplesmente voltaram para casa.

Falácia investigativa é o ato de presumir coisas nas quais você quer acreditar. Eu e Goos havíamos sido treinados para não tomar nada como verdade absoluta. Mas o inquestionável desaparecimento de quatrocentas pessoas, assim como o depoimento de Ferko, de algum modo havia nos impedido de considerar a alternativa de que elas simplesmente se mudaram. Havia razões para acreditarmos no que acreditávamos. Os *roma* partiram sem dizer uma palavra aos seus poucos amigos e parentes na área, e permaneciam em silêncio mesmo onze anos depois. Além disso, não dispunham de meios na época para transportar quatrocentas pessoas. A não ser, percebi subitamente, que o Exército americano tivesse chegado no meio da noite com dezenas de caminhões para levá-los para casa.

32.

Casa? — 6 e 7 de julho

Cheguei do trabalho na segunda, depois da reunião com Goos, de mau humor. Estava preparado para dizer a Nara que não queria correr, mas percebi imediatamente que ela também estava com problemas.

— Você nunca deve tentar uma carreira como jogadora profissional de pôquer — comentei.

— Como assim?

— Você não é muito boa em esconder que está preocupada.

— Sério? As pessoas sempre dizem que eu sou difícil de interpretar.

Eu teria dito a mesma coisa alguns meses atrás. Suponho que fosse um benefício adicional da nossa intimidade ela ter se tornado tão transparente para mim.

Nara fez um gesto para o sofá. Nos sentamos um ao lado do outro, e ela tocou minha mão com seu jeito decoroso.

— Lewis — começou ela.

— O que tem ele?

— Ele ligou e disse que gostaria de vir até aqui para conversar.

Hesitei.

— Conversar sobre o quê? Divórcio? Reconciliação? Para onde enviar as roupas dele?

— Não sei, Boom. Eu fiz todas essas perguntas, e ele acha que seria uma boa ideia nos sentarmos frente a frente e falarmos de tudo.

— E o que você disse?

Seus grandes olhos subitamente escureceram com uma leve decepção.

— Boom, ele é meu marido. Não posso me recusar a falar com ele.

— É claro que não — concordei. Mas por dentro eu me senti morrer, como se tivesse tomado veneno. — Quando ele chega?

— Nesse fim de semana.

— Ah... — Prendi a respiração por um momento e então mergulhei nas águas profundas. — E onde ele vai ficar?

Ela olhou para as próprias mãos.

— Não falamos disso.

Assenti com a cabeça.

— Eu vou voltar para o Des Indes.

— Você não precisa fazer isso.

— O melhor que posso fazer é deixar o outro quarto disponível.

— Boom, por favor. Eu tenho certeza de que ele acha que vai dormir no sofá.

— Vocês precisam de privacidade.

Gary Cooper, ou algum herói do passado altamente honrado, não teria dito essa frase com maior convicção, mas eu odiei dizê-la. Você sabia que acabaria assim, eu disse a mim mesmo. Sabia que não teria onde morar. E que ficaria de coração partido.

Não havia muito mais a dizer, e acabamos saindo para nossa corrida. Naquela noite, fomos novamente para a minha cama.

Na terça, eu me sentia mais deprimido do que jamais estivera desde que a minha mãe havia morrido. Os últimos cinco anos da minha vida, minha grande aventura, como Ellen a chamava com sarcasmo de tempos em tempos, se resumiam a muito pouco. Lição que aprendi: quando se aposta, às vezes você perde.

Depois do almoço, fui até o escritório de Goos, no fim do corredor, tão parecido com o meu que poderia ser o mesmo. Ele ia para Kosovo no dia seguinte. Já havia conseguido identificar ao menos doze pessoas em Mitrovica que diziam ter vivido em Barupra. Nenhuma delas explicara onde estivera por mais de uma década ou por que parecia ter se materializado somente agora. Goos achava que seria melhor fazer essas perguntas pessoalmente. Eu concordava.

— E se eu dissesse que, enquanto você está em Kosovo, eu vou para os Estados Unidos?

A ideia me acompanhara o dia inteiro. A pior parte do que eu estava sentindo era a profunda futilidade de tudo que havíamos feito nos últimos meses. E, é claro, seria melhor sair de Haia enquanto Nara e Lewis resolviam as coisas. Eu ficaria louco se permanecesse a apenas alguns quarteirões de distância. Seria uma noite sombria e de muita imaginação.

— Por quê, Boom?

— Para colocar várias pessoas que me devem explicações contra a parede. A começar por Esma.

Goos fez uma careta.

— Eu acho que isso é ilegal.

— Não se eu o fizer como cidadão. Se estiver fazendo perguntas em benefício próprio, sem intenção de usar as informações aqui no tribunal, não pode ser ilegal. Temos uma coisa nos Estados Unidos chamada Primeira Emenda.

— Você é o advogado, Boom.

— Você vive repetindo isso.

Pensei um pouco mais e entrei na internet. *Jahanbani v. Jahanbani* estava na pauta de audiências de quinta-feira às duas da tarde. O voo das nove e meia da Delta me deixaria no JFK ao meio-dia. Enviei um e-mail para Akemi pedindo algum tempo para resolver questões pessoais no restante da semana. Então liguei para Washington.

— Quanto você gostaria de dar um grande passo para restabelecer uma amizade de quase três décadas? — perguntei assim que Roger atendeu.

Ele pensou antes de responder.

— Eu gostaria muito.

— Eu preciso de um favor.

— Ok — disse ele num tom pesaroso.

— Perdi meu passaporte há cerca de um mês, em circunstâncias difíceis que você provavelmente tem conhecimento.

Eles me vigiavam demais para terem perdido o sequestro, especialmente depois que foi relatado à OTAN.

— Sem comentar suas suposições, posso ter ouvido algo sobre uma reunião problemática. No topo de um tanque de petróleo?

— Água salgada.

— Certo.

Indo e voltando de um país da União Europeia com o bolso cheio de documentos emitidos pelo governo da Bósnia e Herzegovina, eu não havia tido problemas na fronteira bósnia ou na holandesa, mas, ironicamente, teria muito mais dificuldade para entrar no meu próprio país sem meu passaporte. Eu solicitara outro, mas, devido à distância, as engrenagens estavam se movendo lentamente.

Roger pediu os números da documentação necessária e então me colocou em espera.

— Você sabe onde fica a embaixada? — perguntou ele ao retornar vários minutos depois. Eu sabia, embora, por conta do meu papel no tribunal, tivesse evitado o lugar. — Se você se apresentar no fim da tarde de amanhã e pedir para falar com Reeda James, seu passaporte vai estar pronto.

— Muito obrigado.

— Posso perguntar se isso tem alguma coisa a ver com a investigação?

— Não estarei agindo em nome do tribunal, Rog, se é isso que o preocupa. Posso fazer algumas perguntas em meu nome. Começando com minha ex-namorada, como você gosta de chamá-la.

— Ah.

— Suspeito que você já saiba, mas o nome dela não é Esma Czarni e ela não é cigana. É iraniana.

Por um momento, Roger pareceu prender a respiração.

— Iraniana? — questionou ele. — *Iraniana?* Você quer dizer que toda essa merda começou em Teerã?

— Rog, eu não faço ideia de onde tudo isso começou. Ela provavelmente é só uma maluca *sui generis*.

— Meu Deus do céu! Por que eu não fiquei sabendo disso? Você faz ideia de quem são essas pessoas? De como esse pessoal adora constranger os Estados Unidos? Ela é *iraniana*?

Partilhamos um momento de choque, embora com origens muito diferentes.

— Roger, você não está me dizendo que os serviços de inteligência dos Estados Unidos obtêm informações sobre as pessoas com quem estão preocupados no Google e na Wikipédia, não é?

Ele não falou nada.

— A gente precisa falar com ela — disse ele, em vez disso. — Qual é o nome verdadeiro dela?

— Espero vê-la na quinta. Depois disso, você pode ficar com ela.

Eu não queria que ele estragasse a surpresa. Esma/Emira teria um advogado presente após a visita do FBI. Ele resmungou porque teria que esperar, mas sabia que não tinha escolha.

— Já que estamos falando disso, posso perguntar sobre a investigação? — indagou ele.

— Parece que está chegando ao fim. Vou saber com certeza no fim dessa semana. Ainda tenho muitas perguntas, mas, francamente, nenhuma delas parece ser uma questão apropriada para o TPI. Você não estaria disposta a responder a algumas?

— Não posso, Boom. Provavelmente a gente sabe menos que você sobre as questões que o preocupam. Talvez alguém que já não se reporta a ninguém pudesse falar com um pouco mais de liberdade. Desde que seja em caráter completamente extraoficial.

Ele estava se referindo a Merriwell. Fiz uma pausa para pensar, e Roger preencheu o silêncio.

— Eu lidei mal com as coisas na semana passada, Boom. Sinto muito.

— Desculpas aceitas.

Eu agradeci a ele outra vez pela ajuda com o passaporte e prometi dar um retorno sobre Esma no fim da semana.

— Iraniana... — repetiu Roger mais uma vez, antes de desligar.

Quando Nara chegou, eu estava no meu quarto. Tinha pegado uma mala e estava jogando algumas coisas nela, enquanto tentava descobrir o que precisava ser lavado antes da viagem. Ela pareceu abalada ao ver a mala.

— Você está me deixando?

— Vou para os Estados Unidos por alguns dias. Preciso resolver algumas coisas da minha investigação. De qualquer modo, é uma boa hora para sair do seu caminho.

— Não preciso que você saia do meu caminho. Na verdade, estava pensando que seria bom se você estivesse aqui quando Lewis chegasse.

— Essa definitivamente não é a abordagem correta. Nara, você precisa fazer o que é melhor para você, para a sua vida.

Ela se sentou na cama e meneou a cabeça.

— Por favor, não fale como se estivéssemos numa peça.

— Eu estou falando sério. Se puder salvar seu casamento, você deve pensar seriamente em fazer isso.

Ela levantou o rosto miúdo na minha direção, claramente aborrecida.

— Você acredita mesmo que Lewis é o melhor para mim?

Eu a encarei com algumas camisetas na mão.

— De verdade? Não. Ele parece um babaca. Sem ofensa.

— E não acha, honestamente, que você seria melhor para mim? Honestamente.

— Honestamente, sim. Eu voto em mim. Mas existem três bilhões e meio de homens no mundo, e existe uma boa chance de um deles ser ainda melhor para você que eu e Lewis juntos.

Nara me deu aquele minúsculo sorriso diabólico.

— Acho que minha vida já está complicada o bastante com apenas dois homens. Preciso abrir mão dos outros três bilhões no momento.

Saímos para correr, mas começou a chover no meio do caminho. Normalmente, teríamos continuado, mas trocamos um olhar e voltamos para casa, e lá entramos juntos no chuveiro.

— Não desista de mim tão facilmente, Boom — disse ela mais tarde, agarrada a mim na cama.

— Eu não estou desistindo de você, Nara. Mas um dos piores momentos que uma pessoa pode enfrentar é olhar para os anos que se passaram e se perguntar o que fez da própria vida.

— Você diz essas coisas como se não houvesse nada em jogo para você. Como se sentiria se eu dissesse "Ok, você está certo, vou procurar outra pessoa, alguém que queira filhos com certeza" ou algo assim?

— Eu ficaria arrasado. Mas tentaria entender. Acho que tentaria. E seguiria em frente, porque não teria escolha. É só que...

— O quê?

— Nada.

Eu não queria que ela se sentisse culpada, o que teria acontecido. E, para dizer a verdade, estava um pouco surpreso comigo mesmo. Eu estivera prestes a dizer: "É só que eu teria medo de nunca mais me sentir assim de novo."

VIII.
Transgredindo a lei

33.

Foley Square — 9 de julho

Deixei a mala num hotel em Nolita que tinha escolhido pela internet e caminhei através de Chinatown até a Foley Square, procurando o número 60 da Centre Street, a sede original da Suprema Corte de Nova York. Eu nunca havia estado no edifício, embora tivesse passado mais tempo do que gostaria no tribunal federal do outro lado da rua. Lá, aquele ar de "foda-se" que pairava em Nova York tinha deixado as relações entre promotores e advogados de defesa tão amargas que eu poderia muito bem ter me apresentado aos promotores-assistentes com quem tivera que lidar como a Serpente do Jardim.

Como muitos outros tribunais construídos no século XIX e no início do século XX, o número 60 da Centre Street pretendia ser um templo da Justiça, exibindo uma imponente colunata coríntia. Dentro dele, me deparei com o que encarava como o repertório padrão de Nova York, o que significa uma construção com uma estrutura deslumbrante: pisos de mármore, arcos graciosos, grandiosos lustres *beaux arts* presos por imensas correntes acobreadas, desenhos delicados no gesso e um mural brilhantemente restaurado sobre a rotunda, exibindo astros da justiça como Lincoln e Hamurabi. Todos esses gloriosos detalhes eram sufocados pela luz débil, pelos anos de fuligem, pela pintura descascada e pelas décadas de reparos incompletos, evidenciadas pelo uso frequente de fita adesiva nos batentes, nas ventilações e em alguns móveis.

A Parte 51, a sala de audiências da divisão matrimonial onde o caso Jahanbani era ouvido, se encontrava no mesmo estado que o restante do edifício, com dois andares e meio de altura, painéis prensados com lambris de carvalho e um corrimão curvo adorável que separava o centro da sala dos bancos de carvalho de encosto reto destinados aos espectadores. A beleza do design parecia se perder completamente na correria do dia a dia. Havia uma lixeira azul de plástico ao lado da bancada dos jurados, enquanto décadas de justiça pareciam cobrar seu preço da bela mobília de carvalho cujo acabamento estava lascado nas bordas. Isso era bastante evidente no caso da longa mesa diante dos juízes, onde vi Esma, sentada ao lado de uma jovem que devia ser uma das advogadas juniores. Na outra ponta da mesma mesa, estavam sentados o cliente e o advogado do lado oposto, uma prática que nunca tinha visto antes e que me pareceu bastante imprudente, dada a natureza explosiva dos litígios de divórcio. Observando aquele arranjo, subitamente compreendi como o Sr. Jahanbani havia sido atingido na cabeça. Ele não parecia ter sido prejudicado pelo golpe, sentado dignamente e com as costas eretas, um homem idoso e ainda muito atraente, calvo e com uma veia pulsando claramente na têmpora.

De acordo com as minhas leituras, *Jahanbani v. Jahanbani* tinha um trâmite processual tão complexo e irregular quanto o padrão de desenvolvimento de alguns cânceres. Nos últimos anos, os dois foram enviados, em três ocasiões diferentes, para a resolução de questões perante oficiais chamados de "árbitros", mas estavam outra vez diante do juiz para uma audiência de instrução, a fim de apurar se certos bens do Sr. Jahanbani — dos quais sua esposa queria uma parte — estavam submetidos à jurisdição de um tribunal americano.

Pude ouvir os principais advogados das partes discutindo perante o juiz sobre a ordem das testemunhas no dia. A essa altura da vida, eu já havia aceitado que era um nerd do direito, capaz de me sentar em praticamente qualquer sala de audiências e aproveitar o espetáculo.

Eu era inevitavelmente atraído pelas nuances da atuação dos advogados e mais ainda pela maneira como os juízes, que já tinham ouvido tudo aquilo antes e, muito pior, ouviriam tudo de novo no dia seguinte, absorviam discursos e queixas. Provavelmente porque o papel de juiz era o único que eu ainda não havia desempenhado, ficava fascinado com sua atitude em relação ao silencioso dever de ouvir. Alguns pareciam entediados ou impacientes; outros permaneciam sentados, impassíveis como zumbis; outros ainda davam sinais de estar divagando; e os mais admiráveis, porque faziam o que eu nunca conseguiria fazer, pareciam avidamente interessados em cada palavra.

Entre os advogados, sempre há um grupo que não considera o divórcio um litígio legítimo. Eu nunca tinha visto as coisas dessa maneira, embora quase sempre fosse verdade que a angústia das partes dominava os processos. Independentemente da arte dos advogados, sempre se ouvia o mesmo lamento agonizante sendo tocado entre as palavras como os guinchos abafados de um violino: "Ele/Ela não me ama mais." Essa era uma injustiça para a qual a lei não tinha nenhuma resposta reconfortante.

A juíza, chamada Kelly, uma mulher negra de meia-idade, seguia a idiossincrática prática local, às vezes adotada como uma vênia à democracia, e não usava toga. Sentada à mesa dos juízes usando um terninho cor de malva, claramente era a encarregada, agindo de forma agradável mas eficiente. Sem muita elaboração, decidiu em favor de Esma na última disputa. Com isso, anunciou o recesso e saiu da sala. Todos se levantaram, e Esma, conversando com a advogada principal, que havia retornado à mesa, olhou para onde eu estava enquanto elas caminhavam para o corredor. Esperei ao lado do corrimão.

Quando me viu, Esma parou. Embora seus olhos jamais se desviassem de mim, ela tocou o ombro da advogada e lhe disse que seguisse sozinha. Alguns segundos depois, passou pelo vão do corrimão para me abordar.

— Bill — disse ela. Parecia ofegante com a surpresa. Estava novamente vestida para o tribunal: um vestido cinza simples, poucas joias e o imenso cabelo domado por uma fita. Parecia bem e, como sempre, bela. — Que surpresa!

— Preciso falar com você.

— Bill, sinto muito por não ter retornado suas ligações. Mas não preciso explicar, preciso?

— Isso, não. Talvez algumas outras coisas.

Ela fez um gesto com a mão, indicando o caminho, e seguimos pelo corredor escuro de paredes revestidas de mármore. De modo geral, Esma parecia bem mais composta do que eu estaria se tivesse sido flagrado numa mentira daquela magnitude.

— Como você me encontrou aqui?

— Fiz algumas pesquisas. Você descreveu o caso para mim.

— Ah, sim. Como você pode ver, é exatamente como eu disse: amargo e interminável. — Ela caminhava ao meu lado pelo corredor, longe dos ouvidos de qualquer outra pessoa. — Aliás, sua última mensagem mencionava Bank Street?

— Eles afirmaram que não têm nenhuma informação sobre você, Esma.

— Kayla, a recepcionista, é assim mesmo — explicou ela com leveza. — Ela protege a privacidade de todo mundo. — Fiquei surpreso por um momento, até que compreendi sua estratégia. Presumindo que eu não sabia de nada, ela continuava fingindo que era a advogada, e não a cliente, do caso Jahanbani. — O que você precisa saber, Bill?

Eu estava furioso, mas observações pessoais certamente poriam fim à conversa. Minha prioridade era descobrir o que pudesse sobre Ferko e os acordos que ela havia feito com ele.

— Você tem alguma ideia de onde Ferko pode estar agora?

— Não. E acho que eu não diria, se soubesse. Nós dois sabemos que essa é uma informação que ele não quer partilhada. E está bastante aborrecido com você no momento; assim como eu, devo acrescentar.

— Você falou com ele?

— Uma vez, há algumas semanas. Depois de uma das suas mensagens perguntando por ele, eu liguei. Ou tentei ligar. Quando descobri que o celular de Ferko estava fora de serviço, usei o número do filho. Ferko estava furioso, achando que você levou os Tigres de Laza Kajevic até ele. Ferko disse que o algemaram e fizeram perguntas sobre você e Goos. Isso é possível?

— Não foi intencional — falei, embora as respostas de Ferko provavelmente tivessem salvado as nossas vidas.

— Mas vocês foram atrás de Ferko na casa dele?

— Sim.

— Isso é contra as regras do seu tribunal, Bill. Não estou surpresa por ele não querer falar com você. Prometeram a ele que isso nunca aconteceria.

Não falei nada. Eu não ouviria lições de ética de Esma.

— Você está dizendo que nunca viu a casa dele?

Ela inclinou a cabeça para trás e riu.

— Nunca. Eu sequer sei o endereço dele. Prometi, desde o início, que não manteria nenhum registro que permitisse que alguém o localizasse e o punisse por ter testemunhado. Quando nos encontrávamos, eu sempre ligava antes e o recebia quase sempre no meu hotel.

Foi assim que Ferko conseguiu perpetuar sua mentira. Como eu já havia percebido, o próprio fato de ser uma testemunha protegida significava que ninguém investigaria as alegações básicas que tinha feito sobre si mesmo.

— Você quer saber o que a gente descobriu, Esma?

Considerando que a *persona* de Esma era uma composição estudada, sua surpresa, quando descrevi o que eu e Goos havíamos descoberto em Vo Selo, pareceu sincera. Enquanto ouvia, Esma baixou o queixo e olhou para trás, indicando um banco de pedra encostado na parede.

— Isso tudo é muito estranho — comentou ela. — Você está sugerindo que ele estava interpretando um papel?

— Mais ou menos.

— Isso é horrível. — Então Esma balançou ligeiramente a cabeça, para mostrar que não aceitava o que eu estava dizendo. — Mas você corroborou o depoimento. Eu estava lá quando os ossos de Boldo foram descobertos.

Sentado na outra ponta do banco, ofereci um resumo do que a professora Tchitchikov concluíra a respeito do solo e do que a perícia relatara sobre as balas que Goos havia recuperado.

— Mas com que objetivo? — perguntou Esma. — O que Ferko ganharia plantando balas ou afirmando que a esposa está morta?
— Eram as perguntas certas, embora as respostas lógicas parecessem envolvê-la. — Não consigo entender nada disso. Sabemos que houve uma explosão. Sabemos que quatrocentas pessoas de Barupra desapareceram sem deixar vestígios.

— Nós escavamos a caverna na semana passada, Esma.

— E o que encontraram?

— Nenhum corpo.

Sua feição foi tomada pela incompreensão.

— Eles foram enterrados em outro lugar?

— Não, Esma. Que outra prova existe sobre a morte de quatrocentas pessoas além da palavra de Ferko? Nada do que ele disse é verdade. De fato, acreditamos que alguns *roma* que viviam em Barupra naquela época estão em Kosovo.

— *Kosovo*? — Ela colocou um dedo no queixo. A Esma que eu havia conhecido não parecia confusa com frequência. Ela normalmente tinha em mente seus próprios objetivos e a estratégia para conquistá-los. — O que levaria Ferko a inventar algo assim?

Essa permanecia a questão central. Ofereci a ela meu melhor palpite.

— A única alternativa que realmente faz sentido para mim é que você o mandou fazer isso. Talvez tenha pago a ele por isso. Tudo pelo bem da causa *roma*.

— *Eu*? — Esma recuou tão rápido que quase caiu do banco. Raiva também não era algo que eu tinha testemunhado nela com frequência. O papel que havia criado exigia um talento inacreditável como atriz, mas, mesmo assim, Esma fizera um magnífico trabalho ao parecer surpresa, confusa e agora indignada. — Eu? Que bem faria à causa *roma*, como você a chama, inventar uma mentira tão elaborada que cedo ou tarde seria exposta? Francamente, Bill. Eu sei que desapontei você, mas não sou uma completa idiota. Nem mesmo tão pouco confiável.

Passei a mão no rosto. Eu estava pronto.

— Mas você não ficaria surpresa, não é, Esma, se alguém contasse mentiras elaboradas e as personificasse durante anos, apenas pela gratificação que isso oferece?

— Eu ficaria muito surpresa. Até mais que você, Bill. Eu acreditei em Ferko durante quase uma década.

Esperei um momento.

— Você já ouviu falar de uma mulher, vinda de uma família persa no exílio, cujo nome de solteira é Emira Zandi?

Mais uma vez, Esma pareceu abalada. Seus olhos estavam arregalados e imóveis, e ela encolheu os ombros, numa postura protetora. A despeito da maquiagem, achei que sua cor mudara. Ainda mais revelador, todo seu maravilhoso brio havia desaparecido, substituído pela bruxuleante chegada de uma expressão que era a mais rara de todas que passaram pelo seu rosto nos últimos minutos. Ela estava com medo.

— Não, nunca ouvi falar dela. E o que isso tem a ver com Ferko?

— Bem, Emira Zandi é incrivelmente parecida com você, Sra. Jahanbani.

Ela fez uma pausa. Sua boca se retorceu em busca de palavras.

— Sra. quem?

— Você é uma mentirosa. E uma completa maluca. Você poderia evitar alguns problemas para mim, não que fosse se importar com isso, se contasse por que você e Ferko inventaram tudo isso.

De repente, eu lhe dera uma saída, algo relativamente genuíno no que se apoiar: uma negação ferrenha.

— Eu não inventei nada com Ferko. Eu o persuadi a testemunhar no seu tribunal, Bill, o que exigiu algum convencimento. Mas fiz isso porque acreditei completamente nele.

— E se debulhar em lágrimas sobre a foto da família, Esma? — Eu ainda não conseguia chamá-la de outra coisa. — De quem foi a ideia?

Ela meneou a cabeça várias vezes, como se estivesse ganhando inércia para fazer uma concessão.

— Sim, eu sugeri que ele levasse uma foto para o tribunal, Bill. E certamente disse a ele que não valeria a pena passar pela ansiedade e pelo esforço de subir ao banco de testemunhas se não fosse para ser completamente sincero. Mas não o instruí a chorar lágrimas de crocodilo. Eu o preparei, Bill, como você preparou centenas de clientes durante anos, antes de eles prestarem juramento.

Parte essencial do trabalho de um advogado era preparar a testemunha para que ela fosse efetiva na audiência. Mas havia limites, às vezes admitidamente sutis. Todavia, eu nunca dissera a alguém de olhos secos que seria uma boa ideia chorar no tribunal.

— Novamente, Bill, eu nada tinha a ganhar com nenhuma das mentiras que Ferko contou.

— Exceto chamar a atenção para o sofrimento dos *roma*.

— O sofrimento dos *roma* é dolorosamente evidente por si só. Esse sofrimento, que se prolonga há séculos, não é fingimento. E eu tampouco estou fingindo.

— Não tenho dúvidas sobre as dificuldades dos *roma*. Mas jamais vou acreditar em nada do que você disser.

Esma me encarou, calculando suas chances e fazendo seu melhor para não parecer calculista.

— Levaria tempo demais para explicar, Bill. Mas Emira Zandi é a criação. Eu sou quem eu disse que sou.

— Ah, como eu gostaria que isso fosse verdade. Porque eu gostava muito de Esma. Ela não era a mulher certa para mim, mas era alguém que eu admirava e de quem gostava. De certa maneira, era um sonho que se tornou realidade. — Um sonho pornográfico, meu eu interior teria acrescentado, mas não para diminuir a profundidade ou a importância do meu desejo. — Mas não existe nenhuma advogada na Bank Street, ou em todo o Reino Unido, chamada Esma Czarni.

— Me chamavam pelo meu nome de solteira.

— Você disse que nunca havia se casado. E agora encontro você e Jahanbani envolvidos num longo divórcio aqui em Nova York.

— Eu sabia que você era respeitável demais para se envolver com uma mulher casada, Bill, ainda que meu casamento estivesse acabado há uma década.

Ela havia se reconectado com suas habilidades como mentirosa, erguendo o queixo e firmando os olhos para a última declaração sobre

Esma. Podíamos continuar falando sobre suas mentiras para sempre, comigo as expondo e ela retrucando com outra mentira, trocando de identidade sempre que precisasse. Esma era bastante descarada. E igualmente talentosa. Não havia por que passar por tudo isso.

— Você me atraiu para a cama, Emira, para que eu acreditasse em toda essa merda. E eu acreditei. Foi muito excitante.

Ela declarou severamente:

— Você queria ser "atraído", Bill.

— Verdade, queria.

— Mas eu nunca seria nada além de um brinquedinho de seios grandes para você. Você jamais me amaria.

A natureza cáustica da acusação inicialmente me atingiu como outro truque usado por uma inteligente fraudadora para colocar o outro lado na defensiva. Ela havia tentado fazer isso antes, colocando-se na posição de vítima. Eu estava pronto para lembrá-la de que tinha sido ela quem me avisara para não me apaixonar.

Mas, outra vez, nada disso era racional. Não é preciso dizer que alguém que vive uma realidade fabricada faz isso para experimentar coisas que não experimentaria de outro modo. Levando isso em consideração, Esma me alertara para o que, de certa maneira, era o que mais queria. Quem, afinal, sente que recebe amor suficiente?

— Sempre suspeitei que você estava apaixonado por outra pessoa — continuou ela. — E posso ver que estava certa: você está exibindo todos os sinais, sentado aí tão desafiadoramente longe de mim. Foi por isso que você voltou para os Estados Unidos, não foi? Isso está acontecendo há meses. Você voltou para a sua ex-mulher, não voltou?

Coloquei a mão na testa instintivamente.

— Eu esperava, Esma, Emira, quem quer que você seja... — Eu me interrompi no meio. — Eu esperava que, por mais que todo o restante tivesse dado errado, você ao menos tivesse aprendido alguma coisa sobre mim. Aparentemente, estava enganado.

— Você está disfarçando. Eu sei o que sei, Bill. Você agora tem certeza de que está apaixonado, e não é por mim. Vai em frente, Bill. Volte para sua mulher e para sua vidinha no condado de Kindle.

Eu me levantei.

— Você vai me dizer por que fez tudo isso? Por que iniciou essa longa farsa?

— O povo *roma* merece justiça, Bill. O que quer que pense ou deseje acreditar a meu respeito, os *roma* jamais tiveram justiça. Quero que eles recebam alguma. E, nesse meu fervor, fui enganada por Ferko, assim como você e Goos.

Concluí que era o melhor que conseguiria dela, o máximo que conseguiria espiar por debaixo da máscara.

— Adeus, Esma.

Comecei a me afastar pelo corredor, e ela tocou meu braço. Falou em voz baixa, com os olhos novamente irradiando parte daquele poder familiar.

— Eu nunca menti para você na cama, Bill.

Do lado de fora, o dia havia se transformado numa selva úmida. Procurei um lugar para me recuperar. Após dobrar a esquina errada, acabei numa avenida atrás de uma prisão coberta de placas de néon anunciando fiadores, e lá encontrei uma bodega. Havia duas mesas de linóleo lascadas debaixo de um ar-condicionado barulhento, e eu me sentei a uma delas, bebendo metade de um refrigerante de um gole só num copo de papel. O chão não era limpo desde a virada do milênio, e o lugar tinha um fedor débil de fuligem e encanamento malfeito. Vários vigaristas indo ou voltando de compromissos no tribunal entravam e saíam, falando alto demais com o paquistanês atrás da máquina registradora enquanto compravam cigarros ou bilhetes de loteria. O homem, presumivelmente o dono, não fazia nenhum esforço para ser amigável. Uma das suas mãos jamais saía de sob o riscado balcão de vidro temperado ao seu lado, uma vitrine de balas e chicletes com um cadeado improvisado. Eu tinha quase certeza de que segurava algum tipo de arma, provavelmente um bastão ou um pé de cabra, fora do campo de visão.

Refletindo, a alguns quarteirões e alguns minutos de distância de Esma, percebi que estava menos irritado do que esperava. Meus pais, especialmente o meu pai, nunca estava longe sempre que eu começava a condená-la por sua vida inventada. Na verdade, muitos de nós praticamos versões menores da mesma mentira, às vezes nos acomodando em novos eus. Somente seis meses antes, eu jogara para o alto a vida que havia passado um quarto de século construindo no condado de Kindle, apenas porque o chamado de Haia me parecera mais autêntico.

A única coisa que continuava me deixando confuso era por que ela queria tanto ser *roma*. No entanto, durante a minha desordenada pesquisa antes de ir para Nova York, eu havia notado que provavelmente a pessoa de ascendência *roma* mais famosa do mundo acadêmico, o professor Bavel Wilson, declarado defensor dos direitos civis dos ciganos, lecionara durante décadas na Caius College, em Cambridge, onde Esma tinha estudado. Ele exibia uma figura atraente e inspiradora em seus vídeos no YouTube, e não era difícil imaginar seu efeito sobre a jovem Emira. Mas, sem as excursões psicológicas de um biógrafo, eu jamais compreenderia inteiramente suas motivações. Será que ela se sentia profundamente ferida ou violada de alguma maneira? Era provável. Por que mais iria se apresentar como membro do que Roger apropriadamente chamara de o grupo de pessoas brancas mais massacrado do mundo?

Mas isso era apenas especulação. A única coisa de que eu tinha certeza, enquanto instintivamente mantinha os olhos nos tipos estranhos que entravam e saíam da bodega, era que seu poder de sedução estava enraizado em sua *persona* dupla. Quem quer que estivesse sendo, algum fragmento de consciência tinha que ser reservado à outra personalidade, a fim de que ela pudesse alternar quando necessário. Com exceção da cama. Eu sempre ficaria excitado quando me lembrasse de Esma me urgindo a experimentar o momento "em que não existe nada além do prazer". Para Esma, a cama era um lugar de purificação onde, nos momentos de clímax, ela era uma única alma, sem reservas ou ambiguidades. Assim, provavelmente era verdade, ao menos de sua perspectiva, que nunca havia mentido para mim lá.

E, por isso, ela fora capaz de reconhecer um anseio semelhante em mim. Escavando as camadas das suas mentiras e do que elas diziam sobre o caso, sobre Esma e sobre mim mesmo, cheguei àquela arca trancada que os exploradores das histórias inevitavelmente encontram quando caçam tesouros. Lá dentro, estava meu próprio segredinho sujo. Não importava quão desconcertantes fossem seus motivos, sempre teria que reconhecer que havia recebido dela exatamente o que eu queria.

34.

Extraoficialmente — 9 e 10 de julho

Da bodega, tentei ligar para várias pessoas, sem conseguir falar com ninguém. No caso de Nara, era tarde demais: ela já havia desligado o telefone. Goos parecia estar sem sinal em Kosovo. E, após cair na caixa postal de Roger, enviei uma mensagem de texto com os contatos de Emira Jahanbani. Em alguns meses, Rog e eu jantaríamos juntos, beberíamos bastante vinho em Kindle ou em Washington e decidiríamos novamente que éramos amigos havia tempo demais para nos afastarmos. Por fim, deixei uma mensagem no celular pessoal de Merriwell, no qual uma mensagem dizia que ele retornaria no dia seguinte.

A única pessoa com quem consegui falar foi Teresa Held, uma das minhas antigas sócias, que recebi para uma bebida no meu hotel. Teresa tinha sido nomeada recentemente juíza federal do Brooklyn. Ela queria meus conselhos e minha ajuda para chegar ao Comitê Judiciário do Senado. O fã-clube bipartidário que Roger achava que eu tinha no Capitólio tinha sua única sombra de verdade no Judiciário. O senador sênior do meu estado, que me nomeara procurador federal, era membro da liderança do comitê, e eu também tinha um amigo do outro lado do corredor, o conselheiro do meu dormitório na faculdade, um republicano que era senador júnior pelo Kentucky.

Todd continuava sendo um cara decente, mesmo que me deixasse de queixo caído quando eu ouvia as coisas que ele dizia na TV. Prometi ligar para ambos em nome dela.

Então fui para meu quarto pedir algo para comer e responder aos e-mails. Encontrei uma mensagem muito adorável que Nara tinha enviado antes de dormir e duas que Goos encaminhara enquanto estava em Kosovo ou a caminho. Antes de lê-los, enviei a ele um e-mail fazendo um breve resumo do meu confronto com Esma. "Ela alega fervorosamente que Ferko também a enganou. Só Deus sabe por quê, mas eu acreditei em Esma. Ela pareceu de fato surpresa com a esposa, a casa e a cova. Dito isso, aposto que existe muito mais nessa história do que ela admitiu."

Os e-mails que Goos encaminhara eram do Instituto Holandês de Análises Forenses. O primeiro era um relatório sobre a análise dos resíduos de explosivos nas pedras que a professora Tchitchikov coletara na caverna, cinco semanas antes. Dada a condição física de Goos, ele levara algum tempo, quando retornara após a captura de Kajevic, para entregar as amostras ao laboratório. Os cientistas holandeses acharam necessário consultar o FBI. O relatório que finalmente prepararam incluía muita terminologia além da minha compreensão — "alcance e dispersão do fragmento", "reflexão da onda de choque" —, mas a conclusão era clara: a matéria escura era característica de um pequeno dispositivo explosivo, como uma granada de mão, utilizado pelos militares norte-americanos. O interessante era que o instituto determinara isso com base não na composição química do material explosivo, mas sim no metal da granada, que havia derretido e se grudado ao resíduo.

Dadas as fotos de vigilância aérea da OTAN, o resultado não era surpreendente, embora eu ainda não fizesse ideia de por que os soldados americanos decidiram enterrar cinco mil armas na caverna. Eu estava pensando nisso quando meu telefone tocou. Era Merriwell, ligando do carro em seu caminho de volta de Dulles.

Falamos um pouco de beisebol. Eu tinha pagado um preço exorbitante por sete cadeiras na beira do gramado do jogo dos Trappers no domingo, ao qual levaria dois filhos, uma noiva, uma namorada e, como agradecimento pela generosidade, Ellen e Howard.

— Você está nos Estados Unidos então? — perguntou Merry.

— Sim. E esperava passar em Washington e tomar mais um pouco do seu tempo.

— Assunto oficial?

— Na verdade, não. Relacionado, talvez, mas definitivamente pessoal.

— Parece intrigante.

— Eu explico quando a gente se encontrar.

Ele pensou por um momento, mas disse que teria tempo no dia seguinte, à tarde.

Depois de desligar, reservei um lugar no trem ao meio-dia e fui ler o segundo e-mail que Goos encaminhara, com várias descobertas sobre os celulares que foram recuperados na caverna. O laboratório havia identificado quatro dos proprietários, embora os nomes nada significassem para mim. Um dos telefones estava equipado com câmera. Isso ainda era novidade em 2004, e, dado o desalentador padrão de vida em Barupra, o aparelho poderia ter sido adquirido por meios que não a compra direta. Mas, quem quer que o tivesse usado, havia tirado fotos de tudo: crianças, cães, nuvens, carros e muitos vizinhos. Muitas das fotos eram tocantes, mostrando as pessoas, mesmo em meio à agonizante pobreza, aproveitando a vida como podiam.

As fotos mais interessantes para os nossos propósitos foram tiradas na noite de 27 de abril de 2004. Havia pelo menos uma dúzia delas. Claramente, quem havia tirado as fotos fizera isso escondido, e muitas estavam fora de foco e escuras, mas ainda eram bastante reveladoras. A primeira mostrava uma fila de chetniks entrando em Barupra de armas na mão. Em seguida, havia duas do que presumi ser o comandante chetnik, de pé, com uma lanterna apontada para ele e o megafone na frente da boca. A mais dramática mostrava o mesmo oficial um minuto depois. O megafone ainda estava pendurado no seu pescoço, mas ele estava apoiado sobre um dos joelhos. O rifle de assalto estava erguido, e uma chama, que parecia uma língua de lagarto, saía do cano. Na sequência, havia uma foto dos soldados rasgando a velha cobertura de gesso de uma das habitações e então vários moradores marchando para os caminhões sob a mira de armas, com os braços cheios de coisas preciosas para eles, enquanto as crianças carregavam bonecas ou, de forma ainda mais patética, caminhavam com as mãos para o alto. A última imagem estava muito borrada e precisei de algum tempo para perceber as formas: os corpos de Boldo e o filho. O garoto tinha caído com o rosto para baixo sobre o peito do pai, e os dois jaziam sobre a terra amarronzada de sangue.

Eu tinha visualizado o que acontecera em Barupra tantas vezes, baseado no relato de Ferko, que imediatamente comecei a comparar o que estava ali com o que havia imaginado. Tendo descartado Ferko por ele ser um trapaceiro, fiquei surpreso ao ver quanto do que tinha sido capturado nas imagens se parecia com seu depoimento. Contudo, também estava exausto da constante caça à verdade e evitei chegar a qualquer conclusão. Uma das tarefas mais difíceis para um investigador, especialmente após meses de trabalho, é dizer "Jamais vamos saber".

Quando deixei isso de lado, percebi que estava intrigado com outra coisa: a sensação de que eu conhecia o comandante. Sua forma — a postura e o físico esguio — nas três fotos em que aparecia era familiar. Eu não conseguia me lembrar de onde, embora tivesse a memória visceral de que era alguém de quem gostava. Meu melhor palpite era um dos soldados que havia conhecido sob o comando da general Moen.

Merriwell era CEO da Distance Communications, um trabalho no qual ele havia se saído bastante bem, após deixar o serviço militar em meio a um escândalo. O complexo corporativo ficava no norte da Virgínia, não muito longe do Pentágono, numa área com colinas e grandes árvores, circundada por uma cerca de lanças de aço de pelo menos um metro e meio de altura. Na guarita de entrada, forneci meu nome e esperei até ser admitido.

Para uma empresa da qual eu literalmente nunca tinha ouvido falar antes de conhecer Merriwell, o tamanho da sede da Distance me deixou atônito. Pelo menos vinte hectares serviam como perímetro de segurança para uma rede de prédios baixos e de aspecto funcional, construídos com pouca atenção às luxuriantes colinas atrás deles. A recepção era toda de mármore, dominada por um silêncio que achei enervante, especialmente combinado com as câmeras em grande parte dos cantos do teto. Depois que assinei minha entrada com a impassível recepcionista, uma das câmeras girou para me acompanhar até a cadeira. Eu estava certo de que estava sendo procurado numa base de terroristas por algum programa de reconhecimento facial. Após alguns momentos, recebi um crachá e uma das assistentes de Merriwell apareceu para me escoltar.

O escritório ao qual ela me conduziu era amplo. Quando eu era procurador federal, costumava fazer piadas a respeito do tamanho do meu escritório, dizendo que, como o governo não pagava muito bem, compensava com metros quadrados. Mas o espaço que Merriwell ocupava era pelo menos três vezes maior. Literalmente não seria fácil ouvir alguém do outro lado da sala, a menos que a pessoa gritasse. Como o espaço era enorme, tinha uma qualidade meio estéril. A mobília, por exemplo, parecia ser composta de sobras dos anos sessenta, teca no estilo dinamarquês moderno, embora eu soubesse que a tendência estava voltando. Mesmo assim, Merry poderia ter se esforçado um pouco mais para tornar o ambiente acolhedor. Com exceção da solitária foto da sua neta, não havia uma imagem sequer. A única decoração eram prêmios que a empresa recebera do Departamento de Defesa ao longo dos anos. Eu havia representado um subcontratado do departamento durante meus anos na iniciativa privada e ficara impressionado com o aspecto deliberadamente monótono das estações de trabalho dos seus funcionários, especialmente as paredes cinzentas. Percebi naquele momento que essa era uma prática da indústria.

Merriwell, de camisa branca e gravata discreta, me saudou calorosamente e me conduziu até uma mesa de reuniões de doze lugares no canto da sala. Ele parecia ainda melhor que algumas semanas atrás e tinha aquela cor revitalizada que se adquire após muitas horas num veleiro. Ele disse que estava viajando com frequência para Eastern Shore. Rog tinha uma casa de veraneio por lá, e suspeitei que os dois passavam algum tempo juntos.

Perguntei se haviam se falado durante aquela semana.

— Acabamos nos desencontrando. Ele disse que queria tomar um café, mas eu estava na África Ocidental até ontem. Presumo que eu vou descobrir o que ele tinha em mente.

Dei de ombros.

— A única coisa que ele me disse ao telefone foi que a sua investigação estava perto do fim.

— Está. Escavamos a caverna.

— E quais foram os resultados?

— Para você, Merry, eu provavelmente diria que há boas e más notícias.

— Ok. — Ele refletiu um pouco. — Estou me sentindo bastante otimista ultimamente, então vamos ouvir as boas notícias primeiro.

— Não havia nenhum corpo.

Ele assentiu com a cabeça muitas vezes, comprimindo os lábios.

— Me desculpe, Boom, mas eu disse a você mais de uma vez para esperar por isso.

— Baseado no quê?

— O quê?

— O que fez com que você tivesse tanta certeza de que os *roma* de Barupra não foram massacrados?

— Me fizeram uma promessa enfática. Eu contei que conversei com meus oficiais superiores antes do nosso primeiro encontro.

— E qual dos seus oficiais superiores garantiu que os *roma* não foram assassinados?

Merry fez uma careta, com as sobrancelhas pálidas contraídas sobre os olhos.

— Você sabe que eu não posso responder a isso.

— Eu diria que foi Attila. Ela controlava os caminhões que acabaram levando os *roma* embora de Barupra.

— Agora você parece saber mais que eu.

— Duvido muito, Merry.

— Se você tem perguntas sobre Attila, ela provavelmente é a melhor pessoa para responder.

— Se ela falar comigo.

— Por que não falaria?

— Eu esperava que você me explicasse isso.

Ele balançou a cabeça lentamente e com gravidade, para mostrar que não fazia ideia.

— E suponho que eu deveria perguntar quais são as más notícias.

— Encontramos cerca de cinco mil armas leves: rifles de assalto, granadas, munição, RPGS, morteiros, um arsenal inteiro. A maioria era de fabricação iugoslava, mas continha marcações a laser indicando que estiveram sob a custódia da OTAN. Estou dizendo algo que você ainda não sabia?

— Que havia cinco mil armas no que você chama de caverna? Francamente, estou surpreso.

Tentei decidir se acreditava nele.

— Bem — continuei —, acho que estamos nos aproximando de coisas que você sabe. Se minhas deduções estiverem corretas, as armas foram roubadas por alguns *roma* de um comboio que Attila tinha enviado ao aeródromo do campo Comanche. Cerca de cem dessas armas roubadas foram vendidas pelos ciganos a Kajevic, que acabou usando-as para ferir ou matar doze soldados seus. Tenho a sensação de que esse fato foi não somente trágico como também problemático para você. Porque todas aquelas armas, as que Kajevic usou e as que encontramos na caverna, faziam parte das quinhentas mil armas apreendidas que você enviaria para o Iraque e cuja última localização permanece bastante misteriosa.

Merry me observava com os olhos cinzentos absolutamente tranquilos.

— Talvez você esteja começando a entender por que Rog queria tomar um café com você, Merry.

— Boom, eu achei que você tinha dito que não se tratava de um assunto oficial.

— E não é. O TPI julga crimes contra a humanidade, não contrabando de armas. Além disso, nós dois sabemos que seria contra a lei eu conduzir qualquer investigação em solo americano ou você me ajudar. Essa é apenas uma daquelas conversas que nunca aconteceram.

Merry me olhou de soslaio e continuou pensativo.

— Você tinha que saber horas depois das mortes em Doboj — continuei — que aqueles soldados foram alvejados com armas roubadas da OTAN. Originalmente, quando descobri isso, achei que você tinha mantido a informação em segredo porque era muito constrangedor: nossas únicas fatalidades na Bósnia vindo de munição e armas que foram tiradas das nossas mãos. Então, com o tempo, pensei melhor e me perguntei se você estava suprimindo informações porque o roubo e a venda das armas pelos *roma* forneceram um forte motivo para que soldados americanos bancassem os justiceiros e os matassem.

Merriwell balançou a cabeça e disse apenas:

— Não.

— Vamos voltar nisso. Porém, mais recentemente, eu descobri outra coisa, e foi por isso que me referi às armas na caverna como uma notícia ruim para você. O problema de reconhecer que nossos soldados foram mortos com armas roubadas de um dos nossos comboios é que alguém, a imprensa, os pais de um dos soldados mortos, um representante no Congresso, ia acabar perguntando por que diabos um comboio de armas apreendidas pela OTAN estava a caminho do campo Comanche. Para onde seriam enviadas? Essas armas, as que mataram os nossos soldados, as enterradas na caverna, as do comboio, todas as quinhentas mil enviadas para o Iraque, eram o assunto que vocês realmente queriam evitar.

— Eu entendo o que você está sugerindo — comentou ele.

— Mas...?

— Mas o destino das armas bósnias enviadas para o Iraque permanece como uma questão altamente sigilosa.

— Já se passaram onze anos, Merry.

— Revisar classificações de segurança nunca foi o meu trabalho, Boom, e certamente não é agora. Sinto muito. Não preciso dizer que esse assunto — ele fez um círculo no ar — depende de não ultrapassarmos essas barreiras.

Eu já ouvira demais dessa merda. Juntei as mãos sobre a mesa. Jamais alimentara a ilusão de que eu e Merriwell havíamos nos tornado amigos, a despeito de termos partilhado alguns momentos pessoais. Achava que respeitávamos um ao outro, mas sempre havíamos reconhecido que nossos papéis eram antagônicos.

— Realmente não vim até aqui para ameaçar você, Merry.

Recebi um sorriso involuntário.

— Mas vai me ameaçar mesmo assim. Deixe-me dizer, desde já, que, se você realmente acha que estou envolvido em contrabando de armas, você não tem nada em que se apoiar.

— Bom, vou dizer uma coisa que eu *sei*, Merry, um dos pequenos detalhes do direito penal que aprendi como procurador federal e que acho que você também sabe: em tempos de guerra, existe uma exceção à prescrição penal. Qualquer coisa que possa ser vista como fraude contra o governo americano vai ser investigada por pelo menos cinco anos após os últimos soldados terem partido do Iraque, o que significa que você e Roger vão permanecer pendurados até 2016, pelo menos. Não sei exatamente o que vocês fizeram, mas tenho certeza de que sua ansiedade não se deve apenas ao desejo de manter as aparências. Os esforços que fizeram para esconder isso foram contínuos e enérgicos demais. E ninguém simplesmente cerra os dentes e suporta uma acusação de crimes de guerra na primeira página do *New York Times*, especialmente uma acusação falsa, a menos que o silêncio seja necessário para esconder algo real.

Recebi um olhar muito duro. Merriwell era um soldado.

— Então, Merry, pense em mim como um dos muitos advogados bem-sucedidos de 55 anos. Tenho muitos amigos no Capitólio, pessoas que ficariam felizes em me receber sem hora marcada, incluindo o senador que me nomeou procurador federal. As pessoas no poder sempre gostam de ver seus nomes nos jornais como defensoras da verdade e dos contribuintes. Meu objetivo não é constranger Roger ou você. Mas também não vou dar com a cara na parede. Desperdicei seis meses da minha vida investigando um crime que não aconteceu para que vocês pudessem evitar uma investigação sobre o que fizeram. Eu quero algumas respostas. Chame-as de hipotéticas, se quiser. Mas, se eu estivesse imaginando que quinhentas mil armas foram enviadas para o Iraque, deveria achar que chegaram até lá?

Empertigado em sua cadeira, numa postura que provavelmente assumira pela primeira vez aos 5 anos de idade, Merriwell tamborilou sobre a mesa.

— Extraoficialmente? — perguntou ele.

— Total, completa e absolutamente.

Mesmo assim, ele refletiu por mais um instante.

— Dois carregamentos foram enviados — disse o general, por fim. — Acredito que os dois tenham chegado ao aeroporto de Bagdá. O que aconteceu depois é um pouco obscuro.

Sorri. Tinha sido a mesma palavra usada por Roger em janeiro, quando me visitara no meu escritório.

— E por que obscuro?

— Havia documentos com a assinatura de oficiais do Ministério da Defesa iraquiano. Mas os iraquianos depois afirmaram que as assinaturas foram falsificadas.

— Então as armas nunca chegaram ao Iraque?

— Não, elas com certeza chegaram ao Iraque.

— Se chegaram lá, por que o Ministério da Defesa iraquiano negou tê-las recebido?

Merriwell, cauteloso por natureza, fez uma pausa para pensar no que dizer em seguida.

— Muitas dessas armas foram recuperadas no campo de batalha.

Levei um momento para entender.

— Do inimigo?

— Sim.

— Ele as vendeu para a al Qaeda no Iraque? O ministro da Defesa?

— Ou foram roubadas dele. Ou desviadas antes de chegar a Bagdá, que é o que os iraquianos alegam.

— Então você enviou ao Iraque milhares de armas que, em seguida, foram usadas para matar soldados e fuzileiros americanos?

Merriwell não respondeu. Seu rosto parecia esculpido em granito.

— Teria sido muito constrangedor, não há dúvida. Mas não houve testemunhas, pelo menos nenhuma que nos dissesse ter visto carregamentos de armas em Bagdá. Por fim, a Casa Branca e o

Departamento de Defesa decidiram que isso teria que permanecer ultrassecreto, por causa dos danos permanentes que causaria a nossas relações com o novo governo iraquiano.

"Você precisa se lembrar do contexto, Boom. Após a invasão em 2003, desarmamos a polícia civil e as Forças Armadas porque eram leais a Saddam: quase todos os seus membros eram sunitas como ele. Mas também eram as únicas forças treinadas para manter a ordem. Quando percebemos que havíamos cometido um erro desastroso e tentamos devolver as armas, um governo dominado pelos xiitas estava no poder, e seus membros odiaram a ideia. Assim, se o governo xiita do Iraque desviava uma ou duas armas para cada rifle de assalto devolvido aos sunitas, não tínhamos escolha senão aceitar. Armas são como dinheiro. Estão em demanda por toda parte. — Ele deu de ombros. — A al Qaeda as teria comprado de outra pessoa."

Era suborno, claro, numa forma muito sofisticada: ajude o ministro da Defesa e sabe-se lá mais quem a abrir mão das suas objeções ao rearmamento dos sunitas ao permitir que ele e seus associados engordem suas contas na Suíça.

— Merry, duvido que os contribuintes americanos tivessem encarado com serenidade o fato de o ministro da Defesa iraquiano vender as armas que estavam matando nossos soldados. Não me surpreende que a Casa Branca e o Departamento de Defesa tenham tentado enterrar a história. Isso teria acabado com o apoio à guerra.

Merriwell comprimiu os lábios.

— Você sabe que eu nunca fui favorável àquela guerra, Boom. Mas a tarefa que encontrei ao chegar lá era salvar os remanescentes de toda uma sociedade. Nós destruímos o governo deles e todas as instituições públicas. Estávamos empacados, a menos que quiséssemos partir e entregar aos iranianos o controle de todo o país.

Como Nara insistia em dizer, frequentemente não há boas escolhas durante a guerra.

— E por que você e Roger estão tão inquietos se a Casa Branca e o Departamento de Defesa participaram do plano original?

Ele deu um sorriso breve e sarcástico.

— Você provavelmente sabe como funciona o jogo da culpa nessa cidade, Boom. As lembranças se desvanecem. Dedos são apontados. Você não vai encontrar dez pessoas aqui no Congresso que invadiriam o Iraque novamente. Grande parte disso tudo se resumiria ao que está documentado, numa situação em que ninguém queria colocar nada por escrito. Roger era o principal oficial de inteligência. Eu era o comandante sênior. E, como se diz, a corda arrebenta do lado mais fraco. Além disso, Boom, durante os anos houve várias audiências e investigações do Congresso nas quais alguém poderia dizer que eu e Roger escolhemos nossas palavras com cuidado excessivo.

Fechei os olhos para pensar. Se eu fosse advogado de Merry, veria claramente os riscos. As pessoas acima dele na cadeia de comando seriam evasivas. Diriam que não sabiam que o ministro da Defesa iraquiano desviaria as armas, e certamente não para a al Qaeda. E, numa situação fluida, na qual a verdade se movia como mercúrio e a calamidade estava sempre por perto, era possível, até mesmo provável, que Roger e Merry não tivessem esperado pela aprovação das pessoas certas. Mesmo onze anos depois, haveria fúria, a começar pelas famílias de cada soldado que havia morrido no Iraque naquele período. As coisas ficariam feias, bem feias e bem rápido.

E Layton Merriwell — que até mesmo tinha tentado me ajudar para evitar mais danos ao seu nome — claramente não estava disposto a suportar outro escândalo. Nem a destruir outra carreira. Nem a anos de investigações e ações ou mesmo acusações criminais. Com sua pensão do governo, Roger estaria especialmente vulnerável. Eu não precisava reler o Título 18 do Código Penal dos Estados Unidos para saber que prover armas ao inimigo era crime. O segundo carregamento, quando Merriwell e Roger já sabiam que as armas provavelmente seriam desviadas, seria muito, muito difícil de defender, e era por isso que os oficiais acima deles com certeza diriam que jamais foram informados de todas as circunstâncias.

— Três anos depois, em 2007 — continuou Merry —, a administração e eu já não estávamos na mesma página sobre a guerra, como você sabe. Meu nome estava começando a aparecer nos jornais...

— Como candidato à presidência?

Ele assentiu com a cabeça.

— De repente, houve uma avalanche de perguntas no Congresso sobre as armas que tínhamos recolhido na Bósnia. Eu entendi isso como um aviso. Eventualmente, superiores da administração intervieram para convencer alguns membros do comitê de que aquela seria uma caixa de Pandora para muitas pessoas além de mim.

— Foi por isso que você decidiu não concorrer? Para encerrar as investigações?

Ele riu um pouco.

— Eu tinha muitos motivos para não concorrer. Florence era completamente contra. Minhas chances eram mínimas. E eu não conseguia me imaginar passando o dia implorando por dinheiro, como um monge segurando uma lata vazia. Mas, sim, meu anúncio de que permaneceria no serviço militar certamente encorajou todo mundo a não criar problemas.

"Contudo, um desenrolar estranho dessa história foi a bela Srta. Czarni aparecer na Bósnia perguntando sobre Barupra quase na mesma época. Eu sempre presumi que havia sido pura coincidência, mas não consegui convencer Attila."

— Por falar em Attila, foi ela quem disse que as pessoas de Barupra estavam vivas?

— Hipoteticamente.

— Quando?

— Alguns dias antes de nos encontrarmos pela primeira vez.

— Você perguntou onde elas estavam? Ou por que alguém simplesmente não avisou ao tribunal?

— Attila disse que prometeram a eles completa confidencialidade sobre sua localização. Era como um programa de proteção às testemunhas em larga escala.

— Por quê?

— Porque Laza Kajevic queria matá-los. Ele jurou vingança depois do confronto em Doboj. Eles sempre estariam em perigo mortal enquanto Kajevic permanecesse solto.

Deixei escapar um som de surpresa, embora, agora que Merry tinha dito isso, eu percebesse que devia ter adivinhado por mim mesmo. Era por isso que pessoas que sumiram por onze anos subitamente voltaram a aparecer.

— A explicação de Attila fez sentido para mim, Boom. Mas, certamente, naquelas circunstâncias, não me cabia revelar esse segredo a você. Nem era meu direito colocar aquelas pessoas em risco. Fiz o meu melhor para conduzi-lo até os registros da OTAN, achando que forneceriam algumas pistas. Quando vi aquelas fotos de vigilância aérea, confesso que senti meu estômago revirar. Eu achava que Attila tinha participado da remoção daquelas pessoas. Era possível, é claro, que ela tivesse mentido para mim e os ciganos nas fotos estivessem a segundos de suas mortes. Mas jamais consegui me forçar a acreditar nisso.

— Você não perguntou a ela?

— Eu aprendi há muito tempo, Boom, que serviços de inteligência e subcontratados civis só informam aquilo que acham que preciso saber. Fiquei nas entrelinhas. E, em contraste, jamais discuti com Attila os materiais que entreguei a você. Era seu trabalho chegar ao fundo daquilo, não meu.

Eu compreendia aquela mentalidade de só ver o que está bem na sua frente, mas não a aprovava, especialmente quando a pergunta que Merriwell tinha evitado fazer a Attila fora: "Você cometeu um crime contra a humanidade?" Mas a lógica que ele empregara era que não havia nada a ganhar com essa pergunta. Se Attila dissesse que não, ele ainda não teria certeza de que ela estava dizendo a verdade. E, ainda pior, o que ele faria se sua principal ex-oficial não combatente dissesse que sim?

— E quanto à minha testemunha, Ferko? Você tem alguma ideia de no que ele estava envolvido? Ele estava protegendo o povo de Barupra ao afirmar que todo mundo tinha morrido?

— Mesma resposta: eu jamais perguntei. Minha hipótese era de que o depoimento tinha sido uma invenção da Srta. Czarni, mas também não faço ideia. Talvez ele estivesse bancando o herói.

Advogados e juízes, que dão importância sagrada a depoimentos, raramente veem o perjúrio sob essa luz. E, como eu e Goos havíamos reconhecido, era difícil conceber o homem que encontramos em Vo Selo, com seu pequeno castelo e um anel em cada dedo, como um ousado protetor do seu povo. Mas talvez fosse. O que fora mesmo que Merriwell dissera? Com sua necessidade de viver no semovente presente, os ciganos realmente não viam aquilo como mentir.

Fechei os olhos novamente para me concentrar e trazer minhas perguntas remanescentes. Eu as havia anotado no avião, mas não parecia adequado consultá-las agora.

— E, em 2004, o que você deduziu sobre o papel dos *roma* em relação a Kajevic?

— Menos do que você parece pensar. Eu sabia que os *roma* haviam fornecido informações sobre a localização de Kajevic. Me disseram que eles vendiam bens no mercado negro, peças de carro, coisas assim, e só mais tarde reconheceram com quem estavam negociando. Mas, mesmo depois que os nossos soldados foram feridos e mortos, eu não sabia que os *roma* haviam roubado as armas ou as vendido para Kajevic. Admito, Boom, que aquelas armas eram uma questão sensível que não queríamos que a imprensa ou o Congresso explorassem, por medo de onde isso poderia acabar. Mas, como você apontou, a identidade dos ladrões não era central nessa questão.

— Então quem você achava que tinha roubado as armas?

— Me disseram na época que, no meio da noite, ladrões fizeram ligação direta nos caminhões e desapareceram. Em função de outras informações, a inteligência do Exército formou a teoria de que os ladrões eram jihadistas que queriam levar as armas para o Oriente Médio. Por isso estávamos tão despreparados para o poderio de fogo de Kajevic. Parti para o Iraque dois dias depois do ataque, quando ainda ninguém tinha uma explicação para como ele havia colocado as mãos nas armas; nem nos caminhões, aliás.

— Quando você ficou sabendo do papel dos *roma* nisso tudo?

— Acho que foi em 2007, quando a Srta. Czarni apareceu na Bósnia. Attila contou a Roger, e Roger me contou que o desaparecimento dos *roma* estava relacionado com as armas que Kajevic tinha usado. Novamente, não pedi detalhes.

Levei alguns segundos para juntar as peças. Nesse intervalo, Merriwell atravessou a sala para falar com a assistente ao telefone. Era visível que sua reunião seguinte começaria em alguns minutos. Prometi que não me demoraria, mas ele fez questão de encher nossas xícaras com café retirado de uma garrafa térmica preta, antes de se sentar novamente na cadeira de couro.

Fiz a pergunta que havia deixado por último:

— Existe alguma chance de Attila ter vendido as armas a Kajevic?

Merry fez a gentileza de refletir brevemente sobre a possibilidade antes de balançar a cabeça de forma enfática.

— O comportamento dela tem sido um pouco estranho. Imagino que agora você tenha notado que fiquei surpreso quando você me agradeceu, na casa da sua ex-mulher, por encorajar Attila a ajudá-lo. Um dia antes, ela havia falado comigo ao telefone, erguendo a voz e insistindo que eu era maluco por entregar os registros da OTAN. E ficou muito aborrecida quando eu disse que não podia descrever os documentos. Não existe nenhuma resposta que ela odeie mais que "Não posso dizer". Mas vender armas a Kajevic? Não existe dinheiro suficiente no mundo para fazer Attila Doby trair seu país ou nossos soldados.

— Ela aparentemente voltou aos Estados Unidos — comentei. — Você tem o endereço?

— Em algum lugar.

Merry cruzou o escritório outra vez — ele realmente precisava de uma mochila e de um bastão de caminhada para atravessar aquele lugar — e, após procurar um pouco, finalmente ligou para uma das assistentes, que, segundo ele, forneceria todos os contatos de Attila quando eu estivesse saindo.

Na porta, ele estendeu a mão novamente. Eu ainda estava impressionado com sua aparência tão boa e confiante com aquele bronzeado de verão. Merry era um homem complicado, como a maioria de nós. Mas senti que ele tinha dito a verdade naquele dia. Durante a maior parte do tempo, aliás, ele dissera a verdade, ao menos no que me dizia respeito: não tinha havido massacre.

— Espero que você continue em contato, Boom. Ainda vejo nosso jantar como um momento transformador na minha vida.

— Eu não mereço crédito por isso.

— Você me deu esperanças. O que eu já não tinha mais. Você tem que aparecer para jantar e dar uma olhada no apartamento da próxima vez que estiver na cidade. Jamie está redecorando. O lugar precisava muito disso.

Eu senti que estava ficando boquiaberto.

— Ah! — Merriwell abriu um sorriso enorme quando viu a minha expressão. Eu provavelmente nunca o vira se divertindo tanto, com um sorriso tão aberto que mostrava a séria retração das suas gengivas. — Acho que os tabloides americanos não chegam a Haia.

— Se chegam, eu com certeza não leio.

— Jamie voltou para mim. — Ele se referia à major St. John. — Ela deixou Rick. Eu jamais teria coragem de procurá-la novamente se não fosse por você.

Troquei um aperto de mão com ele mais uma vez e, na saída, aceitei um pedaço de papel da assistente, mas continuei pasmo. Eu não conseguia imaginar o que Merriwell tinha ouvido no meu conselho para seguir em frente e reinterpretara para atender às suas próprias necessidades. Mas ele tinha o que queria, pelo menos por um tempo. Ao me despedir, eu tinha dito: "Continue feliz!" Mas parti com a sensação de que o homem provavelmente estava condenado.

35.

Vozes estrangeiras — 10 e 11 de julho

Passei a noite em Washington, no Huntington, e marquei um jantar com meus colegas de faculdade Melvin e Milly Hunter. Os Hunter — ele era negro; ela, caucasiana — eram médicos: Milly era otorrinolaringologista, e Melvin, oncologista. Conversamos principalmente sobre nossos filhos, mas o assunto se voltou para a questão racial, de Obama a Michael Brown. Quando eu havia conhecido Melvin, ele não gostava de mencionar em público que era negro, mas parecia cada vez mais desesperado sobre quão inevitável era a questão racial nos Estados Unidos, particularmente para seus filhos, que haviam sido ensinados a escrever "outra" nos formulários que perguntavam sua raça.

Dormi cedo, mas deixei o telefone ligado, esperando ter notícias de Nara. Havíamos trocado mensagens de voz, mas não conversado. Quando parti de Haia, ela parecia desconfortável com a ideia de que eu veria Esma, mas seu desconforto era mínimo se comparado à minha apreensão com a visita de Lew. Perto das quatro da manhã, meu telefone apitou. Eu levantei, acendi a luz e me sentei na beirada da cama, com as mãos apoiadas nas coxas, enquanto tentava lembrar onde estava.

A mensagem era de Goos. Ele estava num café com internet e queria saber se podíamos nos falar pelo Skype. Tinha anexado várias fotos das pessoas que interrogara nos últimos dias.

Sua imagem oscilou na tela e se fragmentou em linhas desiguais antes de se tornar nítida. Começamos a conversa fazendo um resumo do meu encontro com Merriwell.

— Acho que temos sorte por ele ter gostado de você, Boom.

— Talvez. Ele sabe que estou relutante em prejudicar Roger. Mas acho que ficou com medo de não me dizer a verdade.

Como eu, Goos entendeu como Merry e Roger acabariam sendo os únicos responsabilizados se os envios de armas para o Iraque se tornassem uma questão pública. Mesmo que acabassem acusando pessoas na Casa Branca para se salvar, seria um fim nefasto para suas carreiras públicas, sem nenhum resultado garantido.

Finalmente, nos voltamos para os resultados dos seus esforços em Kosovo.

— Falei com cerca de quarenta pessoas nos últimos dois dias — disse ele. — Algumas sozinhas, outras em grupo. Tenho algumas aqui comigo, se você quiser fazer suas próprias perguntas.

— Antes disso, o que você consegue resumir disso tudo?

— Resumindo muito, as trezentas e oitenta e seis almas que costumavam viver em Barupra chegaram aqui em 28 de abril de 2004.

— E "aqui" é Mitrovica? O campo de refugiados onde os moradores locais tentaram queimá-los vivos em 1999?

— Isso mesmo. Eu diria que atualmente eles não são muito mais populares por aqui. Havia cerca de cem mil *roma* em Kosovo naquela época e noventa mil acabaram como refugiados. A história de sempre. Todo mundo os odeia.

Eu estava tendo dificuldades para entender minhas reações. Eu devia estar feliz por aquelas pessoas continuarem vivas.

— E o que aconteceu com eles quando voltaram a Mitrovica?

— Bem, eu mandei fotos, mas o café fica em frente ao acampamento.

Ele virou a câmera. O que vi não parecia muito melhor que Barupra: barracos com tetos de latão corrugado e laterais de lona ou tábuas desprotegidas. Como em Barupra, havia gente morando sob lonas azuis e, em um caso, numa velha barraca verde-oliva da agência de socorro humanitário da ONU. Roupas estavam penduradas nas cordas e, como sempre, havia pilhas de refugo de metal por toda parte. O chão era pura lama.

— A razão pela qual ainda existe espaço aqui no antigo campo é que houve muitas reclamações de que as pessoas estavam ficando doentes. Acontece que havia uma mina de chumbo bem perto daqui. O lugar finalmente foi fechado há alguns anos. Mas ainda tem uns trinta ou quarenta *roma* de Barupra acampados aqui.

— E quanto ao envenenamento por chumbo?

— O de sempre: crianças mortas, cegas, com todo tipo de problema. Alguns dos adultos têm problemas nervosos. Mas não há nenhum outro lugar para onde ir. A maioria do pessoal de Barupra está num campo melhor, um antigo alojamento da ONU, com pequenos prédios brancos. E muitos voltaram para a comunidade *roma* na cidade, Mahalla. Mas não há muitos deles aqui, Boom, onde quer que vivam, que tenham um pedaço de pau para chamar de seu. É tudo muito difícil.

— Sem final feliz para os *roma*?

— Não nesse filme.

No meu tablet, naveguei pelas fotos que ele tinha mandado: crianças usando roupas baratas e sujas, a maioria de short, como parecia ser o costume, independentemente da estação. Os adultos tinham a mesma aparência sofrida que eu havia notado antes. Usavam Crocs sem meias, jaquetas de poliéster e camisetas com slogans tão ridículos que ninguém conseguia vendê-las até que os *roma* as compravam por centavos. A visão começava a parecer desanimadoramente familiar.

— Foi fácil fazê-los falar?

— Fácil, não. Os jovens são mais acessíveis. Há alguns meses, antes de Kajevic ser capturado, eu não teria a menor chance com nenhum deles. — Fora mais ou menos o que eu tinha deduzido ao conversar com Merriwell. — Mas parece que caiu mel na minha sopa, Boom. — Ele queria dizer que havia tido sorte. — Você se lembra de Sinfi, de Lijce, a outra cidade *roma*? Você me falou dela.

Eu não me esqueceria dela tão cedo. Era a jovem bonita e muito magra que nos contara sobre as ameaças de Kajevic enquanto segurava a bebê de nove meses no colo.

— Eu estava andando pelo campo quando vi uma moça e pensei "Deve ser a irmã de Sinfi". — Ele devia estar se referindo ao braço com malformação. — Então perguntei a ela. E estava certo. Eu emprestei meu celular para ela ligar para Lijce. Ninguém aqui tem serviço internacional. Foi um reencontro feliz, Boom. Lágrimas de alegria. Virei amigo de todo mundo depois disso. Mas eles queriam ter absoluta certeza de que Kajevic estava preso. Mostrei algumas fotos da OTAN para eles.

— Então você agora é o cara mais popular das redondezas?

— Pode-se dizer que sim. Sabe, Boom, suspeito que alguns deles estão querendo dinheiro. É o jeito deles. Vão estender a mão já, já. Reparações, o que quer que possam conseguir. Você entende, né? Eles são pobres.

Eu não precisava dizer a ele como lidar com isso: não faça promessas, mas, ao mesmo tempo, não diga a eles que suas esperanças não são realistas. Era quase impossível lidar com os *roma* sem ferrá-los de algum modo.

— Aqui está o nosso amigo Ion.

Sem habilidades de diretor, Goos se esqueceu de virar a câmera, que devia ser a do laptop, que por sua vez estava sobre uma mesa do café. Mas, por fim, Ion surgiu ao lado dele. Era troncudo, com o rosto cheio, cabelo crespo e escuro e tão acobreado quanto uma moeda antiga. Tinha temperamento bonachão, sorrindo com frequência, a despeito da dentição, na qual dois dentes pareciam estar sozinhos na arcada superior. Vê-lo me fez voltar à infância e me lembrar de uma marionete chamada Ollie, um dragão com um único dente que escapava pelo lábio inferior.

Ion falava rápido em servo-croata e também conhecia algumas palavras em inglês, já que havia trabalhado para a CoroDyn. Mas Goos frequentemente o interrompia para poder traduzir.

Ele trabalhara na equipe de Boldo e dirigira regularmente para Attila e a CoroDyn. Em meados de março de 2004, havia trabalhado em vários comboios, recolhendo armas em diversas instalações na Bósnia e levando-as até o campo Comanche, para o que eu agora sabia ser o transporte aéreo até o Iraque. O comboio final não tinha seguido o padrão.

— Eles foram até Mostar e pegaram um carregamento de armas, doze caminhões, mas, quando chegaram perto de Tuzla, Boldo subitamente disse à metade deles, incluindo Ion, que levasse as armas e os caminhões para Barupra. Então os fez seguir para a entrada da caverna no meio da noite, o que não deixou ninguém muito contente, mas Boldo era ruim feito mijo de gato. Pela manhã, Ion e uns dez outros homens do vilarejo descarregaram as armas. Boldo ficou se pavoneando, sorrindo como uma raposa e dizendo que tinha um cliente para elas.

— Isso era novidade? — perguntei. — Ou Boldo negociava armas roubadas regularmente?

— Boldo era bom em roubar e no desmanche de carros — disse Goos depois de repassar a pergunta. — Mas armas, pelo que Ion sabe, eram novidade.

Goos e Ion conversaram novamente por alguns minutos. À tarde, depois que todas as armas foram descarregadas, Boldo, Ion e os outros motoristas voltaram até onde o restante do comboio os aguardava. Então foram até o campo Comanche, onde Boldo havia reportado o roubo. No dia seguinte, os homens que trabalhavam para ele esconderam as armas na caverna.

— Ion estava descansando lá em cima quando viu um carro levantando poeira no vale. Parecia um avião a jato deixando uma trilha de vapor. Estava a pelo menos cento e cinquenta quilômetros por hora.

Ion, como muitos outros *roma*, era um bom contador de histórias. Ele estava no meio do ato de enrolar um cigarro, mas foi capaz de fazer uma pantomina ilustrando a velocidade do carro, ainda segurando o papel aberto e cheio de tabaco na outra mão.

— O sedã estacionou na frente da caverna, e, mesmo lá de cima, Ion ouviu Attila gritando, furiosa como um gato preso no saco. "Cadê Boldo? *Cadê* Boldo?" Boldo saiu saltitando da caverna, e Attila caiu em cima dele. Foi uma discussão e tanto.

Ion fez um gesto de atirar.

— O que foi isso? — perguntei.

— Ele disse que, se algum dos dois tivesse uma arma, tiros teriam sido disparados, de tão furiosos que estavam.

— Ion ouviu a discussão?

— Ele e todos os outros que ficaram observando da estrada. Mas a maior parte foi em inglês, com um pouco de bósnio. Ele se lembra de Boldo dizer a Attila: "Quando generais roubam, são heróis; quando ciganos roubam, são ladrões."

Ion acrescentou algo, e Goos se recostou na cadeira. Claramente estava pedindo que Ion repetisse.

— Ion também se lembra de Boldo dizer a Attila: "Você disse que deveríamos roubar aquelas armas."

Fiz uma pausa.

— E como Attila respondeu?

Ion acendeu o cigarro e então mais uma vez fez o gesto de atirar com o polegar e o indicador.

— E qual foi a conclusão da discussão? — perguntei.

— Attila deu várias ordens. Boldo ficou contrariado. Attila ficou lá de pé, como uma mãe na frente do filho, enquanto ele pegava o maçarico de acetileno e cortava um dos caminhões.

— Como num desmanche?

— Sim, eles desmancharam uns dois e colocaram as peças na caverna.

— Você entende o que Attila estava fazendo? — perguntei a Goos.

— Não tenho a menor ideia.

— Ok.

— Assim que Attila foi embora, Boldo começou a zombar dela, dizendo que não aceitaria ordens de uma sapata. Finalmente, Boldo foi para a cidade. Ele geralmente fazia negócios escusos nos clubes de Tuzla, pelo menos naqueles que aceitavam ciganos.

Goos se virou para Ion a fim de ouvir.

— Certo — disse ele. — Na manhã seguinte, um cara cheio de espinha, de uns 20 anos, parecendo drogado e com os dentes acinzentados de metanfetamina, apareceu com tanto dinheiro que não cabia nos bolsos. Ion foi chamado até a caverna, e ele e vários outros carregaram dois dos caminhões que não foram desmanchados com cem armas de assalto, coletes à prova de balas, munição, RPGS e morteiros. Um negócio e tanto para Boldo. Cerca de quarenta mil keim. — Uns vinte mil dólares americanos. — Boldo entregaria tudo depois que anoitecesse.

— Ion fez a entrega?

Em resposta, Ion disse algo enfaticamente.

— Não. Boldo enviou três homens que o ajudavam regularmente com o roubo de carros, incluindo nosso amigo Ferko. Ion e Ferko eram amigos na época, então Ion ouviu a história do próprio Ferko mais tarde. Aparentemente, os caminhões e as armas foram levados até uma parte destruída de Doboj que tinha sido bastante bombardeada quando os sérvios expulsaram todo mundo.

"Ion não sabe exatamente o que Ferko viu ou ouviu, mas, quando voltou, Ferko estava furioso e começou a gritar com Boldo. No fim, Boldo sacou uma pistola para encerrar a discussão. Mais tarde, Ferko ainda estava puto e contou a Ion que Boldo estava negociando com Satã e aquilo não terminaria bem: entre a OTAN e os bósnios, qualquer pessoa na cidade que olhasse para aquelas armas acabaria no fundo de uma masmorra. Ferko o impressionou tanto que Ion nunca mais quis voltar à caverna."

— E quando exatamente foi isso, Goos?

— É apenas um palpite, Boom, mas talvez em 1º de abril.

— Duas semanas antes do ataque a Kajevic?

— É o que eu acho.

Goos trocou um aperto de mão com Ion e acenou para uma mulher que apresentou como Florica. Ela andava com o braço colado ao corpo. Uma mão minúscula e torta, escura e esquelética, brotava de sua manga. Só podia ser a irmã de Sinfi. Era muito mais baixa que a irmã e bem gordinha, usando uma saia comprida e um lenço na cabeça. Mas era sorridente e muito cativante. Ion continuou a circular no fundo.

Goos pediu a ela que repetisse o que tinha contado antes.

— Umas três semanas depois... — começou Goos.

— Em 20 de abril?

— Por aí. Dois soldados da Republika Srpska apareceram em Barupra. Boldo tinha negócios com muitos gendarmes, e ela achou que aqueles dois estavam lá pela mesma razão, mas não, eles disseram a Boldo, na frente de Florica e de metade do campo, que Laza Kajevic pretendia matar cada cigano seboso daquele campo porque o haviam entregado à OTAN.

— E como Boldo reagiu?

Do nada, Ion voltou para a frente da câmera e interpretou a cena entre Boldo e os soldados, caindo de joelhos com as mãos levantadas em súplica.

— Boldo jurou que era mentira. Ele agarrou dois dos filhos e jurou pela vida deles que não tinha feito aquilo. Ninguém em Barupra seria maluco de ir contra Kajevic.

— Mas alguém em Barupra fez exatamente isso, não fez?

— Na mosca, Boom. Eu e você erramos em várias partes, mas essa nós acertamos. Um dos *roma* disse à OTAN onde Kajevic estava.

— Ferko, talvez?

— É o que eu acho.

— E qual foi a reação em Barupra?

— Pânico. Kajevic, como você deve ter notado, é esperto como um rato. Ele não ameaça ninguém que possa fugir e se esconder. Desse modo, pode se divertir colocando a faca nas suas gargantas. A verdade é que eles já eram refugiados. Não tinham para onde ir nem como fugir. Não podiam pedir proteção à OTAN, porque a OTAN e os americanos prenderiam metade do vilarejo por ter roubado as armas. Todos os caminhões foram vendidos ou desmanchados.

— E o que Boldo disse?

Goos fez a pergunta a Florica.

— Boldo disse que não havia com o que se preocupar. Que os soldados acreditaram nele quando tinha dito que jamais havia falado com a OTAN. Além disso, se vissem os Tigres de Kajevic chegando, eles tinham cinco mil armas na caverna e podiam se defender. Uma família diferente ficaria de guarda toda noite, para garantir.

— Boldo ainda não tinha vendido o restante das armas?

— Não, não. Parece que foi proibido por Attila. Florica diz que algumas pessoas de Barupra queriam que ele distribuísse as armas entre as famílias, mas ele não quis nem ouvir falar disso.

Ion fez uma interjeição sarcástica e deu um sorriso amargo.

— Ion acha que Boldo temia que alguém atirasse nele e levasse o corpo para o Exército bósnio, como prova de que Kajevic não precisava matar ninguém. Mas o próprio Boldo passou a dormir com uma AK.

A cena em torno de Goos, especialmente a encenação de Ion, começava a atrair uma pequena multidão, principalmente de crianças. Naturalmente, algumas delas começaram a colocar o rosto em frente à câmera, e tanto Ion quanto ele tinham que mandá-las embora. Florica deu um tapa na nuca de um dos meninos; não foi um golpe forte, mas o suficiente para mostrar que estava falando sério.

— E em que momento do tempo estamos agora, Goos?

— Temos que estar na última semana de abril de 2004, porque, algumas noites depois, Ion e Florica acordaram e encontraram chetniks armados indo de casa em casa.

— O que aconteceu com as sentinelas?

Goos perguntou a Ion. Eu entendi a palavra "Ferko" na resposta.

— Ferko era a sentinela?

— Ferko e seus filhos e genros.

Ion metralhou algo durante um minuto inteiro.

— Ele diz — continuou Goos — que foi a última vez que ouviram falar de Ferko, até um mês atrás, quando ele apareceu aqui. Vai ter um *kris* daqui a duas semanas, você sabe, um tribunal cigano, para decidir se ele vai ser expulso. Ferko diz que salvou a vida de todo mundo. Mas eles acham que ele vendeu todo mundo.

— Alguma opinião a respeito, Goos?

— Bom, sabemos que Ferko assumiu os negócios de Boldo.

Pensei por um momento sobre Ferko, cuja imagem ainda não entrava em foco. Eu nunca havia sentido nele o tipo de malícia necessária para aquelas maquinações com os americanos.

Pedi que Goos conduzisse a testemunha de volta à chegada dos chetniks ao vilarejo, perto da meia-noite de 27 de abril. Antes que ele pudesse fazer isso, outra pessoa, Dilfo, surgiu na tela. Era um homem idoso, gordo e com um rosto que parecia um tomate. Era sogro de Florica e pai de Ion e Prako, o marido de Florica. Os três começaram a falar, e Goos precisou erguer a mão várias vezes para conseguir traduzir.

— Os chetniks eram muito organizados. A primeira coisa que Ion e Dilfo viram foi quando eles cercaram a casa de Boldo. E havia um comandante do lado de fora, que falava servo-croata e usou um alto-falante para mandar Boldo sair com as mãos para cima. Em vez disso, Boldo saiu correndo com uma Zastava e foi abatido pelos soldados quando não estava a mais de quatro passos da própria porta. O comandante atirou primeiro, e então houve tiros de ambos os lados.

Goos e Ion conversaram um pouco em servo-croata.

— Ion diz que qualquer um que conhecesse Boldo saberia que ele não se entregaria. Tudo aconteceu muito rápido. Boldo caiu. Então o filho saiu correndo, pegou a AK do pai e outro soldado atirou nele. Logo depois, o irmão chegou, gritando que Boldo jamais havia falado com os americanos e como podiam matá-lo assim? Eles tentaram desarmar Refke, o irmão, mais ou menos como Ferko afirmou durante o depoimento, mas ele também levou um tiro. Bem, eu ouvi umas quarenta versões diferentes dessa parte da história nos últimos dias. Nenhuma delas é igual às outras.

— Como sempre — acrescentei. Poucos seres humanos são capazes de manter seu poder de observação frio enquanto veem pessoas sendo mortas.

— Enquanto isso, os chetniks estavam indo de casa em casa, acordando todo mundo. No começo, os *roma* imploraram pelas suas vidas, pensando que Kajevic tinha vindo para matá-los, mas o chetnik no alto-falante ficava repetindo: "Vocês estão a salvo, vão voltar para Kosovo." Os soldados revistaram todo mundo e apreenderam os poucos celulares que encontraram. E os mandaram subir nos caminhões sob a mira de armas. Ninguém mais resistiu depois que Boldo e seus parentes foram mortos.

Dilfo, no centro da imagem, subitamente jogou as mãos para cima.

— A explosão? — perguntei.

— Exatamente — disse Goos. — O último caminhão estava a uns oitocentos metros da cidade quando eles ouviram a explosão lá embaixo. — Goos passou a traduzir diretamente o que Dilfo dizia: — "Estávamos nos caminhões há umas oito horas quando chegamos em Mitrovica. Vendo para onde estávamos voltando, o povo começou a chorar. E o comandante chetnik, que ainda usava balaclava, subiu num dos caminhões e disse, em servo-croata: 'Nós trouxemos vocês para cá para o seu próprio bem. Porque, mais cedo ou mais tarde, Kajevic e seus Tigres teriam matado cada um de vocês. Ele amaldiçoou todo o vilarejo de Barupra.' Como você sabe, Boom, os *roma* acreditam muito em maldições. E tinham ouvido as ameaças dos soldados bósnios de Kajevic.

"O comandante continuou: 'Ninguém pode saber que vocês estão aqui. Foi por isso que peguei os celulares. No que diz respeito a Kajevic, vocês estão todos mortos lá na caverna, e cabe a vocês fazerem com que ele continue pensando assim. Alguns de vocês vão querer contar aos seus parentes que estão vivos. Mas não podem fazer isso. Se Kajevic descobrir que o povo de Barupra continua vivo, vai caçar vocês. Cada um de vocês.'

"É claro que a maioria já estava com suas famílias e não tinha muita gente na Bósnia com quem falar. O Grande Homem que sucedeu Boldo teve uma conversa franca com cada família. E todo mundo prometeu que jamais diria a palavra 'Barupra' novamente. De qualquer forma, eles não gostam de falar com os não *roma*..."

— Os *gadjos*?

— Sim. Eles não gostam de falar com os *gadjos* sobre seus segredos.

— E eles sabem quem eram os homens mascarados?

Goos perguntou, o que fez com que os três começassem a falar ao mesmo tempo e discutir entre si.

— Eles discutem sobre isso até hoje.

— Estou vendo.

— Algumas pessoas acham que foram os Tigres de Kajevic, fingindo não ser. Ou algum outro grupo paramilitar, como os Escorpiões, fazendo o trabalho sujo dos Tigres. A família de Boldo tem certeza disso, de que eles foram até lá para matá-lo.

Florica disse algo, e Goos assentiu com a cabeça.

— Florica diz que os chetniks tinham documentos da OTAN para atravessar a fronteira de Kosovo. Ela estava espiando pela lona do caminhão. Talvez fossem alemães ou franceses.

— Mas as pessoas nos caminhões não reconheceram ninguém?

— Uma — respondeu Ion em inglês.

— O comandante chetnik — completou Goos. — Algumas pessoas dizem que aquele chetnik era um homem. Mas outras pessoas, como Ion aqui, dizem outra coisa.

Ion olhou diretamente para a câmera.

— Atee-la — disse ele.

— Attila? Em pessoa? — questionei.

— Sim, Attila. Olhe as fotos que eu enviei. Cuspida e escarrada. É Attila — respondeu Goos.

— Atirando em Boldo?

— É o que eu acho.

Goos agradeceu às três testemunhas e deixou que partissem. Então se sentou bem em frente à câmera, e seu rosto preencheu toda a tela.

Como um ato de disciplina intelectual, tentei refletir se ainda tínhamos algum caso. Era óbvio que os *roma* foram forçados a retornar a Kosovo sob a mira de armas, embora fosse difícil determinar se seriam eles ou eu mesmo os mais relutantes em vê-los no banco de testemunhas.

— Sabe, Goos, migração forçada é um crime de guerra no nosso estatuto atual.

— Sim, mas é realocação forçada se você leva as pessoas de volta para casa? Especialmente se faz isso para salvar suas vidas?

Eu estava naquele ponto limite em que muitos promotores bons se tornam maus, tentando justificar meses ou anos de trabalho duro e hipóteses erradas ao obrigar os fatos a assumirem a forma de um crime estabelecido.

— Terminamos aqui — concluí. — Certo?

— Certo, parceiro.

— Eu ainda tenho uma reserva no voo de amanhã para Cincinnati.

— Para quê?

— Vou tentar encontrar Attila. Ela tem uma fazenda de criação de cavalos no norte de Kentucky. Você se lembra das fotos?

— Com que objetivo, Boom?

— Bem, tem muita coisa que ainda precisa ser esclarecida. Quem fez Ferko começar a mentir daquele jeito? Por que Boldo disse que Attila tinha mandado roubar as armas? Mas, principalmente, quero encarar Attila e dizer que não gostei da maneira como ela jogou areia nos nossos olhos.

Conversamos um pouco mais. Nara tinha enviado uma mensagem enquanto isso, e eu estava ansioso para falar com ela.

— Mande uma selfie quando chegar lá — pediu Goos. — Não estou querendo criar confusão, mas é bom que haja provas da sua última localização. Existe mais coisa em Attila do que a gente consegue ver.

Isso parecia extremo, mas concordei.

Naquele momento, Dilfo voltou para dar um último recado a Goos.

— O que ele disse? — perguntei.

— Eles querem sair de Kosovo. Todo o povo. Dizem que Kajevic os transformou em prisioneiros daqui durante doze anos. Agora merecem ir para um lugar melhor. — Goos olhou para a câmera e acrescentou: — Um lugar onde sejam bem-vindos.

— Eu só queria ouvir sua voz — disse Nara quando atendeu.

— Quer que eu leia a lista telefônica?

— Eu estava pensando em algo como "Eu te amo".

Obedeci.

— Falei com Lewis. Ele vai chegar aqui em uma hora.

— Alguma ideia sobre o que ele tem em mente?

— Ele disse que está reconsiderando tudo. — Ela fez uma pausa. — Eu contei a ele sobre você.

— Ele ficou aborrecido?

— Muito. Mas eu não queria que ele viesse até aqui sem saber de nada.

De maneira geral, eu entendia essa posição.

— E o que você tem em mente? — perguntei, mesmo com a certeza de que ela não saberia realmente de nada até que o marido estivesse na sua frente, na casa que partilharam.

— Estou tentando seguir seu conselho e levar tudo em consideração. Mas não acredito que seja assim que as pessoas fazem escolhas nessas situações. Como se fosse um esquema decisório. Se apaixonar não é fácil, Boom. Certamente não para mim. Se você perguntar a quase qualquer pessoa do mundo se ela quer viver com ou sem amor, qual você acha que vai ser a resposta? As pessoas não escolhem ir contra o amor.

Ela era esperta. Mas aquela não era uma boa descrição das suas escolhas. Se Lewis dissesse as coisas certas, Nara poderia sentir algo diferente, o renascimento do que quer que os tivesse unido.

— Mas eu pensei muito sobre o que eu disse na outra noite, sobre você estar abrindo mão de mim.

— E?

— Acho que estou certa. Você quer que eu o abandone...

— Eu não quero que você me abandone.

— Uma parte de você quer isso para não ter que lidar com as dificuldades. Como você pode negar a alguém que ama a experiência de ter filhos? Mas como pode ser pai de uma criança se não deseja fazer isso? Então você me diz que eu preciso pensar para que você não seja forçado a escolher.

Eu não sabia como calcular a duração do nosso relacionamento, dados os meses que havíamos morado juntos de forma platônica. Mas, na minha conta rápida, Nara e eu estávamos juntos havia umas três semanas. Os casais frequentemente dizem, quando as coisas funcionam, que souberam que daria certo desde o primeiro momento, mas eu suspeitava que havia muita reformulação retroativa nessas declarações, por mais claro que tudo tivesse parecido na época. A parte mais sábia de mim estava ciente de que, mesmo que Nara se separasse de Lewis, levaria muito tempo até termos uma visão segura sobre nosso futuro. Em contrapartida, como homem que havia falhado em todo relacionamento antes desse, eu aprendera que nunca era cedo demais para dizer “Isso nunca vai dar certo” se você tivesse certeza de que era o caso. Narawanda estava com razão ao exigir que eu respondesse à sua pergunta, mesmo que uma resposta verdadeira parecesse muito mais elusiva que meus sentimentos em relação a ela.

— E eu tenho o direito de fazer essa escolha? — perguntei.

Isso pode ter soado como uma maneira de ganhar tempo, mas, para mim, parecia a ordem correta das decisões, o que meus clientes terceirizados chamavam de “caminho crítico”. Eu jamais seria capaz de chegar a conclusões falando de modo abstrato.

— Acho que sim — respondeu ela. — Mas vou dizer com convicção depois do fim de semana.

36.

Má pessoa — 11 de julho

No escritório de Attila, eu tinha visto fotos de sua propriedade no norte de Kentucky, mas, no auge do verão, a fazenda e a geografia circundante tinham um viço e uma serenidade que nenhuma fotografia conseguiria transmitir. Ela vivia a cerca de uma hora do aeroporto de Cincinnati, a meio caminho de Louisville, perto de Carrollton. O lugar dava para uma extensão tranquila do rio Ohio, muito parecido com o rio Kindle, ao lado de onde eu havia passado grande parte da minha vida, uma fita azulada de cetim entre as baixas colinas verdes. Seguindo o GPS até o endereço que havia recebido da assistente de Merriwell, eu me vi num interfone ao lado de mais um portão de lanças de ferro com detalhes dourados.

Uma mulher atendeu, com o sotaque forte mesmo ao dizer alô, e forneci meu nome, acrescentando que era amigo de Attila. Estava preparado para ser barrado — ela não está em casa, está ocupada, está doente, não conhece você, vá embora —, mas os portões automáticos se abriram, e entrei por elegantes ladrilhos franceses que percorriam uns bons quatrocentos metros. A casa, toda de pedra branca, mas com aquela grandiosa falsa aparência georgiana cafona, ficava bem no alto de uma elevação, atrás de vários hectares de gramado aveludado entre áreas de floresta.

A bela esposa de Attila, uma mulher de aparência imponente mesmo usando jeans, saiu lentamente da casa para me cumprimentar. Tinha cabelo preto e liso, reluzente como as asas de um corvo e descendo até o meio das costas, e olhos azuis que se destacavam a quinze metros de distância.

Desci do carro e me apresentei. Ela se chamava Valeria.

— Attila na loja — disse ela. — Volta logo. — Ela soava russa ou polonesa e não parecia ter chegado ao país havia muito tempo. — Você nome engraçado. Lembro Attila contou.

Ela me ofereceu café enquanto eu esperava e me convidou a entrar, passando pelas pesadas portas de carvalho na entrada, que era decorada com um brasão que certamente não possuía nenhuma relação com Attila ou com ela. A elegante cozinha, com seus tampos de mármore e eletrodomésticos embutidos nos armários de plátano, tinha saído diretamente de uma revista de decoração e rivalizava com o luxo que eu vira na casa de Ellen e Howard.

Valeria retirou uma xícara de café de um dispositivo cromado do outro lado da cozinha e se sentou no banquinho de couro preto perto do balcão, me indicando outro. O ar ficou um pouco mais pesado enquanto eu tentava descobrir uma maneira de iniciar uma conversa.

— Como você conheceu Attila? — perguntei.

Ela deu um sorriso tenso.

— Ela comprou.

Tinha que ser o sotaque.

— Desculpe, achei ter entendido que ela comprou você.

Valeria conseguiu dar um sorriso sombrio e irônico. A história, embora ela se esforçasse para lidar com a língua, era instigante. Valeria era de Tiraspol, na Moldávia, onde a transição pós-comunista para a economia de mercado havia gerado uma fase desesperadora de inflação, com nenhum trabalho e pouca comida.

— Mulher, Taja, diz: “Venha Itália ser garçonete.”

Taja havia tomado o passaporte de Valeria, supostamente para obter uma permissão de trabalho italiana. Mas, quando se apoderou do documento, forçara Valeria, junto com outras quatro garotas, sob ameaça de uma faca, a entrar num trailer para cavalos, no qual viajaram durante horas. Por fim, as garotas se viram num pequeno barco, fazendo uma viagem noturna para a Bósnia. Lá, ela e aproximadamente outras vinte jovens foram levadas até um celeiro e, sob a mira de uma arma, instruídas a tirar a roupa. Após a inspeção, foram vendidas. A mulher que havia comprado Valeria era dona de uma boate perto de Tuzla.

— Muito má, a mulher. Todo tempo ela diz seus filhos: "Batinela, batinela." — Batam nela, percebi. — Ainda ouvir quando dorme.

A primeira vez que Valeria recebera ordens para dormir com um homem, ela se recusara. Mas a dona do bar tinha um cliente que pagava bem pelo direito de ser o primeiro a espancar e violentar cada uma das mulheres.

— Nós vive quatro garotas em quarto atrás bar. Também lugar para clientes. Cheiros? Camisinhas no chão. Nunca lavar lençóis. Dorme seis horas, talvez. Uma vez por dia, comida, mas quatro, cinco homens. E ela, a chefe, diz: "Escapar? Você não tem documento de trabalho. Eu telefono polícia, eles levam você prisão."

Disseram a Valeria que, após seis meses, o débito que ela supostamente tinha com a dona da boate, referente ao custo de levá-la até lá, seria considerado pago e ela receberia seu passaporte de volta. Em vez disso, quando a data se aproximava, a dona informou que a jovem tinha um novo chefe, que havia pagado três mil marcos alemães por ela.

— Era Attila. Viu antes no bar. Era homem, eu pensando. — Ela abriu novamente seu sorriso zombeteiro. — Attila levou eu casa. Deu roupas, comida. Diz: "Você quer ir, ir. Mas você tão linda, eu choro." Eu diz: "Ok, uns dias." Attila boa. Muito boa. Muito gentil. Amo muito. Aqui, agora, tem tudo. — Ela ergueu as longas mãos para a cozinha e o paraíso acima.

Ponderei sobre a pergunta óbvia, mas concluí que, se alguém é obrigado a transar para se manter vivo, a ternura pode causar uma grande impressão.

— Você tem amigos aqui?

— Alguns. Igreja. Mas Skype o dia inteiro agora com Moldávia. Attila diz: "Como você aprende inglês, fala dia inteiro romeno?" Entendo inglês bom. Mas não falo.

Contei a ela sobre minhas dificuldades com o holandês nos meses anteriores. Foi então que a porta da frente bateu.

— Ei, amor, quem está aqui? — perguntou Attila.

Ela soava despreocupada, mas parou de supetão na entrada da cozinha ao me ver.

— Boom. — Attila se aproximou muito lentamente e me deu um aperto de mão, sem seu vigor usual. Suas estranhas feições estavam queimadas de sol, e seu senso de moda não havia melhorado. Ela usava chinelos, jeans com uma corda cumprindo o papel de cinto e uma camiseta que fazia um bom trabalho em esconder qualquer sinal de gênero. — O que você está fazendo aqui, cara?

— Eu queria fazer algumas perguntas.

— Eu achei que vocês não podiam investigar aqui nos Estados Unidos.

Eu já havia percebido por que ela fora para casa tão repentinamente.

— Não podemos — confirmei. — Eu estou aqui em causa própria.

— Só você e eu?

— Eu vou contar a Goos.

— E isso é tudo? Como se nunca tivesse acontecido? Eu não quero colocar o meu na reta.

— Você fez algo errado, Attila?

— Fiz, fiz, sim, porra. E você provavelmente já sabe disso a essa altura, não é, Boom?

Eu não estava pronto para dar nenhuma dica.

— Eu sei que você me contou uma bela história.

— Na verdade, não. Foi mais o que eu não disse. Eu gosto de você, Boom. E eu sempre disse que aqueles ciganos não estavam mortos.

— Mas você não disse que os tinha escondido.

Eu a havia surpreendido. Attila não mexeu um músculo enquanto me observava.

— Foi a merda daquele GPS, não foi? — Ela se referia ao único transmissor que surgira brevemente nas fotos aéreas. — Diga a verdade, Boom: eu preciso contratar a merda de um advogado?

— Olha, Attila, se eu relatar alguma coisa do que você disser, seja no tribunal, seja para qualquer um nos Estados Unidos, vou arrumar problemas para mim, porque não tenho permissão para estar aqui fazendo perguntas.

Ela tentou decidir se isso era bom o bastante. Joguei meu trunfo na mesa.

— Eu falei com Merry ontem.

— Hum...

Attila foi até o que descobri ser uma gaveta refrigerada na grande ilha central e serviu chá gelado numa caneca. Após servir uma caneca para mim, ela me conduziu até uma varanda telada. O ar estava pesado, muito mais úmido do que eu sentia havia bastante tempo, mas vinha uma brisa do rio e a vista de suas águas serenas era agradável. Estávamos alto o bastante para que pássaros e libélulas ziguezagueassem pelas árvores na altura dos olhos.

Contei a ela parte do que tinha descoberto: as armas, o Iraque.

— Tenho muitas perguntas. Mas talvez devêssemos começar com uma simples. Como um bando de ciganos arrumou armas para vender para Kajevic?

— Quem disse isso?

— Isso é mentira?

— Merda. Não, não é mentira. Eu só estava tentando saber como você descobriu isso tudo. Você é bom, Boom. Você e Goos. Vocês são bons no que fazem.

— Eu estou velho demais para você me dizer que sou bonitinho, Attila. Apenas me conte a história inteira.

Ela olhou para a caneca, usando o indicador de unha roída para desenhar na condensação sobre o vidro. Seu olhar ainda estava no desenho quando falou:

— Sabe, eu não sou uma má pessoa, Boom. Realmente não sou. Eu estava tentando fazer a coisa certa para todo mundo. Você vai ver. Às vezes, você simplesmente se afunda cada vez mais na merda.

Assenti com a cabeça, mas hesitei em oferecer qualquer consolo. Eu já havia ouvido muitas desculpas similares no meu escritório de advocacia.

— Sabe, Merry assume a culpa por todo esse lance das armas para o Iraque, mas eu ainda acho que foi ideia do seu amigo Roger. De qualquer jeito, é tudo uma grande besteira, cara. Toda essa merda de altamente secreto. A inteligência conduziu a operação toda com terceirizados. Nossas Forças Armadas jamais puseram as mãos naquelas armas, provavelmente para que pudessem negar se desse alguma merda.

"Dois dias depois que o primeiro carregamento saiu para o Iraque, eu recebi ligações agitadas da Zona Verde de Bagdá perguntando para onde diabos as armas tinham sido mandadas. Duas semanas depois, chega um telex da inteligência do Exército. Eles estavam recuperando rifles de assalto da al Qaeda no Iraque que tinham números de série registrados ou nossas gravações a laser, geralmente ambos. Os iraquianos tentaram queimar as marcas de identificação antes de venderem as armas, mas foram tão bons nisso quanto eram em todo o resto.

"Ok. Já era ruim o bastante termos enviado duzentas mil armas para o Iraque para matar soldados americanos, mas, não mais de duas semanas depois disso, logo depois de eu ter descoberto nas mãos de quem as armas estavam indo parar, Roger me liga dizendo que temos que enviar outro carregamento, com mais trezentas mil. Eu recusei essa merda, meu trabalho não era matar soldados americanos, canadenses, ingleses ou qualquer outro que estivesse do nosso lado. E ele disse que eu não entendia merda nenhuma do que estava acontecendo. Era um pandemônio. Eles precisavam restabelecer a polícia e os militares e, se cinquenta mil armas desaparecessem, paciência. Além disso, você já ouviu falar em cadeia de comando? Ele podia me substituir com uma ligação. — Attila fez uma pausa e agitou o queixo. — Eu odeio aquele babaca."

— Eu achei que você ia explicar como os *roma* conseguiram as armas que venderam para Kajevic.

— E estou explicando.

— Como assim?

— Tinha uns motoristas ciganos no meu escritório quando recebi a última ligação de Roger.

— E por que eles estavam no seu escritório?

— Pagamento. Os *roma* nunca ouviram falar de contas bancárias, então eu tinha que pagar em dinheiro. E eu sou a mandachuva, Boom. Na minha empresa, só eu lido com grandes quantias de dinheiro. Sempre foi assim.

— E quem exatamente estava lá quando você discutiu com Roger?

Attila ergueu o rosto e estreitou os olhos.

— Aquele babaca do Ferko está trabalhando para você?

— Attila, responda.

Ela fez beicinho.

— Bem, eu discuti assim com Roger mais de uma vez e não posso dizer com certeza quem estava lá, mas devem ter sido uns seis ou sete deles. Boldo. Ferko, imagino, e o irmão retardado de Boldo, Refke, porque os dois quase sempre estavam com ele. Três ou quatro outros que dirigiram aquela semana.

— Me fale sobre Boldo. Como você o conheceu?

— Boldo? Procura "ânus" no Google e vai achar uma enorme foto dele. Ele esteve na prisão de Dubrava, em Kosovo, até mais ou menos um mês antes de o acampamento dos *roma* em Mitrovica ser queimado, em 1999.

— Por que ele estava preso?

Attila deu de ombros.

— Pelo que soube, ele esfaqueou um cara num bar. Talvez tenha sido durante um roubo. Ele era ladrão. De qualquer modo, a OTAN bombardeou a prisão, os sérvios a invadiram e deixaram todos os não muçulmanos partirem. Por isso, Boldo estava com os ciganos quando eles foram para a Bósnia. E era meio que o Grande Homem por lá. Depois de um tempo, ele se envolveu com desmanche e roubo de carros.

— E você o empregou mesmo assim?

— Foi justamente *por isso* que eu contratei todos eles, Boom. Eu não queria que roubassem os meus caminhões. Como eles estavam na minha folha de pagamento, deixavam as minhas coisas em paz. Além disso, evitavam que outros roubassem, uma vez que Boldo era o cara que todo mundo procurava quando queria uma peça roubada. Quero dizer — disse Attila, me encarando. —, eram negócios.

— E quantos faziam parte daquele grupo?

— Talvez uns dez.

— Nomes?

Ela coçou o queixo e olhou para cima, tentando lembrar. Disse seis nomes, o de Ion entre eles.

— Muito bem. Você estava no seu escritório. Recebeu uma ligação de Roger e discutiu com ele enquanto os motoristas ciganos estavam lá, esperando para receber o pagamento.

— Certo. Quando desliguei o telefone, eu perdi a cabeça. Quero dizer, eu tive um ataque. Fiquei gritando em inglês, jogando coisas na parede, enquanto os caras me olhavam sem a menor ideia do que estava acontecendo. "O caralho que eu vou mandar armas para a al Qaeda no Iraque, mesmo que seja por Layton Merriwell. O caralho que eu vou deixar iraquianos malditos roubarem toda essa merda que milhares de soldados da OTAN arriscaram a vida para coletar. O caralho que vou! Se tivesse colhões de verdade, eu mesma roubaria as armas e mandaria todas elas para algum lugar onde não ferissem americanos." E continuei falando sobre como Merriwell tinha perdido a cabeça. Eu só me esqueci de uma coisa, Boom.

— O quê?

— Boldo falava inglês. Era o único. Os outros não falavam nem bósnio direito. Mas Boldo entendeu cada palavra.

— Opa.

— É, põe "opa" nisso. Minha habilitação de segurança ia escorrer pelo ralo se alguém soubesse que eu tinha deixado vazar toda aquela merda secreta. Eu disse a você antes: eu falo demais. Tenho tropeçado nos próprios pés a vida inteira. Eu sempre acho que sou muito interessante. — Attila se interrompeu, com os ombros estreitos encolhidos, e pareceu refletir por um momento. — De qualquer modo, finalmente fiz o que me mandaram fazer e recolhi outras trezentas mil armas. O último transporte estava prestes a decolar do campo Comanche. Na verdade, a gente atrasou o voo por algumas horas, esperando o último comboio, e aqueles ciganos apareceram dizendo que seis caminhões foram roubados durante a noite. Eu não fiquei muito preocupada. Eu queria que os aviões fossem embora de uma vez. Mandei um telex para Roger e para todo mundo lá no Iraque e relatamos o roubo para a polícia bósnia e para os investigadores criminais da OTAN.

"Mas, no dia seguinte, comecei a pensar no assunto. Olhei para as declarações de Boldo, Ferko e todos os outros, e eles sequer haviam tomado o cuidado de combinar as histórias. Nenhum deles dizia a mesma coisa sobre onde estavam durante a noite, qual era a aparência dos ladrões ou mesmo como os seis motoristas que tiveram os caminhões roubados voltaram para Barupra.

"Então eu corri até o campo de refugiados para falar com Boldo. Cheguei ao vale por trás e subi até a caverna. Sabe o que eu vi? As armas de Merry. Milhares delas. Zastavas. E munição. Morteiros e RPGs.

"Boldo chegou como se fosse o rei do lugar e a gente discutiu feio. E você sabe o que o imbecil disse? 'Você me disse para roubar aquelas armas. Todos esses homens ouviram você.'

"E eu falei: 'Se eu mandasse você ir se foder agora mesmo, você faria isso também.'

"E ele: 'Vou te dar metade do que a gente conseguiu. Acho que já tenho um cliente para uma parte.'

"Aí eu: 'Seu idiota, você pode saber tudo sobre roubar carros, mas não sabe merda nenhuma sobre esse tipo de coisa. Essas armas estão marcadas. Se você tentar vendê-las e alguém for pego com uma delas, vai revelar seu nome para as autoridades. A OTAN vai entrar no seu rabo com uma fresa e uma lanterna. Você vai direto para a prisão.' E tudo isso era verdade.

"Mas Boldo escutou, sorriu e disse: 'É, mas você me disse para roubar.'

"Ele estava me provocando, é claro. Mas não era idiota. Se eu o entregasse aos bósnios ou à OTAN, ele repetiria tudo que tinha me ouvido dizer ao telefone, sobre a al Qaeda, os iraquianos e Merriwell, e diria que tinha sido eu quem havia decidido roubar algumas armas para fazer o pouco que pudesse para impedir aquilo. Como resultado, eu acabaria ferrando Merriwell, perdendo o emprego e a habilitação de segurança e tendo que lidar com Boldo e sua gangue mentindo ao meu respeito."

Ergui um dedo para interrompê-la.

— Mas você não disse a ele para roubar as armas, disse, Attila?

Ela se afastou da mesa de supetão.

— Vai se foder, Boom. — E me fuzilou com os olhos.

— A resposta é não?

— Não. A resposta é não, caralho. Nunca. Você não acredita realmente nisso, acredita?

Em seus momentos vulneráveis, Attila era fácil de ser interpretada e claramente estava magoada, mas ainda levei um tempo para me assegurar sobre o que estava pensando.

— Não — respondi.

Eu a lembrei do ponto em que estava na história, que era a discussão com Boldo na frente da caverna. Seus ombros estreitos estremeceram, e ela suspirou antes de voltar a falar.

— Então eu pensei "Se a vida te dá limões...", certo? Eu disse a Boldo: "Seu babaca, você vai enterrar essas armas aqui mesmo. Bem aqui nessa caverna. Essa é a última vez que eu ou você vamos ver essas coisas." Quanto aos caminhões, eles causariam problemas demais se voltassem a aparecer. Então eu disse: "Isso é tudo que você vai conseguir. Pode desmanchar os caminhões e vender as peças. Mas você e esses idiotas não dirigem mais para mim. Acabou."

"Fiquei lá por um tempo, enquanto Boldo desmanchava o primeiro veículo.

"Uns três dias depois, recebi uma mensagem de Ferko, que estava se borrando de medo. Ele literalmente queria se encontrar comigo num porão e me fez jurar pela vida dos filhos que eu não tenho que eu jamais diria a ninguém o que ele estava prestes a me contar. Aparentemente, Boldo havia encontrado um garoto num puteiro de Tuzla e tinha feito um acordo para vender a ele dois caminhões e cem AKS, mandando Ferko e dois outros entregarem a merda toda em Doboj.

"Mas os caras que receberam o equipamento tinham a tatuagem dos Arkan, um tigre rugindo, nas mãos. E mais de um deles tinha rido e comentado como 'o presidente' adoraria a ideia de ter pegado as armas dos americanos. O garoto era parente de Kajevic e não parava de falar sobre 'Laza'. Ferko não é uma pessoa brilhante, mas é um sobrevivente.

"Ferko voltou correndo até Boldo e disse: 'Acho que acabamos de vender armas para Kajevic.' Mas Boldo riu na cara dele. 'E daí? A OTAN e os americanos não vão ficar sabendo. Eles não pegaram Kajevic durante dez anos e não tem praticamente mais ninguém aqui para pegá-lo agora.'

"Mas havia muita coisa de que Ferko não gostava. Primeiro, ele não gostava de Boldo. Ninguém gostava. E não gostava especialmente de Kajevic, que matou muitos ciganos. E não gostou de perder o emprego, já que eu pagava melhor que Boldo. Mas, o pior de tudo, ele não queria ser pego. Porque Ferko sabia que, se os bósnios descobrissem que ele estava envolvido na venda de armas para Kajevic, eles arrancariam sua pele um pedacinho de cada vez e encheriam cada ferida com o famoso sal de Tuzla. Sem exagero. Nenhum exagero. E, graças a Boldo, ele era o cara que todo mundo em Doboj tinha visto entregando aquela merda."

— Então você fez com que ele avisasse à inteligência do Exército sobre Kajevic?

— Não, Boom, eu procurei a inteligência. Fui *eu*. Eu disse: "Tenho um motorista cigano que jura que alguns deles venderam coisas do mercado negro para uns caras se escondendo em Doboj, e ele tem certeza de que é Kajevic."

"E, claro, a inteligência queria falar com ele, mas eu disse: 'Negativo. Ciganos não deduram ciganos. Os *roma* não vão simplesmente afogar o tagarela no lago Pannonica. Eles vão expulsar a família inteira.' O que era verdade, aliás. 'Aqui estão as coordenadas', eu disse. 'Estabeleçam uma vigilância e vejam por si mesmos.'"

— Mas você não mencionou as armas que Ferko havia entregado?

— Jamais. Eu disse que o cara que tinha me contado era um ladrão de carros e isso era tudo o que eu sabia. Eu estava tentando acobertar Ferko.

E Merry. Até aquele babaca do Roger. E a mim mesma. Se entregasse Boldo, ele colocaria a culpa de tudo em mim. Afinal, eu sou a porra de um cara branco.

— Por assim dizer.

Attila sorriu.

— Por assim dizer. — Ela fez uma pausa para levar o polegar à boca. A determinação com que começou a roer a ponta do dedo não era agradável de ver. — Mas, Boom, eu juro por Deus, nunca me ocorreu que a inteligência não perceberia que Kajevic e seus Tigres estavam armados até os dentes. Quão idiota é preciso ser para saber que um comboio de armas desapareceu a trinta quilômetros dali e não se perguntar se Kajevic estava por trás do roubo? Mas os militares são assim, Boom. Uma mão não sabe o que a outra faz. Os caras da OTAN que estavam procurando meus caminhões concluíram que eles foram roubados por jihadistas. Até hoje eu não sei por quê. Deve ter sido alguma informação que receberam.

"Então Kajevic estava esperando pelas forças especiais com um poderio de fogo com o qual os bobalhões sequer sonhavam. O resultado foram quatro soldados americanos mortos e oito em vários estágios de dor, e eu estava mais na merda do que podia imaginar.

"Uma semana depois, ficou pior. Primeiro, Kajevic avisou que mataria cada *roma* em Barupra, e Ferko começou a insistir que eu tinha que protegê-los.

"E a inteligência estava puta. Eles não precisavam que ninguém dissesse que tinham ferrado com tudo e estavam tentando descobrir como. E me procuraram dizendo: 'Chega de enrolação, a gente precisa falar com a sua fonte.'

"Então eu disse a verdade. Mais ou menos. 'Andei dando uma investigada e os malditos ciganos me enganaram. Eles roubaram as armas daquele comboio e as venderam para Kajevic. E ainda tem mais milhares delas. E, agora, porque a minha fonte fez a coisa certa e contou sobre Kajevic, ele e seus Tigres querem voltar e matar o campo inteiro.'

"É claro, no começo os caras da inteligência disseram: 'Parece uma boa ideia. Aqueles filhos da puta que se fodam! De jeito nenhum vamos proteger um bando de gente que vendeu os nossos soldados.'

"E eu respondi: 'Eu entendo, mas temos problemas maiores, que vão prejudicar nossa missão no país. Primeiro, se as armas que os *roma* roubaram forem vendidas aos Tigres, aos Escorpiões ou a algum outro grupo paramilitar, quem sabe do que eles vão ser capazes? Ou quem vai morrer ou ficar ferido para desarmá-los? Talvez aqueles filhos da puta dos ciganos façam o que a OTAN achou que tinham feito e vendam armas para um bando de jihadistas que vão enviá-las para o Hezbollah. Ou imagine que Kajevic realmente entre em Barupra e mate todos eles. Como fica toda essa merda de manutenção da paz? Não tem nenhum final feliz nessa situação. A gente tem que fazer alguma coisa, e tem que ser rápido.'

"Os caras com quem eu estava conversando responderam que iam falar com os chefes, e eu disse: 'Se vocês levarem isso para o andar de cima, eles vão enrolar por uma semana e algo ruim vai acontecer.' Merry tinha acabado de partir e os novos comandantes da OTAN ainda estavam tentando descobrir onde ficavam as latrinas.

"Naturalmente, o cara da inteligência perguntou se eu tinha uma ideia melhor. E eu tinha. 'Vamos nos livrar das armas e dos ciganos, levar os filhos da puta de volta ao lugar de onde vieram. Meu cara vai...'"

— Seu cara era Ferko?

— Exato. "Meu cara vai ficar aqui e dizer que homens mascarados chegaram e mataram todo mundo."

"E, Boom, não era um plano ruim. Tinha que ser um lance de justiceiros, porque ninguém no comando jamais assinaria a ordem. Mas não houve falta de voluntários na inteligência.

"Então lá estava eu, finalmente coordenando uma operação armada. Todo mundo tinha credenciais de funcionários civis da CoroDyn e autorizações da OTAN para cruzar a fronteira. Arranjamos as coisas para a noite em que Ferko e os filhos e genros estavam de guarda. Chegamos por trás, pelo lado da mina, e descemos até o vale, então protegemos a caverna e fomos até o vilarejo a pé. Eu sabia que Boldo estava dormindo com uma AK. Então, literalmente cercamos o barraco dele primeiro. Mas Boldo, cara... Boldo não queria saber de sair com as mãos para o alto."

— Quem atirou nele?

— Eu. Pelo menos o primeiro tiro. E também não esperei muito quando vi o rifle de assalto nas suas mãos. Vinte anos no Exército, Boom, e eu só tinha atirado em alvos. Provavelmente poderia ter esperado mais alguns segundos. Provavelmente. Quero dizer, eu odiava aquele filho da puta. Mas, mesmo assim... Não sei. Mas, quando as balas começaram a voar, as pessoas ficaram nervosas. — Attila levantou os olhos para mim. — Esse lance de combate é muito superestimado.

Ela refletiu por um momento sobre isso.

— Quando alguém puxa o gatilho, todo mundo quer puxar também. E foi assim que aquele pobre garoto foi alvejado. Por outro garoto não muito mais velho que ele. Boom, eu só fiquei lá parada, pensando: "Ok, é você que sempre resolve as coisas. Você precisa resolver isso." Simplesmente parecia impossível que não houvesse uma maneira de reverter algo que tinha levado menos de um décimo de segundo para acontecer.

Attila balançou a cabeça durante muito tempo.

— E quanto ao irmão?

— Ele era tão babaca quanto Boldo. Ele não *deixou* que eu salvasse a sua vida. Então também bateu as botas. É engraçado que todo o resto transcorreu de forma excelente: mover os *roma*, explodir a caverna. Levamos os ciganos para Kosovo e voltamos antes do amanhecer. E todo mundo acreditou na história de que Kajevic estava procurando por eles como se essa informação estivesse na Bíblia.

— E a recompensa de Ferko por dedurar foi ficar e assumir os negócios de Baldo?

— Isso mesmo. Alguém tinha que ficar para trás e dizer: foi isso que aconteceu. A gente precisava que a notícia de que todos os *roma* estavam mortos se espalhasse.

— E Ferko não estava com medo de Kajevic?

— Você está de brincadeira? Ele começava a gemer sempre que ouvia esse nome. Eu queria que ele dissesse que os Tigres mataram todos os *roma*, mas Ferko ficou com medo de ser tão explícito. Kajevic conseguiu o que queria, de qualquer jeito. Os *roma* tinham desaparecido. Ele provavelmente achou que os americanos os enterraram na caverna.

— Acho que sim.

— Então tudo ficou por isso mesmo, por mais triste que fosse. Os *roma* tinham desaparecido, assim como as armas que Boldo havia roubado. Até 2007, quando sua amante cigana apareceu, dizendo que tinha ouvido rumores terríveis sobre um massacre e queria uma investigação internacional. Eu disse a Ferko que a mandasse embora, o que ele fez várias vezes, mas então ela disse que montaria um caso circunstancial. Iria até Mitrovica para encontrar os parentes das pessoas de Barupra para que pudessem dizer que não tinham notícias deles havia anos. Foi uma merda. Se ela começasse a meter o bedelho em Mitrovica, falando romani, mais cedo ou mais tarde saberia da história toda. E ela não era uma cigana comum.

— Nem um pouco — concordei.

— Ela começaria a exigir registros e abrir a boca para a imprensa. Eu liguei para Roger.

— Vocês estavam se falando de novo?

— Não exatamente. Mas ele não podia ignorar as minhas ligações.

— E o que você queria dele?

— Eu achei que talvez ele pudesse dizer aos kosovares para mantê-la fora do país. Mas ele não podia. Pelo menos, foi o que disse.

— E você contou a Roger que os *roma* de Barupra estavam vivos?

Attila olhou para baixo, massageando as coxas enquanto pensava.

— Eu comecei, mas ele não quis ouvir. Disse que os ciganos eram problema meu. Mas deixou bem claro que o que tinha acontecido com a merda que havíamos enviado para o Iraque ainda era sigiloso. As pessoas estavam falando de Merry ser presidente, e todas as idas e vindas daquelas armas, quem roubou o que, de quem e quando, tudo isso receberia um monte de atenção, e isso provavelmente acabaria com todos nós se o Tribunal de Contas ou os jornalistas descobrissem. Então a gente não podia deixar Esma ir para Kosovo. Eu disse a Ferko que ele precisava conversar com ela e convencê-la de que todo mundo em Barupra estava morto.

— O que Ferko ganharia com isso?

— Bem, eu dei dinheiro a ele. Mas ele também não estava disposto a falar sobre nada do que tinha feito: roubar um comboio de armas, vendê-las para Kajevic ou delatar a coisa toda para mim. Ele tinha muita coisa para esconder. Então foi ótimo para todo mundo que ela tenha comprado a história.

Attila tinha evitado olhar para mim enquanto falava, mas me encarou naquele momento, ainda brincando com a caneca.

— Ok. Eu já pareço a maior babaca do mundo?

— Continue falando, Attila. Vou dizer o que acho quando tiver ouvido a história toda.

Ela viu um dos seus cães fazendo sujeira no gramado e se levantou para gritar com ele. Através da tela da varanda, pude vê-lo baixando o focinho de vergonha.

— Posso avançar um pouco? — perguntei, quando ela se voltou a se sentar na cadeira de ferro forjado. — Eu entendo por que você não queria que Esma fosse até Kosovo. Mas por que diabos Ferko teve que depor no meu tribunal?

— Eu disse para ele não fazer isso. Não havia nada a ganhar com aquele depoimento. Nada. Mas, com o tempo, ele ficou meio fascinado pela cigana. Muito interessado em deixá-la feliz. Ele nunca disse isso claramente, mas tenho certeza de que ela chupava o pirulito dele de vez em quando, ainda mais quando queria alguma coisa.

Goos ouvira Ferko dizer a Esma em Barupra: "Eu quero aquilo que você prometeu." Achei que a havia compreendido naquele dia em Manhattan, mas, com Esma, era impossível chegar à verdade. Na cama, Esma não mentia para ninguém. Podia fazer com que Ferko — ou Akemi — ou eu acreditássemos no que precisava que acreditássemos, porque podia agir com toda a liberdade. Essa era uma das grandes vantagens de não ter limites. Ela era persuasiva, dissera Merry. Os sociopatas sempre são.

— Eu disse àquele babaca: "Se você realmente quer depor, é melhor fazer direito. Se for até lá e se descontrolar, vamos estar todos na merda, incluindo sua gente em Kosovo. Kajevic vai mandar um bando de Tigres no primeiro trem se souber que eles estão vivos. Faça exatamente o que ela disser." Parece que ele gostou de todos aqueles ensaios. — Ela comprimiu os lábios para suprimir o sorriso. — Mesmo assim, ainda não consigo acreditar que as pessoas possam ser idiotas o bastante para acreditar num cigano.

— Como eu, por exemplo.

— Foi o seu pau que acreditou nele — comentou Attila.

Eu estava inclinado a discutir, mas não havia por quê.

— Ferko realmente enterrou Boldo e os parentes dele em Barupra?

— Não. A gente levou os corpos para Kosovo. Os parentes de Boldo eram os únicos que poderiam dar com a língua nos dentes. Mas eles estavam aterrorizados. Sabiam que Kajevic os mataria primeiro. E dei dinheiro a Ferko para enviar a eles todos os meses, dizendo que era sua parte nos negócios. Quando a investigação começou, Ferko contratou dois ladrões de sepulturas para levar os corpos de volta para Barupra.

— E quem os enterrou novamente?

— Ferko. Ele queria a minha ajuda, mas eu disse que era problema dele. "Tudo isso está acontecendo porque você quis testemunhar."

— E ele jogou algumas balas lá dentro para melhorar a história?

Attila levantou os olhos turvos para o teto.

— Eu mandei que ele fizesse isso. — Ela assentiu com a cabeça e começou a morder as unhas de novo. Uma das cutículas já estava sangrando. — O que você acha, Boom? Eu sou só uma canalha que conseguiu se livrar de muita coisa? Eu realmente estava tentando fazer a coisa certa a cada passo do caminho. Estava mesmo. Mas, em um mês, havia sete pessoas mortas na Bósnia por minha causa, por causa de todo aquele tiroteio, e outras oito feridas. E sei disso. Eu realmente sei. Não sinto orgulho do que fiz. Eu fodi com tudo. Penso nisso o tempo todo. Mas não sou uma má pessoa, Boom. Eu realmente não sou.

Attila gostava de se apresentar como durona, mas seus olhos estreitos se encheram de lágrimas enquanto ela aguardava minha avaliação.

Eu já ouvira essa declaração — não sou uma má pessoa —, ou alguma variante dela, de muitos clientes ao longo dos anos, e frequentemente havia seguido a piedosa recomendação dos pregadores de não julgar uma pessoa por seus piores atos. Mas a necessidade de Attila de absolvição vinha de um lugar mais profundo. Ela ouvira, durante grande parte da juventude, que havia algo errado com ela, e agora queria ser consolada.

Mas a justiça não deve poupar ninguém. Ela havia me dado o poder de pronunciar um veredicto, e era o que eu estava disposto a fazer.

— Primeiro, Attila, você pode se enrolar na bandeira americana e falar sobre os soldados no Iraque e sobre proteger Merry e Roger, mas tudo aquilo era sobre você, acima de tudo. Sua habilitação de segurança. Sua empresa. Seu dinheiro. Eu sei que tudo isso significa muito para você e compreendo as razões. Mas isso não é desculpa.

Attila assentiu com a cabeça, parecendo concordar. Eu não sabia se ela realmente achava que eu estava certo, mas não parecia disposta a discutir.

— Segundo, não compro essa história de que você ficou surpresa por acabar matando Boldo. Eu acho que você foi até Barupra esperando por isso. Você sabia que ele acreditaria que os Tigres tinham ido até lá atrás dele e que acharia melhor forçá-los a atirar, em vez de capturá-lo e torturá-lo.

Ela comprimiu os lábios por um momento, como se sentisse um gosto ruim na boca. Dessa vez, meneou a cabeça.

— Se ele tivesse saído com as mãos para o alto, Boom, estaria gordo e feliz em Kosovo, roubando tudo que pudesse. Mas eu não ia contar até três e ver quantos de nós ele conseguiria matar. A AK estava carregada, Boom. Você está dizendo que não teria atirado?

— Não, eu teria atirado em Boldo também. Mas teria percebido, ao montar o plano, que ele provavelmente envolveria matar um homem, e acredito que teria pensado duas vezes por causa disso. Eu sei que Boldo era um babaca, Attila. Mas, falando de um modo geral, isso não é um crime punível com a morte. Ainda mais a morte de outras duas pessoas, que basicamente eram inocentes.

Ela olhou para a mesa como uma colegial recebendo um sermão. Eu tinha a sensação de que minha avaliação a pegara de surpresa.

— E, terceiro, e o mais importante para mim, Attila, pouquíssimas pessoas em Barupra fizeram qualquer coisa para merecer ser deportadas sob a mira de armas. A OTAN poderia ter guardado aquele campo e o protegido de Kajevic. Mas você queria que os ciganos sumissem da Bósnia para que não pudessem revelar o que sabiam. Então os *roma* estão sendo envenenados por chumbo em Kosovo por duas razões: primeiro, para proteger você. E, segundo, para dar a um bando de caras da inteligência, que estavam furiosos e envergonhados por não terem deduzido que Kajevic estaria fortemente armado, a chance de descontar em alguém. E os ciganos sempre serviram bem para esse objetivo.

— Eu fodi com tudo, Boom. Como eu disse. Não estou pedindo que você me perdoe.

— E não perdoo, Attila. Você vai sair dessa sem nenhuma punição. Esse é o máximo de consolo que vai conseguir de mim. Não vou te dar um tapinha nas costas e dizer que agora está tudo bem e você pode esquecer tudo.

Nós nos encaramos durante muito tempo, até que subitamente Attila se levantou de sua maneira desconjuntada e saiu da mesa.

Fiquei em pé para contemplar o rio e a ribanceira que levava até ele. Os cães, ambos labradores pretos, corriam pelo pátio. Eu conseguia ver um pasto distante, com uma cerca e vários cavalos Appaloosa sacudindo as caudas para espantar as moscas. Aproveitei o ar puro e a riqueza do verão por mais ou menos um minuto antes de seguir Attila até a grande cozinha, onde a encontrei com as costas voltadas para mim e os braços em torno da esposa, que era bem mais alta.

Esperei um momento e disse:

— Você tem uma boa mulher, Attila.

Ela assentiu com a cabeça e pegou um guardanapo de papel no balcão, que usou para assoar o nariz e secar os olhos. Quando se virou para mim, seu rosto tinha um tom vermelho-vivo.

— Nisso nós concordamos, Boom. Boas mulheres são difíceis de achar. Espero que você tenha mais sorte. Eu avisei sobre a cigana, não avisei?

— Avisou, sim.

Attila me convidou para o jantar, mas eu realmente me sentia como tinha dito. Não me sentaria à mesa com ela e fingiria que não havia nada de errado. Eu tinha enviado para a penitenciária mais de uma pessoa cuja honestidade ou humor eu apreciara, ou mesmo alguém de quem havia gostado porque, essencialmente, era muito melhor do que se mostrara no momento de fraqueza em que cedera a um impulso ou à influência de alguém. Eu gostava de Attila. E me sentia mal por ela. E aceitava que as coisas escaparam de seu controle. Mas ela havia destruído muitas vidas.

Eu me despedi de Valeria com um beijo. Attila me acompanhou até o carro e trocamos um aperto de mão.

— Para onde você vai daqui?

A pergunta me surpreendeu, porque percebi quanto a estivera evitando. Eu ainda não tinha uma resposta de longo prazo. Sentia no peito um vazio devido à ansiedade, mas, na maior parte, à ausência.

— Vou levar meus filhos a um jogo amanhã. Depois disso, gostaria de voltar para Haia. Gosto do tribunal. Eu acredito no que eles fazem. Mas não tenho certeza se as estrelas estão no alinhamento correto para isso.

Eu podia ver a fofoqueira interna de Attila se contorcendo de curiosidade, mas ela parecia ter reconhecido que já não estava em posição de perguntar.

— Tomara que dê tudo certo — desejou ela. Então me lançou outro olhar taciturno, ainda ansiando pelo perdão que não receberia de mim, antes de me dar um tapinha no ombro e voltar para dentro.

Quando a bela porta de entrada bateu, meio que deslizei para o buraco emocional que tinha começado a se abrir dentro de mim pouco antes. Eu chegara ao momento que temera havia alguns meses em Haia, confrontando a realidade de que todos os meus esforços de renovação não levaram a lugar nenhum. Eu estava chegando aos 55 anos e havia me esforçado ao máximo para dar a mim mesmo a chance de ser feliz. Tentara fazer as coisas certas e descobrir o que importava.

Mas ali estava eu. Os vilões, quem quer que fossem, não seriam punidos. As pessoas de Barupra sofriam em Kosovo. E eu continuava sem casa. Que merda.

Acionei o botão de partida ao lado do volante, mas meu celular, no bolso da camisa, começou a vibrar. Meu coração disparou e me vi subitamente tonto de esperança.

Era Nara.

Nota do autor

Quanto disso é verdade? Todo romancista quer responder a essa pergunta da mesma maneira: tudo — e nada.

Vou ser um pouco mais direto. Frequentemente fui inspirado por eventos do mundo real. Contudo, esta é uma obra da imaginação. Nenhum personagem representa alguém que já viveu. Isso porque, mesmo quando comecei com ocorrências reais, eu as alterei para obter maior efeito dramático ou para atender a objetivos mais amplos da história.

Por exemplo, a despeito da deplorável história de abuso do povo *roma*, inclusive durante a Guerra dos Bálcãs, nunca houve um campo de refugiados *roma* perto da verdadeira base Eagle. Não estou ciente do massacre, comprovado ou alegado, de centenas de *roma* na Bósnia do pós-guerra, muito menos um no qual os soldados americanos da OTAN fossem suspeitos. De fato, pelo que ouvi, a reputação dos soldados americanos que serviram na base Eagle era excepcional, embora não se possa dizer o mesmo de nossos terceirizados militares. (Ver, por exemplo, o relatório da Human Rights Watch, volume 14, n. 9, D, "Esperanças traídas: tráfico de mulheres e meninas para a Bósnia e Herzegovina pós-conflito, para prostituição". Nova York, Human Rights Watch, 2002.)

Em contrapartida, o envio de centenas de milhares de armas da Bósnia para o Iraque, em agosto de 2004, incluindo o fato de que a disposição dessas armas jamais foi averiguada, está bem documentado por, entre outros, o Tribunal de Contas e a Anistia Internacional. (Ver Glenn Kessler, "Weapons Given to Iraq Are Missing" ["Armas enviadas ao Iraque desapareceram"], *Washington Post*, 6 de agosto de 2007; Anistia Internacional e TransArms, *Dead on Time: Arms Transportation, Brokering and the Threat to Human Rights* [*Morte na hora*: transporte e intermediação de armas e a ameaça aos direitos humanos], Londres, Anistia Internacional, maio de 2006. Ver também "Bosnian Arms Donated to Afghanistan Probably in Taliban's Hands — Researcher" ["Armas bósnias doadas ao Afeganistão provavelmente nas mãos do Talibã — Investigação"], BBC Monitoring International Reports, 14 de agosto de 2007; e Stephen Braun, "Bad Guys Make Even Worse Allies" ["Caras maus são aliados ainda piores"], *Los Angeles Times*, 13 de agosto de 2007, disponível em http://www.latimes.com/la-oe-braun13aug13-story.html.)

Nesse mesmo sentido, reconheço que às vezes não fui muito rigoroso com a geografia da Bósnia. A descrição das maiores cidades pretendeu ser precisa. Entretanto, as pequenas cidades que menciono são geralmente fictícias, assim como o monastério em Madovic, embora ele tenha alguma semelhança com outros monastérios na Bósnia e Herzegovina.

Em vez de transformar esta nota num artigo de direito, com intermináveis citações catalogando as peças de realidade que foram meus pontos de partida, postei no meu site (www.scottturow.com) uma série de notas, página a página, descrevendo parte do que me inspirou. Também incluí uma bibliografia das muitas obras escritas que foram centrais na minha pesquisa. Tenho uma profunda dívida para com seus autores.

Os leitores não vão ficar surpresos ao ouvir que escrever este livro me levou à Europa várias vezes, incluindo viagens à Holanda e à Bósnia. Jamais vou ser capaz de agradecer adequadamente às muitas pessoas que partilharam seu tempo e suas impressões comigo. Todos falaram sem impor condições para o que eu iria escrever, e suspeito que, em muitos casos, vão discordar das opiniões que eu ou meus personagens expressamos. Nenhuma das pessoas mencionada a seguir é responsável pelas minhas visões ou pelos erros que indubitavelmente cometi, a despeito de seus esforços. (E, aos muitos que preferiram não ser mencionados, permaneço consciente de sua ajuda e profundamente agradecido por ela.)

Primeiro, o Tribunal Penal Internacional. Como qualquer instituição, o TPI tem suas forças e fraquezas. Mas partilho com Boom a crença de que, devido à persistente realidade das atrocidades de guerra, o TPI é indispensável para a construção de um mundo mais justo. Espero que, com o tempo, os Estados Unidos forneçam sua autoridade moral ao tribunal, ratificando o tratado que assinamos. Dados os fundamentos legais para o exercício da autoridade do tribunal, vejo os medos americanos, embora longe de serem imaginários, como equivocados e em conflito com seus interesses de longo prazo no apoio ao Estado de Direito em todo o mundo.

Fui recebido no tribunal por vários oficiais: o juiz-presidente Cuno Tarfusser, a promotora Fatou Bensouda e o secretário Herman von Hebel. Também falei com muitos membros antigos ou atuais do TPI. O professor Alex Whiting, da Faculdade de Direito de Harvard, foi extraordinariamente generoso com seu tempo e fez muitas apresentações; também conversei com Sam Lowery, Julian Nicholls e Claus Molitor, entre outros.

Marie O'Leary, Dan Ivetic e Vera Douwes Dekker me ajudaram a entender a vida dos advogados de defesa em Haia, tanto no Tribunal Penal Internacional quanto no Tribunal Penal Internacional para a Antiga Iugoslávia.

A maravilhosa autora Jean Kwok e seu marido, Erwin Kluwer, me apresentaram à cozinha indonésia em Haia e responderam a incontáveis perguntas, nos dois anos seguintes, sobre a vida em sua cidade natal. Ambos leram um esboço inicial deste livro e corrigiram erros grosseiros e pequenos, incluindo dois que teriam se provado extremamente cômicos.

Meu entendimento de Haia e do ambiente diplomático local foi grandemente aprimorado durante minhas conversas com meus amigos, nossa ex-embaixadora na Holanda, Fay Hartog-Levin, e seu marido, Dan Levin. O embaixador Tim Broas também foi adorável o bastante para me receber na embaixada. Muitas das conexões que fiz na comunidade diplomática ocorreram com a ajuda de meus queridos amigos Julie e David Jacobson, David sendo tanto meu ex-sócio num escritório de advocacia quanto nosso mais recente embaixador no Canadá. Também tenho uma dívida para com Andrew Wright e Thea Geerts-Kuijper, pela sua hospitalidade enquanto eu estava em Haia. Obrigado também ao juiz aposentado Thomas Buergenthal, da Corte Internacional de Justiça, que conversou informalmente comigo sobre questões legais de âmbito global. Por fim, ainda em relação à Holanda, um muito obrigado ao habitante de Haia William Rosato, que ofereceu intrépidas sugestões para o roteiro deste livro.

Minha compreensão da Bósnia foi ampliada por muitas pessoas. Meus colegas de ensino médio, nosso ex-embaixador lá (e na Grécia), Tom Miller, e sua esposa, Bonnie Stern Miller, forneceram insights inestimáveis. Scott Simon fez a gentileza de partilhar algumas de suas lembranças da Bósnia, obtidas no tempo que passou lá como repórter (e como autor de um magnífico romance, *Pretty Birds* [*Belos pássaros*], que também me informou de muitas maneiras). Conversei várias vezes com Christopher Bragdon, que dirige a BILD, uma ONG comprometida com a reconstrução e a reconciliação da Bósnia. Meu conterrâneo de Chicago, o renomado autor Aleksandar Hemon, ofereceu conselhos periódicos sobre sua terra natal enquanto eu escrevia e gentilmente corrigiu erros num esboço inicial deste livro. Preciso oferecer palavras não somente de gratidão mas também de desculpas a Husagić Mesnur e aos oficiais da Rudnik soli Tuzla (Mina de Sal de Tuzla), que me receberam calorosamente, sem fazer ideia do mal que pode ocorrer na imaginação de um autor. Todos os eventos que Boom descreve numa diferente — e inteiramente imaginária —

mina de sal são completamente fictícios. Muito obrigado a Edin Selvic pelo dia que passou comigo, inclusive me levando ao local do campo Bedrock. Minha gratidão ao professor Eric Stover, da Faculdade de Direito de Berkeley, pelas nossas trocas de e-mails sobre questões de direitos humanos e antropologia forense, incluindo uma triste história que incluí no romance.

Na cidade de Poljice, Nazif Mujić, conhecido em todo o mundo pelo seu papel no premiado filme *An Episode in the Life of an Iron Picker* [*Um episódio na vida de um catador de ferro*], me recebeu em sua casa e, com a família e amigos, falou longamente sobre a vida dos *roma* na Bósnia. Obrigado também ao meu amigo Michael Bandler, que ajudou a expandir minha compreensão das questões internacionais relacionadas aos *roma*.

Ninguém foi mais útil em aprofundar meu entendimento da Bósnia que minha incomparável guia, Dajana Zildzic. Dajana me conduziu pelo país durante dias, falando honestamente sobre a Bósnia, e atuou como intérprete em várias entrevistas. Ela também revisou e corrigiu uma versão anterior deste livro. Finalmente, participou comigo de um pequeno projeto humanitário, com a assistência de Chris Bragdon.

Mudando de hemisfério, o estimado autor, defensor de autores e editor australiano Angelo Loukakis ajudou Goos a falar um inglês australiano melhor. Angelo também ofereceu comentários perspicazes sobre o manuscrito.

Mais perto de casa, recebi um valioso feedback sobre esboços iniciais do livro de Julian Solotorovsky e Dan Pastern; do meu agente na CAA, Bruce Vinokour; e das minhas filhas, Rachel Turow e Eve Turow Paul, assim como do meu genro Ben Schiffrin.

Gratidão eterna à melhor agente literária do mundo, Gail Hochman. Aplausos e gratidão a minha editora Deb Futter, que merece uma menção extraespecial por estar disposta a apostar num livro com um cenário amplamente estrangeiro, num sistema legal pouco familiar, assim como pelas suas incansáveis edições, que me desafiaram em vários esboços.

Por fim, amor e agradecimentos especiais à minha esposa, Adriane, que leu e comentou vários esboços. Mais especificamente, ela aguentou durante anos olhares subitamente distantes e frases interrompidas quando, no meio das nossas conversas, minha mente voava de volta a Boom.

Este livro foi composto na tipografia Adobe
Garamond Pro, em corpo 12/15, e impresso
em papel off-white no Sistema Cameron da
Divisão Gráfica da Distribuidora Record.